CW00400395

HISTOIRE DE LA FRANCE
AU XXe SIÈCLE

DES MÊMES AUTEURS

en poche

Le Fascisme italien, 1919-1945, Paris, Seuil, Points Histoire n° 44, 2002.

Histoire du XXe siècle, tome I, *1900-1945, la fin du monde européen*, Paris, Hatier, Initial, 1996.

Histoire du XXe siècle, tome II, *1945-1973, le monde entre guerre et paix*, Paris, Hatier, Initial, 1996.

Histoire du XIXe siècle, Paris, Hatier, Initial, 2001.

Histoire du XXe siècle, tome III, *De 1973 à nos jours, vers la mondialisation et le XXIe siècle*, Paris, Hatier, Initial, 2005.

Histoire de l'Europe, Du XIXe au début du XXIe siècle, Paris, Hatier, Initial, 2006.

collection tempus

Serge BERSTEIN
Pierre MILZA

HISTOIRE DE LA FRANCE AU XXe SIÈCLE

I. 1900-1930

PERRIN
www.editions-perrin.fr

ISBN : 978-2-262-02935-7

tempus est une collection des éditions Perrin.

Avant-Propos

Alors que le XXe siècle s'achève, le temps paraît venu de jeter sur l'évolution de la France depuis 1900 un regard synthétique. Depuis cette «Belle Epoque» où s'exprime la naïve confiance en une stabilité politique enfin atteinte dans le cadre d'une République consensuelle et en une puissance garantie par la richesse financière, l'avance technique et le rôle pionnier de «phare de l'humanité» jusqu'en cette fin de siècle qui voit le pays entrer pas à pas dans une entité européenne aux contours encore incertains, se déroule la grande aventure de la modernisation.

C'est autour d'elle, de ses origines, de ses facteurs, des aléas qui en marquent la réalisation, des résistances qu'elle suscite qu'est organisé le présent ouvrage et c'est par conséquent sa mise en œuvre progressive qui en constitue le fil directeur.

Toutefois, la modernisation est la résultante de multiples facteurs: contraintes de l'environnement international et de la conjoncture économique, modification des structures sociales, évolution ou résistance des mentalités collectives en fonction de l'adaptation ou du refus d'adaptation aux circonstances, règles du jeu politique et institutionnel, volonté des hommes enfin qu'on aura garde de ne pas négliger. Si bien que rendre compte de la modernisation de la France au XXe siècle, c'est tenter d'évaluer le poids relatif de ces divers paramètres dans les lignes directrices de l'histoire récente. C'est pourquoi le présent ouvrage se veut une histoire complète de la France durant la période considérée, retenant les aspects politiques du devenir national, les données des structures, de la conjoncture et des politiques économiques, les cadres sociaux dans leurs aspects statistiques, mais aussi qualitatifs, les approches des mentalités et le rôle de ces lignes de force qui déterminent la psychologie collective d'un peuple à un moment donné de son histoire. Enfin, une large place est faite aux rapports de la France avec le reste du monde, non seulement à ces relations internationales qui, outre les rapports diplomatiques, embrassent les brassages des peuples à travers les migrations, le mouvement des idées, les déplacements de capitaux, mais aussi à cette relativisation constante de l'histoire nationale que représente la comparaison du poids de la France dans le monde avec celui des autres nations, par quoi se mesure la perception de la puissance.

Cet essai d'explication de la France au XXe siècle ne débouche évidemment pas sur une vision linéaire de la modernisation. Celle-ci, on le sait, est faite de brusques périodes d'accélération contrastant avec des coups d'arrêt non moins soudains. Elle n'est nullement, d'autre part, la mise en œuvre d'un projet clairement délibéré, mais le résultat d'un faisceau de causes diverses dont une partie au moins échappe à la volonté consciente des hommes. C'est en fonction de ces données complexes que l'ouvrage s'organise en trois volumes dont chacun nous paraît représenter une séquence cohérente de cette histoire de la modernisation française.

Le premier volume qui couvre les années 1900-1930 montre comment le bouleversement dû à la Première Guerre mondiale, qui jette bas l'édifice de stabilité que la France avait cru atteindre à tous égards au début du XXe siècle, donne lieu tout à la fois à une tentative désespérée de retour à la «Belle Epoque», aspiration suprême de l'opinion, et à un début de modernisation des structures économiques, des conditions de vie de la société, des idées et des pratiques culturelles. Sans en prendre clairement conscience la France change de siècle dans le cours des années vingt.

La période de perturbations profondes qui s'ouvre au début des années trente et qui va durer plus d'un quart de siècle fait l'objet du second volume. La modernisation commencée dans les années vingt subit un brusque coup d'arrêt sur le plan économique et social du fait de la crise économique. L'incertitude sur les formules politiques à adopter face aux besoins de modernisation, la réflexion rendue plus urgente encore par la crise sur la remise à jour des idées, accroissent le trouble d'un pays sans horizon net et où se déchire le consensus. Le choc de la Seconde Guerre mondiale paraît conduire à l'écroulement l'édifice branlant d'une France incertaine. Et l'heureuse et surprenante issue de la guerre, si elle permet au pays de revivre, ne lui rend pas d'un coup de baguette magique la stabilité perdue. L'inflation, la mutation des structures sociales, la décolonisation, le jeu de la guerre froide, l'inadéquation des institutions politiques aux problèmes posés font durer le temps des Troubles jusqu'au seuil des années soixante.

C'est à ce moment, avec la grande croissance qui, dans tous les domaines, fait sentir ses effets qu'est pris le tournant irréversible vers la modernisation qui n'avait été qu'esquissé dans les années vingt et dont traitera le troisième volume. Cette modernisation atteint tous les aspects de la vie nationale. Elle touche bien entendu les structures économiques, elle modifie du tout au tout en un quart de siècle, le visage de la société française, elle bouleverse la vie quotidienne comme celle-ci ne l'avait jamais été à aucune époque de l'histoire, elle entraîne une transformation complète des cadres et des règles du jeu politique, elle fait sentir ses effets sur les mentalités, les pratiques culturelles et influence profondément la création elle-même. Mutation de grande ampleur et largement irréversible: la crise que subit la France (comme le reste du monde) depuis 1974 n'a pour effet que de modifier dans le détail le visage de la France de la croissance sans en remettre en cause les traits majeurs. Il reste à s'interroger, en cette fin de siècle et alors que s'ébauche la France du troisième millénaire, sur le poids de la France dans le monde et sur la place qui sera la sienne dans une Europe en voie de constitution.

I

La vie politique en France au début du XXe siècle

La France des débuts du XXe siècle vit dans le cadre de structures et de forces politiques héritées de l'histoire récente du pays, et tout particulièrement des luttes qui ont marqué le dernier quart du XIXe siècle.

Des structures politiques héritées de l'histoire

Depuis 25 ans, la France de 1900 vit sous le régime de la IIIe République. Celle-ci a été proclamée le 4 septembre 1870 par les députés républicains de Paris, dans le cadre du traumatisme qui a suivi l'effondrement militaire de l'Empire à Sedan. Mais cette République n'apparaît longtemps que comme un régime provisoire, dans la mesure où les élections de février 1871 à l'Assemblée nationale ont donné une majorité monarchiste décidée à promouvoir la restauration royale. Ce n'est qu'en 1875, devant les divergences qui opposent les monarchistes entre eux qu'une partie de ceux-ci, les orléanistes, partisans d'une monarchie parlementaire s'entendent avec les républicains pour accepter provisoirement le régime, à condition de le doter d'une Constitution qui, le moment venu, pourrait convenir à un souverain. La IIIe République hérite donc d'une Constitution semi-monarchique. A côté de la Chambre des députés, élue au suffrage universel et qui représente la face démocratique des institutions, existent en effet deux organes qui apparaissent comme préfigurant une future monarchie, la présidence de la République et le Sénat.

Elu pour sept ans par les députés et les sénateurs réunis en congrès, le Président de la République dispose de pouvoirs considérables. Chef du pouvoir exécutif, il nomme les ministres, désigne les titulaires des emplois civils et militaires et possède le droit de grâce. Il peut intervenir dans l'élaboration des lois en renvoyant au Parlement, pour une seconde lecture, une loi qu'il n'approuve pas. C'est lui qui reçoit les ambassadeurs étrangers et signe les traités internationaux, ce qui lui donne un poids prépondérant dans la définition de la politique étrangère du pays. Il est irresponsable, ce qui signifie que le Parlement ne peut lui demander compte de ses actes ni le renvoyer; du même coup, tous ses actes doivent être contresignés par un ministre qui, lui, est responsable et peut être interpellé par les députés. Cette irresponsabilité a pour conséquence l'affirmation d'un personnage dont la Constitution n'avait pas prévu l'existence, le président du Conseil. Il s'agit d'un des ministres que le Président de la République charge de constituer le gouvernement, de mettre en œuvre sa politique générale et de la défendre devant les Chambres, de manière à y maintenir la confiance de la majorité des parlementaires sans laquelle le ministère ne pourrait gouverner. Le jour où l'action d'un des ministres est condamnée par une majorité de députés, le gouvernement tout entier doit démissionner en vertu du principe de la solidarité ministérielle qui veut qu'un acte d'un de ses membres engage le gouvernement tout entier. La responsabilité du gouvernement devant les Chambres fonde le caractère parlementaire du régime de la IIIe République. Mais, bien qu'irresponsable, le Président de la République n'est pas sans armes devant le Parlement. S'il est en désaccord avec la majorité de la Chambre des députés, il peut dissoudre celle-ci après avoir obtenu l'accord du Sénat et demander au corps électoral de trancher entre lui-même et les députés. Ces pouvoirs considérables font qu'il suffirait de remplacer dans la Constitution le terme de «Président de la République» par celui de «roi» pour que la France devienne une monarchie constitutionnelle. Et c'est pourquoi, aux origines de la IIIe République, les plus intransigeants des républicains, les radicaux, exigent la suppression de l'institution présidentielle.

C'est aussi en raison de son caractère monarchique et conservateur qu'ils réclament également la suppression du Sénat. Celui-ci a en effet été conçu pour servir d'appui au futur souverain dans sa lutte éventuelle contre les députés élus au suffrage universel. Le Sénat dispose de fait de pouvoirs identiques à ceux de la Chambre, votant comme elle les lois et le budget — bien que, pour ce dernier, la Chambre doive se prononcer préalablement. En outre, le Sénat peut, à la demande du Président de la République, voter la dissolution de la Chambre. Enfin, constitué en Haute-Cour, il peut être amené à juger le Président de la République, les ministres et ceux qui sont accusés d'attentats commis contre la sûreté de l'Etat. Or cette Chambre puissante, constituée de 300 membres, n'est pas issue du suffrage universel. Elle comprend d'une part 75 sénateurs «inamovibles» (désignés à vie d'abord par l'Assemblée nationale, puis, après chaque décès, par le Sénat lui-même) et 225 sénateurs élus au second degré par des collèges électoraux dominés par les conseillers municipaux des communes rurales. Mode de désignation qui, dans l'esprit des constituants de 1875, devait garantir le caractère conservateur de cette assemblée et lui donner un rôle de contrepoids aux impulsions irréfléchies du suffrage universel.

Toutefois l'édifice ainsi construit devait trahir les espoirs de ses promoteurs dans la mesure où les luttes politiques de la fin du XIXe siècle modifient considérablement dans la pratique le jeu des institutions.

La crise du 16 mai 1877 et le triomphe du parlementarisme

Le premier problème que le texte constitutionnel avait posé sans le trancher était de savoir qui devait inspirer la politique du gouvernement: le Président de la République qui le nommait ou la majorité de la Chambre des députés, représentant le peuple souverain, devant qui il était responsable. Le premier terme de l'alternative conduisait à un régime présidentiel (en attendant une monarchie dont le souverain gouvernerait), le second à un régime parlementaire dans lequel la Chambre détiendrait la prépondérance. La crise du 16 mai 1877 qui voit le maréchal de Mac-Mahon, président de la République, renvoyer un gouvernement disposant de la confiance de la majorité de la Chambre pour lui substituer un ministère qui jouit de sa confiance personnelle porte le débat devant l'opinion. La Chambre ayant protesté contre la décision présidentielle et mis en minorité le nouveau gouvernement, le Président obtient l'accord du Sénat pour la dissoudre et organiser de nouvelles élections.

Le peuple est ainsi conduit à trancher entre la conception présidentielle et la conception parlementaire des institutions. Mais ce débat va se trouver faussé par la nature des forces qui s'opposent. Le Président de la République étant réputé monarchiste tandis que les champions du parlementarisme sont républicains, les termes du conflit vont se trouver réduits à un affrontement entre Monarchie et République: vouloir donner au Président de réels pouvoirs devient une attitude favorable à la monarchie; affirmer la primauté du Parlement est perçu comme une preuve d'esprit républicain. Dans ces conditions, la victoire des républicains aux élections d'octobre 1877 va avoir d'incalculables conséquences sur l'évolution des institutions.

Elle aboutit en effet à modifier l'équilibre des pouvoirs tel que l'avait fixé la Constitution de 1875. Désormais, la prépondérance absolue du Parlement dans les institutions n'est plus contestée. Chacun s'accorde à considérer qu'il n'existe aucun pouvoir supérieur à celui des élus du peuple souverain. Corrélativement, le pouvoir exécutif reconnaît sa subordination. Après la démission de Mac-Mahon en 1879, son successeur à la présidence de la République, Jules Grévy, s'engagera à ne jamais entrer en conflit avec la majorité de la Chambre, c'est-à-dire, en d'autres termes, à lui laisser l'initiative politique et à admettre qu'elle inspire la politique gouvernementale. La «Constitution Grévy», ainsi qu'on a ironiquement dénommé cette lecture par le nouveau Président des lois constitutionnelles de 1875, aboutit à laisser tomber en désuétude les moyens dont dispose le chef de l'Etat par rapport à la Chambre: le droit de dissolution, celui de demander une seconde délibération des lois ne seront plus jamais utilisés jusqu'à la fin du régime, tant ces armes seront désormais tenues pour des moyens suspects, indignes d'un véritable républicain. Conséquence naturelle de cet effacement du Président de la République: le gouvernement cesse en fait de dépendre du chef de l'Etat pour devenir l'émanation de la majorité de la Chambre. Dans la culture politique des républicains, république et parlementarisme deviennent désormais synonymes.

Cette volonté de minorer le rôle du pouvoir exécutif va encore se trouver renforcée par les souvenirs de la crise boulangiste.

La crise boulangiste et la hantise du césarisme

Entre 1887 et 1889, alors que le pays connaît une grave crise économique, que les faillites se multiplient, que le chômage gagne, que les scandales ébranlent le régime (Grévy doit démissionner en 1887, son gendre Wilson ayant été convaincu de s'être livré, depuis l'Elysée, à un trafic de décorations), la vague boulangiste déferle sur la France. En lui-même, l'événement est mineur: un général engagé dans la politique (il a été ministre de la Guerre en 1886-1887) et qui a su se rendre populaire par quelques réformes démagogiques et en préconisant une guerre de revanche contre l'Allemagne, devient l'idole de tous les mécontents. Républicains d'extrême gauche, radicaux ou blanquistes, nationalistes, bonapartistes, monarchistes se rassemblent autour de lui en espérant l'utiliser, et ce d'autant plus que le général professe des idées vagues dans lesquelles chacun peut se reconnaître. Durant quelques mois, entre mars 1888 et janvier 1889, il engage dans le pays une campagne plébiscitaire. Mis à la retraite et redevenu civil, il peut désormais se présenter aux élections (ce qui était interdit à un militaire en activité) et se présente systématiquement à toutes les partielles, démissionnant sitôt élu pour recommencer ailleurs. Cette campagne atteint son point d'orgue avec son élection triomphale à Paris en janvier 1889. Accusé par les républicains d'être un nouveau Bonaparte, de méditer un dix-huit Brumaire, Boulanger a été tenu par l'historiographie du régime pour un ambitieux méditant d'étrangler la République. En fait, il a toujours protesté de ses sentiments républicains; son programme «Dissolution-Révision-Constituante» propose une République à Exécutif renforcé; enfin, en dépit des efforts de certains de ses partisans, il se refuse à tout coup d'Etat au soir de son élection à Paris le 27 janvier 1889. Il reste que, la crise passée, le boulangisme en plein déclin et la République consolidée (les élections de 1889 marquent le reflux du courant boulangiste), le mythe du «brave général» pèse sur la culture politique républicaine. Pour un régime fondé sur le rejet du césarisme bonapartiste, l'aventure boulangiste fait revivre les vieux fantômes que la République tente d'exorciser depuis 1870.

Elle semble montrer que le danger d'une dictature fondée sur le suffrage universel et la pratique plébiscitaire pèse toujours sur le pays. Renforçant les leçons tirées de la crise du 16 mai, le boulangisme marque durablement la tradition républicaine.

En premier lieu, il donne droit de cité dans le modèle politique républicain à un Sénat longtemps décrié. La campagne plébiscitaire du général a fait craindre aux républicains que les élections de 1889 ne représentent un triomphe pour les boulangistes qui ont prouvé leur aptitude à mobiliser en leur faveur le suffrage universel. Du coup, le Sénat, désigné par un électorat de notables moins sensibles aux mouvements impulsifs de l'opinion que le suffrage universel, est apparu comme une barrière efficace contre une tentative boulangiste, puisqu'il était en mesure de s'opposer à toute révision constitutionnelle comme à l'adoption de lois démagogiques par une Chambre supposée gagnée au général. Dès lors apparaît dans le vocabulaire l'expression «Sénat républicain» et l'attachement aux institutions de 1875 dans leur totalité constitue désormais un critère d'attachement à la République.

En second lieu, le boulangisme va créer dans l'opinion républicaine une véritable psychose du césarisme, faisant rejouer la vieille crainte du bonapartisme. A partir de là, toute tentative de renforcement du pouvoir exécutif fait figure d'attentat contre la République parlementaire et de volonté de restriction de la liberté des citoyens supposée garantie par la prépondérance d'un Parlement soumis au contrôle des électeurs. De proche en proche, on en vient à l'idée que seul un Exécutif faible laisse aux Français la marge de liberté jugée nécessaire dans un véritable Etat moderne. L'ouvrage du philosophe Alain, publié en 1925, mais constitué d'articles écrits pour laplupart avant 1914, *Le citoyen contre les pouvoirs*, traduit par son titre une des convictions républicaines les plus fortement ancrées au début du XXe siècle. La subordination du pouvoir exécutif n'est donc pas le seul résultat d'une perversion des institutions due à la conjoncture historique, mais une exigence de la culture politique républicaine telle qu'elle a été façonnée par les luttes politiques de la fin du XIXe siècle, en particulier par le boulangisme et la psychose du césarisme qu'il a fait naître.

L'Affaire Dreyfus et la nouvelle conception de « l'esprit républicain »

Etre républicain au début du XXe siècle, c'est donc être non seulement un partisan inconditionnel du régime, mais encore un défenseur sourcilleux de ses institutions telles qu'on les pratique depuis le 16 mai et un adversaire résolu du pouvoir personnel, qu'il soit d'essence monarchique ou plébiscitaire. Mais cette définition large de l'esprit républicain ne serait pas complète si l'on n'y ajoutait les éléments supplémentaires que fait naître au tournant du siècle l'Affaire Dreyfus, qui représente pour toute une génération de républicains une expérience fondamentale.

C'est en 1898 que la condamnation pour espionnage du capitaine Alfred Dreyfus en 1894 apparaît comme une erreur judiciaire et débouche sur une grave crise politique, opposant violemment les Français et coupant en deux la famille républicaine. D'un côté, les partisans de la révision du procès qui se recrutent surtout à gauche, parmi les socialistes et les radicaux et se rassemblent autour de la *Ligue des Droits de l'Homme*, fondée pour la circonstance, défendent les droits de l'individu au nom de la vérité et de la justice contre les tenants de la raison d'Etat. De l'autre, les adversaires traditionnels de la République, monarchistes et catholiques font bloc avec les républicains de droite et les nationalistes pour refuser toute révision du procès et accuser le «*syndicat juif*» de se saisir de l'occasion afin «*d'insulter l'armée*» en remettant en cause un procès jugé par elle. Le culte de l'armée, l'autorité de la chose jugée, le respect des valeurs et des traditions nationales inspirent cette droite antidreyfusarde qui est représentée dans ce combat par la vieille association nationaliste créée en 1882 par Paul Deroulède, la *Ligue des Patriotes*, sortie par l'Affaire Dreyfus d'une léthargie chronique, par la *Ligue de la Patrie française*, constituée par des intellectuels autour d'académiciens qui témoignent ainsi que l'intelligence ne se situe pas exclusivement dans le camp dreyfusard, mais aussi par des associations de combat comme la congrégation des Assomptionnistes et son journal *La Croix*, fer de lance d'un catholicisme militant violemment antisémite ou par la *Ligue antisémitique* de Jules Guérin qui attaque les Juifs de manière quasi-obsessionnelle. L'élection en 1899, à la présidence de la République, du modéré prudemment révisionniste Emile Loubet à la place de Félix Faure, également modéré mais violemment antirévisionniste, puis la formation du *Gouvernement de défense républicaine* de Waldeck-Rousseau, appuyé sur le *Bloc des gauches* rassemblant l'ensemble des dreyfusards, socialistes, radicaux, modérés révisionnistes, assure la victoire du camp dreyfusard qui conduit dès lors contre les adversaires de la révision, nationalistes, catholiques et militaires une politique vigoureuse «d'action républicaine». A partir de là, le camp dreyfusard s'identifie à la République et en exclut ses adversaires, fussent-ils partisans du régime.

A partir de l'Affaire Dreyfus, être républicain, c'est donc aussi considérer que la défense des droits de l'homme passe avant la raison de l'Etat, que la vérité et la justice constituent des priorités absolues qu'aucun impératif, si élevé soit-il, ne peut faire passer au second plan. C'est aussi se ranger dans le camp des dreyfusards contre leurs adversaires: un républicain est naturellement anticlérical et partisan d'une politique laïque qui devrait peu à peu aboutir à effacer la dimension religieuse de la conscience des citoyens, montrer une méfiance systématique envers les pouvoirs d'autorité, portés à aliéner en fonction de leurs intérêts les libertés des citoyens, en particulier l'armée et la justice, ce qui ne signifie pas, bien entendu, négliger la défense de la patrie ou les exigences du droit. D'une manière plus générale, c'est défendre les opprimés contre les puissances établies. L'Affaire Dreyfus achève ainsi d'assimiler le camp républicain au parti du progrès en situant à gauche la légitimité républicaine.

L'ensemble de cet héritage historique rend compte des traits fondamentaux revêtus par les structures du régime comme par la culture politique dont se réclame la majorité des Français au début du XXe siècle.

Structures politiques de la France au début du XXᵉ siècle

La France des débuts du XXᵉ siècle est donc le modèle-type des démocraties parlementaires. L'évolution, assumée par les présidents de la République qui se sont succédé depuis Jules Grévy va dans le sens d'un effacement croissant du chef de l'Etat. Seul Jean Casimir-Périer, élu à l'Elysée en juin 1894, a tenté de réagir contre les effets de la «Constitution Grévy», mais, mesurant son impuissance à remonter le courant, il a préféré se démettre sept mois plus tard. Dès lors tous ses successeurs accepteront de se cantonner dans un rôle purement décoratif, laissant au président du Conseil le soin de diriger la politique gouvernementale et contribuant tout au plus, par leurs voyages à l'étranger et la réception des chefs d'Etat et des ambassadeurs, à la mise en œuvre de la politique étrangère du pays. Encore Armand Fallières, successeur d'Emile Loubet en 1906 renonce-t-il même pratiquement à jouer un rôle dans ce domaine, faisant franchir une nouvelle étape à l'amenuisement de la fonction présidentielle.

Or, si le véritable chef de l'Exécutif est le président du Conseil, on a vu que, depuis l'issue de la crise du 16 mai, celui-ci est en fait l'émanation du Parlement qui, de ce fait, joue le rôle fondamental dans les institutions. En apparence, cette prépondérance du Parlement s'incarne dans la Chambre des députés dont les membres sont élus tous les quatre ans au suffrage universel direct. Depuis 1889 ces élections se font au scrutin uninominal majoritaire à deux tours dans le cadre de l'arrondissement. Au début du XXᵉ siècle, ce mode de scrutin est de plus en plus attaqué: on dénonce en lui un type de scrutin favorisant les riches et permettant la corruption (en raison du nombre relativement réduit d'électeurs dans chaque circonscription), un scrutin qui conduit à se prononcer pour des personnalités (puisqu'il est uninominal) plutôt que pour des idées, enfin un scrutin qui pousse l'élu à défendre les intérêts exclusifs de la circonscription qui l'a désigné au lieu de prendre en compte les intérêts de la nation tout entière. Président du Conseil, Aristide Briand prononce en octobre 1909 à Périgueux un célèbre discours dans lequel il met en cause les *«mares stagnantes du suffrage universel»*. Une partie de la gauche (les socialistes) et la droite marquent leur préférence pour le scrutin de liste à la représentation proportionnelle, mais les radicaux (qui bénéficient des reports de voix des socialistes et des modérés) demeurent attachés au scrutin d'arrondissement dans lequel ils voient une des bases de leur puissance. Ces débats autour de la loi électorale s'expliquent en fait par le rôle fondamental des députés. Non seulement, ils votent les lois et le budget de l'Etat, mais encore ils dominent en fait la vie du gouvernement.

C'est en effet de la confiance de la majorité de la Chambre que dépend celle-ci: aussi le gouvernement est-il choisi dans cette majorité et la chute d'un ministère s'explique souvent, moins par des désaccords de fond sur la politique suivie que par des manœuvres et des ambitions personnelles de groupes de députés qui aspirent à entrer au gouvernement ou à y jouer un rôle fondamental. L'instabilité ministérielle apparaît ainsi comme la rançon du caractère parlementaire du régime et alimente dans le pays un courant endémique d'antiparlementarisme qui se manifeste de manière aiguë lors des grandes crises. Quant au gouvernement, sa marge d'initiative est limitée par sa préoccupation de ne pas perdre la confiance de la Chambre, ce qui aboutit à une certaine paralysie politique.

Pour être plus discret, le rôle du Sénat n'en est pas moins essentiel. La révision constitutionnelle de 1884 a quelque peu modifié ses traits initiaux. La catégorie des sénateurs inamovibles a été supprimée (par élection au décès de chacun d'entre eux) et le collège électoral quelque peu transformé pour tenir davantage compte de la population des grandes villes. Mais à ces correctifs près, les caractères de la Haute-Assemblée n'en ont été que peu modifiés. Elle demeure une assemblée dans laquelle le monde rural est largement surreprésenté. Toutefois, depuis 1876, ce monde rural s'étant largement rallié à la République, le Sénat est devenu républicain. Il n'en est pas moins resté profondément conservateur. Elus tous les neuf ans (avec renouvellement par tiers tous les trois ans) par des notables ruraux, les sénateurs se montrent peu sensibles aux fluctuations du suffrage universel et leur tendance naturelle est de se servir des pouvoirs considérables dont ils disposent pour corriger les tendances extrémistes de la Chambre issue du suffrage universel, qu'elles viennent de la droite ou de la gauche. A l'époque du boulangisme, le Sénat est apparu, on l'a vu, comme un possible brise-lames de la vague plébiscitaire. En 1896, il renverse le président du Conseil radical, Léon Bourgeois, lorsque celui-ci se propose d'établir l'impôt sur le revenu.

Au total, ces institutions républicaines apparaissent aux défenseurs du régime comme un modèle d'équilibre, en tous points conforme aux traits majeurs de la culture politique majoritaire dans la France de 1900.

La culture politique de la France des débuts du XXe siècle

Au cours des luttes politiques qui ont marqué la fin du XIXe siècle, les républicains n'ont cessé de défendre des valeurs qui ont, peu à peu, pris un caractère officiel, exaltées dans leurs discours par les dirigeants du régime, propagées par la presse, diffusées par l'école, reprises par les notables dans les cérémonies de distribution des prix, les allocutions du 14 juillet, les banquets républicains ou les réunions des comices agricoles.

Cette culture politique, largement admise par une majorité des Français, présente la IIIe République comme l'achèvement des promesses de la Révolution française et celle-ci comme le tournant majeur de l'histoire universelle. Avant la Révolution, c'est le temps de la longue nuit de l'histoire durant laquelle le peuple est opprimé par les Grands, la liberté confisquée par la monarchie absolue et l'arbitraire féodal, la raison tenue en lisière par l'autorité de la religion, les droits de l'homme foulés aux pieds par le bon plaisir des puissants. Avec la Révolution se lève une aube nouvelle où le peuple se libère de l'oppression qu'il subit, où la liberté est proclamée comme le bien suprême, où le privilège cède le pas à l'égalité devant la loi, où les droits de l'homme deviennent le postulat fondamental de l'organisation de l'Etat et de la société, où commence le long combat qui sera nécessairement victorieux pour le triomphe de la raison et de l'esprit scientifique sur les affirmations doctrinales de la théologie. Cette vision des choses donne donc à la Révolution et aux valeurs qu'elle a véhiculées une dimension éthique: la lutte pour la liberté, l'égalité devant la loi, les droits de l'homme, l'éducation qui fera pénétrer dans la population la raison et la science prennent une connotation morale; ils sont le bien qu'il faut faire triompher. A l'inverse tous ceux qui apparaissent comme les adversaires de ces valeurs sont tenus par le discours officiel pour les représentants des forces du mal: partisans du césarisme qui méditent d'aliéner la liberté, tenants de la monarchie qui souhaitent en revenir aux temps des privilèges et de l'inégalité, catholiques qui affirment le primat de la Révélation sur la raison représentent autant d'éléments négatifs qu'il faut combattre pour que le bien l'emporte.

La République apparaît ainsi porteuse des valeurs de progrès alors que ses adversaires sont tenus pour des partisans des époques révolues, des «réactionnaires» qui entendent remettre en cause les acquis de la République. Celle-ci n'a-t-elle pas octroyé aux Français les libertés fondamentales que l'Empire lui mesurait, liberté individuelle, liberté de la presse, liberté de conscience, liberté de réunion, liberté d'association? Ne les garantit-elle pas par la défense de ce régime parlementaire dont on a vu qu'il était considéré comme inséparable de la liberté? Ne s'affirme-t-elle pas comme porteuse d'égalité en établissant l'école primaire, gratuite et obligatoire, promesse de diffusion des Lumières, mais aussi de promotion sociale, et en décidant de réaliser par étapes «l'école unique», fusion des deux filières parallèles du primaire, réservé aux enfants du peuple et du secondaire, apanage de la bourgeoisie? Enfin n'est-elle pas porteuse d'un projet social que la législation républicaine favorise, celui de l'établissement d'une démocratie de petits propriétaires maîtres de leurs instruments de travail, individuellement ou en association?

Cette culture politique républicaine trouve même à s'appuyer sur les enseignements de la philosophie. La morale sociale dont elle est porteuse se réclame des catégories universelles que le néokantisme remet à la mode et qui fournit des principes à l'action politique des républicains. Mais surtout, elle trouve des racines dans le positivisme et sa conviction que l'humanité est en marche vers un progrès qui la conduit vers l'âge scientifique au cours duquel la raison et la science gouverneront les sociétés, et où la connaissance des lois de la «physique sociale» permettra de les organiser en conciliant ordre et progrès pour le plus grand bien de tous.

On ne saurait sous-estimer le poids de cette culture politique républicaine dans la France des débuts du XXe siècle. Elle imprègne les esprits et les mentalités, constitue l'armature de la société française et convainc le plus grand nombre que, dans l'histoire de l'humanité, la France montre une fois de plus la voie en offrant au monde le modèle le plus parfait d'organisation politique et sociale, celui qu'adopteront nécessairement les peuples du monde entier, à mesure que le progrès des sociétés et des esprits leur permettra d'y parvenir. Culture politique optimiste, promettant aux Français une amélioration permanente de leur sort, elle possède un considérable pouvoir d'attraction sur la société et constitue pour celle-ci un élément d'intégration puissant. Elle explique, pour cette raison, que la République apparaisse comme un régime accepté par la très grande majorité des forces politiques, alors que ses adversaires deviennent progressivement marginaux. Dans les années qui précèdent la Première Guerre mondiale, les deux principales forces qui contestent la République parlementaire ont, en effet, clairement échoué dans leurs entreprises.

L'échec des adversaires de la République : nationalistes et syndicalistes révolutionnaires

C'est dans la droite nationaliste que la République a rencontré après la fondation du régime ses principaux adversaires. Les monarchistes, vaincus ou ralliés à la République, les adversaires royalistes du régime ne représentent plus, après 1880, que le groupe très minoritaire des «conservateurs». En revanche, au carrefour de la tradition bonapartiste, autoritaire, plébiscitaire et qui entend faire appel directement au peuple par-dessus la tête des notables, et du courant d'affirmation nationale, assumé par la gauche jusqu'en 1871, mais revendiqué par la droite après la défaite, naît le nationalisme. Il trouve ses racines dans la volonté de revanche contre l'Allemagne qui a annexé l'Alsace-Lorraine en 1871. Objectif patriotique, défendu par la *Ligue des Patriotes*, fondée en 1882, par des hommes politiques républicains de mouvance gambettiste (l'historien Henri Martin, le futur président de la République Félix Faure) et qui est assurée dans un premier temps de l'appui du gouvernement. Mais les choses changent lorsque le principal dirigeant de la Ligue, Paul Déroulède, prenant conscience de la volonté des républicains d'éviter toute entreprise belliqueuse, affirme l'idée que le préalable indispensable à la Revanche est la modification du régime existant, le renversement de la République parlementaire, assimilée par lui au bavardage et à l'impuissance pour la remplacer par un régime fort, dirigé par un homme d'Etat autoritaire, et si possible un militaire, qui sera seul capable de redresser le pays et de le préparer efficacement à une guerre de revanche. Le courant nationaliste, et la *Ligue des Patriotes* en particulier, va constituer le fer de lance du mouvement boulangiste, et, après un certain déclin, connaît une seconde jeunesse avec l'Affaire Dreyfus, durant laquelle Déroulède tente d'entraîner un général à marcher sur l'Elysée. Mais ce nationalisme romantique dont le chantre est l'écrivain Maurice Barrès est en plein déclin au début du XXe siècle. La mort de Déroulède en 1914 (remplacé par Barrès à la présidence de la Ligue) lui porte un nouveau coup. A la veille de la guerre, la *Ligue des Patriotes* ne compte plus vraiment dans l'échiquier des forces politiques. A cette date, le relais du nationalisme a été pris par l'*Action française*.

C'est en 1898 que le journaliste Henri Vaugeois et l'écrivain Maurice Pujo fondent l'*Action française*, comité nationaliste qui rassemble des intellectuels hostiles à la République parlementaire. En 1899, ils sont rejoints par Charles Maurras qui va devenir le principal doctrinaire du mouvement et lui donner son originalité en réalisant ce qu'il appelle le *«nationalisme intégral»*, c'est-à-dire la synthèse du nationalisme et de la monarchie. Si, d'accord avec les nationalistes, il juge la République irréformable, c'est parce qu'elle est issue de la Révolution qui, en affirmant la primauté de l'individu, a détruit le corps social et donné le pas à l'économique sur le politique. Pour redresser la nation, il faut donc restaurer la monarchie héréditaire qui mettra en place un régime autoritaire décentralisé et balaiera le parlementarisme. Il faut ensuite éliminer de la communauté nationale tous ceux qui y sont étrangers, les *«quatre Etats confédérés»*, les Juifs, les Protestants, les Francs-Maçons et les «métèques» (les étrangers). Il faut enfin restaurer la puissance de l'Eglise catholique, élément constituant de la nation et que Maurras admire comme force d'ordre (alors qu'il repousse le message évangélique, œuvre de *«quatre juifs obscurs»*). Ces idées s'expriment à travers la revue *L'Action française*, fondée en juillet 1899 et qui paraît deux fois par mois jusqu'en 1908, date à laquelle elle devient un quotidien, dirigé par Maurras, Léon Daudet et l'historien Jacques Bainville. Le journal est délibérément violent, appelle à l'action directe contre la République, conduit des campagnes calomnieuses contre les Juifs ou les universitaires de gauche, mais bénéficie d'un réel prestige en raison de sa qualité littéraire. En dehors de cette influence intellectuelle qui est considérable, l'*Action française* se manifeste par une association politique, la *Ligue d'Action française* créée en 1905, un groupe d'action directe, les *Camelots du Roi*, fondé en 1908, et un cercle d'études né en 1906, l'*Institut d'Action française*.

Quelle est l'influence réelle de ce mouvement qui domine le courant nationaliste au début du XXe siècle? Le poids de ses idées est considérable sur les écrivains, les académiciens, les étudiants et les milieux intellectuels en général. Mais politiquement son audience est faible. Elle conquiert les salons bien-pensants du faubourg Saint-Germain, convainc les étudiants de droit et domine le Quartier Latin où elle interdit de cours quelques professeurs qui ne partagent pas ses idées. Mais en dehors de cette aire restreinte, à quoi il faudrait ajouter quelques antennes en province dans les milieux aristocratiques nostalgiques de la monarchie, elle ne mord guère sur la masse de l'opinion. Offrant à une jeunesse privée de perspectives par la monotonie de la République installée une doctrine d'action violente destinée à déstabiliser le régime, elle est en mesure de provoquer ici ou là quelque trouble qui défraie la chronique, mais paraît hors d'état de constituer une véritable menace.

Il n'en va pas de même de l'opposition de gauche à la République parlementaire que constitue le syndicalisme révolutionnaire. Celui-ci naît dans les dernières années du siècle de la fusion entre le mouvement anarchiste et la pratique syndicale. A partir de 1892, le mouvement anarchiste se lance dans une vague d'attentats destinés à briser par la violence la République bourgeoise et qu'il baptise la *«propagande par le fait»*. Pourchassés par la police, les anarchistes se réfugient dans les syndicats pour échapper à la répression et pour toucher les masses ouvrières qui leur sont nécessaires pour atteindre leurs objectifs. En fait, ils vont découvrir dans le syndicalisme l'organisation la plus propre à réaliser la société de leurs rêves. Dès lors, les anarchistes proposent aux syndicats une pratique d'action directe destinée à abattre la société bourgeoise par la grève générale révolutionnaire, ultime assaut des travailleurs contre le capitalisme. Quant à la société future qui remplacera la société bourgeoise après son effondrement, ce sera une société constituée de petites cellules de production dont le syndicat offre déjà le modèle, cellules échangeant leurs produits dans les Bourses du Travail. Ce sont ces idées qui s'imposent peu à peu au mouvement syndical et que la CGT naissante adopte solennellement en 1906 dans la charte d'Amiens. Or, sur le premier point au moins, elles reçoivent un début d'application pratique. De 1906 à 1910, la France connaît une série de grèves brutales conduites par les syndicalistes révolutionnaires et qui sont autant de tentatives pour préparer le «*Grand soir*» de la révolution. Elles donnent lieu à des incidents violents, à des heurts avec la police au cours desquels on relève des morts et des blessés: grèves des fonctionnaires qui réclament le droit syndical, grève des ouviers des carrières de Draveil (trois morts), grève des cheminots de Villeneuve-Saint-Georges, grève générale des chemins de fer en octobre 1909. Mais le mouvement échoue: le gouvernement n'hésite pas à réprimer énergiquement l'agitation en dépit de l'indignation des socialistes, et surtout, le syndicalisme révolutionnaire n'entraîne qu'une minorité d'ouvriers. La grande majorité demeure attachée au syndicalisme réformiste qui s'accommode des promesses de promotion sociale de la République. Entre la révolution violente prônée par le syndicalisme révolutionnaire et l'amélioration graduelle offerte par le régime, il est clair que la majorité des salariés a choisi le second terme de l'alternative. Après 1910, la vague de grèves s'apaise. Le remplacement en 1911 au secrétariat général de la CGT de Victor Griffuelhes par Léon Jouhaux va être l'occasion d'une nouvelle orientation, plus prudente, de la confédération syndicale, qui, sans abandonner ouvertement le syndicalisme révolutionnaire, cesse d'en mettre les idées en pratique.

L'assaut de gauche contre la République parlementaire a donc échoué. La capacité d'intégration du régime a fait ses preuves. C'est elle qui explique que pratiquement toutes les grandes forces politiques acceptent la République à la veille de la Première Guerre mondiale.

Des forces politiques qui acceptent le régime: la droite

A droite de l'échiquier politique (si on met à part les conservateurs royalistes), les diverses forces que les républicains au pouvoir considèrent comme ne faisant pas partie de la famille républicaine (en particulier parce qu'elles ont choisi le camp antidreyfusard et qu'elles rejettent la politique d'anticléricalisme militant) acceptent en fait le régime.

Ainsi en va-t-il des catholiques ralliés à la République qui, sous la direction de Jacques Piou et Albert de Mun, constituent en 1902 l'*Action libérale populaire*. Appuyée sur un réseau de 1 500 comités, revendiquant 200 000 adhérents, elle souhaite une République libérale mettant en place la décentralisation, accordant la liberté du culte et de l'enseignement, et pratiquant une politique sociale grâce à une organisation professionnelle constituée sur la base de l'association. Considérée avec suspicion par les républicains qui voient en elle un parti clérical déguisé, elle est par ailleurs en butte aux attaques des partisans du nationalisme intégral ou de l'intégrisme catholique qui lui reprochent ses concessions au régime. N'entraînant qu'une minorité de catholiques, elle parvient néanmoins à faire élire en 1910 une quarantaine de députés.

Beaucoup plus importante est la *Fédération républicaine* créée en 1903 et qui rassemble des républicains modérés qui ont choisi le camp antidreyfusard et des catholiques ralliés, également antidreyfusards. La *Fédération républicaine* est ainsi, au début du XXe siècle, le grand parti de la droite conservatrice, hostile à la politique laïque, défenseur de la tradition catholique, proche du nationalisme en matière de politique étrangère, attaché à l'ordre social, bien qu'il existe dans ses rangs des catholiques sociaux. Si elle accepte la République et le régime parlementaire, sa confiance va surtout au Sénat (où siègent nombre de ses dirigeants) pour freiner les initiatives des députés élus par le suffrage universel.

Cette droite trouve ses bases les plus solides dans l'ouest de la France où le rôle des grands propriétaires et du clergé reste fondamental et où le maintien des liens hiérarchiques favorise la prépondérance des notables. Mais elle est également bien implantée dans l'est où elle s'appuie sur la vigueur du patriotisme et l'importance du nationalisme, dans l'ancienne région royaliste du sud-est du Massif central et dans certains quartiers des grandes villes, par exemple à Paris où la classe moyenne conservatrice vote très à droite.

Mais, jusqu'en 1914, cette droite dont le républicanisme est suspect à la majorité se trouve généralement écartée du pouvoir.

Au centre-droit, un parti de gouvernement: l'Alliance républicaine-démocratique

C'est en octobre 1901 que les modérés qui, au cours de l'Affaire Dreyfus, ont soutenu le gouvernement de Défense républicaine de Waldeck-Rousseau décident de constituer un parti autonome, l'*Alliance républicaine-démocratique* afin d'échapper à l'absorption par le *Parti républicain, radical et radical-socialiste* qui s'est créé en juin de la même année et qui affirme avoir vocation de rassembler tous les «républicains», (c'est-à-dire tous les dreyfusards). Moins qu'un parti, l'*Alliance démocratique* est un rassemblement fort lâche de personnalités de tout premier plan qui ont déjà exercé ou aspirent à exercer des fonctions ministérielles. Elle se donne deux présidents: Adolphe Carnot, frère de l'ancien Président de la République Sadi Carnot assassiné par un anarchiste en 1894, et l'ancien gouverneur général de la Banque de France, Magnin. On compte parmi ses membres Louis Barthou, Raymond Poincaré, Maurice Rouvier, Eugène Etienne, Henri Chéron, Jules Siegfried, Joseph Caillaux, Jean Dupuy. L'Alliance reçoit l'appui des milieux d'affaires qui se reconnaissent dans ces grands notables modérés et de la presse à grand tirage, *Le Petit parisien, Le Matin, Le Journal*. Jusqu'à la fin de la IIIe République, l'*Alliance démocratique* et les groupes qui gravitent autour d'elle, *Gauche radicale* ou groupes parlementaires des *Républicains de gauche* ou de la *Gauche républicaine-démocratique* vont constituer les formations dans lesquelles se recrutent les hommes de gouvernement modérés, attachés au régime. On est ici en présence d'un groupe de fervents républicains, fortement attachés à la prépondérance du Parlement, et de convictions laïques. Ce parti, libéral, proche de la droite d'affaires n'est pas hostile à une certaine évolution sociale, à condition qu'elle soit lente, graduelle, parfaitement maîtrisée, et qu'elle soit supportable pour le monde des petites entreprises qui constitue le tissu économique de la France. Aussi son hostilité au socialisme est-elle totale et sa grande ambition est de réaliser avec les radicaux, la concentration (la conjonction des centres) en les éloignant de la tentation de l'alliance avec les socialistes.

Un grand parti de gauche : le Parti républicain, radical et radical-socialiste

C'est en juin 1901 que, dans la perspective des élections de 1902, est constitué le *Parti républicain, radical et radical-socialiste*. Au vrai, il s'agit moins d'une création que de l'organisation en un parti constitué d'un courant radical né au milieu du XIXe siècle, avec comme objet d'instaurer en France, par la réforme, la démocratie politique et sociale. Courant d'extrême gauche au début de la IIIe République, le Parti radical est devenu au début du XXe siècle un parti de notables de gauche aspirant à gouverner le pays. Son congrès de fondation en juin 1901 rassemble 78 sénateurs, 201 députés, 476 comités, 155 loges maçonniques, 849 maires, conseillers généraux et d'arrondissement, 215 journaux. Le caractère ternaire de sa dénomination s'explique par sa volonté de rassembler en vue des futures élections tous les membres de la famille républicaine. C'est la raison pour laquelle il ne se donne qu'un programme vague et des structures lâches. Grand vainqueur des élections de 1902 et de la plupart des élections suivantes (il n'y a jamais moins de 200 députés radicaux), il devient la force politique sans laquelle on ne peut espérer gouverner la France, le principal constituant de toutes les majorités.

Incarnation de la culture républicaine des débuts du XXe siècle, il s'identifie à l'anticléricalisme militant de la période et, de fait, ses références philosophiques en font un parti violemment hostile à l'influence de la religion sur la société. Mais son programme, fixé à Nancy en 1907, repose sur trois piliers:

— la défense des institutions républicaines, telles que la pratique les a fixées, c'est-à-dire la prépondérance du Parlement.

— un réformisme social progressif qui rejette à la fois la lutte des classes et le libéralisme pur pour préconiser des nationalisations et l'intervention de l'Etat afin de corriger les inégalités de revenus et de parvenir à l'abolition du salariat et à l'extension à tous de la propriété.

— enfin une politique étrangère fondée sur le patriotisme et la défense nationale, mais rejetant les excès du nationalisme comme ceux de l'antipatriotisme professé par une partie de l'extrême gauche, et fondant ses espoirs sur l'institution d'un droit international, les conflits étant réglés par un tribunal et une «Société des Nations» constituant l'assemblée internationale permanente où seraient discutés les problèmes mondiaux.

Le succès du Parti radical, au-delà de son programme, s'explique surtout par son identification aux aspirations et aux valeurs de la classe moyenne française dont il est la formation la plus représentative. La lecture de la République proposée par le Parti radical assure son audience et fait de lui un parti-consensus dans lequel peuvent se reconnaître tous les Français soucieux d'une gestion pondérée et progressiste de la République parlementaire: ne se déclare-t-il pas l'héritier des idéaux de la Révolution française? N'est-il pas le champion de la démocratie libérale à forme parlementaire qui apparaît comme la traduction institutionnelle des principes de la Révolution? Ne se veut-il pas le défenseur des «petits», promettant aux Français l'avènement d'une démocratie de petits propriétaires dans laquelle la promotion sociale sera ouverte aux plus méritants? Enfin, parti patriote, non cocardier, ne se montre-t-il pas soucieux de défendre tout à la fois la paix et la patrie?

Par l'image qu'il offre aux Français, le Parti radical apparaît comme le parti de la légitimité républicaine, celui dont la place normale est au pouvoir.

A l'extrême gauche, le Parti socialiste SFIO

Si les radicaux s'identifient clairement à la République et à ses principes, les choses sont moins simples pour les socialistes. C'est qu'au début du XXe siècle, il n'existe pas moins de cinq formations politiques qui se réclament du socialisme. Face aux révolutionnaires *(Parti ouvrier français* conduit par Jules Guesde, qui se réclame d'un marxisme doctrinaire et quelque peu étroit, et *Blanquistes* qui, sous la direction d'Edouard Vaillant, s'efforcent d'adapter à la légalité républicaine les conceptions d'action directe insurrectionnelle préconisées jadis par Auguste Blanqui), les socialistes réformistes ne comptent pas moins de trois familles: Broussistes ou possibilistes qui préconisent un *«socialisme du possible»* reposant sur la théorie des services publics dans le cadre municipal, Allemanistes du *Parti ouvrier socialiste révolutionnaire* qui rejettent l'intellectualisme des précédents au profit d'un respect quasi-sacré de la spontanéité ouvrière, d'un antimilitarisme militant et d'un antiparlementarisme virulent, enfin *Socialistes indépendants* groupe hétérogène dominé par les brillantes personnalités d'Alexandre Millerand, Jean Jaurès, René Viviani, Aristide Briand, partisans d'une présence gouvernementale des socialistes pour améliorer la condition ouvrière.

C'est l'entrée de Millerand dans le gouvernement de Défense républicaine de Waldeck-Rousseau aux côtés du général de Galliffet qui dirigea en 1871 la répression contre la Commune qui va conduire à une clarification provisoire. Pendant que Guesde et les Blanquistes condamnent le *«ministérialisme»*, encore appelé *«millerandisme»*, Jaurès et les socialistes indépendants défendant la présence de Millerand au gouvernement. Cette crise va conduire à la constitution, en 1901, de deux partis socialistes rivaux: le Parti socialiste de France (PSDF) rassemblant les révolutionnaires et le Parti socialiste français (PSF) réunissant autour de Jaurès les réformistes, possibilistes et indépendants, cependant que les Allemanistes et diverses fédérations des autres partis demeurent autonomes. Finalement, le désir d'unification étant le plus fort, Guesde et Jaurès décident d'y recourir, en faisant l'Internationale socialiste juge de leurs différends sur la doctrine (marxisme ou socialisme réformiste) et la pratique (ministérialisme ou refus de participation). Le Congrès de l'Internationale réuni à Amsterdam en 1904 tranche en faveur de la non-participation des socialistes aux gouvernements bourgeois et aux majorités bourgeoises et de l'adoption de la doctrine marxiste de la lutte des classes. Guesde l'emporte donc sur Jaurès qui s'incline. C'est sur ces bases qu'a lieu l'unification, prononcée les 23-25 avril 1905 à la salle du Globe à Paris, des diverses familles socialistes, donnant naissance au Parti socialiste unifié, section française de l'Internationale ouvrière (SFIO), cependant qu'un certain nombre d'élus, comme Millerand ou Viviani, décident de suivre l'exemple de Briand qui a pris ses distances en 1902 et de demeurer indépendants.

C'est donc un parti révolutionnaire qui, en théorie, se fixe comme objectif d'abattre la République bourgeoise qui sort du congrès d'unification. En pratique, le Parti socialiste des débuts du XXe siècle connaît l'influence déterminante de Jean Jaurès dont la volonté de trouver une synthèse entre socialisme et République, l'effort pour donner des réponses adaptées aux problèmes de la France des débuts du XXe siècle, la chaude éloquence, l'audience que lui donne le quotidien qu'il a fondé en 1904, *L'Humanité*, en font le véritable leader de la SFIO face à un Guesde enfermé dans des formules rigides et sclérosées. Sans renoncer à ses engagements de 1905, Jaurès assortit le but lointain que constitue la révolution marxiste d'une tactique à court terme de réformisme dont le but est d'obtenir une amélioration immédiate du sort de la classe ouvrière. Ce réformisme de fait explique le succès croissant du socialisme dans un monde ouvrier avide d'améliorations, mais aussi dans une classe moyenne qui y retrouve le thème de la promotion républicaine défendue par le régime. D'élection en élection, le Parti socialiste progresse. Aux élections de 1914, il obtient 1 400 000 voix et fait élire une centaine de députés, devenant ainsi une force politique de premier plan.

Mais ces succès et la généreuse éloquence de Jaurès ne font que masquer le problème non résolu, posé par la naissance de la SFIO. Est-il le parti révolutionnaire qui se fixe comme objectif d'abattre la République bourgeoise que définissent ses statuts et que souhaitent une partie de ses membres ? S'accepte-t-il comme le parti réformiste qu'il est devenu en pratique et pour lequel votent les électeurs ?

La vérité est que l'unification de 1905 a fait coexister, au sein d'un parti théoriquement marxiste et révolutionnaire, des hommes qui se réclament de traditions divergentes et qui n'ont accepté de les taire que pour permettre le rassemblement des forces socialistes. Que se pose un problème fondamental, et les divergences se font jour. Les hésitations des socialistes dans l'attitude à adopter sur le problème de la guerre mettent en relief l'hétérogénéité du parti né en 1905.

En fait le jeu des forces politiques au début du XXe siècle s'opère autour de trois grands débats successifs qui mobilisent les Français du début du siècle à 1914 et éclairent la position des partis: le conflit avec l'Eglise, la lutte contre la tentative révolutionnaire, la perspective de la guerre.

Les radicaux au pouvoir et le conflit avec l'Eglise

La politique de défense républicaine mise en œuvre par le gouvernement Waldeck-Rousseau, arrivé au pouvoir en juin 1899, comprenait un volet tourné contre les congrégations qui avaient activement milité dans le camp antidreyfusard. Intentant un procès contre la congrégation des Assomptionnistes et son journal *La Croix*, le président du Conseil s'était défendu de vouloir attaquer l'Eglise, bornant son action à la lutte contre ceux qu'il avait appelés les «*moines d'affaires*» et les «*moines ligueurs*». Il leur reproche leur richesse, mise au service d'une action politique antirépublicaine, leur influence sur la jeunesse qu'ils éduquent dans un sens antagoniste de celui de l'école publique, contribuant ainsi à compromettre l'unité nationale. Aussi décide-t-il de faire voter une loi permettant le contrôle des congrégations, la loi de 1901 sur les associations. Cette loi établit la liberté complète pour les associations civiles, mais exige pour les associations religieuses une autorisation délivrée par le Parlement, la congrégation devant par ailleurs tenir un état de ses dépenses et de ses recettes et dresser un inventaire de tous ses biens. Tout en déplorant le caractère de loi d'exception du texte à l'égard des congrégations, le pape Pie X, rassuré par les déclarations apaisantes de Waldeck-Rousseau qui promet la plus large tolérance dans l'application de la loi, permet aux congrégations non autorisées de solliciter l'agrément de la Chambre. 60 congrégations masculines, 400 congrégations féminines accomplissent la démarche exigée par la loi.

Le résultat des élections de 1902 va bouleverser l'équilibre envisagé par Waldeck-Rousseau. Elles vont se faire bloc contre bloc, Bloc des catholiques qui mène le combat contre les ennemis de la religion contre Bloc des gauches qui rassemble socialistes, radicaux et modérés de la nuance de Waldeck-Rousseau pour la «*défense de la République*». Le scrutin est un véritable triomphe pour les seconds qui, avec 368 sièges contre 222 aux conservateurs et aux catholiques, remportent une écrasante victoire. Celle-ci modifie en outre l'équilibre des forces au sein du Bloc. Les radicaux qui ont fait campagne pour une application intransigeante de la loi de 1901 sont plus de 250 et dominent la majorité. Waldeck-Rousseau, déjà malade, démissionne en mai 1902 et conseille au président Loubet de lui donner pour successeur l'un des dirigeants du Parti radical, le sénateur de la Charente, Emile Combes. Pendant près de trois ans, de mai 1902 à janvier 1905, le ministère Combes va pratiquer une politique largement mise en œuvre sous la pression des députés radicaux et à laquelle on a donné le nom de «combisme».

Le combisme est d'abord une politique d'action républicaine destinée à remplacer certains des cadres de l'Etat jugés d'esprit antirépublicain: membres des cabinets ministériels, préfets, sous-préfets, directeurs de préfecture ou de ministère, toute la haute fonction publique connaît une rigoureuse épuration qui permet aux radicaux de placer leurs amis aux postes-clés. L'épuration touche également l'armée. Ministre de la Guerre, le général André met à la retraite des officiers de sentiments monarchistes ou retarde leur promotion, alors qu'il favorise l'avancement des officiers réputés républicains. Sans aller jusqu'à supprimer l'inamovibilité des magistrats comme le demandent certains radicaux, le gouvernement se saisit des circonstances pour tenter de mettre en place une magistrature républicaine. Au total, c'est à un début de relève des cadres du pays que l'on assiste avec le gouvernement Combes. Celui-ci ne déclare-t-il pas dans une circulaire aux préfets après son arrivée au pouvoir que *«les faveurs dont la République dispose doivent être accordées à des personnages et des corps sincèrement dévoués au régime»* ?

Mais le combisme est avant tout marqué par une politique d'anticléricalisme militant que le président du Conseil avait annoncée dans sa déclaration ministérielle. Aux applaudissements des radicaux, mais à la colère de

Waldeck-Rousseau, il transforme la loi de 1901, de loi de contrôle qu'elle était en loi d'exclusion. Le gouvernement fait fermer par décret les écoles non autorisées de congrégations autorisées. En juin 1901, les Chambres refusent en bloc toutes les demandes d'autorisation déposées par les congrégations qui doivent se disperser et fermer leurs établissements. Enfin, franchissant un pas de plus dans l'escalade anticléricale, Combes fait voter en 1904 une loi qui interdit d'enseignement les membres des congrégations, même autorisées, et leur donne dix ans pour fermer leurs écoles. Il s'agit donc clairement de briser le système éducatif de l'Eglise, porteur d'une influence considérable sur une partie de la population. Si la loi recueille l'adhésion d'une majorité parlementaire dominée par les radicaux, les socialistes et une partie des modérés, elle entraîne de fortes résistances de la population catholique. Des heurts se produisent devant les couvents, en particulier dans l'Ouest; la troupe doit intervenir pour renforcer la gendarmerie lors des expulsions de religieux et des officiers préfèrent démissionner plutôt qu'obéir. De même, des juges se démettent refusant de faire appliquer une loi que leur conscience désapprouve. Enfin, même dans les milieux politiques républicains, certains déplorent le sectarisme dont le gouvernement fait preuve et regrettent les persécutions dont l'Eglise catholique est l'objet.

La politique d'anticléricalisme militant du combisme va avoir de graves conséquences: elle conduit la République à rompre ses relations avec le Vatican et mène à la séparation de l'Eglise et de l'Etat. L'application intransigeante de la loi de 1901 a, bien entendu, tendu les relations de la France avec le Saint-Siège mais la présence sur le trône de Saint-Pierre de Léon XIII, pape diplomate, permet qu'aucun acte irréparable ne soit accompli. Il en va différemment lorsqu'après la mort de Léon XIII, Pie X, beaucoup plus intransigeant, lui succède. Une série d'incidents aboutit à la dégradation d'une situation déjà mauvaise: en mars 1903, le Saint-Siège ayant protesté contre une visite du président Loubet au roi d'Italie, Victor-Emmanuel III, à Rome (que le pape considère toujours comme sa capitale, bien que l'Italie l'ait annexée en 1870), la France retire son ambassadeur auprès du Saint-Siège, proclamant sa volonté de ne plus respecter la *«fiction surannée d'un pouvoir temporel disparu depuis trente ans»;* franchissant un pas de plus, Combes décide, en juillet 1904, la rupture totale des relations diplomatiques avec le Saint-Siège après que le Vatican ait convoqué à Rome, à l'insu du gouvernement, deux évêques républicains.

Cependant, cette rupture pose un grave problème juridique. Depuis 1801 le statut de l'Eglise de France est réglé par le Concordat qui suppose un accord entre le gouvernement et le Vatican pour la nomination des évêques. Combes aurait souhaité perpétuer cette situation qui permettait à l'Etat d'exercer un contrôle sur l'épiscopat. Mais la rupture avec le Vatican empêche le fonctionnement du système. Combes se résigne donc à proposer un projet de loi sur la séparation de l'Eglise et de l'Etat. Déposé en novembre 1904, le projet n'est finalement voté qu'en décembre 1905 après de longues discussions au sein d'une Commission nommée par la Chambre, dont le rapporteur est le socialiste indépendant Aristide Briand. En dépit de l'intransigeance du pape et de certains membres du clergé, des surenchères anticléricales d'une partie des députés, Briand, homme politique diplomate, partisan de l'apaisement, s'ingénie à proposer une loi qui ne soit pas une machine de guerre contre l'Eglise. Le texte finalement voté revêt effectivement ce caractère: la République assure la liberté de conscience et le libre exercice des cultes, mais ne reconnaît, ne salarie, ne subventionne aucune religion. Les biens ecclésiastiques sont transférés à des associations cultuelles qui ont la jouissance gratuite et perpétuelle des édifices publics.

Toutefois, l'espoir de Briand de voir les catholiques accepter la loi sera déçu: en dépit de la volonté de conciliation de la plus grande partie des évêques, Pie X reste intraitable. L'encyclique *Vehementer* de février 1906 condamne la loi de Séparation et l'encyclique *Gravissimo Officii* de juillet 1906 interdit aux catholiques de constituer des associations culturelles. Dans ces conditions, le gouvernement décide d'appliquer la loi unilatéralement. Jusqu'en 1906, la situation reste tendue, l'inventaire des biens ecclésiastiques donnant lieu à de multiples incidents provoqués par les fidèles qui s'opposent à l'opération, ce qui nécessite l'intervention de la police et de l'armée. Pour arrêter l'agitation, Clemenceau, devenu président du Conseil en octobre 1906 décide de mettre fin aux inventaires.

La France sort donc de la crise du combisme avec un régime de séparation de l'Eglise et de l'Etat, les deux institutions apparaissant désormais comme totalement étrangères l'une à l'autre et la religion devenant une affaire purement privée.

Au moment où est votée la loi de Séparation, Combes a perdu le pouvoir. Sa majorité n'a cessé de s'affaiblir en raison des réticences de plus en plus vives que suscite sa politique anticléricale. Les modérés qui suivent Waldeck-Rousseau lui reprochent d'avoir dénaturé les intentions de ce dernier en durcissant la politique anticléricale. Une partie des socialistes, avec Jules Guesde, dénoncent dans la politique anticléricale un moyen d'éviter les réformes sociales indispensables. La gestion du ministère de la Marine par le redoutable polémiste radical Camille Pelletan entraîne la nomination d'une Commission d'enquête qui révèle que le ministre a provoqué la désorganisation de son département en favorisant nominations et promotions politiques, en soutenant les matelots insubordonnés, en témoignant d'une méfiance systématique envers les amiraux et en s'opposant à la construction de cuirassés. Le climat se dégrade encore lorsqu'éclate à l'automne 1904 «l'affaire des fiches»: les nationalistes révèlent que, pour démocratiser l'armée et favoriser les officiers républicains, le général André se sert de fiches établies par la franc-maçonnerie sur les opinions des officiers. Le scandale ébranle le gouvernement et une partie des radicaux se détache de lui. Clemenceau fustige le «*jésuitisme retourné*» que constitue le combisme et Paul Doumer prend la tête d'une opposition interne à la majorité. En janvier 1905, après l'élection de ce dernier comme président de la Chambre, Combes démissionne. Il est remplacé par le banquier modéré Maurice Rouvier qui aura pour tâche principale de faire voter la loi de Séparation de l'Eglise et de l'Etat.

La lutte contre la poussée révolutionnaire (1906-1910)

Jusqu'à la veille de la Première Guerre mondiale, la majorité de gauche issue du scrutin de 1902 ne cesse de se renforcer, ce qui explique son identification à la République elle-même. En 1906, les anciens partis du Bloc des gauches gagnent une soixantaine de sièges, rassemblant 411 députés sur 585 (dont 90 «républicains de gauche» et 247 radicaux, les socialistes SFIO passant de 41 à 54 et les socialistes indépendants de 14 à 20). En 1910, ils sont 449 (93 républicains de gauche, 252 radicaux, 74 SFIO et 30 socialistes indépendants). Cette écrasante domination des radicaux dans la majorité de gauche explique que l'on ait qualifié de «République radicale» cette période des débuts du XXe siècle.

Mais, depuis 1905, la majorité de «Bloc des gauches»

a vécu. La chute de Combes d'abord, la formation du Parti socialiste SFIO avec sa doctrine révolutionnaire et anti-participationniste ont eu raison de la majorité du Bloc. En dépit des efforts de Jaurès, les socialistes se retirent de la majorité. Au même moment, la victoire du syndicalisme révolutionnaire au sein de la CGT fait naître la vague d'agitation sociale évoquée plus haut. Si bien qu'à partir de 1906 le conflit avec l'Eglise laisse place au premier rang des grands problèmes nationaux à la question sociale. C'est elle que devra affronter Georges Clemenceau qui devient président du Conseil d'octobre 1906 à juillet 1909. Considéré comme le chef de file des radicaux (bien qu'il n'appartienne pas au Parti radical), Clemenceau se situe résolument à gauche, politiquement et socialement. Il appelle au ministère de la Guerre le général Picquart, jadis sanctionné par la hiérarchie militaire pour avoir révélé les irrégularités et les faux qui ont abouti à la condamnation de Dreyfus. Il crée un ministère du Travail confié au socialiste indépendant René Viviani et annonce son intention de résoudre les problèmes sociaux par la réforme. Pour donner à l'Etat les moyens de cette intervention sociale, il charge son ministre des Finances, Joseph Caillaux, de mettre en place une nouvelle forme de fiscalité, l'impôt sur le revenu. Et surtout, il forme le projet de répondre à une vieille revendication syndicale en établissant le journée de huit heures.

La poussée d'agitation sociale, stimulée par le syndicalisme révolutionnaire ne lui en laissera pas le loisir. Avant même de devenir président du Conseil, Clemenceau, comme ministre de l'Intérieur, doit réprimer la manifestation organisée par la CGT pour le 1er mai 1906. Ensuite, et jusqu'en 1909, il devra, sans discontinuer, affronter grèves perlées, grèves partielles, sabotages, débrayages dans l'industrie de l'électricité, l'alimentation, le bâtiment, chez les inscrits maritimes, les fonctionnaires, les cheminots, les ouvriers des carrières etc. L'agitation la plus grave est celle qui se déroule en mai-juin 1907 dans le Midi viticole. La surproduction et l'effondrement des cours provoquent une véritable révolte qui aboutit à des affrontements sanglants à Narbonne, Perpignan, Béziers. La sous-préfecture de Narbonne est incendiée. Envoyé pour réprimer la révolte, le 17e de ligne, recruté dans la région, se mutine et prend fait et cause pour les émeutiers. Les populations soulevées dressent des barricades. Clemenceau ne réussit à rétablir la situation qu'en mêlant répression et manœuvres. Il envoie la troupe, fait arrêter quelques-uns des meneurs et discrédite le principal organisateur de l'agitation Marcelin Albert, avant de prendre des mesures de clémence et des mesures législatives qui permettront de ramener le calme.

Face à l'agitation sociale, Clemenceau n'hésite pas à utiliser la force pour combattre le désordre, provoquant dans le monde ouvrier une flambée de haine contre lui. Son ministère est désigné par affiches comme un *«gouvernement d'assassins»* et lui-même comme la *«bête rouge»* ou *«le premier flic de France»* (titre dont il se glorifie). Mais sa politique contribue un peu plus à disloquer ce qui reste du Bloc des gauches. Bien que, dans leur majorité, les socialistes désapprouvent les pratiques du syndicalisme révolutionnaire, ils combattent la répression gouvernementale par solidarité ouvrière et se font à la Chambre les porte-parole d'une opposition de gauche au gouvernement. Les joutes oratoires entre Clemenceau et Jaurès constituent les grands moments politiques de ces années 1906-1909, joutes au cours desquelles se heurtent les conceptions antagonistes de l'ordre et de la légalité républicaines d'une part, de la transformation sociale de l'autre. Les socialistes s'éloignent ainsi un peu plus de la majorité, cependant que les radicaux eux-mêmes s'inquiètent d'une politique répressive qui ne permet à aucune des grandes réformes envisagées d'aboutir et compromet la cohésion d'une gauche qui domine électoralement la France. C'est cette addition de haines et de méfiance qui provoque la chute, en juillet 1909, du gouvernement Clemenceau.

Son successeur Aristide Briand reste au pouvoir jusqu'en février 1911, constituant ainsi les deux premiers ministères de sa longue carrière. Affronté aux derniers soubresauts de la crise sociale, Briand en vient à bout par la fermeté et l'esprit de négociation. S'il brise les grèves (au grand scandale de ses anciens amis socialistes et syndicalistes qui se souviennent qu'il fut jadis le théoricien de la grève générale révolutionnaire), il le fait sans répandre une goutte de sang, ce dont il se flatte à la Chambre. Mais surtout, il entend, après les luttes qui ont opposé au début du siècle les républicains et les catholiques, pratiquer une politique d'apaisement qui permette de réintégrer ces derniers dans la République. Projet qui lui vaut les applausissements du centre-droit, résolu, lui aussi, à réaliser l'apaisement, mais la méfiance soupçonneuse des radicaux qui jugent qu'il prend ses distances avec l'idéal «républicain».

A l'automne 1910, les radicaux contraignent ainsi Briand à la démission, l'obligeant à reconstituer un nouveau gouvernement qui leur fasse une plus large place. En 1911, il se retire une nouvelle fois devant la mollesse du soutien qu'accorde à son ministère une fraction des radicaux qui n'acceptent pas sa politique d'apaisement et son œuvre de *«laïcité raisonnable, tolérante et respectueuse de toutes les religions»*. En fait Briand apparaît comme l'un des dirigeants d'un parti de républicains désireux de pratiquer une politique moins militante et plus consensuelle que celle des radicaux. La difficulté est que la composition de la Chambre contraint à avoir l'accord de ceux-ci pour rester au pouvoir.

Le ministère Briand apparaît ainsi comme la première étape du glissement à droite qui, à partir de 1910, affecte la direction de la République et que va considérablement accentuer le poids, sur la vie publique, des problèmes extérieurs qui dominent la vie politique du pays à partir de 1911.

Le poids des problèmes extérieurs (1911-1914)

Depuis la crise de Tanger en 1905 (voir chapitre IV), la multiplication des crises internationales fait peser sur le pays la menace d'une guerre possible. La prise de conscience de celle-ci entraîne un puissant mouvement patriotique accompagné d'une volonté de défense nationale qui modifie insensiblement la nature et la priorité des enjeux politiques. Cette mutation se greffe sur une évolution lente de la culture politique et des fondements philosophiques qui avaient assuré le succès de «*l'esprit républicain*». Les découvertes scientifiques de la fin du XIXe ou du début du XXe siècle (théorie des quanta, travaux de Louis de Broglie sur la mécanique ondulatoire, théorie de la relativité d'Einstein) remettent en question la vision d'un monde stable, continu, linéaire, fondé sur un déterminisme scientifique rassurant. En même temps, les travaux de Freud dont on commence à parler, bien qu'ils ne soient pas directement connus en France, portent un coup à l'idée que l'homme serait une conscience mue par la raison. Ces remises en cause expliquent que les milieux intellectuels d'abord, une partie de l'opinion influencée par eux ensuite, abandonnent le rationalisme, le positivisme ou le scientisme qui dominaient le monde intellectuel pour réhabiliter l'intuition, le vécu intérieur, les données immédiates qualitatives. Ce nouveau courant qui connaît un vif succès dans les premières années du

XXe siècle (sans cependant effacer le courant rationaliste qui continue à dominer l'Université et la pensée officielle) trouve ses fondements philosophiques avec Henri Bergson qui soutient en 1889 sa thèse intitulée *Essai sur les données immédiates de la conscience* et devient en 1900 professeur au Collège de France où ses cours constituent des événements intellectuels et mondains (voir chapitre III). Au niveau de l'esprit public, cette mutation se marque par la remise au premier plan de valeurs qui paraissaient quelque peu désuètes dans les dernières années du XIXe siècle positiviste telles que la mystique religieuse ou l'attachement à la patrie. Le catholicisme, libéré par la séparation de ses liens avec le pouvoir, y trouve une nouvelle vigueur. Mais surtout, la menace extérieure aidant, la patrie menacée devient une valeur à défendre et à exalter. Quelques conversions célèbres au patriotisme, celle du poète catholique et jusqu'alors socialiste, Charles Péguy, celle d'Ernest Psichari, petit-fils de Renan qui, après avoir publié son ouvrage *L'Appel des armes* abandonne l'université pour une carrière militaire illustrent un mouvement de vive renaissance patriotique qui marque l'ensemble de l'opinion et des forces politiques: de la droite aux radicaux, l'idée de défense nationale est affirmée avec force, les socialistes cherchent des moyens de concilier leur pacifisme de principe avec l'idée de défense nationale et, au sein de la CGT, le courant anti-patriotique est en plein désarroi tant il est évident qu'il est à contre-sens de la majorité de l'opinion publique. Faut-il pour autant parler de poussée nationaliste ? Sans doute, dans cette volonté très générale de défense nationale, le nationalisme se trouve-t-il plus à l'aise quant à ses objectifs à long terme, mais rien dans l'évolution d'ensemble de l'opinion ne permet de constater la moindre adhésion aux objectifs de remise en cause de la République qui est le propre du nationalisme.

Enfin le retour aux valeurs patriotiques et la perspective de la guerre plongent le socialisme français dans l'embarras. Hostile à la guerre, le Parti socialiste SFIO s'interroge sur les moyens de l'empêcher et trois attitudes se font jour dans ses rangs. Jules Guesde considère pour sa part qu'il est vain de vouloir empêcher la guerre tant que le capitalisme ne sera pas vaincu et il préconise par conséquent l'inaction sur ce point, l'essentiel étant de préparer la révolution. A l'autre extrémité du parti, une aile d'ultra-gauche, antimilitariste et antipatriotique, conduite par Gustave Hervé, propose de répondre à la mobilisation par l'insurrection généralisée. Entre les deux, Jaurès toujours prodigue en propositions de synthèse, préconise d'empêcher la guerre par une action concertée de l'Internationale, mais ses déclarations sont contradictoires sur les moyens d'action à employer si cette tentative échoue. L'embarras des socialistes montre que la poussée patriotique et les risques de guerre sont sources de difficultés pour la gauche dont toute l'idéologie se situe dans le cadre d'une République paisible pouvant régler ses problèmes intérieurs sans participer aux affrontements internationaux. De fait, la transformation de l'esprit public et les dangers extérieurs jouent en faveur de la droite modérée.

La crise d'Agadir en 1911 (voir chapitre IV) constitue à cet égard un tournant et une illustration. Pour avoir voulu éviter la guerre en négociant avec l'Allemagne, le président du Conseil Joseph Caillaux est vivement critiqué par une opinion et un monde politique qui souhaitent une politique de fermeté vis-à-vis du Reich.

Contraint à la démission en janvier 1912 en raison de la politique suivie, Caillaux est remplacé à la présidence du Conseil par l'homme qui va désormais incarner cette fermeté souhaitée par l'opinion, le modéré Raymond Poincaré. Lorrain, ayant vécu toute son enfance dans le souvenir de la guerre de 1870, froid, distant, intègre, il va s'appliquer à préparer diplomatiquement et militairement la France au conflit menaçant. En janvier 1913, il est élu à la présidence de la République à la fin du mandat d'Armand Fallières, en battant le candidat des groupes de gauche de la Chambre, le radical Pams. Président du Conseil ou Président de la République, il s'applique à renforcer les alliances françaises, en particulier l'alliance franco-russe (il fait deux voyages en Russie en 1912 et 1914) et s'efforce de donner un contenu concret à l'Entente Cordiale qui manifeste le rapprochement franco-britannique. Il encourage son ami Louis Barthou, qu'il appelle en janvier 1913 à la présidence du Conseil, à faire voter par la Chambre une loi portant à trois ans la durée du service militaire. Cette loi, qui lui apparaît comme une satisfaction donnée à la caste des officiers qu'elle soupçonne de méditer une guerre offensive, provoque le déchaînement de l'opposition rassemblant les socialistes et une partie des radicaux. Contre les «trois ans», celle-ci préconise un service plus bref, la défense du pays devant être assurée par la nation armée. C'est d'ailleurs l'armée de milice que préconise Jaurès dans son livre paru en 1913, *L'Armée nouvelle*. La gauche pardonne d'autant moins sa politique à Poincaré qu'il a tenté en 1912 de faire adopter une modification du mode de scrutin, la représentation proportionnelle, qui n'échoue que devant la ferme opposition du Sénat.

Il apparaît donc qu'entre les vues de la gauche, radicale ou socialiste, et la politique du président de la République se creuse un véritable fossé. Si l'hostilité socialiste à Poincaré ne se dément pas, les radicaux, dans le courant de l'année 1913, se raidissent contre le chef de l'Etat. A leur congrès de Pau qui se réunit en octobre, ils se donnent le chef qui leur manquait jusqu'alors en portant à la présidence du Parti l'ancien président du Conseil Joseph Caillaux, jusqu'alors membre de l'*Alliance démocratique*, contre Camille Pelletan dont l'extrémisme verbal et l'éloquence de congrès commencent à lasser les membres du parti. D'autre part, afin de remédier au flou qui entoure encore les appartenances politiques, les radicaux décident que tous les députés inscrits au Parti radical-socialiste ou qui entendent se réclamer de lui lors des élections seront tenus de s'inscrire au même groupe parlementaire, lequel établira pour ses membres la discipline de vote, en particulier pour ce qui concerne le sort des ministères. Fort de cette réorganisation, Caillaux peut, en décembre 1913, renverser le ministère Barthou sur les questions fiscales. En fait, la chute du ministère Barthou apparaît comme une menace directe contre la loi de trois ans que le Parlement a adoptée quelques mois auparavant. Pour sauver la loi à laquelle il est attaché, Poincaré doit appeler au pouvoir le radical Gaston Doumergue qui a voté la loi de trois ans et qui forme un gouvernement de radicaux dans lequel Joseph Caillaux est ministre des Finances. Dès ce moment se trouve engagée la lutte qui s'annonce en vue des élections de 1914 entre les deux ailes du camp dreyfusard désormais séparées par leurs conceptions politiques, l'aile modérée qui suit la politique préconisée par Poincaré de renforcement militaire de la France et de prudence en matière fiscale, l'aile gauche qui entend abroger la loi de trois ans et instaurer l'impôt sur le revenu. La frontière entre les deux groupes passe au milieu de la nébuleuse radicale, Caillaux entendant pour sa part rassembler tous les adhérents de son parti dans l'opposition de gauche.

Les élections de 1914

Dès la fin de 1913, les deux camps s'organisent en vue de l'affrontement prévu pour le printemps suivant. Le camp poincariste est organisé par Louis Barthou et Aristide Briand qui fondent en décembre 1913 la *Fédération des gauches*. Ce nouveau parti se veut résolument laïque, partisan de la séparation de l'Eglise et de l'Etat. Il accepte l'impôt sur le revenu et les réformes sociales, se déclare partisan de la représentation proportionnelle et de la réforme administrative. Par rapport aux radicaux et aux socialistes, il se veut résolument libéral et entend regrouper les modérés dreyfusards de l'*Alliance démocratique* et l'aile droite du courant radical, hostile à l'alliance avec les socialistes et à la réorganisation du parti décidée par Caillaux. Face à la *Fédération des gauches*, radicaux et socialistes s'organisent pour l'emporter sous la direction respective de Caillaux et de Jaurès qui harmonisent leur propagande. La gauche a, dans la campagne électorale, deux chevaux de bataille: l'abrogation des trois ans et la réforme fiscale. Sur ce dernier point, elle peut se réclamer de l'action conduite par Caillaux au ministère des Finances: début 1914, il fait adopter par la Chambre un projet d'impôt sur le revenu et prépare un impôt sur le capital. Si ces projets se trouvent bloqués par l'hostilité du Sénat, leur impact électoral est considérable et paraît devoir favoriser la gauche. On évoque déjà pour le lendemain des élections un ministère Caillaux qui aurait l'appui des socialistes et auquel ceux-ci accepteraient peut-être même de participer. C'est alors qu'un fait divers semble devoir remettre en question la victoire attendue de la gauche. Le 17 mars 1914, Madame Caillaux assassine le directeur du *Figaro*, Gaston Calmette qui menait contre son mari une violente campagne, lui reprochant des interventions auprès de la Justice en faveur d'un escroc et n'hésitant pas à publier des lettres intimes du ministre à sa future épouse. Le scandale et la perspective d'un procès au cours duquel il aurait à apparaître comme témoin contraignent Caillaux à démissionner du ministère des Finances, cependant que Barthou, en le chargeant à la Chambre, s'applique à ruiner sa carrière politique.

En réalité, l'affaire Caillaux est sans conséquence sur le résultat des élections de 1914 difficiles à interpréter en raison de la séparation, désormais consommée entre radicaux-unifiés qui suivent Caillaux et radicaux qui refusent l'alliance avec les socialistes et rejoignent désormais les républicains de gauche. Globalement, on peut considérer que la gauche l'emporte, sans toutefois parvenir à rassembler la majorité absolue.

Les élections de 1914

Radicaux unifiés	136 députés
Socialistes SFIO	102 députés
Socialistes indépendants et Républicains socialistes	30 députés
Alliance démocratique	100 députés
Radicaux et républicains de gauche	102 députés
Fédération républicaine et républicains progressistes	54 députés
Action libérale	34 députés
Droite	26 députés
Indépendants	16 députés

Avec 268 députés, la gauche est à une trentaine de voix de cette majorité absolue, voix qu'elle pourrait trouver auprès des élus radicaux et républicains de gauche, relativement peu éloignés d'elle. En revanche, la droite est nettement battue, et la *Fédération des gauches* qui atteint tout juste 200 députés (sortants réélus pour la plupart) n'a pas réussi la percée espérée par ses promoteurs. Toutefois cette très relative victoire de la gauche mérite d'être nuancée. Si on se réfère aux grands problèmes posés aux électeurs, on s'aperçoit que seule la représentation proportionnelle a réuni une très nette majorité des élus: 352 d'entre eux s'en sont déclarés partisans. En revanche, l'impôt sur le revenu ne sort guère vainqueur du scrutin: 279 députés en sont partisans alors que 279 également se sont prononcés contre lui et que 42 ont des dispositions plus nuancées. Enfin, alors que 235 élus sont favorables à l'abrogation de la loi de trois ans, 308 souhaitent la maintenir. En d'autres termes, les nuances à l'intérieur des groupes radicaux et républicains socialistes font que si la gauche l'emporte en termes numériques globaux, ce sont plutôt les idées de la *Fédération des gauches* qui triomphent. Ce sont ces ambiguïtés qui vont permettre à Poincaré de sauver ce qui lui paraît être l'essentiel. Caillaux étant pour l'heure contraint à l'abstention en attendant le procès de son épouse, il peut appeler au pouvoir un membre de la majorité de gauche, mais qui s'est personnellement prononcé pour les trois ans, le républicain socialiste René Viviani. Sans doute Caillaux juge-t-il qu'il s'agit là d'un *«ministère de vacances»* et qu'à l'automne, le procès de sa femme étant achevé, il pourra constituer son propre gouvernement dans lequel il espère confier à Jaurès le ministère des Affaires étrangères.

Le destin en décidera autrement. Pendant que se noue la crise internationale qui va conduire au déclenchement de la Première Guerre mondiale, l'opinion se passionne pour le procès de Madame Caillaux qui a lieu en juillet 1914. Celle-ci est finalement acquittée, mais le verdict n'ouvre nullement à son époux les portes du pouvoir. Entre temps, alors que montent les tensions, Jaurès est mort assassiné le 31 juillet 1914, la France entre en guerre le 3 août et c'est au *«ministère de vacances»* de René Viviani qu'il appartiendra de conduire le pays dans l'épreuve qui s'annonce.

Les présidents de la République au début du XXe siècle

Emile Loubet	février 1899 - janvier 1906
Armand Fallières	janvier 1906 - janvier 1913
Raymond Poincaré	janvier 1913 - janvier 1920

Les présidents du Conseil du début du XXe siècle

René Waldeck-Rousseau	juin 1899 - mai 1902
Emile Combes	mai 1902 - janvier 1905
Maurice Rouvier	janvier 1905 - février 1906
Jean-Marie Sarrien	mars 1906 - octobre 1906
Georges Clemenceau	octobre 1906 - juillet 1909
Aristide Briand	juillet 1909 - février 1911
Ernest Monis	mars 1911 - juin 1911
Joseph Caillaux	juin 1911 - janvier 1912
Raymond Poincaré	janvier 1912 - janvier 1913
Aristide Briand	janvier 1913 - mars 1913
Louis Barthou	mars 1913 - décembre 1913
Gaston Doumergue	décembre 1913 - juin 1914
René Viviani	juin 1914 - octobre 1915

II

L'ÉCONOMIE FRANÇAISE AU DÉBUT DU XXe SIÈCLE

Dresser le tableau de l'économie française au début du XXe siècle n'est pas tâche aisée, tant s'accumulent les images contradictoires. Sans doute tout le monde est-il d'accord pour admettre qu'après la «*Grande dépression*» des années 1882-1896, la France entre, à l'aube du XXe siècle, dans une ère d'expansion et de croissance. Mais que faut-il retenir des données antagonistes qui présentent, pour les uns, une France prospère, économiquement équilibrée entre l'agriculture et l'industrie, ayant trouvé, grâce à l'émergence des classes moyennes, une structure sociale répondant à l'état de son économie, tandis que, pour les autres, il faut prendre en compte le retard industriel du pays, la faible productivité agricole, la sclérose des structures, l'absence de dynamisme démographique, la trop lente croissance des revenus, le «*bonheur dans la médiocrité*» que la France érigerait en idéal.

De ces images partielles, aucune n'est totalement fausse, mais ni l'une ni l'autre ne traduisent la réalité. En fait, leur juxtaposition appelle un jugement nuancé. Il est hors de doute que la France à la veille de la Première Guerre mondiale est un pays prospère qui touche les rentes de la révolution industrielle du XIXe siècle dont elle a été, avec un sensible retard sur le Royaume-Uni, l'un des pionniers européens. Mieux sans doute que le Royaume-Uni, elle prend au début du XXe siècle le tournant de la «*seconde révolution industrielle*». Mais en même temps que s'affirment ces éléments positifs, on peut mettre en évidence des points noirs qui paraissent devoir compromettre l'avenir: le faible dynamisme démographique de la France, le caractère souvent archaïque de ses structures économiques, le déficit désormais chronique de sa balance commerciale. Il reste que si nous nous situons au début du XXe siècle, l'image que les contemporains retiennent de la France est celle d'un pays prospère, dont le trait dominant est une richesse financière qui fait l'admiration des autres pays du monde.

La richesse française

La conscience collective des Français au début du XXe siècle voit dans la France un pays riche, prospère, équilibré. C'est là l'origine même du thème de «*la Belle Epoque*», concept né au lendemain de la Première Guerre mondiale, et qui, par contraste avec les souffrances et les misères subies entre 1914 et 1918, crée le mythe d'une France où il faisait bon vivre, où l'existence était aisée et le plaisir à la portée de tous. Pour simpliste qu'elle soit, l'image n'est pas sans fondement réel.

Elle repose d'abord sur l'accumulation d'or qui fait du franc germinal une monnaie stable sur laquelle on peut compter. L'or est devenu en fait, sinon en droit, l'étalon monétaire et c'est lui qui constitue l'essentiel de l'encaisse métallique de la Banque de France. Créé en Germinal an XI (1803), le franc est défini par un poids d'or fin de 322,5 mg. Le stock métallique de la Banque de France n'a cessé de s'élever, passant de 2 072 millions en 1878 à 3 292 en 1895 et 4 405 millions en 1914. A la même date, le plafond d'émission du papier-monnaie est de 7 325 millions (couverts à 60 % par le métal précieux), ce qui représente une situation d'inflation très modérée, adéquate à une période de forte expansion économique. Autre instrument de mesure de la richesse française, le stock monétaire (c'est-à-dire l'ensemble de la monnaie métallique, des billets et des chèques) qui permet d'évaluer l'ampleur des transactions, passe entre 1879 et 1913 de 15,4 milliards à 27 milliards. Sur ce total, la monnaie métallique représente alors 33 %, la monnaie fiduciaire — les billets — 21,2 % et la monnaie scripturale — les chèques — 45,5 %. Chiffres qui prouvent une importante modernisation des pratiques commerciales par l'expansion des formes nouvelles de la monnaie, billets de banque et chèques. Cette abondance monétaire a pour effet de rendre le crédit aisé, ce qui stimule l'activité économique. Le taux d'escompte de la Banque de France qui sert de base au calcul des taux d'intérêt demeure de ce fait extrêmement bas, même si la prospérité des années 1896-1913 le fait passer de 2 à 4 %.

Cette richesse financière de la France explique la prospérité des banques qui multiplient leurs succursales dans les années précédant la Première Guerre mondiale: en 1913, le *Crédit Lyonnais* compte 411 succursales et la *Société générale* 560. Sans qu'aucune disposition réglementaire n'impose une telle division, les établissements bancaires ont tendance à se spécialiser en banques de dépôts et banques d'affaires. Les premières drainent le capital des petits épargnants et pratiquent des opérations à court terme. Dans cette catégorie, on trouve le *Crédit Lyonnais*, première banque de dépôts de France et d'Europe avec un capital de 550 millions de francs, la *Société générale*, le *Comptoir national d'escompte*, le *Crédit industriel et commercial*. Les banques d'affaires qui travaillent avec les capitaux privés de gros et moyens actionnaires se spécialisent, pour leur part, dans les investissements à long terme. Les principales, au début du XXe siècle, sont la *Banque de Paris et des Pays-Bas*, la *Banque d'Indochine*, la *Banque française pour le commerce et l'industrie*, la *Banque de l'Union Parisienne*...

Dans les années qui précédent le premier conflit mondial, toutes ces banques connaissent une prospérité considérable: les bilans sont très positifs, les profits distribués sont impressionnants. Le taux annuel de profit (c'est-à-dire le pourcentage de la masse des profits par rapport au capital investi) varie de 11% à 16% pour les banques de dépôts, de 35 à 60 % pour les banques d'affaires!

A cette richesse financière, la plus visible et la plus frappante, s'ajoutent, pour dresser le constat de la prospérité française, les estimations de la croissance de la fortune nationale et du revenu national français.

La fortune nationale qui comprend la propriété foncière et la propriété mobilière (biens meubles, numéraire, valeurs françaises et étrangères) passerait d'un montant estimé à 110 ou 120 milliards de francs sous le Second Empire à 280 ou 310 milliards de francs en 1913, soit une croissance de l'ordre de 250 à 280 % en une quarantaine d'années. Fait caractéristique, la part de la propriété foncière, estimée en 1880 aux trois quarts environ de la fortune française, diminue rapidement après cette date. Vers 1913, elle n'en représente plus que 40 à 50 %, alors que pendant la même période, la fortune mobilière a été multipliée par 5 ou par 7, preuve que la France a modernisé les structures de son économie.

Le revenu national français présente le même type d'évolution. Sa croissance est constante (environ 250%

depuis la fin du Second Empire) mais avec une hausse beaucoup plus forte du revenu mobilier que du revenu foncier.

Evolution du Revenu National Brut
(en millions de francs)

	1859	*1900*	*1913*
Revenus fonciers et agricoles	9 500 (48,5 %)	13 500 (45,1 %)	18 000 (42 %)
Revenus industriels et banques	6 000 (30,7 %)	10 000 (33,4 %)	16 000 (37,3 %)
Commerce	1 500 (7,7 %)	2 000 (6,7 %)	3 000 (7 %)
Professions libérales	360 (1,8 %)	900 (3 %)	1 350 (3,2 %)
Fonctionnaires	2 200 (11,3 %)	3 500 (11,8 %)	4 500 (10,5 %)
Total	19 560	29 900	42 850

Cette augmentation croissante de la fortune et du revenu national est évidemment le résultat d'une progression de la production de biens qui se mesure par l'indice du produit national. Les travaux de Maurice Lévy-Leboyer (en particulier «La croissance économique en France au XIXe siècle», *Annales ESC*, Juillet-août 1968) ont montré qu'au cours du XIXe siècle, le produit national a triplé en France, mais avec des phases au rythme différent. Après la vigoureuse expansion de l'époque du Second Empire, le taux de croissance a subi un net ralentissement jusqu'en 1895, avant de connaître une nouvelle accélération à partir de cette date, accélération surtout marquée dans les années 1908-1913. Globalement, à la veille de la guerre de 1914, le Produit national brut français augmente vigoureusement. Entre 1896 et 1913, la croissance est de l'ordre de 1,6 à 1,8 % par an, ce qui place la France loin derrière les taux de croissance des Etats-Unis, de l'Allemagne (2,8 %) mais la rapproche de la Grande-Bretagne (2,1 %).

	Indices de la production globale (100 = moyenne 1815-1910)	*Produit global par habitant*
1880	119,9	114,7
1895	134,9	125,6
1900	149,6	137,7
1910	177,2	160,6

Corrigé au niveau du produit global par habitant, le taux de croissance de la France (1,4 %) est supérieur à celui de la Grande-Bretagne et légèrement inférieur à celui de l'Allemagne. Il est donc possible de conclure que l'image de la richesse française au début du XXe siècle est une réalité. Due à la croissance rapide et globale de la production française, elle se traduit par une augmentation de la fortune et du revenu national, une considérable richesse financière et l'abondance monétaire. Quels sont les secteurs économiques qui rendent compte de cette prospérité française ?

Une agriculture protégée à la croissance lente

L'agriculture qui profite de la période de croissance 1895-1914 voit cependant son rôle dans la constitution du produit national diminuer. En 1910, l'agriculture représente encore 35 % du revenu national et 42 % de la production globale (contre 54 % entre 1850 et 1880). L'indice de la production agricole connaît une réelle croissance entre 1880 et 1913:

Indice 94 en 1880
Indice 100 en 1890
Indice 123 en 1913

Mais ces chiffres globaux doivent être nuancés en étudiant la valeur du produit agricole final dans sa croissance et dans sa productivité.

Produit agricole final
(en millions de francs)

	Produit agricole final	*Croissance totale par décennie (en %)*	*Taux de croissance moyen annuel (en %)*	*Taux de croissance de la productivité*
1885-1894	9 597	3,5	0,34	12
1895-1904	10 457	10,9	1,04	– 1
1905-1914	11 667	11,6	1,11	15

Le taux de croissance moyen annuel de l'agriculture est donc toujours inférieur à 1,5 % alors que le Produit national brut est, lui, toujours supérieur à 1,6 %. Il en résulte donc que l'agriculture concourt pour une part beaucoup plus faible que les autres secteurs économiques à la constitution du PNB. Ce moindre dynamisme de l'agriculture s'explique par une série de facteurs qui constituent autant de handicaps structurels pour ce secteur économique.

Le premier de ces facteurs est le morcellement de l'exploitation agricole française. Sans doute la grande propriété aristocratique ou bourgeoise se maintient-elle dans certaines régions, l'Ouest (et surtout l'Ouest intérieur), la Sologne, le Berry, le Bourbonnais. Au total, les propriétés de plus de 40 hectares qui représentent seulement 4 % des exploitations couvrent cependant 45 % de la surface du sol. Il reste que la petite et moyenne propriété est prépondérante en nombre. Les propriétés de 1 à 10 ha représentent 48 % des exploitations et couvrent 23 % du sol alors que la propriété inférieure à 1 ha est le lot de 38 % des exploitations mais ne couvre que 2 % du sol. Ce morcellement des structures agraires, résultat des partages successoraux et des ventes du XIXe siècle est en outre délibérément voulu par les gouvernements des débuts du XXe siècle. Dans le système de valeurs républicaines, le petit paysan propriétaire-exploitant représente l'idéal social de la démocratie égalitaire que les radicaux rêvent d'instaurer en France et qui correspond d'ailleurs aux vœux de la classe moyenne française. Une loi de 1910 prévoit par exemple des prêts de 3 000 F à faible intérêt pour les paysans qui voudraient acheter de petits lopins. Dans ces conditions, le faire-valoir direct est le lot de 60 % des exploitations contre 27 % en fermage et 13 % en métayage (surtout au sud de la Loire). Mais du même coup, la majorité des exploitations sont trop exiguës pour produire dans des conditions concurrentielles, à l'intention du marché.

L'utilisation de méthodes modernes, de machines et d'engrais supposerait des investissements que la plupart des paysans, ne disposant pas de capitaux, sont incapables de consentir. Ils ne peuvent davantage recourir aux crédits bancaires pour investir, car l'exguïté de leurs exploitations ne leur permettrait pas d'amortir leurs emprunts. Dans ces conditions, l'archaïsme et la routine dominent l'agriculture française. Sans doute existe-t-il, dans le Bassin parisien une grande exploitation agricole de style capitaliste gérée par de riches fermiers. De même, les propriétés bourgeoises qui avoisinent les centres urbains industriels du Nord, la région lyonnaise (Dombes), les centres industriels de Rouen et du pays de Caux, les villes du Languedoc ceintes de vignobles, travaillent pour un large marché. Mais hormis ces cas d'espèce, la grande majorité des paysans français cultive avant tout pour se nourrir, vendant accessoirement les surplus de son exploitation. Aussi la polyculture qui répond à cet objet, mais interdit toute productivité grâce à la spécialisation puisqu'on produit un peu de tout, est-elle la règle dans la plus grande partie du pays. Il en résulte que le monde paysan français est, sauf les régions indiquées précédemment, un monde quasi-immobile. S'il serait faux de dire qu'il ne comporte aucune forme de modernisation, celle-ci reste excessivement lente.

C'est d'abord le cas de la mécanisation. Sans doute voit-on se dessiner au début du XXe siècle un mouvement d'acquisition de machines agricoles, en raison de la tendance à la hausse qui affecte les salaires des ouvriers agricoles, mais en 1910 on considère que l'agriculture française a besoin de 10 fois plus de machines qu'elle n'en possède. La même observation vaut pour la consommation d'engrais chimiques. Elle a été multipliée par 6 depuis 1886, mais elle reste très inférieure à celle des autres grands pays industriels du monde.

Ce retard structurel de l'agriculture française lui a posé de graves problèmes depuis la fin du XIXe siècle. Lorsqu'à partir des années 1880, les progrès des chemins de fer et de la navigation à vapeur permettent aux produits agricoles des pays neufs de se déverser sur le marché français, cette concurrence apparaît mortelle pour l'agriculture nationale. Pour y faire face, il n'est d'autre solution que de tenter d'isoler le marché agricole français du commerce mondial afin de protéger son agriculture de la concurrence étrangère. C'est le but vigoureusement poursuivi par Jules Méline, créateur de l'*Association de l'industrie et de l'agriculture française* qui prend la tête de la coalition protectionniste. Celle-ci l'emporte très largement aux élections de 1889 et fait triompher ses vues. Le «tarif Méline» adopté en 1892 comporte des droits sur les produits agricoles pouvant aller jusqu'à 20 %. En 1897, le tarif Méline est complété par la «loi du cadenas» qui autorise le gouvernement, en cas de surproduction, à augmenter les droits sur les céréales et la viande. Enfin, en 1910, de nouveaux barêmes de droits de douane, plus élevés, sont adoptés. Cette protection permet au revenu paysan de s'élever assez nettement dans la période de bonne conjoncture des années 1895-1913 grâce à l'extension de la demande de produits agricoles, mais cette situation globalement favorable ne doit pas faire illusion. Malgré sa participation à la croissance française de la période (les agriculteurs qui représentent encore 43 % de la population active de la France en 1913 jouent un rôle fondamental comme consommateurs de produits industriels), l'agriculture, artificiellement maintenue en vie par les barrières douanières, souffre d'une crise profonde due à son archaïsme, que le protectionnisme permet aussi de maintenir. Sa fragilité est attestée par les crises périodiques qui l'atteignent, crises accidentelles comme la maladie de la vigne, crises conjoncturelles comme les phénomènes de surproduction, crises structurelles comme celles dues à la concurrence des produits des pays neufs sur les marchés des céréales, de la viande ou des oléagineux...

Cette précarité se manifeste tout particulièrement par la crise des cultures traditionnelles qui sont aussi celles pratiquées sur le plus grand nombre d'exploitations et qui intéressent la majorité des paysans, les céréales et le vin, les deux produits-clés de l'agriculture française. La superficie cultivée en céréales a tendance à diminuer au début du XXe siècle (en particulier pour les céréales des régions pauvres, comme le seigle), mais, globalement la production augmente grâce à l'amélioration des rendements. En moyenne, pour les années 1895-1913, la production annuelle de blé est de 90 millions de quintaux, mais elle atteint 107 millions de quintaux l'année-record 1907. Les rendements qui étaient en moyenne de 10 quintaux à l'hectare sous le Second Empire sont désormais de 13 quintaux à l'hectare, voire même, dans un cas-limite comme la Beauce, de 19 quintaux à l'hectare. Mais comme on continue, du fait de la prépondérance de la polyculture, à produire du blé dans des régions peu favorables, on est loin des moyennes des pays voisins (Belgique ou Allemagne) généralement supérieures à 18 quintaux à l'hectare. Le second grand produit à connaître des difficultés permanentes est le vin. A partir de 1865, le vignoble français commence à être atteint par les effets du *phylloxera*, insecte venu d'Amérique et provoquant une maladie qui se propage à partir de 1880, faisant tomber de 500 000 hectares les surfaces plantées en vignes et détruisant les vignobles du Bassin parisien et de la Charente, tout en atteignant rudement les autres. En 1880, la production française est tombée à 30 millions d'hl et il faut importer du vin. La reconstitution du vignoble entreprise à partir de cette date va changer la nature de la crise. En effet dans les départements du Gard, de l'Aude, de l'Hérault et des Pyrénées orientales, on va utiliser des plants très productifs, plantés en plaine dans des terrains sableux ou inondables. Il en résulte une augmentation spectaculaire de la productivité (21 hl à l'hectare en 1875, 40 en 1890) et de la production (68 millions d'hl par an environ à partir de 1890), mais pour des vins à faible teneur en alcool. Dès le début du siècle, le Midi languedocien, particulièrement le département de l'Hérault, connaît surproduction et mévente, d'autant plus graves que, dans ce département, la vigne est pratiquement une monoculture. C'est cette crise qui est à l'origine directe de l'agitation des viticulteurs du Midi qui provoque les graves troubles de 1907 dont nous avons fait état au chapitre précédent.

De manière moins dramatique, en raison de leur rôle moindre dans la production agricole, des produits traditionnels comme le lin, le chanvre, le colza ou l'olivier sont également atteints par des difficultés dont les causes sont identiques à celles qui atteignent les céréales ou le vin, l'insuffisante adaptation aux conditions du marché. L'importance et le caractère chronique de la crise agricole ne doivent cependant pas faire oublier les tentatives pour trouver des solutions sous forme d'une diversification des productions et qui témoignent d'un début d'effort d'adaptation au marché, même si celui-ci est limité aux régions les plus ouvertes économiquement et ne parvient pas à entraîner, à cette date, la totalité de la paysannerie française. C'est ainsi que dans le Nord ou dans les riches terres céréalières du Bassin parisien se développe la culture de la betterave sucrière dont on s'est aperçu qu'elle constitue une excellente plante d'assolement pour le blé. En conséquence, la production de sucre croît rapidement, atteignant, en 1913, 880 000 tonnes (le triple de la production de 1872). Durant la même période, la consommation fait plus que doubler passant de 6 à 14 kilos par habitant et par an, ce qui permet néanmoins l'exportation d'un tiers environ de la production.

L'élevage est également l'un des moyens de la diversification de la production agricole entreprise. L'augmentation du niveau de vie au début du XXe siècle accroît la demande de lait et de viande, entraînant une hausse de prix de ces produits (la viande qui valait en moyenne 1,10 F le kilo vers 1860 vaut 1,50 F en 1900). Or la France ne fournissant pas de viande en quantité suffisante, il y a là un marché potentiel à conquérir. C'est à quoi contribue l'augmentation du troupeau bovin qui passe de 11 à 15 millions de têtes entre 1872 et 1910, en même temps que se produit une spécialisation dans les régions qui se vouent à l'élevage pour la commercialisation: le Charolais produit de la viande de boucherie, la Normandie et les Charentes des produits laitiers. En revanche, le cheptel ovin, caractéristique des régions pauvres où l'élevage ne joue qu'un rôle de complément dans un cadre d'autosubsistance, à tendance à diminuer.

A ce tableau de la diversification de l'agriculture dans la voie de la commercialisation de la production, il faudrait ajouter le démarrage des cultures maraîchères et fruitières.

Au total, l'agriculture française, en dépit de l'évolution limitée de certaines régions vers une forme d'agriculture plus moderne, demeure un ilôt de retard technique et social qui pèse sur l'ensemble de l'économie du pays. Ce n'est pas là, mais dans le domaine industriel qu'il faut chercher l'origine de la richesse française du début du XXe siècle.

La croissance de l'industrie française

Les progrès de l'industrie française sont remarquables au début du XXe siècle. En 1913, l'industrie concourt pour 36 % à la formation du revenu national (contre 21 % sous le Second Empire) alors que l'agriculture n'y contribue que pour 35 %. Autrement dit, à cette date, l'industrie devient le secteur qui contribue le plus à l'enrichissement national. En ce qui concerne la production globale des années 1890-1910, l'industrie (sans le bâtiment) en représente 49 %. Et c'est surtout après 1900 que le taux de croissance industrielle s'avère particulièrement élevé.

Taux de croissance industrielle	
1885-1890	1,94 %
1890-1895	2,20 %
1900-1905	2,64 %
1905-1910	4,57 %

Croissance spectaculaire de l'industrie que confirment les indices établis par Maurice Lévy-Leboyer pour les années 1880-1910 (*Revue Historique, avril-juin 1968*).

Indices de la production industrielle globale
(100 = moyenne 1815-1915)

1880	1885	1890	1895	1900	1905	1910
131,3	132,3	141,6	156,6	176	194,3	241,4

Toutefois, à ce tableau global d'une croissance de l'industrie dans son ensemble, il importe d'apporter des nuances. François Crouzet (*Annales ESC*, janvier-février 1970) considère qu'il convient de distinguer entre industries traditionnelles et industries dynamiques. D'après ses calculs, si la production industrielle d'ensemble des années 1905-1913 connaît une croissance globale de 3,56 % par an, le chiffre serait de 5,2 % pour les industries les plus dynamiques. Le véritable point de démarrage de la croissance industrielle des débuts du XXe siècle se situerait donc en 1905 et atteindrait son apogée dans les années 1910-1913 avec des taux de croissance rappelant ceux des débuts de la Monarchie de Juillet. Ces données sont confirmées par les études conduites en particulier par Jean Bouvier sur les taux de profit, qui révèlent que ceux des industries sidérurgiques sont au début du XXe siècle les plus élevés de leur histoire et que les dividendes distribués par ces industries sont assez intéressants pour que les banques offrent à leurs clients des titres industriels français.

Il reste que, comme on l'a vu, il convient, en ces débuts du XXe siècle, de faire la part entre la masse des industries traditionnelles employant le plus grand nombre de travailleurs et fournissant le gros de la production et les industries pionnières aux taux de croissance spectaculaires mais dont le rôle réel dans l'économie demeure encore limité.

La bonne tenue des industries traditionnelles

Parmi les industries traditionnelles, la plus importante est incontestablement le textile. Cette industrie qui s'est progressivement mécanisée emploie encore, avec les industries de transformation qui lui sont liées, 41 % de la population industrielle de la France. C'est dire que son importance est primordiale. Or son taux de croissance des années 1895-1913 apparaît relativement modeste (1,7 % en moyenne annuelle). En fait cette industrie est devenue tributaire du prix des matières premières et surtout des débouchés internationaux que son importance exige. Dans ces conditions, les secteurs qui n'ont pas su se moderniser connaissent une crise de mévente due à la concurrence internationale. Mais là aussi, il convient d'établir des nuances.

La stagnation est surtout évidente dans les industries les plus anciennes comme la laine, qui reste avant tout l'apanage de la région du Nord. Employant 170 000 ouvriers, cette industrie est un élément essentiel de l'économie française et, en dépit de la crise qui la frappe, l'industrie lainière française demeure la troisième exportatrice mondiale. Toutes proportions gardées, la situation est analogue pour le lin (la France en est le premier producteur du monde) et le chanvre. Bien meilleure est la situation du coton. Celui-ci, après l'annexion de 1871, a émigré d'Alsace vers les Vosges, le Nord, la Normandie et cette industrie a su se moderniser. Elle est en 1913 le troisième exportateur du monde derrière le Royaume-Uni et l'Allemagne. Enfin, en ce qui concerne l'industrie de la soie, la France demeure au premier rang mondial malgré la concurrence étrangère et l'apparition de la rayonne.

Seconde grande industrie traditionnelle dont la croissance apparaît médiocre en ce début du XXe siècle, l'extraction charbonnière. Sans doute la production a-t-elle fait de gigantesques progrès puisque les 19 millions de tonnes de houille extraites en 1880 sont devenues 42 millions en 1914. Le taux d'augmentation annuelle de la production charbonnière en France est supérieur à celui de la Grande-Bretagne dans les premières années du XXe siècle, mais il demeure inférieur à celui de l'Allemagne et des Etats-Unis. Et surtout, deux remarques conduisent à nuancer le sentiment d'une industrie en pleine expansion. La première est la prise en compte de la croissance de la consommation de charbon en France. Elle passe de

28 millions de tonnes en 1880 à 64 millions en 1914. C'est dire que les besoins se sont accrus à un rythme beaucoup plus rapide que la production et que le déficit en charbon de la France s'est creusé. La seconde repose sur l'observation que le taux de croissance de l'industrie charbonnière a tendance à se ralentir dans la période 1896-1914 ce qui va à contre-courant de la tendance générale de l'économie.

Taux de croissance moyen annuel de la production de charbon

1874-1896	+ 2,4 %
1896-1914	+ 1,7 %

Encore convient-il de remarquer que cette croissance, pour ralentie qu'elle soit, est due à l'exploitation intensive, à partir de 1873, des bassins du Nord et du Pas-de-Calais, évinçant les vieux bassins du Massif central et fournissant en 1914 les trois quarts de la production charbonnière de la France. Au total, le problème du manque de charbon constitue une des faiblesses structurelles de l'économie française au début du XXe siècle.

Enfin, en dehors même du textile et du charbon, nombre d'autres industries traditionnelles connaissent une croissance ralentie, mais non négligeable: le bâtiment et les travaux publics (un peu moins de 2 % entre 1896 et 1914), le cuir (1 %), l'alimentation (1,9 %).

Certaines de ces industries résistent d'ailleurs au déclin relatif qui les frappe en s'adaptant aux conditions nouvelles du marché, soit par la concentration, soit par le recours à la mécanisation (dans la ganterie ou la confection par exemple), soit par la diversification.

Au total ces industries traditionnelles, même si elles s'essoufflent, sont celles qui constituent la base la plus solide de l'économie française et qui assurent la majorité des emplois industriels en France. Le bâtiment et les travaux publics emploient ainsi au début du siècle 500 000 travailleurs, les industries alimentaires 470 000, la boulangerie, secteur totalement artisanal, 200 000.

Mais c'est le secteur des industries les plus dynamiques qui rend compte de la vigueur de l'économie française des débuts du XXe siècle.

Les industries dynamiques

La croissance française des débuts du XXe siècle est fondée sur l'essor de la métallurgie qui connaît alors son âge d'or et sur le remarquable démarrage des industries neuves de la seconde révolution industrielle.

Le développement de l'industrie métallurgique est d'autant plus remarquable que cette industrie est gênée par le manque de charbon. Mais son dynamisme fait d'elle, dans les années 1900-1914, l'industrie la plus performante de l'ensemble industriel français. En 1914, on extrait 22 millions de tonnes de fer, quatre fois plus qu'en 1900, dix fois plus qu'en 1873. Grâce au procédé Thomas-Gilchrist qui permet de traiter les minerais phosphoreux, la Lorraine fournit 85 % de cette production. La France est ainsi devenue le troisième producteur mondial de fer, exportant, en 1914, 45 % de sa production. Cette production considérable permet dans les premières années du siècle, une spectaculaire croissance de la production de fonte et d'acier.

	Fonte	Acier
1896	2,3 millions de t.	1,2 millions de t.
1913	5 millions de t.	4,7 millions de t.
Accroissement annuel moyen	4,5 %	7,6 %

Cette période voit le triomphe de la sidérurgie lorraine qui fournit, à la veille de la guerre de 1914, les deux tiers de la fonte et près de la moitié de l'acier français, la principale firme lorraine, celle de la famille de Wendel dominant la production sidérurgique nationale. Pour survivre, les vieilles entreprises du Centre de la France ont dû se spécialiser et fabriquent désormais des aciers spéciaux à base d'alliages électriques. Ce dynamisme de l'industrie sidérurgique stimule à son tour l'ensemble des industries métallurgiques qui connaissent une remarquable période de prospérité: armements, machines à vapeur, locomotives, cycles, automobiles... Industrie-clé de la première révolution industrielle, la métallurgie, enrichie des multiples perfectionnements que lui a apportés la fin du XIXe siècle, parvient ainsi à son apogée avant la guerre de 1914.

Mais l'aspect le plus caractéristique du dynamisme économique français des débuts du XXe siècle est sans doute la manière dont le pays s'engage dans les voies de la seconde révolution industrielle, née dans les années 1880 et qui commence à transformer les structures économiques aux alentours de 1900. Fondée sur de nouvelles sources d'énergie, le pétrole et l'électricité, sur l'utilisation des métaux légers comme l'aluminium, sur le moteur à explosion qui donne naissance à l'automobile et sur le triomphe de la chimie, industrie motrice de cette nouvelle période d'industrialisation, elle jette les bases de l'économie de l'avenir. Or, dans tous les domaines concernés, la France se situe en excellente position.

C'est d'abord le cas pour l'électricité dont les emplois se multiplient après 1900. La puissance installée double entre 1898 et 1905 et quadruple entre 1905 et 1913. Dans les années qui précèdent la guerre, la consommation d'électricité croît de 11 % par an. L'électrification des villes et celle des tramways constitue de fructueux marchés qui suscitent les convoitises de multiples sociétés d'électricité. Pour fournir le matériel nécessaire à la forte demande qui se manifeste ainsi, se créent des firmes spécialisées: Thomson-Houston en 1893, Compagnie générale d'électricité en 1898, Compagnie électro-mécanique...

Parallèlement, l'électricité transforme des branches industrielles. Elle ouvre à la métallurgie le domaine nouveau de l'électrométallurgie (fabrication de ferro-alliages et d'aciers spéciaux). Les premières usines, installées à La Praz en 1900, à Ugine en 1908, fabriquent des aciers électriques. L'électricité permet également le développement de la toute nouvelle industrie de l'aluminium. Jusqu'alors, les importants gisements de bauxite possédés par la France dans le Var étaient traités grâce à un procédé chimique. A partir de 1886, l'aluminium est produit par électrolyse. Premier producteur du monde de bauxite avec 310 000 tonnes extraites en 1913, second producteur d'aluminium avec 13 000 tonnes la même année, la France joue dans ce domaine un rôle pionnier.

C'est également le cas pour l'industrie automobile. Les premières firmes sont nées à la fin du XIXe siècle, Panhard et Peugeot en 1890, Renault en 1898. En quelques années, l'automobile passe du stade de la curiosité à celui d'une industrie véritable. La production qui était de 300 véhicules en 1895 atteint 107 535 voitures en 1914, plaçant la France au premier rang européen et au second rang mondial derrière les Etats-Unis. Renault qui emploie 13 000 ouvriers sur un total de 35 000 et fabrique annuellement 7 000 véhicules est alors la première firme européenne. L'automobile stimule l'industrie mécanique et la métallurgie: moteurs, pistons, ressorts, essieux, roulements à billes, engrenages sont fabriqués par de multiples entreprises sous-traitantes. Enfin, de l'essor de cette industrie neuve dépend celle du pneumatique qui lui est liée. Michelin qui emploie 3 000 ouvriers dans son usine de Clermont-Ferrand fournit en pneus 80 % du marché français.

Plus encore que l'automobile, la chimie apparaît comme l'industrie la plus prometteuse de la seconde révolution industrielle. Elle occupe 127 000 salariés en 1910. Elle est dominée par le groupe Saint-Gobain qui, avec 24 usines et 20 000 ouvriers, est, en 1914, la première firme française. Les principaux secteurs sont ceux de la chimie minérale: la fabrication de la soude (grâce au procédé Solvay), celle des acides et des engrais. La pharmacie se développe, mais son succès est bien moindre qu'en Allemagne, et il en va de même des explosifs et des colorants. Dans un certain nombre de secteurs, l'industrie chimique française est à la pointe de l'innovation. Dès 1894, elle commence la fabrication de la soie artificielle, à base de cellulose. Dans un domaine voisin, elle se lance dans la production de celluloïd. Enfin, le cinéma, inventé en 1895 par les frères Lumière, devient une industrie dans les premières années du siècle avec les firmes Lumière, Pathé, Gaumont. En 1914, 90 % des films projetés dans le monde sont des films français.

L'image d'une réelle prospérité de la France de la «Belle Epoque» est donc fondée, même si elle est à nuancer et si les progrès ne touchent pas de manière identique toutes les branches de l'économie. Il y a incontestablement croissance de l'économie française à la veille de la guerre de 1914 grâce à un certain nombre de secteurs industriels dynamiques, à la participation active de la France à la seconde révolution industrielle, à l'enrichissement global du pays. Si les historiens et quelques contemporains sont portés au pessimisme, c'est que cette croissance, pour réelle qu'elle soit, est cependant moindre que celle de nombre d'autres pays industriels et que, globalement, le poids économique de la France dans le monde a tendance à diminuer. La production industrielle française qui, à la fin du Second Empire, représentait 9 % de la production mondiale n'en représente plus en 1913 que 6 %. La France, longtemps seconde puissance industrielle mondiale derrière le Royaume-Uni est maintenant au quatrième rang, dépassée, non seulement par le Royaume-Uni, mais aussi par l'Allemagne et les Etats-Unis. Comment rendre compte de cette perte de poids relative ? L'économie française apparaît en effet hypothéquée par un certain nombre de faiblesses qui expliquent ce recul et qui apparaissent surtout inquiétantes pour l'avenir.

Une démographie stagnante

Les signes de stagnation démographique se sont manifestés en France dès 1850-1860, alors que le pays commençait une des périodes d'expansion les plus brillantes de son histoire. Ils se marquent par une quasi-absence de croissance de la population. Celle-ci est de 37,5 millions d'habitants en 1881 et elle n'atteint en 1914 que le chiffre de 39 605 000. En chiffres absolus, la France est certes beaucoup moins peuplée que l'Allemagne qui atteint les soixante millions d'habitants, mais elle l'est plus que l'Italie et autant que la Grande-Bretagne. Mais le principal problème, qui ne laisse pas d'être inquiétant pour l'avenir, est la stagnation quasi-totale de la croissance naturelle. Le rythme d'accroissement annuel qui était en moyenne de 75 000 habitants par an entre 1881 et 1900 tombe à 50 000 de 1900 à 1911, à 23 000 entre 1911 et 1913.

La démographie française de 1880 à 1910

	Taux de nuptialité (en ‰)	*Taux de natalité (en ‰)*	*Taux de mortalité (en ‰)*	*Mortalité infantile (en ‰)*
1881-1885	14,9	25	22,3	169
1886-1890	14,4	23,3	22	188
1891-1895	14,9	22,6	22,4	170
1896-1900	15,1	22,2	20,6	161
1901-1905	15,3	21,6	19,6	142
1906-1910	15,7	20,2	19,1	129

Le taux de reproduction de la population qui était de 1,02 en 1891 n'est plus que de 0,96 en 1911. La famille française qui comptait en moyenne 2,2 enfants à la fin du XIXe siècle n'en compte plus que 2 à la veille de la guerre.

Le taux de mortalité baisse peu jusqu'en 1895. Mais à partir de 1896 on voit rapidement diminuer le taux de mortalité générale et, plus encore, le taux de mortalité infantile. Cette très sensible diminution de la mortalité s'explique par la diffusion de l'asepsie et surtout la multiplication des vaccins et des sérums grâce aux découvertes de Pasteur et de ses disciples Roux, Calmette et Guérin. Les progrès de la scolarisation et le rôle de l'école dans la diffusion de l'hygiène jouent également un rôle important dans ce résultat. Toutefois, celui-ci ne doit pas faire illusion. Le taux de mortalité français demeure supérieur à celui des pays scandinaves, des pays anglo-saxons, de la Belgique, des Pays-Bas ou de la Suisse.

La responsabilité en incombe à la persistance de maladies qu'on ne sait comment enrayer (la tuberculose au premier chef) ou qui sont soignées trop tard (les maladies vénériennes, en particulier la syphilis), mais surtout à l'importance de l'alcoolisme. De surcroît, les statistiques révèlent une grande inégalité devant la mort en fonction des conditions sociales. Les chiffres de 1911-1913 donnent, par exemple, pour l'ensemble de la ville de Paris un taux moyen de mortalité de 16,5 ‰, mais dans les beaux quartiers du 8e, 16e ou 17e, ce taux tombe à 11 ‰ alors que dans les quartiers populaires de l'est de la capitale on atteint 22,4 ‰ et même 32,4 ‰ dans le 19e arrondissement.

Mais plus que ce taux de mortalité, plus élevé que celui des grands pays industriels européens, le phénomène véritablement inquiétant est la baisse continue de la natalité. Dès 1911, celle-ci tombe à 19 ‰. Cette année-là, comme cela avait déjà été le cas en 1900 et en 1907, le nombre des décès l'emporte sur celui des naissances. Et, fait nouveau par rapport au XIXe siècle où la natalité demeurait forte en milieu ouvrier, toutes les classes sociales et toutes les régions de France sont désormais touchées. Sans doute peut-on noter certaines différences en fonction de la pratique religieuse. La chute de la natalité est plus faible dans les régions demeurées fortement attachées au catholicisme comme la Bretagne, le Nord, ou l'est du Massif central, alors qu'elle est fortement marquée dans une zone très déchristianisée comme la vallée de la Garonne. Mais ces nuances étant notées, il faut remarquer que le phénomène touche l'ensemble du pays. Les causes dont aucune ne paraît suffire seule à fournir une explication satisfaisante sont multiples. En milieu rural, l'explication la plus convaincante tient aux problèmes de structures agraires: la crainte du morcellement du domaine et la volonté d'arrondir ses terres par mariage ou héritage, conduisent à la politique de l'enfant unique. Dans la petite et moyenne bourgeoisie la volonté de promotion sociale et l'aspiration à un meilleur niveau de vie conduisent à limiter le nombre d'enfants. Dans les milieux ouvriers se font sentir les effets d'un néo-malthusianisme répandu par l'anarchisme et le syndicalisme révolutionnaire: il s'agit de rendre la guerre plus difficile en refusant de créer de la «chair à canon» et de provoquer une augmentation des salaires en raréfiant la main-d'œuvre, «armée de réserve du capital». Enfin, pour toutes les classes de la société, deux phénomènes essentiels jouent: la baisse de la pratique religieuse et le rôle nouveau de l'enfant dont l'importance croît dans la société et dont on veut assurer l'avenir.

Ce n'est donc pas la croissance naturelle qui explique l'augmentation — sans doute très faible — de la population, mais deux phénomènes qui caractérisent la société française du début du XXe siècle, l'allongement de la durée de la vie et l'immigration. Le premier, joint à la faiblesse du taux de natalité se lit dans la pyramide des âges de 1901. Avec sa forme en cloche, sa base rétrécie qui témoigne du nombre réduit des naissances, le maintien de forts contingents de population pour les hommes et les femmes d'âge mûr qui montre l'allongement de la durée de vie, elle est significative d'une population en voie de vieillissement (voir le schéma, p. 88).

Non moins caractéristique est l'importance de l'immigration. Si les Français quittent peu leur pays, on compte, en 1911, 1 160 000 étrangers en France, chiffre qui ne donne qu'une idée minorée de l'ensemble du phénomène migratoire, car il y a eu entre 1872 et 1911 près d'un million de naturalisations. Les contingents les plus nom-

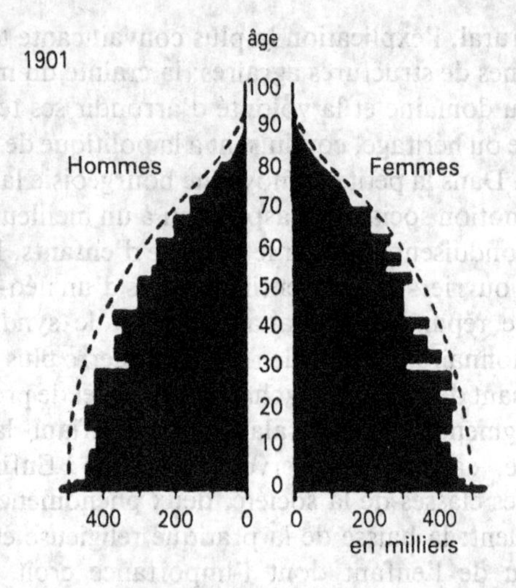

breux sont les Italiens (36 % du total des immigrés), surtout localisés sur le littoral méditerranéen, suivis des Belges (24 %) concentrés dans le nord de la France. C'est cette population immigrée qui permet le maintien d'un marché à peu près stable et d'une main-d'œuvre suffisante.

La population active atteint en effet son maximum en 1911, représentant 53 % de la population totale de la France. C'est que les effets de la stagnation démographique ne se font pas encore sentir. Les retraités sont encore peu nombreux et beaucoup de jeunes continuent à entrer dans la vie professionnelle, si bien qu'à cette date la France compte 21 millions d'actifs (dont 37 % de femmes). La stagnation démographique représente donc plus un signe inquiétant pour l'avenir qu'une source de préoccupations pour le présent. Au demeurant, *L'Alliance nationale pour l'accroissement de la population française*, fondée en 1896 par le Dr Bertillon ne parvient pas vraiment à provoquer une prise de conscience du problème par l'opinion et les pouvoirs publics.

L'évolution de la structure socio-professionnelle de la population active, telle qu'elle apparaît lors du recensement de 1906, traduit les lentes modifications de l'appareil économique français, sans vraiment remettre en cause la prépondérance d'une France rurale largement majoritaire.

Structure socio-professionnelle de la population active

	1881	*1906*
Secteur primaire	48 %	42,7 %
Secteur secondaire	27 %	30,6 %
Secteur tertiaire	25 %	26,7 %

Il faut en particulier noter les très faibles progrès des secteurs secondaire et tertiaire si on compare la situation française à celle du Royaume-Uni, de l'Allemagne ou de la Suisse. La France du début du XXe siècle demeure fondamentalement une nation paysanne.

L'étude de la répartition géographique de la population confirme les enseignements fournis par la répartition socio-professionnelle. La population rurale représente, encore au début du XXe siècle, 56 % de la population totale du pays. L'exode rural, thème de tant de discours et de livres larmoyants (*La terre qui meurt* de l'académicien René Bazin par exemple), est au total un phénomène lent et limité: en trente ans, la population rurale de la France n'a diminué que de 10 %. Les zones touchées par l'exode rural sont évidemment celles dont l'économie est peu performante, les régions montagneuses du Massif central ou des Alpes du sud, les bordures sud et est du Bassin parisien, l'Aquitaine... L'urbanisation reste lente et se fait surtout au profit des villes petites et moyennes. En 1911, la France n'a que seize villes de plus de 100 000 habitants (rassemblant 13 % de la population totale du pays) alors que le Royaume-Uni ou l'Allemagne en ont une cinquantaine. En dehors de Paris, ville hypertrophiée avec 2 880 000 habitants en 1914 (4 154 000 habitants pour le département de la Seine), seules Marseille et Lyon ont dépassé le seuil des 500 000 habitants alors que Lille et Bordeaux ont un peu plus de 200 000 habitants. Il est peu douteux que le faible dynamisme démographique français constitue un handicap pour l'économie, sinon dans l'immédiat au moins en ce qui concerne ses perspectives de développement. Il est difficile d'en mesurer les effets précis, car des correctifs ont joué. C'est ainsi que le déficit de main-d'œuvre dû à la faible croissance naturelle a été compensé par l'appel aux travailleurs étrangers, mais cette main-d'œuvre immigrée est de faible qualification technique à une époque où ce facteur est fondamental pour la modernisation de l'économie. La faiblesse de la croissance de la population a pour résultat une demande réduite. Cette restriction du marché constitue bien évidemment un faible encouragement à l'expansion, encore que l'augmentation du niveau de vie et l'urbanisation, génératrice de nouvelles habitudes de consommation, limitent les effets qu'aurait pu produire la stagnation du marché. Plus important sans doute est l'alourdissement du prélèvement fiscal qui ne pèse que sur un nombre restreint de têtes et diminue les disponibilités du marché. Il est enfin difficile de mesurer les effets du vieillissement de la population sur la psychologie des chefs d'entreprise, eux-même âgés et donc naturellement peu portés à prendre le risque de l'aventure dans un marché faiblement porteur.

L'étude des structures des entreprises françaises et des investissements met en évidence d'autres points de faiblesse de l'économie française.

Faiblesse de l'investissement et de la concentration

La considérable richesse financière de la France au début du XXe siècle constituait une chance pour l'économie française, celle de pouvoir moderniser son outillage et accroître sa capacité de production grâce aux investissements. En fait, il n'en est rien, surtout après 1900. Jusqu'en 1900 en effet, les émissions de titres français à la Bourse de Paris sont plus importantes que les émissions étrangères. De 1892 à 1900, on émet pour 6,4 milliards de titres français (2,8 milliards d'actions et 3,6 milliards d'obligations); durant la même période les souscriptions aux titres étrangers atteignent 5,4 milliards (dont 1,7 milliards pour les sociétés et 3,7 pour les fonds d'Etat).

A partir de 1900, les investissements à l'extérieur dépassent les placements en France qui progressent cependant. Entre 1900 et 1913, les placements en France atteignent 15 milliards (moitié en actions, moitié en obligations) alors que les placement étrangers montent à 17 milliards (7 milliards pour les sociétés, 10 milliards pour les fonds d'Etat). L'explication de cette poussée des fonds étrangers, outre ses aspects diplomatiques (voir chapitre IV) tient aux différences de loyer de l'argent: les placements en France ne dépassent guère un intérêt de 4 % alors qu'ils atteignent facilement 7,5 ou 8 % à l'étranger.

Le faible dynamisme du marché national, la répugnance de la plupart des entreprises à faire appel au marché financier, préférant de loin l'autofinancement pour conserver la maîtrise de leur destin, rendent également compte de cette faible participation du capital français à l'investissement économique en France. En chiffres cumulés, les investissements à l'extérieur représentent, en 1914, 45 % du total des investissements français. 7 % de la fortune nationale est ainsi placée à l'étranger. Il faut d'ailleurs remarquer que la moyenne du revenu national prélevée chaque année pour accroître le capital sous forme d'investissements reste au total très faible si on la compare à celle des autres grands pays industriels. Entre 1900 et 1910, c'est 5,7 % du revenu national français qui est ainsi investi (contre 13 % aux Etats-Unis pendant la même période).

On peut donc en conclure que le prélèvement pour l'investissement est globalement insuffisant et qu'il se dirige plus vers l'étranger que vers la France. Autrement dit, le capitalisme français se montre à la veille de la Première Guerre mondiale beaucoup plus dynamique à l'étranger qu'en France. Là encore on peut percevoir une réelle menace pour l'avenir dont les effets se feront sentir durant l'après-guerre.

Les remarques relatives à l'investissement, qui témoignent d'une médiocre participation aux formes les plus modernes de l'organisation capitaliste, se retrouvent au niveau du phénomène de concentration des entreprises. La France étant entrée très tôt dans le processus de la révolution industrielle, la concentration y a longtemps été extrêmement faible. Au cours du XIXe siècle le coût croissant des machines qui ne peuvent être amorties que dans les très grandes entreprises pousse à une certaine concentration au niveau des industries de base. Mais la dispersion reste la règle au stade de la transformation, ce qui pèse évidemment sur les coûts de production. Sans doute peut-on, en ce qui concerne l'industrie, noter des progrès dans la concentration depuis la fin du Second Empire.

	1866	1911
Nombre de salariés de l'industrie	3 054 000	3 540 000
Nombre d'employeurs	1 660 000	900 000

Mais la très petite entreprise demeure la règle de l'économie française. En 1906, 99% des entreprises françaises ont moins de 50 ouvriers; 90 % des ouvriers travaillent dans des entreprises de moins de 500 salariés et 75 % dans des entreprises de moins de 100 salariés. Dans les secteurs qui emploient les gros contingents d'ouvriers, la petite entreprise règne sans partage.

C'est le cas du bâtiment, de la confection, de la petite métallurgie et même des charbonnages. La concentration n'a de réelle importance que dans les deux secteurs de base moteurs de la seconde révolution industrielle et exigeant matériel lourd et gros investissements, la sidérurgie et la chimie. La sidérurgie est aux mains de sociétés qui, dans le contexte de l'époque, apparaissent comme des «géants»: de Wendel, Schneider, Aciéries de Longwy, Société de Pont-à-Mousson, Société de la Marine-Homécourt. Ces sociétés commencent à pratiquer, mais assez timidement, l'intégration verticale, les producteurs d'acier se lançant dans la fabrication de tubes ou de pièces mécaniques. De son côté, la chimie est dominée par cinq grandes sociétés qui diversifient leur production: Saint-Gobain, la plus importante, Solvay, Malétra, Péchiney, Kühlmann. Entre les grandes sociétés, les ententes sont encore rares. Le Comité des Forges, créé sous le Second Empire se développe assez peu jusqu'en 1900 et il en va de même du Comité des Houillères, créé en 1892. Ces organismes n'ont rien à voir avec les cartels allemands ou les pools américains qui s'entendent pour fixer les prix et se partager le marché en évitant les effets d'une concurrence ruineuse. Ce sont tout au plus des organismes d'information et de défense contre le syndicalisme ouvrier. On voit cependant naître à la veille de la guerre de 1914 quelques véritables cartels qui entendent contrôler le marché: le Comité du sel, le Cartel des verres et glaces animé par Saint-Gobain etc. Mais au total, il s'agit d'exceptions dans un paysage économique dominé par la petite entreprise individuelle ou familiale.

En ce qui concerne la concentration comme l'investissement, le capitalisme français est loin d'avoir atteint une maturité comparable à celle des autres grands pays industriels, Royaume-Uni, Etats-Unis, Allemagne. Sans doute existe-t-il des secteurs pionniers où se font sentir les effets de la modernisation comme la sidérurgie ou la chimie, mais en 1914, ils n'entraînent pas avec eux, tant s'en faut, l'ensemble de l'économie qui constitue une force d'inertie considérable.

Stagnation démographique, faiblesse des investissements à l'intérieur, lenteur et caractère partiel de la concentration, ces points noirs expliquent que la prospérité française des débuts du XXe siècle apparaisse comme une rente de situation, un héritage du passé. Le faible dynamisme du présent se reflète d'ailleurs dans la structure du commerce extérieur.

Le commerce extérieur de la France à la veille de la Première Guerre mondiale

Les caractères des structures économiques de la France au début du XXe siècle se lisent dans sa balance commerciale et sa balance des paiements avec l'étranger. Son développement industriel incontestable se marque par une croissance en volume des échanges, particulièrement accentuée durant les années 1900-1913, mais la croissance annuelle des exportations tombe au-dessous de celle des importations, et, surtout la balance commerciale qui était positive jusqu'en 1880 devient chroniquement déficitaire (sauf en 1905).

Commerce extérieur de la France
(en millions de francs)

	Importations	*Exportations*	*Solde*
1873	3 555	3 787	+ 232
1890	4 435	3 750	– 685
1900	4 700	4 110	– 590
1913	8 420	6 880	– 1 540

A cette détériotation s'ajoute le recul de la part représentée par le commerce français dans le monde. En 1880, la France, avec 11 % du commerce mondial, se situait au second rang derrière le Royaume-Uni (25 %), mais devant les Etats-Unis (10 %) et l'Allemagne (7 %). En 1913, la France ne fait plus que 8 % du commerce mondial et se situe au quatrième rang, devancée par le Royaume-Uni (14 %), l'Allemagne (12 %), les Etats-Unis (10 %). La structure du commerce extérieur de la France souligne au demeurant quelques-unes des faiblesses économiques déjà mises en évidence.

Structures du commerce extérieur de la France (en %)

	Matières premières 1890	1900	1913	*Produits manufacturés* 1890	1900	1913	*Denrées alimentaires* 1890	1900	1913
Importations	53	64	58	14	18	20	33	18	22
Exportations	23	26	29	54	55	58	23	19	13

Des importations, constituées majoritairement de matières premières, et secondairement de denrées alimentaires, surtout tropicales; des exportations où les produits manufacturés tiennent largement la tête, suivis d'assez loin des matières premières: la France a bien la structure commerciale d'un pays industriel développé. Toutefois, l'évolution qui se dessine entre 1890 et 1913 voit s'accroître les importations de produits manufacturés et diminuer les ventes de produits agricoles, ce qui implique une détérioration de la balance commerciale dans sa structure même.

Enfin, il faut remarquer que le commerce français ne se fait qu'à raison de 12 % avec les colonies. Pour plus de 50 % les échanges se font avec les pays européens. Les principaux fournisseurs de la France sont l'Allemagne et le Royaume-Uni, suivis des Etats-Unis, de la Belgique et de la Russie. Son meilleur client est le Royaume-Uni, suivi de la Belgique, de l'Allemagne, de l'Algérie et de la Suisse.

Préoccupant en lui-même, ce déficit de la balance

commerciale est cependant comblé au niveau de la balance des paiements par divers postes positifs au niveau des revenus invisibles.

Balance des paiements de la France et de l'outre-mer en 1913
(en millions de francs)

Balance commerciale	– 1 540
Tourisme	+ 750
Fret-Assurances	+ 340
Revenus du capital	+ 1 775
Revenus du travail	– 29
Total	+ 1 296

On voit donc que, déficitaire sur le plan commercial, la France est en revanche bénéficiaire grâce aux revenus du tourisme, aux frets et assurances, mais par-dessus tout aux revenus des capitaux placés à l'étranger. Ce sont ces dernières rentrées qui permettent — et au-delà — d'équilibrer le déficit commercial.

Au total, si la prospérité française des débuts du XXe siècle est un fait indéniable, il convient d'en nuancer la portée. La France est un pays financièrement riche qui touche au début du XXe siècle les dividendes d'une précoce révolution industrielle. Son dynamisme est attesté par sa participation à l'innovation technique et la manière dont elle prend le tournant de la révolution industrielle. Mais elle ne parvient que malaisément à passer de l'invention à l'exploitation, de la prouesse technique à la production de masse rationalisée. L'explication des difficultés de ce passage aux conditions du capitalisme de la seconde révolution industrielle tient sans aucun doute à l'insuffisance de l'investissement dans l'industrie nationale et à la faible concentration des entreprises qui, de ce fait, manquent de moyens. Mais au-delà, l'une et l'autre ne sont-elles pas la conséquence de la stagnation démographique du pays qui, restreignant le marché, n'ouvre guère aux entreprises de perspectives bien enthousiasmantes qui les pousseraient dans l'aventure de l'investissement ? Le relais de plus en plus net que constitue pour le capitalisme français l'investissement à l'étranger plutôt qu'en France n'est-il pas, sur ce plan, révélateur ?

Il reste que les conséquences de cette situation sont inquiétantes pour l'avenir. La part croissante des produits manufacturés dans les importations prouve l'insuffisance du développement industriel. De même, le recul de la France en ce qui concerne son rang parmi les producteurs industriels du monde ou parmi les nations commerciales atteste un déclin relatif, même si le pays reste dans le peloton de tête des grands pays développés et si sa richesse financière lui donne d'incontestables atouts. Il est cependant clair qu'en 1913, la France dont l'avenir spécifique est menacé apparaît comme un pays rentier qui vit du travail des autres, engrangeant les revenus des capitaux placés à l'étranger. Que ce revenu vienne à disparaître, et c'est le fondement même de la prospérité française qui se trouvera atteint, révélant alors que la France vit sur une économie vieillie, insuffisamment renouvelée, sauf dans quelques secteurs de pointe. Or c'est précisément ce qui se produira durant la Première Guerre mondiale.

III

La «Belle Epoque» Société et vie culturelle en France au début du XXe siècle

La *Belle Epoque*? Il est de tradition aujourd'hui de placer entre guillemets cette expression forgée après le premier conflit mondial, dans une France fière de sa victoire certes, et pleine encore d'illusions quant aux chances de retrouver son rang dans la hiérarchie des puissances, mais consciente déjà des irréversibles changements que la guerre a fait accomplir à la société hexagonale. Que cette référence à un «âge d'or», qui se situerait à la charnière du XIXe et du XXe siècle, appartienne largement au domaine du mythe, cela ne fait guère de doute, mais en est-il jamais autrement au lendemain d'un grand événement perturbateur de l'ordre établi? (Cf. R. Girardet, *Mythes et mythologies politiques*, Paris, Seuil, 1986, pp. 97 sq.)

Il reste qu'en dehors du clinquant de la *«vie parisienne»* qui entre probablement pour beaucoup dans cette mémoire collective du *«temps d'avant»*, un certain nombre de données objectives — la prospérité économique, le recul de la misère et des «mortalités» récurrentes, un incontestable mieux-être perçu par une majorité de Français à l'échelle d'une génération humaine, un fugitif mais précieux équilibre entre la permanence et la modernité, entre le travail et des «loisirs» simples, d'autant plus appréciés qu'ils sont encore distribués au plus grand nombre avec parcimonie — font que tout n'est pas reconstruction mentale pure et simple dans l'évocation, à vingt ou trente ans d'intervalle, du premier «avant-guerre». «Belle Epoque» pour tous, les quinze ou vingt années qui précèdent la grande hécatombe de 1914-1918 ? Certainement pas, mais, sans aucun doute, apogée d'une spectaculaire avancée sociale dont rend compte la culture du temps, et qui est à la fois tributaire des bouleversements techniques liés à la «seconde révolution industrielle» et des combats menés par les moins favorisés pour obtenir une amélioration de leur sort.

Le repli démographique: prise de conscience tardive et enjeu politique

On ne saurait évoquer la société française de la «Belle Epoque» sans prendre en compte la stagnation démographique qui la marque. Sans revenir sur l'importance du phénomène (évoquée au chapitre II), il s'agit ici d'en considérer les aspects d'enjeu politique et d'examiner la prise de conscience de l'opinion à son égard.

La réduction du nombre des naissances ne répond pas seulement à des choix individuels et à des stratégies d'ascension sociale. Elle devient au tout début du siècle un enjeu politique pour certains milieux d'extrême gauche. A l'origine de ce courant néo-malthusien on trouve notamment la *Ligue de la regénération humaine*, fondée en 1898 par Paul Robin, un ancien de la rue d'Ulm, professeur de lycée démissionnaire, devenu anarchiste et libre-penseur. Dans la revue qu'il publie de 1900 à 1902, *Regénération*, et à laquelle collaborent des médecins, des journalistes comme Gustave Téry, directeur de *L'Œuvre*, des hommes politiques comme Naquet, promoteur de la loi sur le divorce, on fait de la propagande et de la publicité pour les méthodes et pour le «matériel» anticonceptionnels. En 1908, l'entreprise est reprise par l'un des premiers collaborateurs de Robin, Eugène Humbert qui poursuit son action dans la même voie. En même temps, le mouvement gagne les bourses du travail, les syndicats et surtout le mouvement anarchiste où il trouve ses propagateurs les plus zélés. La gauche socialiste et révolutionnaire est loin d'ailleurs d'être unanime à partager les idées de Robin et de ses amis. A la SFIO, la majorité est même résolument hostile à la propagande néo-malthusienne, jugeant, écrit la *Revue socialiste*, qu'elle est *«une erreur et un danger»* ou estimant, avec Robert Hitz, que la dépopulation *«nuit plus au peuple que la forte natalité»* (*Socialisme et dépopulation*, Paris, 1910). Mais chez les anarchistes et chez beaucoup de syndicalistes révolutionnaires on fait valoir que la «grève des ventres», outre qu'elle doit permettre aux femmes de se libérer des «pièges de l'amour» et de la «tyrannie des hommes» (motion de la Fédération CGT des bûcherons, 1912), aura des effets ravageurs pour le capitalisme en raréfiant «l'armée de réserve» des travailleurs et en le privant de «chair a canons» pour les guerres à venir.

Populationnistes et néo-malthusiens ne s'affrontent pas seulement dans les milieux de la gauche socialiste et anarchiste (même chez les libertaires on trouve en effet des défenseurs du «droit à la maternité», comme Madeleine Vernet). Ils échangent également des arguments pour ou contre la limitation des naissances dans la presse «bourgeoise» et dans une foule de libelles, brochures et écrits en tout genre. Mais ici, ce sont les voix des «natalistes» qui sont les plus nombreuses et qui parlent le plus fort. Face à la petite légion de ceux qui jugent — comme Eugène d'Eichtal, Yves Guyot et Alexandre Ribot — que la France est plutôt bénéficiaire d'un équilibre démographique générateur de paix sociale, il se constitue au début du siècle une école «populationniste» dont les principaux représentants sont Roger Debury (auteur en 1896 d'un livre publié sous le pseudonyme de Georges Rossignol, *Un pays de célibataires et de fils uniques*), l'économiste Paul Leroy-Beaulieu et surtout Jacques Bertillon. Déjà en 1874 le père de celui-ci, Adolphe Bertillon, un médecin socialiste qui compte parmi les fondateurs de l'Ecole d'anthropologie de Paris, avait lancé un cri d'alarme dans sa *Démographie figurée de la France*, sans grand succès auprès des pouvoirs publics. Une vingtaine d'années plus tard, Jacques Bertillon, chef du service de statistique de la Ville de Paris et auteur de très nombreux opuscules sur la question, fonde l'*Alliance nationale pour l'accroissement de la population française* et donne en 1911 aux avertissements de son père un écho amplifié dans *La dépopulation de la France*.

Jusqu'à la fin du siècle, le discours nataliste a eu peu de prise sur les responsables politiques français. Il avait pour la majorité républicaine un relent de «cléricalisme» qui ne se conciliait guère avec ses propres sentiments. Aussi les premiers efforts concrets pour freiner la chute de la natalité furent-ils l'œuvre de quelques patrons de l'Isère, du Nord ou de la Champagne qui, comme Léon Harmel, étaient inspirés par le catholicisme social et qui mirent en place dans leurs entreprises un dispositif de primes à la naissance et d'avantages divers pour les chefs de familles nombreuses. C'est seulement à partir de 1900 que les pouvoirs publics commencent à leur tour à se pencher sur le problème, accordant en 1900 des allocations aux postiers, autorisant en 1904 les

Conseils généraux à verser des aides aux familles, puis généralisant les secours à toutes les familles d'au moins quatre enfants disposant de revenus modestes par la loi de 1913.

La présence étrangère

Dans le courant des années 1890, le déficit de la population est devenu en France monnaie courante. Il s'accompagne de migrations internes qui, dans certaines régions périphériques (notamment dans les Alpes du Sud), créent un véritable désert, jugé dangereux pour la sécurité de nos frontières. Ceci au moment où la France doit assurer le contrôle d'un vaste empire colonial, faire face aux périls croissants de la situation internationale et répondre aux besoins de main-d'œuvre suscités par la seconde révolution industrielle. Il en résulte une pénurie de bras qui va vite prendre, en France, un caractère structurel.

Dans ces conditions, l'appel à la main-d'œuvre étrangère était inévitable. Il correspond à un besoin essentiel de l'économie française à la fin du XIXe siècle et il s'inscrit dans une longue histoire qui fait de l'hexagone une terre d'accueil privilégiée pour les migrants en quête d'un refuge ou d'un emploi. «*Notre France* — pouvait-on lire au XVIIe siècle dans le *Mercure* — *est une mère commune de tout le monde qui ne refuse nourriture ni accroissement à personne.*» Il n'est pas dans notre propos de retracer ici le cheminement d'une identité française faite des apports successifs d'éléments allogènes lentement fondus dans un «creuset» fonctionnant à l'échelle du temps long. Retenons seulement que l'osmose s'est opérée le plus souvent par capillarité, à partir des noyaux façonnés par la migration frontalière (dans la mesure où l'on peut parler de «frontières» avant l'époque contemporaine) et par les migrations saisonnières, ceci dès le Moyen Age.

Le flux pluriséculaire et généralement très mince des migrants s'est ainsi à la fois dissout dans le corps social français et étendu de proche en proche à toute la périphérie continentale de la France, laquelle rassemble au milieu du XIXe siècle plus des deux tiers des étrangers recensés. Le reste se trouve dispersé entre divers pôles, dont Paris est de loin le plus important et où l'implantation des communautés allogènes s'est faite non par cheminement progressif à partir des zones frontalières, mais par le jeu de réseaux complexes, d'amplitude géographique beaucoup plus forte et d'origine parfois très ancienne.

Le plus souvent cependant — différence fondamentale avec celle des cent trente dernières années — cette immigration au long cours a été une immigration de «spécialistes» attirés en France, qui était alors la plus peuplée d'Europe, non pour combler un vide démographique, mais pour répondre à une demande en personnel hautement qualifié. C'est cela qui change au XIXe siècle: la géographie de l'immigration reste globalement la même, mais sa composition socio-professionnelle se modifie radicalement.

Bien que les statistiques soient d'une fiabilité incertaine (elles ne rendent compte ni de l'immigration sauvage, opérée en dehors de toute déclaration au départ ou à l'arrivée, ni des migrations de transit), on peut à partir de 1851 — date du premier recensement dans lequel figurent les étrangers — mesurer le caractère de masse de la présence étrangère en France. A cette date, il n'y a encore que 380 000 étrangers recensés (selon certaines sources non officielles, il y en aurait eu 800 000 à la veille de la crise de 1846-1848, plus environ 250 000 temporaires et gens de passage), soit un peu plus de 1 % de la population française. Il y en aura, toujours en chiffres officiels, 700 000 à la fin du Second Empire, un million en 1881, 1 126 000 dix ans plus tard et près de 1 160 000 en 1911, dernier recensement avant la guerre: ce qui représente un peu moins de 3% de l'effectif recensé. En un demi-siècle, la population étrangère a donc triplé, alors que le nombre des autochtones a tout juste augmenté de 20% (naturalisés compris). Il est clair que, dès cette période, l'accroissement — au demeurant bien modeste — de la population résidant dans l'hexagone, est pour une large part (40 % environ) due à l'afflux des migrants.

Ces premières vagues de l'immigration de masse concernent principalement, on le sait, les populations originaires des Etats proches voisins de la France et nourrissent des noyaux de peuplement qui — à l'exception de la nébuleuse parisienne — se situent dans les départements frontaliers, ou peu éloignés du pays de départ. Jusqu'aux toutes dernières années du XIXe siècle, les Belges viennent de loin en première position, avec en moyenne plus de 40 % des entrées. Mais, à partir de 1900, ce sont les Italiens qui forment la colonie la plus nombreuse et, à la veille du premier conflit mondial, ces deux nationalités réunies représentent encore plus des deux tiers de l'effectif immigré. Viennent ensuite les Allemands, les Espagnols, les Suisses, avec pour chaque nationalité un contingent à peu près égal représentant de 7 à 9% de la population étrangère, puis les Britanniques, les Russes, les Luxembourgeois et les sujets de l'Empire austro-hongrois. Les autres pays de départ sont très peu représentés et la part des non-Européens est alors quasi nulle.

Proportion d'étrangers dans la population active masculine au début du XXe siècle

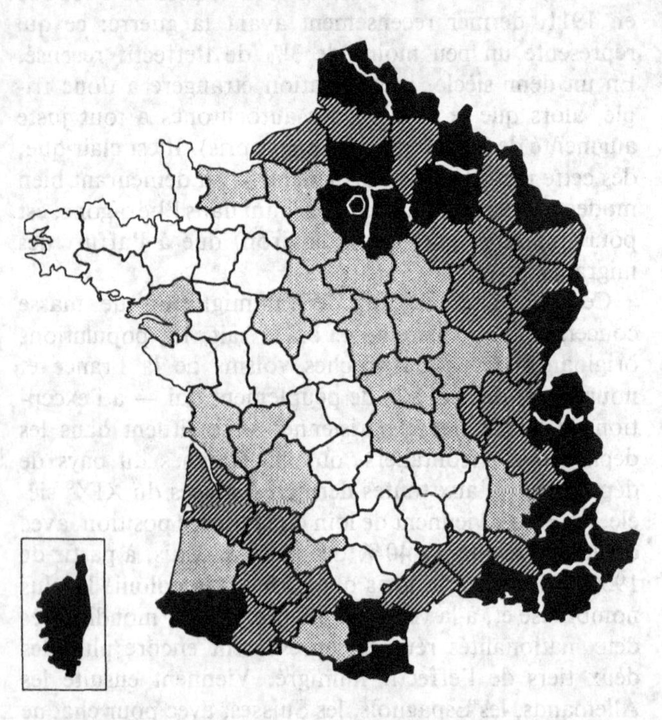

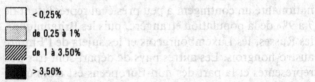

Au cours de la seconde moitié du XIXe siècle, la population étrangère résidant en France n'a pas seulement vu ses effectifs tripler. Elle a connu de fortes modifications structurelles, s'agissant notamment des activités exercées par les individus qui la composent. Certes, en 1860 comme en 1900 ou en 1914, ceux qui travaillent de leurs mains représentent au moins 90% des allogènes. Mais les «techniciens» et les ouvriers hautement qualifiés (par exemple les «mécaniciens» belges dans les tissages du Nord, les lamineurs anglais à Montataire ou à Aubin), les praticiens des «vieux métiers» (ébénistes et orfèvres italiens, tailleurs britanniques et transalpins, horlogers suisses), les artisans et surtout le monde haut en couleurs des «petits métiers» et des gens du voyage (musiciens et comédiens ambulants, montreurs d'ours et de singes, rempailleurs de chaises, vendeurs de statuettes d'albâtre pour ne citer que ces activités plus ou moins monopolisées par les Italiens) ont vu leur proportion décroître au profit des travailleurs de l'industrie et des manœuvres agricoles.

L'économie française à l'heure de la seconde révolution industrielle est en effet essentiellement consommatrice de main-d'œuvre non qualifiée. D'abord parce que les besoins relevant de l'usine mécanisée, de la concentration dans de vastes unités de production, des grands travaux liés à la révolution des transports, vont dans ce sens. Ensuite parce que les travailleurs français sont de plus en plus enclins à abandonner aux migrants — quitte à vouloir les récupérer en temps de crise — les emplois les plus épuisants, les plus salissants et les moins bien rémunérés. Il en résulte un afflux massif d'étrangers dans les houillères (50% des 15 000 mineurs employés par la Compagnie d'Anzin sont Belges), dans les mines de fer et dans la sidérurgie (au cours des quinze années qui précèdent la guerre, la région de Briey devient une véritable enclave italienne en pays lorrain), dans les industries chimiques, dans les activités portuaires (plus de la moitié des dockers marseillais), sur les chantiers mobiles des grands travaux ferroviaires, ainsi que dans des régions où les tâches agricoles requièrent une main-d'œuvre saisonnière, peu exigeante et rompue aux besognes les plus rudes.

Tous ces facteurs concourent à façonner des «colonies» étrangères d'une grande diversité et qu'il est difficile de considérer comme un bloc. D'abord parce qu'il ne faut pas se représenter la migration comme une accumulation linéaire d'individus et de groupes venus se fixer en France à la suite d'un choix sans retour. Les chiffres fournis par les recensements quinquennaux ne sont rien d'autre que des «instantanés» qui mesurent, tant bien que mal, des «stocks» à un moment donné. L'important est dans le volume des flux, à l'entrée et à la sortie, et dans le rythme d'une rotation *(turn over)* qui s'accomplit en perdant à chaque fois un peu de sa substance. Autrement dit, ceux qui se fixent à la suite d'un ou de plusieurs séjours plus ou moins longs ne représentent que la partie émergée de l'immense iceberg migratoire. Quand on parle de la «colonie» italienne en 1900 ou en 1910, on ne parle que très partiellement des mêmes individus.

Ensuite parce que les groupes nationaux qui forment la masse des migrants ont une physionomie propre qui ne tient pas seulement à des caractères ethniques ou culturels. Admettons que certains soient plus «proches» que d'autres de ce qu'il est convenu d'appeler *les Français*, encore que cette proximité nous paraisse plus évidente qu'elle ne l'est apparue aux contemporains. Surtout, elle n'est pas seulement le résultat d'un voisinage géographique ou le produit d'une histoire croisée. Interviennent également des considérations temporelles qui font qu'au fil des décennies tel groupe qui présentait en début de parcours les traits d'une population «nomade» — c'est-à-dire composée en majorité de jeunes adultes mâles, de célibataires, d'itinérants passant facilement d'une région à l'autre, d'une activité à l'autre, du milieu rural au milieu urbain et réciproquement — tend à «mûrir» et à se sédentariser. Il en était ainsi dans le Paris du premier XIXe siècle, tel que le décrit Louis Chevalier (*Classes laborieuses et classes dangereuses à Paris pendant la première moitié du XIXe siècle*, Paris, Plon, 1958), pour les migrants de l'intérieur venus chercher une amélioration de leur sort dans la capitale. Il en est de même pour les ressortissants des pays voisins de la France jusqu'en 1914, puis de ceux venus d'horizons européens plus lointains, comme les Polonais dans l'entre-deux-guerres, en attendant les vagues originaires de l'Afrique du Nord et de l'Ouest.

Pour la période que nous examinons ici, on perçoit assez bien le relais qui s'effectue à la charnière du XIXe et du XXe siècle entre les colonies implantées de longue date, en particulier la colonie belge, et les représentants d'une immigration nouvelle, plus fortement porteuse des traits de «nomadisme» qui viennent d'être évoqués: les Espagnols, les ressortissants des pays de l'Europe centrale et orientale et les gros bataillons de l'immigration italienne récente. S'agissant de ces derniers, on assiste d'ailleurs à une transformation sensible au cours des dix ou quinze années qui précèdent le premier conflit mondial. Le taux de masculinité décroît, tout comme le nombre des célibataires. La structure par âges révèle un relatif vieillissement de la communauté transalpine. L'immigration temporaire diminue au profit des séjours de longue durée ou de l'implantation définitive. Autant de signes qui dénotent une plus grande stabilité et un début de sédentarisation, en particulier dans la région parisienne et dans les grandes zones de colonisation du Sud-Est.

On voit que le million d'étrangers qui résident dans l'hexagone au début du siècle ne constitue un ensemble homogène que pour les statisticiens. Pour le patronat français, qui a favorisé leur venue, s'ils représentent une force de travail nécessaire au fonctionnement de ses entreprises, ils occupent en même temps dans le dispositif économique une place qui se modifie au fur et à mesure que s'affirme la sédentarisation et l'intégration des divers groupes nationaux. Très globalement, les emplois les moins qualifiés, les plus rudes, les plus mal payés sont ainsi passés des autochtones aux Allemands et aux Belges avant 1880, puis aux «Piémontais» (disons aux Italiens du Nord) jusqu'aux toutes premières années du siècle, enfin à des Transalpins venus de régions plus lointaines et à d'autres catégories de migrants en fin de période. Il y a, comme l'ont bien montré les travaux de Gérard Noiriel, un lien organique profond entre la nature du travail manufacturier à l'époque de l'industrialisation triomphante, la stratégie du grand patronat et le fait migratoire qui perdure jusqu'aux années 1970 (G. Noiriel, *Longwy, immigrés et prolétaires, 1880-1890*, Paris, Seuil, 1980 et *Le Creuset français. Histoire de l'immigration, XIXe-XXe siècle*, Paris, Seuil, 1988).

Pour les populations d'accueil, qui perçoivent la présence étrangère en termes de contacts au quotidien, le clivage s'opère de la même manière entre représentants de l'ancienne et de la nouvelle immigration. Le rejet de l'autre, se traduisant par une animosité aux formes diverses, allant du mépris verbal aux violences collectives, est ainsi passé en un demi-siècle des migrants de l'intérieur (Bretons, Auvergnats, Savoyards dans le Paris de la Monarchie de Juillet) aux premiers représentants de la colonisation étrangère de masse — Suisses, Belges, Allemands — puis aux différentes vagues de l'immigration italienne. Plus tard viendra le tour des Espagnols, des Arméniens, des Polonais et des Nord-Africains.

Arrêtons-nous un instant sur le cas des Italiens qui constituent au début du XXe siècle la plus grande partie de l'immigration perçue comme *nouvelle* et concentrent de ce fait sur les groupes qu'ils composent les effets de la xénophobie ambiante. Vue avec un recul bientôt séculaire, leur intégration à la société française paraît aujourd'hui à certains s'être opérée dans les meilleures conditions du monde et il est fréquent de voir celle-ci considérée comme un «modèle» que l'on oppose aux difficultés rencontrées de nos jours par des groupes réputés «inassimilables». Or les choses se sont passées de manière toute différente. Jugé à l'heure présente comme un proche parent européen, l'Italien a suscité jusqu'à l'extrême fin du XIXe siècle des réactions très hostiles qui ont fréquemment dépassé les frontières du verbe et de l'écrit. A Marseille en juin 1881, à Aigues-Mortes en août 1893, à Lyon l'année suivante, à la suite de l'assassinat du président Carnot par l'anarchiste Caserio, ainsi que dans nombre d'incidents moins spectaculaires, les Transalpins ont fait l'expérience cruelle de ce que nous appelons aujourd'hui «ratonnade», et ils ont payé de leur sang ces quelques dérapages de la solidarité prolétarienne. Certes il ne s'agit pas d'en exagérer le poids. Des «collisions», comme celle d'Aigues-Mortes (une «chasse à l'Italien» dans les salines de Camargue à la suite d'une rixe banale), qui a fait au bas mot une dizaine de morts, gardent un caractère exceptionnel et ne doivent pas occulter les nombreux exemples d'action solidaire entre les travailleurs des deux nationalités. Mais il n'y a pas non plus eu de «miracle» dans la façon dont la première génération de migrants originaires de la péninsule s'est intégrée à la société française.

Il y a, à cette hostilité envers les Italiens, des raisons spécifiques, liées à de très anciennes rancœurs (en France un sentiment de supériorité, voire un mépris affiché pour un peuple longtemps dominé), à des différends plus récents (la question romaine) et à l'actualité internationale (l'appartenance de l'Italie à la Triplice), mais aussi des mobiles qui s'inscrivent dans un contexte plus large. L'italophobie n'est qu'un cas particulier de la xénophobie qui a gagné à la fin du XIXe siècle de larges secteurs de l'opinion. L'une et l'autre ont des racines culturelles et expriment des tensions et des choix qui relèvent du politique, mais qui se développent en même temps sur fond de dépression économique et de saturation du marché de l'emploi: le discours nationaliste devenant, pour les travailleurs du cru aux prises avec la concurrence étrangère, un moyen de lutter contre celle-ci en mettant de leur côté toute une partie de la classe politique.

Les gouvernements de l'époque ont eu, dans les dernières années du XIXe siècle, à affronter ce problème. En principe, l'effectif global de la population étrangère n'était pas suffisamment élevé pour que, même en temps de basse conjoncture, l'économie française ne fût pas à même de l'absorber. Mais cela aurait impliqué une mobilité de la main-d'œuvre immigrée qui était loin d'être réalisée dans les faits. Cela était vrai pour la plupart des groupes nationaux dont les effectifs étaient généralement concentrés en quelques points bien déterminés du territoire, qu'il s'agisse des Italiens ou des Belges, qui ensemble représentaient les deux tiers des migrants, ou de groupes plus restreints mais très focalisés comme ces «Juifs de la Belle Epoque» que Nancy Green a étudiés dans le beau livre qu'elle a consacré à leur insertion dans la société française (*Les Travailleurs immigrés juifs à la Belle Epoque*, Paris, Fayard, 1985). Il en résultait, lorsque la situation économique devenait défavorable, une tension latente susceptible d'engendrer des heurts violents. Et aussi une opposition de plus en plus vigoureuse de certaines organisations ouvrières à la libre embauche des travailleurs étrangers, jugés responsables de la baisse des salaires.

L'examen des réponses adressées par les chambres

syndicales au ministre du Commerce Dautresme, en 1887, est à cet égard très significatif. Nombre d'entre elles, en effet, ont élevé à cette occasion des protestations véhémentes contre la concurrence exercée sur le marché du travail par la main-d'œuvre étrangère, particulièrement par les Italiens. C'est le cas par exemple des maçons de Besançon ou des représentants du Syndicat des bâtiments civils du Lot-et-Garonne à qui il apparaît «*utile d'imposer aux étrangers qui viennent travailler en France, à vil prix, souvent pour surprendre les procédés de nos industries, quand ce n'est pas pour des motifs plus dangereux encore, des charges assez fortes pour faire équilibre avec les impôts de toute nature qui pèsent sur nous*». Plus directement encore dirigé contre les Transalpins, leurs principaux concurrents, le véritable pamphlet adressé au ministère du Commerce par les mouleurs en plâtre, statuaires et ornementistes français: ils y dénoncent le fait que les Italiens sont à Paris chargés de la décoration de tous les bâtiments officiels, alors que «*pour récompense de leur unité et de leur émancipation, qu'ils nous doivent*», ils seraient encore «*les premiers à nous donner le coup de pied de l'âne*». Et l'on conclut: «*Notre cas n'est pas isolé, car dans toutes les branches de l'industrie la plaie italienne fait des progrès considérables.*»

Que l'on ne s'y trompe pas. Ce discours composite, mêlant à des préoccupations économiques des propos xénophobes que ne désavouerait pas la presse nationaliste, n'est pas seulement le fait des couches populaires précapitalistes, tout naturellement imprégnées dira-t-on de la mentalité «petite-bourgeoise». On trouve, dans le prolétariat d'usines et jusque dans les milieux syndicalistes, l'écho de préoccupations identiques formulées dans un langage à peine différent. Michelle Perrot a clairement montré dans sa thèse (*Les ouvriers en grève, 1871-1890*, Paris, 1973) que, devant l'opposition parfois virulente des ouvriers et des syndicalistes locaux, les dirigeants internationalistes avaient dû à maintes reprises renoncer à faire prévaloir leurs thèses sur la solidarité avec les travailleurs étrangers. N'était-ce pas Jules Guesde lui-même qui, dans les éditoriaux du *Cri du Peuple* évoquait les «*800 000 étrangers qui, travaillant à bas prix, font outrageusement baisser les salaires, quand ils ne les suppriment pas complètement pour nos ouvriers expulsés des usines*» et qui dénonçait «*l'invasion des sarrasins*» venus d'au-delà des monts?

Ces revendications ont trouvé un écho dans la presse et au Parlement où elles ont donné lieu, au cours des dix dernières années du siècle, à plusieurs projets d'inspiration nationaliste visant notamment à établir une taxe sur les ouvriers étrangers ou sur leurs employeurs français afin de protéger le «*travail national*». Aucun n'aboutit, à l'exception du décret Floquet d'octobre 1888 qui obligeait les étrangers à faire une déclaration d'identité et qui, complété par des menaces de sanctions pour les employeurs qui embaucheraient des étrangers non déclarés, deviendra la loi du 8 août 1893.

Il fallut attendre 1899 pour que satisfaction fût donnée aux partisans de la restriction de la liberté d'embauche. Répondant aux vœux formulés par le rapporteur de la commission du travail de la Chambre, les décrets Millerand du 10 août 1899 fixaient en effet aux entreprises de travaux publics opérant pour le compte de l'Etat, des départements et des communes, un contingent maximum de travailleurs étrangers variant, selon les régions et la nature des travaux, de 5 à 30 % de l'effectif total. Mesure apparemment anodine mais dont la portée est en fait loin d'être négligeable. D'abord parce que les entreprises intéressées sont dans une large mesure celles qui emploient, pour la construction des routes, des voies ferrées, des installations portuaires, etc., les plus gros contingents de travailleurs étrangers. Ensuite parce que, faisant référence à ce premier texte réglementaire, nombre d'ouvriers français frappés par le chômage ou par la diminution des salaires vont s'efforcer d'obtenir de leurs employeurs que des dispositions analogues soient introduites dans des entreprises non directement visées par les décrets d'août 1899. Enfin, et ceci est le plus important, parce que les «décrets Millerand», aussi modeste que soit le champ de leur application, marquent la fin du laisser-faire à peu près intégral en matière d'immigration et d'emploi de la main-d'œuvre étrangère sur le territoire français.

Il est à noter que les décrets d'août 1899 ont été adoptés à un moment où, après la longue dépression des années 80 et 90, la tendance en France était à la reprise. Autrement dit, c'est à l'heure où les tensions sur le marché de l'emploi se faisaient globalement moins vives — ce qui ne veut pas dire qu'il ne subsistait pas des problèmes locaux, liés à une conjoncture régionale défavorable, comme à Marseille —, que le gouvernement Waldeck-Rousseau a choisi de satisfaire partiellement une revendication ouvrière formulée en des temps plus difficiles. Satisfaction d'autant plus aisée à consentir que les décrets Millerand ont été conçus pour être appliqués avec une grande souplesse. En fait, ils ne seront utilisés que de façon ponctuelle et temporaire, sans véritablement gêner les entreprises grosses consommatrices de main-d'œuvre immigrée.

Il est clair que les hommes du «Bloc des gauches», qui ont accédé au pouvoir à l'occasion de l'Affaire Dreyfus, ont eu pour objectif, en promulguant les décrets d'août 1899, moins de régler le problème déjà un peu dépassé de la concurrence étrangère, que de se concilier au meilleur prix une partie de la classe ouvrière. Pour cela, ils n'ont pas hésité à jouer sur le réflexe chauvin de masses gagnées par la fièvre nationaliste de la fin du siècle. La «défense républicaine» y a sûrement trouvé son compte. Aux dépens d'un idéal de solidarité internationale qui a décidément bien du mal à faire son chemin dans l'Europe de l'ère impérialiste.

Cela dit, les travailleurs étrangers eurent assez peu à souffrir de ces mesures discriminatoires. Soucieux de fournir à l'industrie une main-d'œuvre peu onéreuse et souvent compétente, le gouvernement français ne tenait pas à voir se tarir les courants d'immigration. Il veilla donc à ce que les conditions d'accueil et de travail des ouvriers étrangers ne fussent pas trop mauvaises. La loi du 9 avril 1898, qui établissait la responsabilité patronale en matière d'accidents du travail, prévoyait les conditions d'indemnisation des travailleurs étrangers et, dans certains cas, de leur famille. Par ailleurs les étrangers bénéficiaient normalement des grands services de l'Etat, qu'il s'agisse de l'Assistance publique à laquelle durent recourir nombre d'indigents ou des établissements d'enseignement qui étaient largement ouverts aux enfants étrangers, ceci avec une volonté évidente d'assimilation dont se plaignaient fréquemment les représentants diplomatiques et consulaires des pays intéressés.

Ce désir des pouvoirs publics d'intégrer les sujets étrangers à la communauté nationale apparaît surtout dans les lois adoptées en 1889 et 1891 et qui introduisent en France un régime de francisation quasi automatique pour la «seconde génération». Aux termes de la loi, devient en effet automatiquement français tout individu né en France d'un étranger qui y est lui-même né ou celui qui, né d'un père étranger ne décline pas la qualité de Français à sa majorité. Peuvent d'autre part être naturalisés les étrangers ayant obtenu l'autorisation de fixer leur résidence en France après trois ans et ceux qui ont épousé une Française après un an de domicile. En 1900, on compte déjà dans l'hexagone plus de 220 000 naturalisés.

Est-ce à dire que l'intégration des étrangers a cessé

d'être un problème dans la première décennie du XXe siècle ? Ce serait aller un peu vite en besogne. Toutefois, les signes ne manquent pas qui permettent de diagnostiquer une amélioration sensible par rapport aux vingt années qui précèdent. D'abord l'effectif étranger s'est stabilisé ce qui enlève une partie de sa charge émotionnelle au mythe de l'*invasion* manipulé par les médias de l'époque et par toute une littérature d'inspiration nationaliste (c'est le titre du livre de Louis Bertrand, paru en 1904, et dont la toile de fond est le port de Marseille au début du siècle). En second lieu, les instruments de l'assimilation que les républicains ont mis en place depuis qu'ils se sont effectivement saisis du pouvoir et qui avaient été primitivement conçus pour fabriquer des *Français* avec les produits disparates de cultures régionales encore bien vivantes, commencent à porter leurs fruits. Qu'il s'agisse de l'école publique ou de l'armée de conscription, il est clair qu'ils constituent déjà de puissants agents d'acculturation des générations issues de l'immigration.

Enfin, l'intégration par le travail et les parcours sociaux qu'elle implique ont également commencé à fonctionner. Sans doute parce que la masse des travailleurs étrangers, partis pour la majorité d'entre eux d'un niveau très bas de la hiérarchie des emplois — celui des journaliers agricoles ou des manœuvres sans qualification — ont entamé leur périple professionnel dans un contexte qui se modifiera peu jusqu'au milieu des années 1970 et qui est celui de l'industrialisation triomphante. Aussi dures qu'aient été les conditions faites à cette main-d'œuvre d'importation, celle-ci a eu la possibilité, pendant la période qui coïncide avec la migration de masse, de franchir les premières étapes du parcours plus ou moins long, plus ou moins difficile, de l'insertion sociale et de reproduire, avec un décalage de plusieurs décennies, l'évolution — en termes de statut professionnel, de niveau de vie et de place dans la société — de la classe ouvrière française.

Notables et bourgeois

Il s'est accompli, tout au long du XIXᵉ siècle, une lente relève des classes dirigeantes qui se trouve à peu près achevée aux alentours de 1900. L'ancienne aristocratie n'a pas disparu mais son déclin, déjà manifeste à la fin de la Restauration, n'a cessé de s'accentuer au cours des deux derniers tiers du XIXᵉ siècle. Dépossédée de son pouvoir politique au profit de la haute bourgeoisie, dont elle s'est d'ailleurs rapprochée par le jeu des stratégies matrimoniales, puis des «couches nouvelles», elle a dû fréquemment vendre une partie de ses terres pour «tenir son rang», ou simplement pour payer ses dettes. Dans l'ensemble, elle s'intéresse peu aux affaires, limitant son activité dans ce domaine à quelques secteurs: les mines, la métallurgie ou les assurances. Au début du XXᵉ siècle, les «vrais nobles» — 3 000 ou 4 000 familles, alors qu'il existe une quinzaine de milliers de patronymes à particule n'ayant aucune signification mais tolérés par la législation en tant qu'«accessoires honorifiques du nom» —, ne jouent plus qu'un rôle de notables locaux. Certains d'entre eux, pas plus de quelques centaines, disposent d'une clientèle électorale, en général dans le cadre du canton, et jouissent encore d'un relatif prestige, lié aux pesanteurs du passé, plus rarement au maintien d'une assise foncière qui peut encore être considérable (mort en 1878, le marquis de Vibraye possédait avec son épouse une dizaine de milliers d'hectares répartis sur cinq départements), ainsi qu'aux derniers fastes de la vie aristocratique: château, chasse et existence oisive, y compris pour beaucoup de ces modestes hobereaux qui ont servi de modèles aux héros de Maupassant. Jusqu'en 1914, nombreux sont les descendants de familles aristocratiques qui continuent de faire carrière dans l'armée et dans la diplomatie.

Depuis le milieu du XIXe siècle, la bourgeoisie peut être considérée comme la véritable classe dirigeante. Elle est formée, sans que les clivages soient toujours très nets, de diverses «couches» qui se définissent par la fortune, par la nature des activités pratiquées et par le mode de vie, tout en gardant une unité, distincte à la fois de l'aristocratie foncière et du «peuple».

Au sommet, on trouve, pour reprendre la distinction établie par Adeline Daumard, la bourgeoisie des *hauts notables* qui comprend de riches propriétaires fonciers vivant du revenu de leurs terres (dans le Loir-et-Cher, ils détiennent en 1900 le quart des terres pour moins de 20 % à la noblesse), et une «haute bourgeoisie» où se côtoient banquiers, manufacturiers, hauts fonctionnaires et magistrats, officiers supérieurs et représentants des professions libérales arrivés à la notoriété par leurs travaux et par leur fortune (notamment des médecins, des avocats, quelques écrivains et directeurs de journaux comme Arthur Meyer, patron du *Gaulois*). Cette grande bourgeoisie, qui a monopolisé le pouvoir politique jusqu'à la fin des années 1870, a dû céder la place, après cette date, aux représentants de catégories moins fortunées. Elle reste cependant fortement représentée dans les Chambres, trouve épisodiquement des défenseurs de ses intérêts — un Jules Méline, un Freycinet, un Maurice Rouvier — au plus haut niveau des responsabilités gouvernementales, et surtout elle garde le contrôle de l'économie et de la haute administration. En termes de niveaux de fortune, elle se situe dans la catégorie dont les gains annuels dépassent 50 000 francs-or, soit une vingtaine de milliers de personnes parmi lesquelles on compte environ 3 000 revenus supérieurs à 100 000 francs (Cf. J.-B. Duroselle, *La France et les Français, 1900-1914*, Paris, Ed. Richelieu, 1972, p. 68).

Formant de véritables «dynasties», maîtresses d'empires industriels et financiers (les de Wendel et les Schneider dans la sidérurgie, les Darblay dans l'industrie alimentaire, les Peugeot et les Japy dans l'industrie mécanique, en attendant la génération des «pionniers» comme Louis Renault et Marius Berliet), elle est volontiers libérale et tranche peu par ses conditions d'existence avec la noblesse fortunée qui constitue pour elle un modèle. Le «bourgeois conquérant» de la Belle Epoque possède ainsi hôtel particulier (ou appartement) en ville, château à la campagne (peut-être 20 000 dans toute la France en 1914 selon J.-B. Duroselle), calèche et domesticité nombreuse. Son épouse tient salon à Paris ou dans les grandes villes de province et le cheminement des «préséances» passe fréquemment par ces lieux plus ou moins «fermés» que tout postulant à un cursus mondain sorti du rang rêve de voir s'ouvrir devant lui. Enfin il est parmi les premiers à fréquenter avec sa famille les plages à la mode (Deauville, Biarritz) et à se déplacer en automobile.

Au-dessous s'étendent les diverses couches de la moyenne ou, comme on le dit à l'époque, de la *«bonne bourgeoisie»*: chefs d'entreprise ou de négoce de moindre envergure, propriétaires aux revenus plus modestes, hauts fonctionnaires, professeurs, publicistes, rentiers et surtout membres des professions libérales. Au début du XXe siècle, les familles de *«bonne bourgeoisie»* — on en compte environ 200 000 — ont un revenu annuel compris entre 10 000 et 50 000 francs, ce qui leur permet d'être propriétaires ou locataires d'un appartement dans les «beaux quartiers», d'avoir deux ou trois domestiques, de passer des vacances à la campagne ou à la mer, plus rarement d'effectuer un voyage à l'étranger (Cf. Marguerite Perrot, *Le Mode de vie des familles bourgeoises*,

Paris, 1961). Il est rare qu'elles ne possèdent pas quelques terres ou immeubles ainsi que des titres de rente et des actions.

Hauts notables et membres de la «*bonne bourgeoisie*» — au total environ un million de personnes à la fin du XIXe siècle, soit un Français sur quarante — ont en commun la conscience de constituer une *élite* qui se «distingue» des autres catégories sociales et cultive ses signes de reconnaissance. Elle dote ses filles et envoie ses fils au lycée. A quelques centaines d'unités près, en général des boursiers, les bacheliers (environ 7 000 par an entre 1905 et 1914) appartiennent tous à la bourgeoisie. Les études en effet coûtent cher. Un externe de «rhétorique» paie 450 francs par an dans un lycée parisien, 720 francs dans un établissement privé (or les jeunes filles sont un peu plus nombreuses que dans le passé à faire des études et en général elles ne fréquentent pas le lycée). La scolarité à l'Ecole libre des Sciences politiques, lieu privilégié de formation de l'élite gestionnaire depuis la fondation de l'école en 1872 par Emile Boutmy, revient à environ 1 000 francs et celle de l'Ecole centrale à 3 500 francs. C'est dire que sans le soutien d'une bourse un jeune homme issu de la classe moyenne, et a fortiori d'un milieu populaire n'a aucune chance d'accéder à l'enseignement supérieur.

«Vivre bourgeoisement» implique encore que l'on fréquente assidûment l'église ou le temple, que l'on pratique les «bonnes manières» — selon un code rigoureux inculqué dès l'enfance —, que l'on se marie «dans son milieu», que l'on exerce une activité qui ne soit ni manuelle ni «boutiquière»: bien qu'ayant accompli un parcours universitaire de haut niveau un pharmacien, explique J.-B. Duroselle, éprouve des difficultés à s'insérer dans la «*bonne bourgeoisie*». Il faut également «tenir son rang» en dépit des revers de fortune, c'est-à-dire se loger convenablement, ou mieux se loger «au-dessus de sa condition», recevoir et afficher des «vertus bourgeoises»: la prudence, l'économie, la régularité du travail, une certaine rigueur morale non exempte d'hypocrisie et moins respectée chez les hauts notables côtoyant le «demi-monde» que dans la «*bonne bourgeoisie*». Au total, une classe dirigeante sûre d'elle-même, fière de sa réussite, conformiste sans doute mais attachée à ses valeurs. Loin d'être une catégorie parasitaire, elle a fourni depuis les débuts de la IIIe République la quasi-totalité de l'élite intellectuelle du pays, et lors de la grande saignée de 1914-1918 elle lui donnera une partie de ses fils, mobilisés comme officiers, souvent dans l'infanterie, et subira donc de très lourdes pertes.

La France rurale

Défini en termes d'appartenance aux communes de moins de deux mille habitants, le monde des ruraux — 54,4 % de la population totale de la France en 1911 — se caractérise par une forte stabilité. Stabilité tout d'abord dans la répartition des terres. S'agissant de la propriété du sol, on constate à la fois une tendance au morcellement consécutive au jeu des partages successoraux — de 1842 à 1884 le nombre des propriétaires est passé de 6,9 à 8,4 millions — et la permanence d'une forte concentration au niveau des grands domaines fonciers. Ceci est vrai surtout dans le Sud-Ouest, le Sud-Est et le Centre où les domaines de plus de 100 hectares occupent souvent plus de 50 % du sol. Globalement, il ressort de la statistique de 1884 que si les propriétés de moins de 20 hectares couvrent la moitié du sol français, l'examen des cotes foncières (13 700 000 cotes inférieures à 20 hectares, 400 000 égales ou supérieures à ce seuil) permet de constater que 3 % des propriétaires détiennent à cette date à eux seuls autant de terre que les 97 autres (Cf. G. Dupeux, *La société française, 1789-1939*, Paris, Colin, 1964). Autrement dit, la grande propriété domine encore nettement en France même si elle a souvent changé de mains, passant de l'ancienne noblesse aux membres de l'oligarchie industrielle et financière et aux représentants les plus fortunés des professions libérales.

Cette forte concentration se trouve en partie corrigée par la répartition des exploitations. D'après l'enquête agricole de 1892, la seule à avoir été faite avant la Grande guerre, si l'on élimine les 2 200 000 «exploitations» inférieures à 1 hectare et qui ne représentent que 2,5 % de la surface cultivée (on a comptabilisé les jardinets de banlieue et autres lopins domestiques), on note que sur un total de 3,5 millions d'exploitations effectives, 53% contiennent de 1 à 5 hectares et 23% de 5 à 10 hectares. En revanche, si les exploitations supérieures à 40 hectares ne représentent en nombre que 4 % du total (139 000 exploitations dont 29 000 ont plus de 100 hectares et un millier environ plus de 400 hectares), elles rassemblent 47 % de la superficie. Ce qui signifie que près de la moitié du terroir cultivé et des forêts privées est occupée par les plus grandes unités d'exploitation.

Sur les 6 663 000 personnes classées, selon la même enquête, comme «travailleurs agricoles» (il y en a en fait plus de 8 millions si l'on compte les membres de la famille qui travaillent effectivement dans l'exploitation), on dénombre en chiffres arrondis 3 600 000 chefs d'exploitation parmi lesquels une majorité de propriétaires exploitant leurs terres en faire-valoir direct (2 200 000), un peu plus d'un million de fermiers et environ 345 000 métayers, un certain nombre de petits propriétaires ayant recours au fermage et au métayage pour arrondir leur lopin et rendre leur exploitation plus rentable. Il faut noter d'autre part que si les exploitations gérées par des fermiers (19 %) et des métayers (6 %) ne représentent ensemble que le quart des exploitations agricoles françaises, ces deux modes de faire-valoir indirect occupent presque la moitié de la superficie cultivée, ce qui corrige une fois encore l'image, largement mythique et pourtant quasi universellement admise à l'époque d'une France pays de la «démocratie rurale» où pour l'essentiel l'outil de travail serait entre les mains de petits exploitants propriétaires, travaillant avec l'aide de leur famille. Paul Deschanel ne proclamait-il pas en 1879: *«La petite propriété fait vivre en tout ou en partie 16 millions de personnes»*?

Quant au salariat agricole, si son effectif a fortement diminué avec l'exode rural, il reste encore relativement élevé: 1 200 000 journaliers (dont près de la moitié propriétaires d'un lopin minuscule et qui ont été classés dans cette catégorie par les services de la statistique pour ne pas faire double emploi), 1 832 000 «domestiques de ferme» et environ 16 000 régisseurs, soit au total plus de 3 millions de personnes et près de 46% des «travailleurs agricoles». Tout ceci exprimant en chiffres globaux une réalité qui varie beaucoup d'une région à l'autre, qu'il s'agisse des modes de faire-valoir, des revenus ou des hiérarchies villageoises: en Bourbonnais, des régisseurs exploitent des métayers pour le compte des propriétaires, dans le Maine, des lignages de fermiers louent les terres qu'ils cultivent à une même famille noble, la Lorraine et le pays d'Auge ont des structures plus démocratiques, etc.

La stabilité du monde rural réside d'autre part dans le mode de vie. A l'exception d'un petit nombre de propriétaires aisés et de riches fermiers — dans les départements céréaliers du Bassin parisien certains d'entre eux exploitent souvent plus de 40 hectares de terroir fertile et disposent d'un revenu annuel de 12 000 à 15 000 francs —, les conditions d'existence restent difficiles. Dans l'ensemble certes, les revenus agricoles ont augmenté entre 1850 et 1914, mais avec de fortes disparités régionales et sectorielles et des variations très sensibles suivant les années. Les petits exploitants, surtout dans les zones déshéritées du Centre et du Midi, peuvent difficilement survivre, et ceci d'autant plus que, sauf dans de rares régions (Picardie, région lyonnaise), l'industrie rurale tend à disparaître, privant les agriculteurs d'une ressource d'appoint essentielle. Quant aux salariés, leur sort est infiniment plus précaire que celui des ouvriers d'industrie. Aux alentours de 1900, un journalier du Pays de Caux gagne 2 francs en hiver, 3 francs en été et travaille de 200 à 250 jours par an. Un domestique lorrain ou berrichon, qui mange à la table de son patron et couche à l'étable, perçoit des gages annuels de 400 à 500 francs.

Les conditions matérielles de l'existence paysanne restent tout à fait sommaires. Dans beaucoup de régions, la demeure est encore composée d'une pièce unique ou de deux pièces au sol de terre battue, et elle n'abrite qu'un mobilier modeste: une table, quelques chaises, une armoire, un ou plusieurs lits. Si l'on ne redoute plus les grandes famines qui sévissaient encore au début du XVIIIe siècle, et si la disette elle-même, accompagnatrice des années de mauvaise récolte, a fini par disparaître avec les progrès des moyens de transport (notamment le rail), l'alimentation quotidienne demeure frugale, à base de soupe, de pain, de pommes de terre et de lard. On consomme un peu plus de sucre. On boit un peu de vin (son usage, dans les régions non viticoles, s'est répandu avec le service militaire). Mais, sauf dans les catégories relativement à l'aise, la volaille et surtout la viande — essentiellement porc et mouton — sont réservées aux jours de fête. Enfin, l'existence quotidienne continue dans nombre de terroirs d'être partagée entre les rudes besognes de la terre et les loisirs traditionnels: longues veillées d'hiver, fêtes religieuses et familiales, danses et jeux du dimanche villageois ou de la foire, etc.

Le dernier tiers du XIXe siècle a toutefois été marqué par un sensible changement dans l'existence et dans la mentalité des populations rurales. Le développement des chemins de fer, la diffusion de la presse et de l'enseignement primaire, le service militaire obligatoire qui met les jeunes ruraux en contact avec d'autres horizons et avec d'autres milieux, les migrations temporaires du travail, ouvrent les campagnes à de nouvelles influences. L'habitat et l'alimentation s'améliorent lentement, de même que l'outillage avec la généralisation de la charrue perfectionnée, du semoir mécanique, de la moissonneuse, de la batteuse à vapeur, etc. Les progrès des moyens de communication atténuent les particularités régionales et renforcent l'unité de la nation française. La centralisation «jacobine» et les modèles culturels véhiculés par ces «hussards de la République» que sont les 120 000 maîtres de la «laïque» vont dans le même sens. Tout ceci tend à faire reculer la culture paysanne (danses, chansons, costumes) au profit des manières de vivre et de penser de la grande ville, et à circonscrire l'influence des langues régionales aux zones les plus isolées et les plus «retardées». L'historien américain Eugen Weber a analysé cette mutation avec beaucoup de finesse dans un livre dont certaines conclusions ont été fortement discutées dans notre pays (*La fin des terroirs. La modernisation de la France rurale*, Paris, Fayard, 1983) mais qui a fortement stimulé la réflexion sur «l'invention de la France». Les phénomènes de déculturation régionale et d'alignement sur un modèle centralisé dont il fait état ont bel et bien eu lieu, mais dans l'ensemble ils ont eu l'aval des populations intéressées, l'apprentissage et le maniement correct du français, le recul des patois et l'obtention d'un bagage scolaire doté du label de la République jacobine étant considérés comme des instruments de promotion sociale. Si bien qu'il paraît tout à fait excessif, et pour le moins anachronique, de parler d'«ethnocide culturel».

Ajoutons à cela que, depuis la fin du Second Empire, de nouveaux notables — médecins, notaires et surtout instituteurs — ont pris progressivement le relais des anciens maîtres à penser et ont concouru à la conversion des ruraux aux idées de la bourgeoisie (libérale ou radicale). A la veille de la Première Guerre mondiale, la plus grande partie de la paysannerie française se trouve ainsi ralliée à la République et constitue même l'assise la plus solide du régime.

Néanmoins, la condition du monde rural demeure difficile au début du XXe siècle, notamment dans les régions du Centre, de l'Ouest et du Midi où la pauvreté alimente toujours un fort courant d'émigration vers les villes. Il en résulte une prise de conscience qui conduit certaines couches de la paysannerie — journaliers, mais aussi exploitants modestes et même petits propriétaires — à s'organiser en syndicats ou à se rallier au socialisme.

Les premiers efforts de regroupement sont venus toutefois de la fraction la plus aisée du monde rural. L'Union centrale des syndicats agricoles de France qui rassemble au début du siècle environ 1 400 organisations avec 500 000 adhérents (un million à la veille de la guerre), est tenue par les «agrariens», ces grands propriétaires nobles ou bourgeois dont Pierre Barral a étudié la place qu'ils ont occupée pendant trois quarts de siècle dans la société française (*Les agrariens français de Méline à Pisani*, Paris, Colin, 1968), et qui ont mis en place, pour reprendre l'heureuse expression de l'Américain Gordon Wright, un véritable «*syndicalisme des ducs*» (*La révolution rurale en France*, Paris, Colin, 1967), d'inspiration cléricale et paternaliste. Proche au contraire des républicains, la Fédération nationale de la mutualité et de la coopération agricole regroupe depuis 1910 des organisations animées par des représentants de cette nouvelle génération de notables évoquée plus haut: médecins, avocats, vétérinaires, etc. Elle compte environ 600 000 adhérents en 1914 et professe une grande modération.

Un troisième type d'organisations syndicales fait son apparition au cours des quinze années qui précèdent la guerre, celui-ci directement influencé par le socialisme ou par la démocratie-chrétienne. Il recrute ses troupes, encore peu nombreuses (quelques dizaines de milliers d'adhérents en 1914), dans les rangs des métayers de l'Allier (où se crée en décembre 1905 une «Fédération des travailleurs de la terre» dont Emile Guillaumin dirige le journal: *Le travailleur rural*) et des Landes, et surtout parmi les ouvriers agricoles, en particulier dans le Midi viticole (15 000 cotisants en 1903 dans la «Fédération des travailleurs agricoles et partis similaires du Midi»). De culture ouvrière, la CGT et la SFIO ont dans l'ensemble marqué un intérêt peu soutenu pour la question paysanne: cela n'a pas empêché certaines régions — le Midi viticole, la bordure du Massif central, le Sud-Ouest aquitain —, de transférer une partie de leurs voix des radicaux sur le jeune Parti socialiste.

Notons encore, pour conclure sur le monde rural, que même dans les régions riches et dans les couches relativement aisées, la prospérité paysanne repose souvent sur une véritable exploitation de la femme, qui doit assurer à la fois les soins aux enfants, les tâches ménagères et une part importante des travaux de la terre, ainsi que des adolescents, mis au travail dès leur treizième année.

Prolétariat urbain et classes moyennes

La France ne comptait en 1815 que 15 % de citadins résidant dans des villes de dimensions modestes. Un siècle plus tard, cette situation a radicalement changé du fait de la révolution industrielle et de l'exode rural concomitant. On compte en effet à la veille du premier conflit mondial 16 villes dépassant 100 000 habitants et l'on estime que 44 % des Français vivent dans des agglomérations de plus de 2 000 âmes. Marseille a maintenant 550 000 habitants, Lyon plus de 500 000 — soit pour ces deux villes une population multipliée par cinq en un siècle —, Lille et Bordeaux plus de 200 000. La croissance des grandes villes est toutefois moins forte que dans d'autres pays européens, le Royaume-Uni et l'Allemagne par exemple où l'on dénombre respectivement 43 et 45 agglomérations de plus de 100 000 habitants. Paris cependant compte désormais près de 2 900 000 habitants, plus de 4 millions avec sa banlieue, et a vu ses effectifs croître surtout entre 1830 et 1870, ce qui n'a pas été sans poser d'énormes problèmes d'installation, d'insertion, ou simplement de survie aux nouveaux arrivants. Au début du XXe siècle, ceux-ci ne sont pas complètement résolus, de même que ne sont pas globalement éliminées les graves difficultés qui tiennent à la condition matérielle des classes populaires urbaines. On enregistre néanmoins, dans cette fraction du corps social, une lente mais sensible amélioration.

Ces classes populaires urbaines forment une masse composite de 10 à 12 millions de personnes tout aussi hétérogène que le monde rural. Le noyau dur en est constitué par les salariés, autre nébuleuse dépourvue d'homogénéité sociale au sein de laquelle se dessinent plus nettement les contours d'une «classe ouvrière» dont les effectifs sont en pleine croissance au début du siècle. Après le tassement enregistré pendant la phase dépressive qui prend fin aux alentours de 1896, ils augmentent au cours des quinze années suivantes de 1 300 000 unités pour le seul secteur des ouvriers d'industrie.

Ces derniers ne représentent en effet qu'une fraction,

la plus importante certes et la plus concentrée, de la classe ouvrière: 3 385 000 personnes en 1906 sur un total de 5,3 millions d'ouvriers. Les autres appartiennent au secteur des services (911 000), à celui des ouvriers à domicile (790 000), ou figurent dans les statistiques dans la catégorie des chômeurs (150 000) et des ouvriers de l'Etat (75 000). Sur ce total, la répartition par unités de production trahit une concentration encore modeste de l'industrie française par rapport à ses homologues allemande et américaine. Bien que le nombre des employeurs ait diminué de 43 % depuis le Second Empire, tandis que celui des salariés augmentait de 80 %, l'entreprise garde dans l'ensemble un gabarit modeste: en 1906 la moyenne est de 711 salariés par entreprise dans la métallurgie, 449 dans les mines, 96 dans la verrerie, mais le tiers des salariés français travaille dans des unités de moins de 10 ouvriers et l'on compte seulement 1 % d'entreprises employant plus de 50 ouvriers.

Répartition des ouvriers
selon la dimension des établissements en 1896

	Nombre d'établissements	Nombre d'ouvriers	Pourcentage des ouvriers
Etablissements occupant			
de 1 à 4 salariés	489 970	806 627	25,91
de 5 à 50 salariés	78 105	913 976	29,34
plus de 50 salariés	7 456	1 392 000	44,75
Total	575 531	3 112 603	100

Ces distinctions sont importantes car la condition ouvrière, évaluée en termes d'horaires de travail, de salaire, de sécurité, voire de convivialité varie énormément selon que le salarié appartient à une petite, moyenne ou grande entreprise. Il peut également varier dans des proportions considérables d'une branche à l'autre, d'une profession à l'autre et d'une région à une autre.

La législation en vigueur fixe, il est vrai, un cadre juridique qui est en principe le même pour tous mais qui est loin d'être toujours respecté. Des textes précis réglementent les conditions d'emploi et les horaires de travail en fonction du sexe et de l'âge des employés. La loi de 1892 porte ainsi l'interdiction du travail des enfants de 12 ans à 13 ans et réduit l'horaire à 10 heures pour les moins de 16 ans (avec plusieurs coupures dans la journée). La «loi Millerand», votée en mars 1900 prévoit de ramener par étapes à 10 heures en 1904 la durée du travail dans les ateliers mixtes. Un texte de 1905 réduit celle du mineur à 8 heures, un autre plus ancien (1874) interdit le travail de nuit aux garçons jusqu'à 16 ans, aux filles jusqu'à 21 ans et déclare illégal le travail souterrain pour les personnes du sexe féminin. L'obligation du repos hebdomadaire, supprimée en 1880 et rétablie en 1889 pour certaines catégories, est généralisée en 1906 pour tous les ouvriers et employés. Enfin, la loi du 9 avril 1898 rend le patron responsable des accidents du travail et prévoit l'indemnisation du travailleur accidenté, celle du 5 avril 1910 institue les retraites de vieillesse financées à part égale par le salarié et par l'employeur, avec un complément fourni par l'Etat.

Ces dispositions, on s'en doute, sont régulièrement tournées, souvent avec la complicité tacite des travailleurs qui redoutent des représailles patronales, cherchent à arrondir leur salaire ou se sentent simplement solidaires de l'entreprise, par exemple en période d'urgence des commandes (on peut travailler jusqu'à 15 heures par jour dans les ateliers de couture parisien). Là où le contrôle est difficile et où sévit l'embauche sauvage de travailleurs étrangers — c'est le cas dans les raffineries de sucre de la région parisienne, dans les verreries de l'Est, dans les huileries marseillaises —, les impératifs d'horaire et les conditions de sécurité sont complètement ignorées. Néanmoins la création de la Direction du travail et de la prévoyance sociale, la réorganisation du Conseil supérieur du travail et la mise en place d'un corps d'inspecteurs du travail par Millerand, lors de son passage au ministère du Commerce et de l'Industrie dans le cabinet Waldeck-Rousseau vont permettre de généraliser les contrôles et de mieux appliquer les textes en vigueur.

Depuis le milieu du XIXe siècle, le niveau de vie de la classe ouvrière s'est lentement mais sensiblement amélioré sous le double effet de l'enrichissement général et de la lutte menée par les travailleurs. De 1850 à 1880, le salaire réel (tenant compte de l'évolution du coût de la vie) a augmenté de 25 à 30 %. Il s'accroît de plus de 50 % au cours des trois décennies suivantes, ce qui se traduit par une amélioration de l'alimentation — on mange davantage de pain blanc, de viande, de sucre — et de l'habitat, encore que beaucoup de familles ouvrières vivent toujours au début du siècle dans des logements insalubres, exigus, mal éclairés, mal chauffés et éloignés du lieu de travail. Selon une enquête menée en 1906-1908 par le docteur J. Bertillon, 62% des Français peuvent être considérés à cette date comme «mal logés»: 36 % habitent des logements «insuffisants» et 26 % des logements «surpeuplés» (plus de 2 personnes par pièce, la cuisine étant comptée comme une pièce).

De manière globale, les salaires, nous l'avons vu, ont augmenté sensiblement. Mais les données moyennes ne rendent compte ni des variations dans le temps, qui peuvent être importantes dans les activités saisonnières, en période de basse conjoncture ou lorsque l'employeur a à sa disposition des travailleurs de rechange — chômeurs, femmes, étrangers — plus enclins que les autres à accepter de médiocres rémunérations, ni des disparités sectorielles et régionales. Elles doivent d'autre part être rapportées aux horaires effectivement accomplis et au nombre de jours chômés. Ainsi, si l'ouvrier imprimeur, l'ébéniste ou le maçon parisiens gagnent en 1911 entre 0,80 et 1 franc de l'heure, leurs homologues ne perçoivent pour un travail identique que 0,40 ou 0,50 franc en province, le tailleur et le cordonnier entre 0,30 et 0,40 franc, le tisserand de 25 à 30 centimes. Et à travail égal les femmes touchent de 25 à 50% de moins. Avec 600 ou 700 francs par an, en général pour un travail exténuant, nombre d'entre elles ne peuvent prétendre qu'à compléter le salaire d'un époux ou d'un fils adulte non marié: qu'elles se retrouvent seules et les voici plongées dans une misère extrême.

Mieux payés, mieux nourris, un peu moins mal logés qu'à l'époque du Second Empire, les ouvriers d'usine et les travailleurs à domicile ont dans l'ensemble cessé d'être ces «immigrés de l'intérieur» que la dure loi du libéralisme sauvage condamnait à vendre à un prix toujours plus bas leur force de travail et celle de leur famille. Le changement économique aidant, leur sort s'est rapproché de celui des ouvriers des «vieux métiers» et autres représentants d'un artisanat souvent en perte de vitesse par rapport aux progrès enregistrés par la grande industrie. Il en résulte, pour les uns et les autres, une lente modification de leur statut social. Ils tranchent moins avec les autres citadins. Ils cherchent fréquemment à imiter la petite bourgeoisie dans son habillement, dans son mobilier et dans ses distractions. Bénéficiaire lui aussi des progrès de l'enseignement élémentaire, l'ouvrier des villes lit le journal et l'almanach. Il profite de son jour de congé hebdomadaire pour cultiver un bout de jardin, pour fréquenter le «café concert» ou les guinguettes de la périphérie urbaine, ou encore pour conduire sa famille à la campagne. Il ne dispose cependant ni de congés payés, ni de couverture sociale — en dehors de celle que peuvent lui assurer les sociétés de secours mutuel, subventionnées ou non par l'Etat et les collectivités locales (4,5 millions de cotisants en 1913) —, et il doit souvent livrer de dures batailles pour préserver ou consolider les conquêtes du mouvement ouvrier.

Ce mouvement ouvrier n'est pas né avec la IIIe République. A la fin du XIXe siècle, il a derrière lui une longue histoire, ponctuée d'épisodes sanglants dont les plus dramatiques ont eu pour théâtre la capitale, en juin 1848 et en mai 1871. Après ce dernier événement, les organisations ouvrières ont mis une bonne quinzaine d'années à se reconstituer et à se doter d'une nouvelle élite dirigeante. La loi Waldeck-Rousseau, votée en mars 1884, leur permet de prendre un nouveau départ et de sortir de la semi-clandestinité dans laquelle elles se trouvaient placées depuis la répression de la Commune. Abrogeant la loi Le Chapelier qui interdisait depuis 1791 les coalitions professionnelles, elle autorise les travailleurs à se grouper en syndicats, à charge pour eux de déposer leurs statuts et d'indiquer les noms de leurs dirigeants.

Depuis cette date, le mouvement ouvrier s'est organisé autour de deux pôles distincts (en dehors des aspects plus strictement *politiques* examinés dans le chapitre suivant): celui de la «Fédération nationale des syndicats», constituée en 1886, indirectement liée au socialisme et proche par conséquent du modèle allemand, et celui, beaucoup plus original des «Bourses du Travail». Animées par Fernand Pelloutier, un ancien élève du petit séminaire de Guérande originaire d'une famille monarchiste nantaise, passé du radicalisme au guesdisme, puis au socialisme libertaire, elles regroupent les ouvriers non d'après la profession comme les organisations précédentes, mais d'après le lieu de travail. En 1892 est créée une Fédération des Bourses du Travail qui regroupe une quarantaine d'organisations et environ 400 000 ouvriers: elle est majoritairement libertaire, hostile à l'inféodation du syndicalisme au guesdisme et elle tient la grève générale pour le moyen d'action privilégié de la classe ouvrière.

Entre ces deux bastions du syndicalisme français, les tentatives d'unification n'aboutissent qu'à une fusion partielle avec la création de la CGT (la Confédération générale du travail) en 1895. Pelloutier refuse en effet de noyer sa propre organisation dans une nébuleuse aux structures incertaines et n'acceptera qu'en 1897 la formation d'un Comité confédéral reliant, en leur laissant leur autonomie, les fédérations syndicales et les Bourses du Travail. La CGT ne regroupe donc, dans un premier temps, qu'un petit nombre de syndicats et de cotisants. Toutefois, la mort de Pelloutier en 1901 et la désignation la même année de Victor Griffuelhes comme secrétaire confédéral de la «centrale» ouvrière vont favoriser le rapprochement des syndicats et des bourses, autorisées en 1902 à fusionner dans la CGT, et vont marquer pour celle-ci le point de départ d'un essor qui devient surtout manifeste à partir de 1906.

L'originalité de la CGT française tient d'abord au fait qu'elle a fortement subi l'influence du courant libertaire. Convaincus de l'inefficacité des attentats terroristes, nombre de militants anarchistes ont en effet choisi à la fin des années 1890 d'entrer dans les syndicats et dans les Bourses du Travail afin de leur donner une orientation révolutionnaire (chapitre I). La personnalité de quelques dirigeants de haut vol joue dans le même sens — l'ancien blanquiste Griffuelhes, du syndicat des cuirs et peaux, l'ancien guesdiste Merrheim, secrétaire en 1909 de la Fédération des métaux, Pierre Monatte, animateur des syndicats de mineurs et fondateur de *La Vie ouvrière*, Emile Pouget passé lui aussi de l'anarchisme au syndicalisme révolutionnaire et devenu au début du siècle rédacteur en chef de *La Voix du peuple*, etc. —, et l'influence exercée sur un certain nombre de militants par le théoricien de la grève générale révolutionnaire, Georges Sorel, ancien polytechnicien et principal représentant en France d'un révisionnisme marxiste d'inspiration nettement gauchiste.

Autre trait spécifique du syndicalisme français, d'ailleurs fortement relié au premier, son indépendance à l'égard des organisations politiques. Tel est le sens de la décision prise à la quasi-unanimité des délégués par le Congrès d'Amiens d'octobre 1906: les organisations syndicales n'ont pas «*à se préoccuper des partis et des sectes, qui, en dehors et à côté, peuvent poursuivre, en toute liberté, la transformation sociale*». En même temps, la «Charte d'Amiens» définit une stratégie offensive du mouvement syndical. «*Il prépare*, précise-t-elle, *l'émancipation intégrale qui ne peut se réaliser que par l'expropriation capitaliste; il préconise comme moyen d'action la grève générale et il considère que le syndicat, aujourd'hui groupement de résistance, sera dans l'avenir le groupe de production et de répartition, base de la réorganisation sociale.*»

Cette stratégie révolutionnaire, élaborée en un moment où la tension était déjà très vive entre les syndicalistes, le patronat et le gouvernement — la catastrophe minière de Courrières, qui a fait 1 100 morts en mars 1906 a provoqué la colère des mineurs, soutenus par la CGT, et Clemenceau alors ministre de l'Intérieur a fait arrêter préventivement Griffuelhes à la veille du 1er mai —, débouche entre 1907 et 1909, sur des grèves violentes (électricité et ouvriers du bâtiment dans la région parisienne, mineurs, postiers, instituteurs, etc.), énergiquement réprimées par le ministère Clemenceau, et des affrontements sanglants.

En juin 1907, c'est la «révolte des gueux», qui a pour théâtre le Languedoc viticole et dont le principal épisode est la mutinerie du 17e régiment d'infanterie. En juillet 1908, de graves incidents à Draveil et à Villeneuve-Saint-Georges, dans lesquels Clemenceau engage la troupe, font plusieurs morts et des centaines de blessés. Choisissant, au nom de la défense de la légalité républicaine, d'être le «premier flic de France», le chef du gouvernement fait arrêter les principaux dirigeants de la CGT, tandis que celle-ci brandit l'étendard de la grève générale. «*C'est la guerre!*» titre l'organe du courant révolutionnaire de l'organisation socialiste. Mais la grève générale échoue et le mouvement retombe vite.

Après son échec, suivi en février 1909 de la démission de Griffuelhes, remplacé quelques mois plus tard par Léon Jouhaux, la CGT va s'orienter vers des positions plus réformistes. En 1914, sur le million de cotisants que rassemble le mouvement syndical (9 % des salariés contre 25 % en Grande-Bretagne, 28 % en Allemagne, 11 % en, Italie), 700 000 environ sont à la CGT. Les autres se répartissent entre un embryon de syndicalisme chrétien (surtout représenté parmi les employés), et une poussière de syndicats locaux qui rassemblaient encore quelques années plus tôt la majorité des adhérents. Quant aux «*syndicats jaunes*» qui s'étaient constitués au début du siècle, d'abord parmi les mineurs d'Anzin et de Montceau-les-Mines, puis chez les sidérurgistes du Creusot et de Lorraine, enfin dans le Nord, dans l'Ouest et dans la région parisienne, s'ils ont un moment rassemblé autour de Pierre Biétry (un horloger de Belfort devenu député de Brest en 1906) une centaine de milliers d'adhérents, leurs liens manifestes avec le patronat ont fait qu'ils ont à peu près complètement disparu après la poussée révolutionnaire de 1906-1909. Leur éphémère et très relatif succès trahit simplement l'attraction exercée sur une partie du monde ouvrier, comme de la petite bourgeoisie citadine (le mouvement de Biétry et Lanoir recrute une partie de ses troupes chez les cafetiers, limonadiers, bouchers, restaurateurs, porteurs de journaux et chez les professeurs de l'enseignement libre), par le nationalisme ambiant, le syndicalisme *«jaune»*[1] se définissant par réaction à l'internationalisme et à *l'«invasion étrangère»*.

L'essor des villes et la complexité croissante des rouages de l'économie et de l'administration se sont accompagnés du développement des *classes moyennes*. Terme vague, autant que celui de *«couche sociale nouvelle»* employé par Gambetta dans son fameux discours de Grenoble, en 1872, et qui recouvre une réalité sociologique complexe dont l'effectif global peut être évalué à 5 millions de foyers: 4,5 millions appartenant à la population active et 500 000 petits rentiers, vivant du produit de leur épargne ou du revenu d'un modeste héritage.

Les limites de cette nébuleuse sont par définition difficiles à cerner. En effet, si les classes moyennes se distinguent du monde ouvrier et paysan, ainsi que des couches «supérieures» de la société, c'est moins par le niveau de leurs revenus — un commis de magasin ou un employé de bureau peut disposer d'un salaire inférieur à celui d'un ouvrier qualifié — que par le métier exercé, le mode de vie et surtout la volonté hautement affichée de ne pas être assimilées aux prolétaires.

«Bourgeois», les représentants de ces catégories sociales le sont un peu. Du moins s'efforcent-ils de le paraître et de le devenir, en faisant accéder leur famille à cette classe par un patient effort d'ascension où entrent l'accu-

---

[1] Le mot lui-même a l'origine suivante. Au cours d'un mouvement de grève à Montceau-les-Mines, en 1899, des membres du syndicat non gréviste — le syndicat n° 2 — avaient été attaqués dans le café où ils tenaient leurs réunions par des mineurs grévistes. Ces derniers ayant brisé à coups de pierres les vitres du local, les assiégés les remplacèrent par des feuilles de papier jaune. Dès lors le local du syndicat n° 2 devint le siège du *«syndicat jaune»* et ses membres reçurent le surnom injurieux de «jaunes», revendiqué ensuite comme un titre de gloire par les syndicats *«indépendants»*.

mulation du capital, des stratégies matrimoniales visant à accroître les revenus et les biens et surtout à faire s'élever leurs enfants dans la hiérarchie des statuts sociaux, l'éducation enfin qui reste, nous l'avons vu, à la veille de la guerre — du moins au niveau des enseignements secondaire et supérieur — un quasi-monopole de la bourgeoisie.

Leurs origines sont extrêment variées. Il existe tout d'abord une petite bourgeoisie rurale, qui se différencie difficilement du monde paysan. Même riche, l'agriculteur qui continue d'exercer sa profession reste un homme de la terre. Il peut commander à une légion de valets de ferme et de journaliers, posséder un domaine important et plusieurs maisons, faire de son fils un prêtre, un instituteur ou un sous-officier de carrière et marier sa fille à un petit notable, il n'en demeure pas moins lui-même un rural. En revanche, s'il loue son domaine à un fermier pour aller s'installer en ville et vivre du revenu de ses terres, il devient un rentier du sol, donc un petit bourgeois, première étape, pour certains, d'un parcours social qui peut conduire l'ancien paysan «parvenu» à la fortune, aux honneurs et à la considération intéressée de «notables» désargentés, en quête d'une bru largement dotée.

Mais c'est surtout avec les mutations technologiques et économiques de la seconde révolution industrielle que se sont développées ces catégories intermédiaires. Certaines d'entre elles reproduisent, à la charnière du XIXe et du XXe siècle, le modèle traditionnel de l'artisanat et de la boutique, mais les différences de revenus, de localisation géographique, de considération sociale attachée à telle profession plutôt qu'à telle autre, font que cette appellation recouvre une fois encore des situations extrêmement variées. Entre un petit patron d'industrie exerçant son activité dans une branche réputée «noble» (ébénisterie, imprimerie) et un tenancier d'estaminet installé dans un quartier populaire (il y a en France, en 1910, 480 000 débits de boisson), la distance sociale est grande, de même qu'entre un riche meunier et un épicier de village.

D'autres catégories sont plus directement liées aux changements apportés par l'industrialisation de la France, la concentration du capital et le gonflement du secteur administratif: fonctionnaires modestes (on dénombre en 1914 120 000 instituteurs, autant de postiers et de militaires de carrière de rang subalterne), employés du commerce et des activités de service (banque, assurances, chemins de fer, éclairage public, voierie, etc.), contremaîtres d'industrie, techniciens, etc. Les niveaux de rémunération sont eux aussi extrêmement variés. Un instituteur gagne annuellement 2 500 francs en fin de carrière et un facteur parisien un peu plus de 2 000 francs, moins qu'un compagnon ébéniste ou un ouvrier forgeron, mais il bénéficie d'une pension de retraite et de la sécurité de l'emploi (à condition de ne pas être révoqué pour fait de grève comme le seront plusieurs centaines de postiers en 1909). Un capitaine chargé de famille a une solde de 5 000 francs par an, alors qu'un agrégé parisien gagne plus de 9 000 francs en fin de carrière, un professeur d'université 15 000 francs ce qui lui permet de figurer parmi les représentants de la «bonne bourgeoisie» (il est vrai qu'il n'y en a guère plus d'un millier en 1910, pour toute la France et toutes disciplines confondues!)

Seule une minorité de représentants des classes moyennes peut se permettre de «vivre bourgeoisement». Cela implique à la fois un minimum de revenus et une «éducation» qui n'est pas seulement intellectuelle mais relève de l'apprentissage d'un code social compliqué qui cherche moins à développer le mérite personnel des individus qu'à les «classer». Les règles en sont parfois difficilement déchiffrables. Jean-Baptiste Duroselle fait ainsi remarquer que si l'on apprend en France au jeune enfant que l'on veut initier aux «bonnes manières» qu'il doit, lors des repas tenir les mains *sur* la table, en Angleterre on lui enseigne exactement le contraire (*op. cit.*, p. 75).

En général les membres de ces catégories sociales intermédiaires ne se distinguent des ouvriers les mieux payés que par de meilleures conditions de logement et d'alimentation — sauf quand il leur faut économiser sur la nourriture pour «tenir leur rang», ce qui est le cas par exemple de ces «prolétaires en col blanc» que sont les employés de commerce —, davantage de loisirs et surtout par un souci de différenciation qui se traduit au niveau de l'apparence vestimentaire, du langage, du mobilier et de pratiques éducatives empruntées à la «bonne société». Pour les filles par exemple, l'apprentissage du piano tend à devenir un véritable «brevet de bourgeoisie».

Enfin leurs choix politiques, quand ils ne sont pas franchements «réactionnaires» — par crainte d'une prolétarisation favorisée par les grandes mutations de l'ère industrielle — les inclinent moins vers le socialisme que vers les idéaux démocratiques et progressistes qu'incarne au début du XXe siècle le Parti radical.

La Raison et la Foi

La seconde moitié du XIXe siècle a été marquée en France par le triomphe du rationalisme hérité de l'idéologie des Lumières. Pendant au moins trente ans, le positivisme comtien a dominé la conception du monde professée par l'élite dirigeante et reposait à la fois sur les progrès indéfinis de la science et sur l'idée d'une perfectibilité infinie des sociétés humaines. Après Auguste Comte (mort en 1857), Renan — dont *L'Avenir de la Science*, écrit 40 ans plus tôt paraît en 1890 — et Taine, pour qui il ne peut être accordé de crédit *«qu'à l'observé, à l'expé-*

rimenté et au démontré», sont les grands prêtres d'une religion «scientiste» et «positive» qui imprègne à la fin du siècle toute la culture de la République triomphante, inspire son projet scolaire et nourrit la réflexion des grands maîtres de l'Université: un Lavisse en histoire, un Vidal de la Blache en géographie, un Théodule Ribot, père de la psychologie expérimentale et surtout un Durkheim en sociologie, véritable fondateur d'une «science des mœurs» libérée des impératifs catégoriques et reliant les obligations morales aux «faits sociaux» perçus comme existant en dehors des consciences individuelles.

La domination de l'école positiviste et scientiste continue de s'exercer au début du XXe siècle à tous les niveaux du système éducatif français. On en trouve trace aussi bien dans les programmes et les manuels de l'enseignement du premier et du second degré, que dans les livres les plus fréquemment décernés comme «prix» aux élèves des écoles et des lycées — Jules Verne publie ses derniers livres en 1896-1897 et meurt en 1905 mais son œuvre domine la «littérature pour la jeunesse» jusqu'à la guerre et au-delà — et dans les cours dispensés en Sorbonne par les maîtres déjà cités ou par leurs disciples, un Lévy-Brühl par exemple en sociologie, auteur en 1900 de *La Philosophie d'Auguste Comte* et surtout en 1903 de *La morale et la science des mœurs* qui s'inscrit dans le droit fil de la pensée durkheimienne. La Sorbonne, le Collège de France, l'Institut, sont les bastions de cette philosophie officielle.

Pourtant un décalage apparaît dès la dernière décennie du XIXe siècle entre le culte de la raison et du progrès, qui nourrit la pensée universitaire et imprègne la culture politique des républicains — opportunistes ou radicaux — comme celle de la plupart des socialistes, et un «air du temps» qui ne relève pas seulement d'un rejet par lassitude de l'idéologie dominante mais s'inscrit dans une crise de civilisation qui dépasse de beaucoup les frontières de l'hexagone.

On assiste en effet, dans un contexte de rapide mutation économique et sociale caractéristique de la seconde révolution industrielle, à une contestation d'abord marginale, puis de plus en plus répandue, du rationalisme sur lequel avaient reposé les conceptions philosophiques de l'élite intellectuelle depuis le XVIIIe siècle. Cette crise n'est pas limitée à la France mais elle est ressentie d'autant plus fort dans notre pays que celui-ci a la prétention d'être, plus que tous les autres, la «Patrie des Lumières», et elle est d'autant plus grave qu'elle s'accompagne d'une remise en cause de la façon dont le monde apparaît aux savants, voire de la science elle-même. Jusqu'en 1890, l'édifice déterministe sur lequel étaient établies toutes les connaissances scientifiques demeurait à peu près inattaqué. Dans les quinze années qui suivent, il subit au contraire une série d'assauts qui en ébranlent fortement les fondations. Les travaux de pointe des physiciens bouleversent les conceptions traditionnelles concernant l'espace, le temps et la matière et les théories qu'ils élaborent, et qui nient l'absolu, la stabilité et la continuité des choses, portent un coup très dur à la foi dans la science, bienfaitrice de l'humanité et instrument du progrès des sociétés humaines. Romain Rolland évoquera «*le tremblement de terre des années 1900*» et «*les éruptions de pensée qui bouleversèrent l'esprit du siècle commençant*», tandis que le mathématicien Henri Poincaré admet que «*la science sera toujours imparfaite*», qu'elle n'est qu'«*une classification, une façon de rapprocher les faits que les apparences séparent*» (*La Valeur de la Science*, 1906).

La religion scientiste se trouve donc fortement ébranlée. Cela n'aboutit pas, la plupart du temps, à nier la science et à en proclamer la faillite. Simplement, on cherche moins à tirer d'elle des vérités absolues qu'à s'en servir comme d'un outil de progrès en mettant l'accent, comme le font les pragmatistes (en France, A. Rey, E. Le Roy, M. Pradines, L. Laberthonnière), sur l'utilité concrète du savoir. Surtout, c'est le déterminisme scientifique qui est remis en cause, et ceci au profit de l'affectivité et du culte de l'action.

Si la pensée de Nietzsche constitue, à l'échelle européenne, le brûlot le plus destructeur lancé contre le rationalisme et l'intellectualisme, en France où la réaction a commencé avec les écrits de Lachelier, de Renouvier et de son école «néo-criticiste» (Cf. *Le Personnalisme*, 1902), d'Emile Boutroux (*Science et religion dans la philosophie contemporaine*, 1908), les coups les plus rudes sont portés par Bergson. Lorsque commence le siècle, cet ancien condisciple de Jaurès à l'Ecole normale supérieure de la Rue d'Ulm (il est reçu premier à l'agrégation de philosophie en 1881, devançant le futur député de Carmaux) vient d'être élu au Collège de France. En 1889, il a publié son *Essai sur les données immédiates de la conscience* — sa thèse de doctorat — qui n'a pas tardé à révolutionner la philosophie de la connaissance en donnant un nouveau contenu à la notion d'intuition. En 1907, il aborde dans *L'Evolution créatrice* le problème de la vie, et s'il adopte l'hypothèse transformiste c'est pour rejeter aussitôt avec vigueur les conceptions mécanistes et positivistes.

En plaçant à l'origine de l'évolution des espèces un «*élan vital*» issu d'une conscience qui s'efforce de surmonter les résistances de la matière pour en faire un instrument de liberté, Bergson nie le caractère inéluctable des lois de l'évolution. Autrement dit, en même temps qu'il admet l'existence d'une puissance créatrice qui dépasse l'homme — ce qui est une manière de réhabiliter à la fois Dieu et l'instinct —, il reconnaît à l'espèce humaine et aux individus qui la composent une possibilité de libre choix qui leur permet d'échapper aux lois absolues du déterminisme. L'influence de Bergson est considérable et tout aussi ambivalente que celle de Nietzsche, en ce sens qu'elle s'étend aussi bien aux pragmatistes et à nombre d'artisans du renouveau spiritualiste qu'à Georges Sorel et à ses disciples «préfascistes».

En effet, si les thèses bergsoniennes heurtaient de front à la fois les héritiers du criticisme kantien et les positivistes, elles débouchaient chez l'auteur de *Matière et mémoire* (1896) sur une conception profondément humaniste. Toutefois, détachées de leur contexte et mal assimilées, les notions d'élan vital, d'évolution créatrice et d'intuition — conçue comme une force profonde s'opposant à l'intelligence rationnelle — allaient apporter avant et après la guerre un outillage conceptuel sommaire aux théoriciens du nationalisme, de l'impérialisme et plus tard du fascisme. En tout cas, elles arrivaient à un moment où toute une fraction de la classe dirigeante, rompant avec sa propre culture, accueillait assez favorablement la réaction antipositiviste, la Raison et le Progrès si longtemps célèbres devenant à ses yeux des obstacles à ses ambitions conquérantes (le darwinisme et les philosophies vitalistes se prêtant mieux à la réalisation du projet impérial) et à son souci de préserver le statu quo social. «*Les femmes 'du monde'*, écrit Georges Dupeux, *qui se pressaient aux cours que Bergson donnait au Collège de France n'avaient sans doute pas la culture philosophique requise pour saisir la portée des leçons du maître; mais leur présence, le snobisme aidant, témoignait de l'importance du nouveau climat*» (*La société française, 1789-1960*, *op. cit.*, p. 192).

Les assauts dirigés contre le rationalisme et le positivisme s'accompagnent-ils d'un réveil religieux susceptible de faire obstacle à la déchristianisation de masse observée depuis le milieu du XIXe siècle? En fait, si le réveil religieux est indéniable, et s'il prend surtout la forme d'un retour en force du mysticisme, il n'affecte, semble-t-il, que des catégories bien circonscrites, aussi bien dans l'élite que dans les couches populaires et il est clair qu'il ne modifie pas radicalement, en termes de pratique religieuse, la tendance de longue durée.

Curieusement, il coïncide avec le désir manifesté par un certain nombre d'intellectuels catholiques, d'adapter la doctrine de l'Eglise aux données de la science moderne. Certes, une fois encore, la crise «moderniste» qui touche à la charnière du XIXe et du XXe siècle une partie de l'intelligentsia catholique n'est pas limitée à la France mais, comme l'écrit Roger Aubert, celle-ci en constitue «l'épicentre» (*Nouvelle Histoire de l'Eglise. 5/ L'Eglise dans le monde moderne*, Paris, Seuil, 1975, p. 206). C'est en effet dans l'hexagone que se manifeste le plus tôt et de la manière la plus forte la contestation moderniste, menée par des hommes comme le philosophe pragmatiste Edouard Le Roy, l'écrivain Alfred Loisy, professeur à l'Institut catholique, le théologien oratorien Lucien Laberthonnière (doctrinaire de l'«immanence» dans ses *Essais de philosophie religieuse*, 1903), ou le père Marcel Hébert, directeur de l'école Fénelon. Les uns et les autres entreprennent en effet dans le domaine de la philosophie religieuse, de l'exégèse biblique, de l'histoire du dogme, des recherches qui, fortement imprégnées d'esprit positiviste, appliquent aux Ecritures les lois de la critique historique et finissent par interpréter les dogmes, non plus comme des vérités absolues et immuables, mais comme d'utiles symboles.

Ce courant «moderniste», s'il traduit une contamination de la pensée religieuse par l'idéologie dominante (à un moment où celle-ci se trouve elle-même battue en brèche), est cependant le fait d'individus isolés ou de groupes restreints. Il en est de même des idées démocrates-chrétiennes qui se développent dans la mouvance des cercles d'études animés par Marc Sangnier et autour de sa revue, *Le Sillon*, constituant un mouvement très militant auquel la hiérarchie catholique reproche moins son «modernisme» (il est en effet plutôt caractérisé par un attitude mystique) que son «démocratisme» et son indépendance à l'égard de l'Eglise. En fait, dès la fin du règne de Léon XIII, s'amorce une réaction qui s'affirme avec le pontificat de Pie X. Tandis que le pontife condamne solennellement en 1907 les erreurs des modernistes et les exclut du sacerdoce et de l'enseignement dans les séminaires, puis met fin en 1910 à l'entreprise sillonniste, il se développe dans l'Eglise un courant intégriste qui se réclame de l'intégrité de la foi et proclame son horreur de toute nouveauté.

Ce renouveau de la foi et des valeurs traditionnelles, s'opposant au culte de la raison et de la science, s'accompagne d'une poussée de mysticisme qui se manifeste à divers niveaux. Déçus par le positivisme, de nombreux intellectuels se tournent vers la religion. C'est le cas de François Coppée et de J.K. Huysmans, de Ferdinand Brunetière et de Claudel, de Péguy surtout, passé du socialisme au mysticisme chrétien et en qui se mêlent étroitement la foi religieuse et l'amour de la Patrie. Se convertissent également un Francis Jammes, un Ernest Psichari, un Max Jacob, un Jacques Maritain, beaucoup d'autres jeunes intellectuels encore ou de peintres, comme Rouault. Dans la retombée de la vague moderniste ou en opposition militante à celle-ci, s'épanouit d'autre part un courant spiritualiste chrétien dont le principal représentant est Maurice Blondel, professeur à la faculté d'Aix et qui place l'action au centre de la vie spirituelle et intellectuelle des individus.

Mysticisme donc au niveau des élites, chez ces *«étranges canards couvés par des pères rationalistes»* évoqués par Madeleine Rébérioux (*La République radicale, 1898-1914*, Paris, Seuil, *Nouvelle Histoire de la France contemporaine*, 11, 1975) mais aussi à l'échelle des masses comme en témoignent la persistance au début du siècle de la dévotion au Sacré-Cœur, les progrès enregistrés dans les couches populaires par le culte de la Vierge et des saints, le succès croissant des pèlerinages, à Rome et surtout à Lourdes, la multiplication des associations de piété, etc. Certes, Jean-Marie Mayeur le souligne déjà pour la période immédiatement antérieure (*Les débuts de la IIIe République, 1871-1898*, Paris, Seuil, *Nouvelle Histoire de la France contemporaine*, 10, 1973, pp. 139 sq.), il n'y a pas globalement de reconquête chrétienne et dans l'ensemble le mouvement séculaire de déchristianisation se poursuit, mais il se trouve freiné, voire inversé ponctuellement, dans les régions où la pratique est demeurée vigoureuse: l'Ouest (surtout Morbihan, Maine-et-Loire, Vendée), la Flandre intérieure, le sud du Massif central et les Alpes du Nord. Et surtout la vitalité religieuse et la ferveur des fidèles ont augmenté dans ces pays de chrétienté. Ailleurs, dans les régions de simple conformisme saisonnier et dans celles où la pratique a fortement baissé depuis le début du XIXe siècle (Bassin parisien, Midi méditerranéen, Massif central, Aquitaine), l'évolution est à peine ralentie. Autrement dit, si renouveau religieux il y a dans la France de la «Belle Epoque», il est plus qualitatif que quantitatif. Il renforce les clivages plus qu'il ne les estompe. Il oppose de plus en plus nettement une France radicale, laïque et anticléricale à une France ralliée certes majoritairement à la République depuis que Léon XIII l'a invitée à le faire (Encyclique «Au milieu des sollicitudes», 1892), mais relevant d'un catholicisme intransigeant, peu encline à assumer l'héritage de 89 et qui va s'engager à fond dans la défense de ses congrégations. Bref, il y a là l'un des mobiles profonds de ces «guerres franco-françaises» qui, jusqu'à une date récente, vont périodiquement dresser l'une contre l'autre les deux moitiés de la communauté nationale.

Chez les protestants — ils sont encore 600 000 en

France malgré la perte de l'Alsace, calvinistes pour la plupart —, l'opposition est forte également entre «orthodoxes» et «libéraux», mais ici, si les premiers sont les plus nombreux, ce sont les seconds qui l'emportent par leur rayonnement intellectuel et leur influence (dans les milieux économiques, la haute administration, l'Université). Or la bourgeoisie protestante adhère largement au positivisme et au modernisme. Elle a joué un rôle majeur dans le développement en France des idéaux laïcs et républicains, plus proches de sa culture démocratique, anti-hiérarchique, accessibles à la raison et au libre examen, et a puissamment contribué à l'œuvre scolaire de la IIIe République.

Les 80 000 membres de la communauté israélite — dont une cinquantaine de mille résidant à Paris — sont également partagés entre une minorité bourgeoise, libérale, parfaitement assimilée à la société et à la culture françaises, fortement attachée à la République laïque et émancipatrice, et les immigrés récents, venus d'Europe de l'Est. Concentrés géographiquement dans les quartiers parisiens du centre et pratiquant majoritairement des activités artisanales se rattachant à l'industrie du vêtement (ils sont tailleurs, fourreurs, confectionneurs, etc.), ces derniers ont davantage conservé leurs traditions, leurs manières de vivre, de se vêtir, de parler (yiddish), de pratiquer leur religion. Dans le climat xénophobe de l'époque, ils sont les cibles les plus «visibles» d'un antisémitisme qui s'est étendu au cours des deux dernières décennies du XIXe siècle à l'ensemble de la communauté juive et qui est devenu avec l'Affaire Dreyfus l'une des composantes majeures de l'idéologie d'extrême droite en France.

Les grands courants littéraires et artistiques du début du siècle traduisent à la fois les affrontements idéologiques qui opposent les diverses fractions de la classe dirigeante, et les retombées dans le champ culturel des grandes mutations scientifiques et techniques qui ont accompagné (ou produit) la seconde révolution industrielle.

Il y a d'abord un conformisme culturel des élites façonnées par la République positiviste: par l'école, par l'enseignement public secondaire, par les maîtres de l'Université, par la philosophie dominante et par son progressisme scientiste, majoritaire dans les générations établies et que la réaction spiritualiste commence tout juste à éroder. Il a produit un immense corpus d'œuvres en tout genre que la postérité n'a pu ignorer, dès lors qu'elles lui étaient imposées visuellement — par la monumentalité publique — ou transmises par le truchement de l'institution et de l'édition scolaires, mais qu'elle a longtemps brocardées avant d'admettre que l'art «pompier» et la littérature antiquisante pouvaient aussi, à leur manière, traduire la sensibilité de leur temps. La place légitimement occupée au musée d'Orsay par ce que l'art du XIXe siècle a conçu de plus académique est à cet égard significative.

Académisme et conformisme passent, à la fin du XIXe siècle, par un certain nombre d'institutions que la IIIe République n'a pas inventées, mais auxquelles elle a imprimé son esprit et qui lui fournissent en retour, par Grands Prix de Rome et Prix du Conservatoire interposés, les œuvres dont l'Etat et les collectivités locales ont passé commande. Les grandes écoles (Beaux-Arts, Conservatoire), la Villa Médicis, les Salons, les concerts des grandes sociétés philharmoniques, les diverses sections de l'Institut, le musée du Luxembourg où figurent de leur vivant les œuvres d'artistes bien en Cour, la Comédie-française pour les auteurs dramatiques en quête de reconnaissance sociale, jalonnent un parcours où se croisent maîtres et disciples dans un commun respect des règles, de la tradition et du «bon goût».

L'art officiel de la République triomphante ne peut qu'exalter les vertus de la Raison, les conquêtes de la science, les heures de gloire d'une épopée nationale perçue comme initiatrice du progrès humain. Il sera donc «classique» dans son esprit, didactique dans sa destination, réaliste également à un moment où le réalisme a cessé de choquer et répond aux aspirations d'une bonne partie du corps social, éprise de concret et de positivité. Pascal Ory a fort bien montré (Cf. *Histoire des Français, XIXe-XXe siècles*, sous la direction de Yves Lequin, T. III, *Les citoyens et la démocratie*, Paris, Colin, 1984, p. 230 sq.) comment ces tendances se croisaient et se complétaient dans les diverses manifestations d'un académisme omniprésent, dominé certes par la référence inlassable à l'Antiquité gréco-romaine, mais faisant aussi la part au Moyen Age et à la Renaissance (voir les fresques de la Sorbonne ou *L'excommunication de Robert le Pieux* de J.-P. Laurens), et à la reproduction quasi photographique du réel, telle qu'elle apparaît par exemple dans les toiles d'un Jean Béraud, peintre de l'intérieur et du loisir bourgeois (*Le Cercle*, 1904, *Les abonnés 1907, La partie de billard*, 1909) ou d'un Henri Gervex (*Le Bureau de bienfaisance*), ou encore dans la statuaire d'un Jules Dalou (notamment dans ses petites œuvres d'inspiration naturaliste, comme la très intimiste *Berceuse* du château d'Eaton).

L'inspiration antiquisante, la reproduction, pastichée ou non, du roman, du gothique, des modèles «byzantins» ou renaissance, ne fournissent pas seulement des sujets inépuisables aux concours académiques et aux commandes passées aux artistes officiels. Elles s'inscrivent dans un contexte culturel sur lequel pèsent fortement l'imprégnation des «humanités classiques» et le sentiment qu'ont les hommes de *l'establishment* républicain d'être les dépositaires d'un héritage dont il leur appartient de célébrer les moments les plus glorieux. En témoigne par exemple, dans le Paris du début du siècle, la toute jeune Sorbonne nouvelle, construite entre 1885 et 1901 par Henri-Paul Nénot et décorée par les grandes figures de l'art officiel — Henri Martin, Dagnan-Bouveret, Besnard, Roll, Lhermitte — et par Puvis de Chavannes, peintre établi lui aussi et à qui n'ont pas manqué les commandes publiques (Panthéon, Hôtel de Ville de Paris, etc.) mais que son ingénuité tient à l'écart des froideurs moroses de l'académisme.

La réaction au conformisme ambiant vient de deux horizons opposés. Tout d'abord de ceux qui rejettent le catéchisme positiviste pour lui en substituer un autre, au nom du retour au spirituel ou de l'exaltation de l'élan vital. Dans le domaine littéraire, les premières années du siècle sont marquées par un repli précipité du naturalisme: ce produit de la science expérimentale appliquée au roman auquel Taine avait assigné comme objet de traiter des sentiments et des idées «*comme on fait des fonctions et des organes*». Les premiers coups ont été portés de l'intérieur même du «groupe de Médan», par des écrivains qui avaient été les disciples de Zola — J.H. Rosny, Paul Margueritte, Lucien Descaves, signataires, en 1887, du *Manifeste des cinq* contre les excès de la «*littérature véridique*» incarnés à leurs yeux par la publication de *La Terre* — et qui proclament leur volonté de faire sortir l'art littéraire de la «*fange*». L'évolution s'est ensuite manifestée à travers des auteurs et des œuvres qui ont soit rompu avec le naturalisme pour explorer de toutes autres voies (c'est le cas de Huysmans), soit cherché à infléchir celui-ci dans le sens d'un retour au réalisme flaubertien et à la peinture impitoyable des mœurs de leur temps comme Octave Mirbeau (*Le Journal d'une femme de chambre*, 1900) et Jules Renard. Une veine qui doit plus à Maupassant (mort en 1893 mais toujours beaucoup lu) et aux Goncourt qu'à l'auteur de *L'Assommoir*, lui-même converti à la fin de sa vie (il meurt en 1902) à un messianisme scientiste et progressiste qui tranche avec les sombres tableaux des *Rougon-Macquart* (*Fécondité*, 1899, *Travail*, 1901, *Vérité*, 1903).

Rejet du naturalisme donc, mais non rejet unanime de l'idéologie positiviste qui en a été le support. Anatole France, homme de gauche admiré par la droite pour son classicisme sans faille («*quand il lance contre les religions révélées les plus radicales attaques*, écrit Pascal Ory, *il est toujours costumé à l'antique*», *op. cit.*, p. 233), véritable gloire nationale entrée de son vivant dans le panthéon littéraire et républicain peut bien dire son agacement des prétentions scientifiques du roman naturaliste et vitupérer la grossièreté lexicale dont il se pare, il n'en est pas moins attaché au patrimoine de raison et de progrès dont se sont réclamés, Zola en tête, les intellectuels dreyfusards. Impressionniste dans sa construction romanesque, subjectif dans sa peinture de l'homme à qui il concède une part nécessaire de mystère, il reste lui-même avant la lettre, comme le héros de son *Histoire contemporaine*, M. Bergeret, un «*homme de bonne volonté*».

Avec Paul Bourget, l'opposition au naturalisme prend déjà un tout autre sens. Du dandy raffiné et dilettante des années 1880, il ne reste plus grand-chose au début du siècle. L'écrivain est entré à l'Académie française en 1894, à quarante-deux ans et a acquis avec *Le Disciple* (1889) une réputation de moraliste qui va s'affirmer avec *L'Etape* (1903), *Un Divorce* (1904) et *Le Démon de midi* (1914). Ici, autant que le naturalisme, ce sont les idées qui le sous-tendent — le culte de la raison, le positivisme, la démocratie — qui sont mises en cause et avec elles la société qui les a produites. Soucieux de porter remède aux «tares» sociales dont le roman naturaliste s'était délecté, Bourget passera de l'obsession de la décadence à l'idée que seul un retour à la tradition, à la famille, à la religion et à l'ordre moral est susceptible d'enrayer le mal et de rendre à la société contemporaine sa vigueur et sa santé. Un parcours littéraire et politique qui le conduira à côtoyer la famille maurrassienne et qui n'est pas sans rappeler celui de Barrès. Mêmes débuts tapageurs dans le dandysme fin de siècle, même rejet à l'âge mûr de la modernité corruptrice incarnée par la grande cité (c'est le thème des *Déracinés*, premier volet du *Roman de l'énergie nationale*, paru en 1903), et des idées corrosives que le rationalisme a engendrées, même vitalisme enfin débouchant, faute de mieux, sur un retour prosaïque aux valeurs traditionnelles et au conservatisme. Un conformisme chasse l'autre.

Par la brèche ouverte dans la citadelle positiviste, s'engouffre en ce début de siècle tout ce que la réaction anti-rationaliste et mystique, ou la réaction tout court, peut apporter de meilleur ou de pire. Le pire? Outre le corpus gigantesque des écrits édifiants véhiculés par la presse cléricale et ultra-conservatrice, les opuscules à l'usage des «familles», les récits de pèlerinage à Rome, ou ailleurs, publiés à compte d'auteur par des ecclésiastiques pourtant désargentés, les innombrables libelles émanant des milieux nationalistes et antisémites, et aussi quelques *best sellers* dégoulinant de bons sentiments et de moralisme dont le prototype est *Le Maître de Forges* de Georges Ohnet, publié une vingtaine d'années plus tôt mais qui continue de faire pleurer dans les chaumières. Le meilleur vient sans doute des convertis de fraîche date, des chantres d'un spiritualisme chrétien qui s'épanouit dans la poésie de Péguy (*Le Mystère de la charité de Jeanne d'Arc*, 1911, *La Tapisserie de Notre-Dame*, 1913), dans le théâtre de Claudel (*Partage de Midi*, 1906,

L'Annonce faite à Marie, 1912, *L'Otage*, 1913), dans les derniers romans de Huysmans (*L'Oblat*, 1903), dans les huit volumes du Journal de Léon Bloy ou dans les toiles de Georges Rouault.

Sur l'autre versant de la contestation du modèle dominant, on trouve tous ceux qui, en même temps qu'ils rejettent l'académisme de l'art officiel et le conformisme intellectuel des milieux dirigeants, se refusent à troquer un ordre établi pour un autre, surtout s'il s'agit de restaurer les modes traditionnels d'encadrement de la société et de sa culture. Les uns sont des isolés qui accomplissent leur propre destinée littéraire ou artistique à l'écart des grandes batailles culturelles. Les autres forment, vague après vague, les petites légions qui font entrer les arts et les lettres dans la «modernité» et auxquelles l'époque a donné un nom appelé à une immense fortune, avant et après la guerre, les «avant-gardes».

Le glissement du figuratif au «moderne» ne s'est pas fait de manière brutale et il s'inscrit dans un contexte intellectuel déjà évoqué. Il est clair en effet que l'art et la littérature portent de bonne heure les traces de cette crise de la conscience européenne dont l'origine est à rechercher dans les grands bouleversements technologiques et scientifiques de la dernière décennie du XIXe siècle. L'accélération de l'Histoire et la dépression morale et intellectuelle qui l'accompagnent ont fait éclater les cadres traditionnels de la représentation esthétique du monde. Les écrivains et les artistes, comme les philosophes, ne sont pas seulement les témoins de la faillite d'un système de valeurs. Ils sont les artisans d'une recherche qui vise à adapter leurs moyens d'expression aux réalités mouvantes de la vie et à trouver une réponse aux problèmes que pose à leurs contemporains et à eux-mêmes l'ébranlement des certitudes qui reposaient sur la toute-puissance supposée de la Raison et l'érosion que les travaux des physiciens sont en train de faire subir aux représentations sécurisantes de l'univers, pratiquement inchangées depuis Galilée et Newton. L'émergence de la psychanalyse et l'intérêt que prend la considération du moi profond vont dans le même sens.

Ceci vaut pour les créateurs. S'agissant du public et des médiateurs (critiques d'art, critiques littéraires, éditeurs, marchands de tableaux), des changements interviennent également qui font que les avant-gardes, comme les novateurs isolés, trouvent épisodiquement un accueil moins hostile que les créateurs «maudits», ou simplement ignorés, appartenant aux générations précédentes. La bourgeoisie nous l'avons vu, notamment celle qui fait et défait les réputations parisiennes, a en partie basculé dans le camp anti-positiviste. Par snobisme, ou simplement parce que son «goût» s'est affiné, le public cultivé s'avère moins rétif que dans le passé à la novation.

Certes, tout ceci doit être relativisé. La critique, les visiteurs des Salons, le public du concert, restent majoritairement traditionalistes dans leurs jugements et sélectifs dans leurs applaudissements. Les institutions officielles continuent de bouder les impressionnistes trente ans après leurs premiers chefs-d'œuvre et alors que leur influence est devenue mondiale. On refuse leurs toiles au Salon et, en 1897, le musée du Luxembourg repousse 27 des 65 tableaux légués par Caillebotte. *La Revue des Deux Mondes* et la *Revue de Paris* qui font l'opinion des gens du Monde réservent leurs louanges aux artistes officiels et aux créateurs établis. Les grands éditeurs s'en tiennent aux valeurs sûres et c'est à compte d'auteur que Marcel Proust publiera en 1913 *Du côté de chez Swann*.

Pourtant la modernité artistique et littéraire pénètre, à petites doses, dans les rouages de la diffusion culturelle. André Gide fonde en 1908, avec Jacques Copeau, Jean Schlumberger et Gaston Gallimard la *Nouvelle Revue Française*, qui s'ouvre aux avant-gardes littéraires et publie aussi bien Thibaudet, Jules Romains (*Les Co-*

pains, 1913) et Roger Martin du Gard (*Jean Barois*) que Claudel (*L'Otage*), Paul Valéry (*La Jeune Parque*), Valéry-Larbaud, Jacques Rivière et Gide lui-même dont *Les Caves du Vatican*, parues en 1914, consacreront la rupture de l'écrivain avec ses amis catholiques. Des amateurs éclairés et de perspicaces marchands de tableaux, comme les Durand-Ruel ou Ambroise Vollard, donnent leur chance à de jeunes talents d'avant-garde. Le Théâtre libre d'Antoine a fait faillite en 1896, mais l'ancien employé de la Compagnie du gaz poursuit ses entreprises novatrices dans la salle du boulevard de Strasbourg qui deviendra le Théâtre-Antoine (on y joue de Curel, Brieux et Courteline), puis à l'Odéon dont il est directeur de 1906 à 1913. Lugné-Poe au Théâtre de l'Œuvre acclimate le public parisien aux grandes œuvres étrangères contemporaines (Ibsen, Strindberg, Gorki, d'Annunzio), tout en imposant une nouvelle génération dramatique francophone qui va de Maeterlinck à Henri Bataille en passant par Claudel, Romain Rolland et Jarry (*Ubu* roi, 1896). Jacques Rouché et son Théâtre des Arts accueillent, entre 1911 et la guerre, des auteurs lyriques et des artistes (Rouché renouvelle complètement l'art du décor) aussi peu conformistes que Ravel (*Ma Mère l'Oye*), Roussel (*Le Festin de l'araignée*) et Maurice Denis.

En peinture, le maître mot des avant-gardes a été donné quelques lustres auparavant par un homme qui n'a pourtant rien lui-même d'un révolutionnaire mais qui a eu parmi ses élèves Marquet, Matisse et Rouault. Gustave Moreau, qui est mort en 1898, ne disait-il pas en effet à ses disciples des Beaux-Arts qu'il n'y avait pour lui de *réalité* que celle de son sentiment intérieur? Déjà, les impressionnistes avaient rompu, sinon avec le réel, du moins avec sa représentation photographique, en renonçant à rendre l'exactitude du sujet perçu et en cherchant à exprimer l'impression qu'il faisait naître en eux. Dans les années 1890, la tendance s'est accusée avec le néo-impressionnisme d'un Paul Signac ou d'un Georges Seurat qui décomposent la lumière en une multitude de petites taches de couleur (on parle encore à leur égard de «pointillisme» ou de «divisionnisme»). Mais, surtout, c'est Cézanne qui fait accomplir le pas décisif. En effet, tout en attachant une importance extrême à la couleur et au rendu de la lumière, ce qui fait de lui un impressionniste attardé, le peintre de *La Montagne Sainte-Victoire* et des *Joueurs de cartes* s'applique de plus en plus à privilégier la structure, à ordonner formes et volumes de façon rigoureuse en une reconstruction géométrique qui vise à traduire l'harmonie de la nature et qui annonce indiscutablement le cubisme.

Désormais l'important devient non plus de *«reproduire ce qui est visible, mais de rendre visible»* (selon l'expression de Paul Klee), c'est-à-dire de dégager la vérité intérieure des objets, comme le psychanalyste cherche à dégager la vérité intérieure de l'individu. Les «Fauves» — Matisse, Vlaminck, Derain, Dufy, Van Dongen, Friez — sont les premiers, après Cézanne, à voir le monde objectivement, ou si l'on préfère à faire passer *«la vérité avant l'exactitude»* (Matisse). Comme leurs précurseurs les «nabis», membres ou non de l'«Ecole de Pont-Aven», une quinzaine d'années plus tôt (Gauguin, Paul Sérusier, Maurice Denis, Pierre Bonnard, Edouard Vuillard, Maxime Maufra, Gustave Loiseau, etc.), ils privilégient la couleur mais dans une perspective toute différente de celle des impressionnistes. Il s'agit moins de rendre la sensation visuelle que de traduire un état d'esprit et de provoquer un choc émotionnel par un emploi systématique de tons vifs (notamment le rouge et le jaune) sans rapport le plus souvent avec la «réalité» extérieure. Au Salon d'Automne de 1905, la salle où exposent ces artistes sera baptisée «Cage aux Fauves» par le critique Louis Vauxcelles: le scandale s'éteindra vite, mais le nom leur restera.

L'influence de l'«art nègre», très sensible dans le fauvisme, est également présente dans l'école qui prend le relais en 1906-1907 et dont *Les Demoiselles d'Avignon* de Picasso constitue en quelque sorte le manifeste pictural. Cézanne surtout a montré la voie, mais le cubisme va plus loin. A l'heure où la physique nouvelle enseigne que la matière, l'espace et l'énergie sont discontinus, il vise à découper le réel en éléments simples, à décomposer l'objet peint en volumes et en plans, en sphères, cylindres, cônes et cubes, de manière à ce que le spectateur puisse le reconstituer mentalement suivant sa propre vision intérieure. Transnational par l'appartenance de ses représentants — les Français Braque, Léger, Herbin, de la Fresnaye, Robert Delaunay, Jacques Villon, Marcel Duchamp, Lhote, les Espagnols Picasso et Juan Gris, le Russe Archipenko et le Hongrois Csāky, l'un et l'autre sculpteurs, etc. — mais parisien et même montmartrois par son implantation originelle, le cubisme a pour lui d'être de bonne heure soutenu par une partie de l'intelligentsia, de Guillaume Apollinaire à André Salmon, de Max Jacob au marchand de tableaux Kahnweiler qui leur a ouvert sa galerie dès 1908.

Une avant-garde chasse l'autre, ou plutôt se fond dans la suivante car ce sont souvent les mêmes artistes que l'on retrouve d'un lustre à l'autre dans les vagues successives de la révolution esthétique. A peine celle du cubisme a-t-elle fait oublier la «provocation» fauve — elle domine le Salon des Indépendants de 1911 — que surgit, dans les remous de l'immédiat avant-guerre celle du premier art abstrait. Avec les toiles de Kupka et avec *L'Aficionado* de Picasso, exposés en 1912, l'évolution paraît en effet achevée. Le sujet étant éliminé, l'œuvre d'art est devenue une réalité autonome, indépendante du monde extérieur et créatrice de ses propres objets.

L'une des caractéristiques des avant-gardes du début du siècle est qu'elles font voler en éclats les frontières qui séparaient encore les arts plastiques, la littérature et la musique. Non seulement parce que d'étroites correspondances se nouent entre les écoles. Entre le symbolisme poétique et l'impressionnisme pictural. Entre ces deux courants et la musique d'un Gabriel Fauré et d'un Debussy. Le premier met en musique *La Bonne chanson* de Verlaine (1892). Le second emprunte à Mallarmé le thème de *L'Après-midi d'un faune* (1894) et tire de Maeterlinck le thème de son drame musical, *Pelléas et Mélisande*, qui soulève une tempête lors de sa première représentation en 1902. Entre le fauvisme et la sculpture vitaliste et tourmentée de Rodin (son Balzac date de 1897 mais devra attendre 1939 pour être installé au carrefour Vavin, alors que celui, très classique, de Falguière est en place, avenue de Friedland depuis 1902) et de Bourdelle (*Héraklès archer*, 1909, bas-reliefs du Théâtre des Champs-Elysées, 1910-1912). Entre la poésie d'Apollinaire et le cubisme.

Mais aussi parce que certaines œuvres, et non des moindres, se situent au croisement de plusieurs disciplines, aussi bien dans le théâtre lyrique — encore que la France n'a pas eu son Wagner — que dans la symphonie chorégraphique. La «première» de *Daphnis et Chloé* de Maurice Ravel au Châtelet, en 1912, avec les ballets russes de Serge de Diaghilev, livret et chorégraphie de Fokine, décors et costumes de Bakst, et Nijinski comme danseur-étoile, est un événement international, de même que celle du *Sacre du printemps* de Stravinsky, donnée l'année suivante au Théâtre des Champs-Elysées et dont la nouveauté agressive déchaîne la fureur du public. Peu de temps auparavant, le même Diaghilev a repris *L'Après-midi d'un faune*, avec un Nijinski dénudé mimant, avec une sensualité qui choque, le désir du faune. La chorégraphie et le décor trahissent l'influence de Bourdelle et des avant-gardes picturales, et, après le spectacle, Rodin vient remercier en pleurant le danseur vedette d'avoir «matérialisé ses rêves». Mais on a sifflé dans la salle et le lendemain, le *Figaro* réclame des excuses pour le public. Bel exemple du fossé qui sépare encore l'intelligentsia avant-gardiste de la «bonne société».

Décor, spectacles, culture de masse

Le Paris de la Belle Epoque est au cœur de ce foisonnement culturel. Que l'ethnocentrisme hexagonal en fasse le centre du monde n'aurait qu'un intérêt de curiosité si des étrangers venus de tous les horizons ne s'accordaient à dire la même chose. A l'aube du siècle, Paris éveille en effet dans les esprits de ceux qui le visitent, qui y cherchent refuge ou qui en font le lieu privilégié de leur création (outre les artistes déjà nommés citons l'Italien Modigliani, le Russe Chagall, les Polonais Kisling et Marcoussis, le Suisse Le Corbusier, l'Anglais Redfern, l'Américaine Gertrude Stein, les frères Perret d'origine belge, comme Maeterlinck et Verhaeren), une mythologie double. Il est à la fois la ville des Lumières et la «ville-lumière» (encore que l'expression apparaisse plus tard). Entendons par là l'épicentre d'une culture de la liberté en perpétuel mouvement et la terre d'élection d'une vie réputée «facile».

Il attire en tout cas, pour des séjours plus ou moins prolongés, des représentants des classes dirigeantes venus du monde entier, et convie périodiquement l'*establishment* européen aux grandes manifestations de sa préséance culturelle. L'Exposition universelle de 1900 a été un immense succès. Les Salons artistiques (notamment les *Indépendants* et le *Salon d'Automne*) lancent les avant-gardes et consacrent les carrières internationales. La

NRF, le *Mercure de France* et les revues de la «Rive gauche» font de même pour les jeunes talents et pour les nouvelles écoles de plume et de scène. Les cafés littéraires — *La Closerie des Lilas*, le *Napolitain*, *La Régence*, le *Café du croissant*, le *Weber* — les cabarets de Montmartre (*Le Lapin agile*), le «Quartier latin» et Montparnasse font partout rêver les candidats au pèlerinage parisien. C'est de Paris que F.T. Marinetti lance en 1909 son «Manifeste futuriste» (publié en français dans le *Figaro*), et aussi cosmopolite qu'elle soit, c'est le nom d'*Ecole de Paris* qui est partout donné à la constellation d'artistes qui forment l'avant-garde picturale de l'immédiat avant-guerre.

La ville elle-même n'a suivi qu'épisodiquement et très ponctuellement les grandes tendances de la révolution culturelle. L'architecture en fer, qui avait donné une décennie plus tôt la tour Eiffel et la Galerie des machines, n'a pas poussé très loin ses audaces. On remarque encore dans son prolongement quelques constructions intéressantes comme le Pont Mirabeau (1896), la nef métallique de la chapelle de Saint-Honoré d'Eylau (1894) et Notre-Dame-du-Travail, mais dans l'ensemble les architectes et leurs commanditaires optent pour des solutions qui soustraient au regard l'infrastructure de métal. Du coup, celle-ci se trouve affligée d'une décoration de pierre démesurée qui gâte la finesse des parties métalliques et permet à l'imagination syncrétiste de l'époque de donner libre cours à ses fantasmes. Les deux «Palais» (Grand et Petit) édifiés, de même que le Pont Alexandre III, à l'occasion de l'«Expo» de 1900, témoignent du caractère composite et de l'indécision de l'architecture parisienne au seuil du XXe siècle. Quant à l'aménagement de l'espace urbain, il est à peu près aussi inexistant à Paris qu'en province. On continue de construire en pierre de taille dans les «beaux quartiers» des bâtiments cossus mais stéréotypés et on laisse les banlieues étendre leurs tentacules dans la plus totale anarchie.

Quelques réalisations novatrices tranchent avec la monotonie du néo-classicisme ambiant, ponctué de «hardiesses» romano-byzantines et des produits multipliés de la statuomanie républicaine (une centaine de statues édifiées dans la capitale entre 1871 et 1900). Malgré les résistances des diplômés des Beaux-Arts, méfiants à l'égard d'une technique qui leur paraissait relever de l'«ingénieur» plus que de l'«artiste», le béton fait son apparition dans le paysage urbain, employé par les frères Perret dans un immeuble de rapport de la rue Franklin et dans le garage de la rue de Ponthieu. En 1913, est inauguré le Théâtre des Champs-Elysées, édifié à l'initiative de Gabriel Astruc par Auguste et Gaston Perret: l'usage du béton et la nudité de la façade heurtent un peu le goût de l'époque mais la décoration, qui a été confiée à Bourdelle, Bonnard, Maurice Denis, Vuillard, enchante le «Tout-Paris» qui se presse aux spectacles des Ballets russes.

A ce moment, qui est celui de la veillée d'armes, le *Modern Style* est déjà quelque peu passé de mode. Il a fait son apparition dans les dernières années du XIXe siècle en réaction au néo-classique et à la vogue du faux gothique et du faux Henri II et il a pendant quelque temps colonisé les arts du décor avec ses formes contournées, ses volutes et son exubérance végétale. Style nouveau ou *remake* du Baroque décadent ? Le verdict a tardé et il a fallu attendre plus d'un demi-siècle pour que justice soit rendue à ses représentants les plus talentueux: Emile Gallé, ébéniste et verrier, principal animateur de l'Ecole de Nancy et véritable promoteur du mouvement avec le peintre-décorateur Eugène Grasset, Hector Guimard, architecte et décorateur, connu surtout pour ses entrées du métro parisien, le verrier Paul Daum, le sculpteur et graveur Alexandre Charpentier, le décorateur Louis Majorelle, Victor Prouvé, successeur de Gallé à la présidence de l'Ecole de Nancy, le Tchèque Alfons Mucha dont les affiches, les estampes, les panneaux décoratifs, les illustrations de livres (dont le *Clio* d'Anatole France) portent également la griffe du *Modern Style*, etc. Brocardé pour ses excès — on parlera de «pâtisseries», de «fioritures en saindoux» et surtout de «style nouille» —, ce dernier a surtout souffert après coup du discrédit qui a pesé sur l'architecture fin de siècle et sur les productions monumentales de l'Exposition universelle et il passera d'ailleurs très vite de mode, du moins dans les intérieurs les plus huppés. Dès 1905-1906, on préfère aux teintes sombres et aux représentations stylisées de la faune et de la flore marines qui avaient triomphé avec le style «moderne», la sobriété des tons pastels, des murs dépouillés, des meubles aux lignes plus simples (mais de bois précieux). Les bibelots se font plus rares et plus exotiques (paravents indiens et chinois, tables basses en laque rouge, brûle-parfums, estampes japonaises, etc.). On recherche avec obstination le meuble d'«époque» tandis que les couturiers de la rue de La Paix qui habillent le Tout-Paris féminin — Doucet, Rouff, Mme Paquin, Worth — impriment aux toilettes des «élégantes» une plus grande sévérité. Il est vrai qu'un retour feutré à l'ordre moral s'opère avec les tensions internationales. En 1912, l'archevêque de Paris n'a-t-il pas interdit le tango?

Tout est spectacle dans ce décor urbain coincé entre deux siècles. Spectacle spontané, spectacle de la rue, à une époque où chaque carrefour voit encore se produire chanteurs et musiciens ambulants, montreurs d'animaux et bonimenteurs, leveurs de poids et amuseurs en tous genres. Mais aussi spectacles codifiés et socialement ciblés dont le théâtre, sous toutes ses formes, reste le principal vecteur.

Nous avons déjà évoqué quelques unes de ses manifestations élitistes: le Théâtre libre d'Antoine, le Théâtre d'Art où Paul Fort adaptait pour la scène des œuvres de Rimbaud, Verlaine, Mallarmé ou Laforgue, les entreprises novatrices de Lugné-Poe et de Rouché. Elles se prolongent, à la veille de la guerre, avec Jacques Copeau, fondateur du Vieux-Colombier et promoteur d'un art renouvelé de la mise en scène théâtrale et du jeu d'acteur, plus dépouillé, plus austère que celui de Rouché. Théâtre d'intellectuels, de bourgeois éclairés, en tout cas réservé à un petit monde d'habitués comme les grandes salles destinées aux genres «nobles»: la Comédie-Française et l'Opéra, à un degré moindre l'Opéra-Comique et l'Odéon. Plus large, quoique essentiellement bourgeois, est le public qui fréquente le Théâtre Sarah-Bernhardt, le Théâtre Réjane, le Théâtre Antoine, et surtout les théâtres des boulevards — Gymnase, Renaissance, Porte-Saint-Martin, Nouveautés, Variétés, Vaudeville — dont les directeurs sont des puissances presque aussi importantes que les directeurs de journaux, et où s'élabore un répertoire composite et souvent médiocre d'où émergent d'indéniables talents et quelques œuvres qui font date: Georges Courteline dans le vaudeville et la farce, peintre sans concession des travers petit-bourgeois (*Boubouroche*, 1893, *La Paix chez soi*, 1903), Tristan Bernard (*Les pieds nickelés*, 1985, *Le Petit Café*, 1911), Henry Bernstein qui remporte d'éclatants succès avec *Samson* (1907), *Israël* (1908), *Le Secret* (1913) et dont l'œuvre scénique illustre le «théâtre psychologique», comme celle d'un Georges de Porto-Riche (*Le Vieil homme*, 1911), d'un Henry Bataille (*Les Flambeaux*, 1912), d'un Maurice Donnay (*La Patronne*, 1908), d'un Jules Lemaître ou de Flers et Caillavet (*Le Roi*, 1908, *Primerose*, 1913).

Ce «théâtre du boulevard» — qui se pique également de satire sociale et d'édification morale avec les pièces «à thèse» de Paul Hervieu (*Le Dédale*, 1903) et d'Eugène Brieux (*La Robe rouge*, 1900) — est appelé à une grande longévité et connaîtra son apogée dans l'entre-deux-guerres. Sa veine comique (Courteline, T. Bernard) et ses marivaudages bourgeois (Sacha Guitry) ont mieux résisté au temps que les œuvres «sérieuses» dont le psychologisme sommaire, la dramaturgie bavarde et les prétentions éthiques faisaient déjà sourire à l'époque sur la «Rive gauche». *«Il prend son entérite pour un vice»*, disait Cocteau de Henry Bataille. Quoi qu'il en soit cette forme de spectacle voit son audience croître avant la guerre et pas seulement dans la «bonne bourgeoisie» parisienne. Pièces et auteurs sont connus de la province citadine et trouvent parfois, grâce au public populaire du «paradis» ou du «poulailler», une audience qui dépasse de beaucoup les frontières du monde bourgeois. Dans le contexte de montée des périls et de fièvre patriotique qui caractérise l'avant-guerre, porté par des acteurs prestigieux (Constant Coquelin, Sarah Bernhardt, Simone, Lucien Guitry, etc.), le flamboyant théâtre en vers d'Edmond Rostand (*Cyrano de Bergerac*, 1897, *L'Aiglon*, 1900, *Chanteclerc*, 1910) suscite par son panache un formidable enthousiasme.

Mais le monde composite des ouvriers, artisans, boutiquiers, employés, petits rentiers, fonctionnaires modestes, etc., qui forment les couches populaires et les classes moyennes citadines est surtout présent dans des lieux de spectacle moins élitistes que ne l'est encore le théâtre. En tête vient le Café Concert, le «Caf 'Conc'» dont la vogue est immense et dont le public s'étend à tous les milieux. Certes, les clivages sociaux existent. Le Casino Montparnasse, le Bataclan, l'Eldorado, sont plus populaires que l'Alhambra ou la Scala et nombreuses sont les «boîtes» de quartier que fréquentent les femmes «en cheveux», les ouvriers en bras de chemise et casquettes, voire d'authentiques «apaches». Le répertoire varie également d'une salle à l'autre. Peu à peu cependant une évolution s'opère dans la diversification du public et des «numéros». Le tour de chant — comique, avec Dranem, Fragson, Polin, Ouvrard, «réaliste» avec Damia et Fréhel — alterne avec le «monologue» volontiers égrillard et des prestations mêlant le chant, les contorsions et les claquettes. Déjà Maurice Chevalier et Mistinguett excellent dans ce genre nouveau qui va triompher au music-hall (Folies-Bergères, Olympia, Parisiana) où apparaît bientôt, relayant les spectacles de «variétés» (avec jongleurs, acrobates, prestidigitateurs), la revue à grand spectacle, avec ses plumes, ses boas et ses demi-nudités offertes à un parterre d'hôtes de passage: étrangers et provinciaux. Le cirque connaît lui aussi ses heures de gloire au début du siècle, renouvelé par quelques personnalités et dynasties étrangères (le Belge Fernando, l'Espagnol Medrano, les Italiens Fratellini et Bouglione) et le bal public se porte bien, surtout lorsqu'il agrémente ses matinées ou ses soirées — comme le Moulin-Rouge et Tabarin — de l'audace froufroutante de ses «quadrilles», de même que les «boîtes à chansons» et les «cabarets de Montmartre» (La Lune Rousse, Le Perchoir, etc.) où s'illustrent Aristide Bruant, Montéhus et déjà le jeune Saint-Granier. Enfin, petits bourgeois et «populaires» de la seconde galerie, que rebutent les grandes œuvres lyriques se pressent volontiers salle Favart ou à la Gaîté Lyrique aux représentations des «opérettes» et font un triomphe durable aux anciens (Charles Lecoq, Robert Planquette, Louis Varney) et aux nouveaux compositeurs: André Messager par exemple avec *Les P'tites Michu* en 1897, *Véronique* en 1898 et *Les Dragons de l'Impératrice* en 1905.

L'amélioration générale des conditions de vie et d'instruction, ainsi que les progrès des techniques de reproduction et de diffusion vont peu à peu transformer cette culture et ces loisirs populaires en une culture de masse qui accomplit ses premier pas avec le siècle commençant. La presse en est encore le principal support en ce sens qu'elle ne se contente pas de tenir son public informé des petits et grands événements du jour, mais publie déjà des «reportages», continue de débiter en «feuilletons» nombre d'œuvres romanesques et entretient toute une imagerie mentale qui concourt très fortement à façonner la façon dont les Français se représentent les autres peuples. Or le nombre des titres et les tirages des journaux, déjà considérables à la fin du XIXe siècle, ne cessent d'augmenter jusqu'à la guerre. Pour les seuls quotidiens on en compte en 1914 une soixantaine à Paris et au moins 250 en province représentant un tirage total tournant autour des dix millions d'exemplaires: soit un pour trois lecteurs adultes. A eux seuls les quatre géants de la presse parisienne — *Le Petit Parisien, Le Petit Journal, Le Matin* et *Le Journal* — totalisent quatre millions d'exemplaires vendus. C'est dire que, par le biais des critiques (littéraires, dramatiques, musicales, etc.) et des informations touchant à la vie des écrivains, des artistes, des «monstres sacrés» de la scène, le grand public est mis en contact avec la production culturelle du temps.

La technique de la chromolithographie, mise au point dans les années 1860 par Jules Chéret, a fait accomplir à l'art de l'affiche un pas décisif, permettant à des peintres de grand renom, un Toulouse-Lautrec, un Pierre Bonnard, un Steinleim, un Willette, de faire connaître leur graphisme à des millions de citadins, tandis que les progrès du phonographe — encore trop infidèle pour les mélomanes et trop cher pour les foyers populaires, mais apte déjà à familiariser le public des fêtes et des foires avec le dernier refrain à la mode — et le bas prix des partitions musicales offrent eux aussi une audience centuplée aux chanteurs et «fantaisistes» de tout poil.

La veine du «roman populaire» est bien antérieure à 1900, mais elle trouve, elle aussi, avec les avancées technologiques de la Belle Epoque un second souffle qui permet à d'honorables maisons d'édition — Tallandier avec «Le Livre national», Fayard avec «Le Livre populaire», ou encore Flammarion — de lancer des collections à bon marché et de faire la fortune des premiers bénéficiaires du *best seller* à la française. Marcel Allain et Pierre Souvestre avec *Fantomas* (5 millions d'exemplaires vendus à partir de 1911), Maurice Leblanc avec *Arsène Lupin*, Gaston Leroux, journaliste au *Matin*, avec son héros-reporter, Rouletabille (*Le Mystère de la chambre jaune*, 1908), Michel Zevaco dans le roman de cape et d'épée (*Les Pardaillan*, 1907) prennent ainsi le relais des grands feuilletonnistes du XIXe siècle (Dumas, Eugène Sue, Ponson du Terrail) et de la littérature de colportage. Simplement la diffusion du rêve a changé d'échelle.

De plus en plus, elle bénéficie d'autre part du support de l'image. Sur les couvertures des périodiques et dans les pages d'illustration des livres, le «chromo» parfois signé des mêmes noms prestigieux que l'affiche tend à remplacer la gravure monochrome et commence tout juste à subir la concurrence de la photographie, surtout utilisée avant 1914 dans la production en grandes séries de cartes postales (les Imprimeries réunies à Nancy peuvent en tirer jusqu'à 500 000 par jour). La «bande dessinée» fait son apparition dans les périodiques pour enfants, faisant la fortune d'hebdomadaires comme *La Semaine de Suzette* et *L'Epatant* et apportant une renommée durable à quelques écrivains et dessinateurs imaginatifs comme Christophe *(La Famille Fenouillard, Le Sapeur Camember)*, Forton *(Les Pieds nickelés)*, Pinchon et Caumery *(Bécassine)*.

Quant à cet art de masse par excellence que s'apprête à devenir le cinématographe, il accomplit entre sa mise au point par Louis Lumière en 1895 (première projection en public le 28 décembre au Grand Café, boulevard des Capucines) et le déclenchement de la guerre, des progrès vertigineux. D'abord simple spectacle forain, composé de courts métrages dans lesquels l'industriel lyonnais et ses épigones présentent soit des scènes de la vie quotidienne (la sortie des usines Lumière, l'arrivée d'un train), soit de brèves fictions comiques ou poétiques, soit encore des documents d'actualité (Lumière, toujours lui envoie ses opérateurs à Saint-Petersbourg, en 1896, pour filmer le couronnement de Nicolas II), le cinéma devient en dix ans un art et une industrie que dominent Méliès, Pathé, puis Gaumont. Le premier produit dans ses studios de Montreuil des films «hallucinatoires», destinés disait Apollinaire à «enchanter la vulgaire réalité» (*Voyage dans la lune*, 1902, *Quatre cents farces du diable*, 1906), mais son entreprise disparaît en 1912. Le second monte une véritable firme multinationale, avec des agences dans toutes les grandes capitales et des usines à New York, fabrique à Vincennes les premiers «cinéromans» réalisés par Heuzé et lance en 1909 le premier journal d'actualités cinématographiques. Léon Gaumont enfin fait construire de vastes studios aux Buttes-Chaumont, où seront tournés par Feuillade la série de *La Vie telle qu'elle est* et surtout la première grande série policière de l'avant-guerre: *Fantomas* (1913-1914).

Au cours des années qui précèdent la guerre le cinéma français subit durement la concurrence des grandes sociétés américaines et celle des cinématographies européennes (danoise, suédoise, allemande, italienne, britannique). Il conserve cependant de fortes positions grâce à la vogue du «film d'art», simple théâtre filmé qui fait défiler sur l'écran tout ce que la scène française compte de «vedettes», de Sarah Bernhardt à Mounet-Sully et de Le Bargy à Berthe Bovy — le «chef-d'œuvre» du genre est en 1908 *L'Assassinat du duc de Guise* —, et surtout grâce à son excellente école comique où s'illustrent l'acteur Prince dans le rôle de l'ahuri *Rigadin* et Max Linder, première *star* internationale du septième art et véritable précurseur de Chaplin.

Le cinéma fait courir les foules, pas encore le «sport»

tel que le conçoivent au début du siècle les imitateurs français de ce mode de loisir importé d'outre-Manche. Du moins les progrès en sont-ils lents en dehors du petit monde aristocratique et grand-bourgeois qui fréquente depuis les années 1880 les pistes et les courts du Racing Club de France et du Stade Français. Pourtant, l'engouement pour les activités physiques gagne du terrain au cours de la décennie qui précède la guerre. Ne traduit-il pas en effet des besoins identiques à ceux que manifestent au même moment les philosophies irrationalistes: volonté de se dépasser soi-même et de vaincre ses propres limites, exaltation du moi ou au contraire aspiration à se fondre dans le groupe, culte de la vie et fascination du danger, goût du geste gratuit, de l'effort désintéressé et du «beau jeu»? Simplement les masses ne sont gagnées que lentement aux pratiques des grands jeux d'équipe (footbal, rugby), de la natation, du ski et de l'athlétisme (il faut attendre 1912 pour qu'un Français, Jean Bouin, se hisse au rang international en gagnant le cross des Cinq Nations et en remportant la médaille d'argent du 5 000 mètres aux Jeux de Stockholm). L'idéal olympique, tel que l'a conçu le baron Pierre de Coubertin, restaurateur des Jeux Olympiques, reste fondamentalement aristocratique et les athlètes français sont d'ailleurs peu nombreux à pouvoir briguer les places d'honneur dans les grands rassemblements quadriennaux du sport international de haut niveau. Longtemps, la représentation populaire dans les disciplines du muscle s'est limitée aux sociétés de tir (un demi-million de pratiquants en 1914) et de gymnastique, terrains de prédilection d'une conception «patriotique» et paramilitaire de l'activité du corps.

La démocratisation des pratiques proprement sportives et la diffusion du sport-spectacle se sont opérées en France par le biais du cyclisme et de la compétition automobile. Sous l'impulsion du journaliste Henri Desgranges, fondateur du journal *L'Auto* et lui-même coureur à pied et cycliste, la «*petite reine*», dont le prix a fortement diminué depuis l'époque où elle était l'apanage de quelques élégants fortunés pédalant dans les allées du Bois, a vu ses adeptes croître rapidement avec l'intérêt pour le Tour de France, créé en 1903 par le même Desgranges et successivement remporté par Maurice Garin et Petit-Breton. Le «vélo» et le tandem commencent à sillonner les routes des premières «vacances» pour les quelques centaines de milliers de privilégiés qui peuvent en prendre. L'automobile elle, est réservée aux *happy few* qui préfèrent ce mode de locomotion hautement périlleux et d'un total inconfort aux commodités bien rôdées du véhicule attelé, mais elle est, d'entrée de jeu, promue au rang d'instrument de compétition internationale et les Français y conquièrent une place de choix, acclamés par des foules enthousiastes. De même qu'ils monopolisent, avec l'ancien coureur cycliste Henri Farman (premier kilomètre en circuit fermé en 1908), Louis Blériot (traversée de la Manche en juillet 1909), Jules Védrines (vainqueur de la course Paris-Madrid, première grande épreuve aérienne internationale), Roland Garros (première traversée de la Méditerranée), etc., les exploits de la toute récente conquête des airs. Ne sont-ils pas, au moment où s'amoncellent les nuages annonciateurs de la grande tourmente de 1914, symboliques d'une France sûre d'elle-même et tournée vers l'avenir?

IV

La France dans le monde de 1900 à 1914

Le jeune Français, candidat à la première partie du baccalauréat, qui ouvre au début de l'année scolaire 1902-1903 son manuel de géographie, peut lire ceci:

«*La modération du climat, la multiplicité des contacts, la symétrie des formes, la variété harmonieuse des golfes et des péninsules, des plaines et des montagnes, tout a contribué à faire de la France une région privilégiée, que, dans l'antiquité, le géographe Strabon admirait déjà. Les influences les plus diverses l'ont sollicitée et elle leur doit le développement précoce de sa civilisation: soumise tour à tour à la douce culture des peuples méditerranéens et à l'action plus rude des peuples germaniques, elle a été* l'intermédiaire naturel entre le monde barbare et le monde gréco-latin. *Le peuple de France a uni le sérieux des peuples du Nord au charme et à l'aisance des peuples du Midi; à ces croisements la race a gagné une sociabilité facile et souriante, une largeur d'esprit qui la rendent sympathique aux étrangers, et la langue leur doit cette merveilleuse clarté qui longtemps a fait d'elle et qui malgré tout fait d'elle encore l'organe internationale par excellence*» (M. Falley et A. Mairey, *La France et ses colonies*, Classe de Première, Paris, Delagrave - Programme de 1902, p. 6).

Ethnocentrisme hexogonal

L'autosatisfaction que ce texte révèle n'est pas un cas isolé. Elle imprègne l'éducation des jeunes Français pendant toute la durée de leur cursus scolaire, avant de trouver d'innombrables relais dans les productions culturelles de toute nature qui sont censées entretenir chez les adultes la ferveur patriotique cultivée, depuis le plus jeune âge, sur les bancs de l'école élémentaire.

Familiers d'un *Tour de France* accompli en compagnie d'André et de Julien, les deux petits orphelins lorrains mis en scène dans le *best seller* de l'édition scolaire de l'époque (en 1905, le *Tour de France par deux enfants*, de G. Bruno, publié par Eugène Belin, en était déjà à sa 345e édition), les écoliers de neuf et dix ans qui fréquentent le «*cours moyen*» apprennent que leur pays est le fruit d'une conjonction de miracles, ou du moins de «*dons exceptionnels*». Il est «*à mi-chemin du pôle et de l'équateur*». Il s'inscrit «*harmonieusement dans un hexagone*» dont on apprend, cahier de cartographie à l'appui, à reproduire les contours réguliers. Il se partage, de manière quasi parfaite, entre les hautes terres heureusement repoussées à la périphérie (où elles constituent, avec le Rhin, les «*frontières naturelles*» de la France) et les zones de plaines et de collines tout naturellement offertes aux influences «*modératrices*» de l'Océan. Il jouit donc d'un climat exceptionnel, que Schrader et Gallouédec décrivent en ces termes dans leur

Petit cours de géographie à l'usage de l'enseignement primaire supérieur:

«*Le climat français se fait remarquer par son caractère général de modération. La France ne compte dans un siècle que six ou sept hivers vraiment rigoureux, et à peu près autant d'étés vraiment torrides. Or, les étés brûlants les hivers glacés, qui sont l'exception pour elle, sont l'état normal pour d'autres pays situés à la même distance de l'équateur*» (F. Schrader et L. Gallouedec, *Petit Cours de géographie*, à l'usage de l'enseignement primaire supérieur et des classes du certificat d'études, Paris, Hachette, édition de 1896, p. 265).

Que ces observations géographiques, auxquelles on pourrait ajouter à l'infini des remarques portant sur «l'heureuse répartition des pluies», sur «l'abondance et la régularité» des cours d'eau, sur la «variété» des paysages, «l'aisance» des communications, l'abondance et la complémentarité des ressources du sol et du sous-sol, soient objectivement fondées, cela ne fait guère de doute à condition d'en relativiser la leçon. Or le discours géographique du temps a plutôt tendance à tirer ces données dans le sens, non explicitement formulé on s'en doute (raison cartésienne et positivisme obligent !), de la prédestination des peuples et de la hiérarchisation des «tempéraments nationaux».

A une époque où le déterminisme géographique imprègne encore très fortement le petit monde des sciences sociales, les manuels de l'enseignement primaire, comme ceux du second degré, en service dans les établissements publics, ne se contentent pas en effet de décrire et d'expliquer, en termes de stricte objectivité, les aspects physiques et humains des pays inscrits au programme. Ils ne se privent pas de porter en même temps des jugements de valeur sur les «qualités» et les «défauts» des populations qui vivent sur leurs territoires, sur la façon dont s'est, ou non, opérée leur mise en valeur, ainsi que sur leurs institutions politiques et leurs choix de politique étrangère. A côté de ces éléments conscients, clairement formulés, et qui visent au moins autant à donner aux élèves une «instruction civique», au sens large, que des connaissances proprement géographiques, ils véhiculent fréquemment des images et des mythes, qui échappent en général au contrôle de la conscience et trahissent des attitudes mentales bien caractéristiques de leur temps: un gallocentrisme omniprésent, le sentiment qu'il existe une hiérarchie des valeurs entre les races et entre les peuples, des jugements moraux portés sur telle ou telle communauté humaine, etc. Ces représentations mentales sont extrêmement importantes, dans la mesure où elles constituent des stéréotypes à peu près parfaits, réduits à quelques formules brèves, à des images hautement simplifiées et qui tendent d'autant plus à s'imposer comme des données objectives qu'elles émanent d'un discours porteur d'une double légitimité: celle de la *science* (la géographie à cet égard a meilleure presse que l'histoire), et celle de l'*école*.

L'image de la France et de la place qu'occupe ce pays en Europe et dans le monde s'inscrit dans cette perspective qui relie directement le donné et le vécu, la *nature* et la *culture*, la géographie «physique» et la géographie «humaine». Ainsi, dans l'ouvrage cité plus haut, tous les traits exposés dans la partie que Schrader et Gallouédec consacrent aux «*conditions naturelles*» concourent-ils à faire de la France «*le pays de la juste mesure*». Il ne faut donc point s'étonner si «*le peuple français se fait remarquer par un mélange harmonieux de qualités contradictoires, imagination et bon sens, esprit de poésie et de méthode, d'observation précise et de généralisation hardie*». «*Le goût français* — ajoutent nos auteurs — *est apprécié du monde entier. La France marche ainsi à la tête de la civilisation. C'est au jugement des étrangers le pays où ils préfèrent vivre hors de leur patrie*» (*ibid.*, p. 290).

A cette image, éminemment favorable, d'un pays ouvert sur le monde, s'oppose celle de l'insularité britannique, facteur de «repliement sur soi» autant que de «passion d'agir» et «d'ardeur des aventures», cause également des traits les plus déplaisants du «*tempérament de l'Anglais*» à qui l'on a «*maintes fois reproché et avec raison*, nous dit le *Petit Cours de géographie, son égoïsme, sa rapacité et l'étroitesse de son idéal, trop exclusivement borné à acquérir, à gagner de l'argent*» (*id.*, p. 210). Ou celle de l'autre adversaire traditionnel de notre pays. L'Allemagne en effet «*n'a de frontières naturelles qu'au nord, sur la Mer du Nord et la Baltique, et au sud, sur quelques points où elle touche aux Alpes*». Ailleurs, ses bornes sont conventionnelles et se sont souvent déplacées: ce qui explique qu'elle «*se trouve sur les routes des grandes guerres européennes*», et qu'elle ait «*été souvent foulée par des armées de passage*» (*id.*, pp. 223-224). Et ce qui revient à refuser au Reich son identité territoriale.

Les autres peuples? On ne peut citer que quelques exemples glanés dans un panorama géographique soigneusement hiérarchisé et d'où il ressort que la petite tache rose des planisphères qui ornent les murs des locaux scolaires est légitimement au centre du monde. Les Italiens? Leur pays n'ayant été longtemps qu'une «expression géographique», ils ne constituent pas encore une nation homogène, plutôt un conglomérat de populations mal brassées, forgées par des conditions naturelles «contrastées» (Cf., des mêmes auteurs: *Géographie de l'Europe*, Classe de seconde, Paris, Hachette, édition de 1896, pp. 163-164). Les Espagnols? Laissons encore une fois la parole aux auteurs du plus répandu des ouvrages de géographie scolaire de l'époque. La citation vaut le détour:

«*C'est à ces mélanges multiples qu'on attribue la facilité qu'ont les Espagnols et les Portugais à s'acclimater dans les pays où les autres Européens ne peuvent vivre. Le peuple né de ce mélange est vraiment grand, viril, d'une originalité saisissante. Il a le sérieux, la fierté, le courage, la ténacité, l'amour ardent de sa patrie et de sa religion. Toutefois, ce sérieux dégénère souvent en sauvagerie, cette fierté en forfanterie, cette dignité en vanité, ce courage et cette conviction s'accompagnent de fanatisme et de férocité: nulle part les guerres civiles ne sont aussi promptes à éclater qu'en Espagne*» (*id.*, pp. 185-186).

Si la Russie est mieux traitée, ce n'est pas seulement parce qu'elle est devenue officiellement notre alliée quelques années plus tôt, c'est aussi parce que cette «*puissance militaire de premier ordre*», «*longtemps plus asiatique qu'européenne*», s'est mise à l'école de la France et a nourri sa modernisation de la manne hexagonale (*id.*, pp. 242-243). Ceci, pour ne parler que de quelques uns des partenaires et adversaires potentiels de notre pays.

Est-ce à dire que l'image de la France qui ressort de ce type d'ouvrages, et d'une foule d'autres vecteurs qui prolongent et complètent leur action de façonnement des mentalités (manuels d'histoire, de lecture courante, d'instruction civique, «livres pour la jeunesse» distribués comme prix et qui pénètrent par ce biais la cellule familiale, almanachs en tous genres, périodiques illustrés comme le supplément du *Petit Journal*, récits et guides de voyages, etc.), est celle d'une «superpuissance», sûre de sa force et de son destin, première dans tous les domaines qui fondent la hiérarchie des acteurs internationaux, et promise de ce fait à une vocation hégémonique? Certainement pas. On sait que, depuis la défaite de 1871, le sentiment national est devenu pour beaucoup de Français un sentiment de repli frileux et vaguement inquiet sur l'hexagone et — pour certains d'entre eux, pas pour tous —, sur ses prolongements au-delà des mers.

Au nationalisme utopiste, généreux, extraverti, qui était celui de la génération de 1848, s'est substitué dans toute une partie de l'opinion, un nationalisme de vaincus, tourné vers l'extérieur et qui a pris la forme d'un amour exclusif et jaloux pour la patrie humiliée. Qu'il soit «revanchiste», cela va de soi, que pour remplir la «mission sacrée» de récupération des provinces perdues, il veuille une France forte, capable de surmonter ses divisions internes et de triompher des forces «dissolvantes» qui la rongent, c'est indéniable: mais l'objectif à long terme reste celui de la conservation, ou dans le meilleur des cas du retour au statu quo. Il s'agit, dans un monde qui change et où se modifie rapidement la hiérarchie des puissants, de faire en sorte que la France garde son rang, non de lui assigner des objectifs de domination qu'elle n'est plus en mesure de réaliser.

Né à gauche, parmi les républicains avancés et les radicaux, ce nationalisme exacerbé et fondamentalement défensif — ce qui ne veut pas dire qu'il ne soit pas agressif — est passé à droite au cours des quinze dernières années du XIXe siècle, la mutation s'opérant à travers le boulangisme et le néo-bonapartisme ligueur qui s'est développé avec l'Affaire Dreyfus. Ainsi rejeté d'une extrémité à l'autre du spectre politique, il a fortement subi l'influence des idées conservatrices et s'est nourri des grands thèmes de la philosophie contre-révolutionnaire. Celui du déclin de la France par exemple, qui est à la base de la construction maurassienne et au cœur du délire raciste d'un Vacher de Lapouge, d'un Jules Soury, ou d'un Drumont. Non que ce déclin soit irrémédiable. Il peut en effet être enrayé, si la France *réagit*, si elle trouve un nouveau souffle dans la tradition restaurée, si elle sait se débarrasser de l'«ennemi intérieur» (plus ou moins indistinctement le Juif, le «métèque», l'homme de gauche, le libéral, etc.), mais le but clairement affiché est de maintenir, non de conquérir.

Il en va différemment à gauche, chez les héritiers d'une tradition républicaine et jacobine qui se réclame des idéaux progressistes et optimistes des hommes de 1789. Pour eux, et c'est en leur sein que s'est développée l'idéologie ethnocentriste, dont les ouvrages scolaires cités plus haut portent la trace et véhiculent les thèmes majeurs, la destinée de la France, ou si l'on veut sa «mission», est de porter au monde le message des Lumières, d'aider les peuples opprimés à se libérer (lorsque l'oppresseur est Européen, et davantage encore s'il constitue un ennemi potentiel) et de «civiliser» ceux qui ne le sont pas.

Certes les hommes qui gouvernent la France entre 1880 et 1914, grands bourgeois opportunistes ou représentants des classes moyennes liés au formations de la gauche républicaine et radicale, ne sont pas aveugles, de même que les «intellectuels» de tous calibres, qui ont lié leur sort au leur et qui produisent l'idéologie que l'école a mission de répandre. Les livres de géographie dont nous avons examiné le discours gallocentriste ne sont pas les derniers à marquer les limites de la puissance française, en termes de démographie, de ressources énergétiques, de potentiel industriel, de commerce extérieur, voire de force militaire. Ils savent que la France n'est pas *la* première puissance du monde et ils le disent. Ils n'ignorent pas que ses deux principales rivales — le Royaume-Uni et l'Allemagne — la dépassent dans quelques uns des domaines qui fondent à l'ère industrielle la hiérarchie des Etats. Mais ils ne considèrent ni que les jeux sont faits, ni que l'influence et la place d'une nation dans la configuration des puissances se mesure, en tout cas de manière exclusive, en termes de millions de tonnes de charbon produites ou de volume des exportations.

Autrement dit, ils refusent l'idée de déclin qui imprègne au contraire profondément le «nationalisme des nationalistes» (pour reprendre l'heureuse formule de Raoul Girardet: Cf. *Le nationalisme français, 1871-1914*, Paris, Seuil, 1983), et ils fondent, s'agissant du rôle de la France dans le monde, leur optimisme (relatif) et leur autosatisfaction (évidente) sur deux données essentielles. D'une part le prestige, le poids moral et psychologique que notre pays tire de l'accomplissement de sa «mission historique» et du fait que, comme l'écrivent Schrader et Gallouédec, la France marche «*à la tête de la civilisation*», et d'autre part, de manière plus tangible, le complément de force que lui apporte son Empire.

Les bases matérielles de la puissance française

Si du niveau des perceptions on passe à celui des réalités, on constate au début du siècle, dans un certain nombre de domaines, un repli relatif de la puissance française. Le plus manifeste est celui qui affecte la démographie hexagonale. Nous ne reviendrons ni sur les causes de la dépopulation française, ni sur les phénomènes d'ordre proprement démographique qui en découlent (cf. Chapitre II). Nous voudrions seulement nous arrêter un instant sur ses conséquences pour la France dans le champ des relations internationales.

Incontestablement, le poids numérique de la nation française, par rapport à celui de ses principaux partenaires et concurrents européens et extra-européens, a diminué au cours des quatre décennies qui précèdent la Première Guerre mondiale, et ceci de manière spectaculaire. Dans le temps où la population de l'hexagone augmentait de 9,7 % (entre 1872 et 1911), on enregistrait un accroissement de 51 % en Allemagne, de 48 % au Royaume-Uni, de 41 % en Italie, alors que ces trois pays avaient fourni de très forts contingents à l'émigration internationale. Résultat, la France de 1914 est un pays vieux, qui n'assure sa reproduction que grâce à la forte baisse de la mortalité et au million d'étrangers installés sur son sol. Comparée à ses partenaires, elle vient très nettement au dernier rang pour la proportion des moins de 20 ans, au premier pour celle des plus de 60 ans. Ce qui d'une part a des implications au demeurant contradictoires et pas toutes négatives (la proportion des actifs est supérieure à celle de l'Allemagne et de la Grande-Bretagne), d'autre part pose, en termes d'effectifs militaires et de défense des problèmes préoccupants.

Répartition de la population par groupes d'âges dans quatre pays occidentaux en 1914
(pour mille habitants)

	0-19 ans	*20-59 ans*	*60 ans et +*
France	339	535	126
Grande-Bretagne	401	514	85
Allemagne	437	484	79
Italie	477	461	62

En effet, comme le fait remarquer Maurice Garden, «*si les armées de la République et du Premier Empire avaient longtemps assuré leur domination sur l'Europe entre 1792 et 1810, elles le devaient largement à la vitalité de la population française de la fin du XVIII*e *siècle, à* *cette position de première puissance de l'Europe par le nombre de ses habitants, position renforcée par le recours à la conscription de tous les jeunes hommes adultes»* (Postface à l'*Histoire de la population française. 3/De 1789 à 1914*, sous la direction de J. Dupâquier, Paris, PUF, 1988, p. 503). Cette situation, certes, ne s'est pas modifiée d'un coup. En 1870-1871, ce n'est pas le différentiel démographique qui a joué en faveur de la Prusse, mais bien davantage l'impréparation de l'armée française et les déficiences de son commandement, les classes en âge de servir étant alors sensiblement égales. Trente ans plus tard, et plus encore à la veille de la guerre, la situation s'est totalement modifiée en faveur de l'Allemagne dont la population atteint 65 millions d'habitants en 1914 contre un peu moins de 40 millions en France.

Est-ce à dire que le rapport des forces militaires entre les deux pays, au moment où va se déclencher le conflit le plus meutrier de leur histoire, traduit fidèlement ce déséquilibre? La réponse est de toute évidence négative, encore qu'en ce domaine la pesée des moyens potentiels et immédiatement utilisables soit toujours difficile à faire. En août 1914, l'Allemagne alignera, réparties sur deux fronts, 87 divisions d'infanterie et 11 divisions de cavalerie, contre les 73 divisions d'infanterie et les 10 divisions de cavalerie de l'armée française. Cela représente, en termes d'effectifs, une différence de moins de 20 % en faveur du Reich wilhelmien, alors que la population de cet Etat est de plus de 50 % supérieure à celle de la France. A moyen terme, le potentiel démographique de l'Allemagne ne peut pas ne pas jouer, et il jouera effectivement à partir de 1915 et jusqu'à l'arrivée des Américains, mais dans l'hypothèse d'une guerre courte — la seule qui soit retenue par les deux camps —, il y a incontestablement, sur le papier, équilibre des forces.

Pour pallier les insuffisances de ses réserves humaines, la France a accompli depuis la défaite de 1871, et plus particulièrement au cours des années qui précèdent immédiatement la guerre, un immense effort. En jouant sur la durée et sur le caractère plus ou moins universel du service militaire (5 ans en 1872 avec de nombreuses exemptions et un service de six mois pour le quart des conscrits, tirés au sort, 2 ans pour tout le monde à partir de 1905 et finalement 3 ans depuis juillet 1913), elle a réussi tant bien que mal à maintenir ou à rétablir la parité avec sa voisine d'outre-Rhin. L'écart des effectifs avec l'armée allemande, qui était légèrement inférieur à 100 000 hommes en 1900 et avait atteint les 165 000 en 1911, n'était plus que de 50 000 après l'adoption de la loi des trois ans. Mais bien sûr le rapport des forces entre les deux armées ne se mesure pas seulement en termes d'effectifs. La façon dont se déroulera la bataille des frontières en août-septembre 1914 montrera que les Allemands ont une infanterie mieux instruite, des réserves plus aptes que celles de l'armée française à être engagées d'entrée de jeu en première ligne, et une mobilité plus grande que celle de leurs adversaires. A quoi s'ajoute la supériorité écrasante de leur artillerie lourde, conséquence à la fois de la puissance de leur outil industriel et des choix opérés en ce domaine par le Haut-Commandement et par le gouvernement du Reich.

On conçoit dans ces conditions que la diplomatie française soit prudente lorsque se profile l'éventualité d'un conflit armé avec l'Allemagne. Joffre a beau répondre en 1912 à un interlocuteur qui lui demande s'il y aurait la guerre: «*Nous l'aurons, je la ferai, je la gagnerai*», ce bel optimisme ne suffit pas à rendre aveugles ceux qui ont à charge la conduite de la politique étrangère. L'année précédente, en pleine crise marocaine, le président du Conseil Joseph Caillaux n'avait-il pas demandé au même Joffre, tout fraîchement nommé au poste de chef d'Etat-Major général: «*On dit que Napoléon ne livrait bataille que lorsqu'il pensait avoir au moins 70 % de chances de succès. Les avons-nous, si la situation nous accule à la guerre?*» La réponse ayant été négative, il avait tranché: «*C'est bien, alors nous négocierons.*»

Il est vrai que la France ne se réduit pas à l'hexagone. Lorsque commence le siècle, elle n'a pas encore établi son protectorat sur le Maroc, mais est déjà à la tête d'un Empire qui, avec ses 11 millions de km^2 et ses 43 millions d'habitants, vient au second rang des grandes constructions coloniales, après l'Empire britannique (30 millions de km^2 et 400 millions d'habitants) et loin devant celui de l'Allemagne (3 millions de km^2 et 16 millions d'habitants), cette dernière puissance étant intervenue tardivement dans le partage du monde. Maîtresse de nombreuses îles et de «comptoirs» éparpillés sur toutes les mers, entre l'Inde, l'Amérique et l'Océanie, la France détient surtout deux blocs compacts.

Le premier se situe en Afrique. Il comprend une partie importante du Maghreb — l'Algérie, «pacifiée» après 1830 et transformée en trois départements français (Alger, Oran, Constantine), la Tunisie, devenue protectorat à la suite d'une intervention militaire en 1881 (le Maroc subissant le même sort en 1911-1912) — et les immenses territoires, moins difficilement occupés de l'Afrique occidentale française (AOF, constituée en 1895) et de l'Afrique équatoriale française (l'AEF, qui regroupe sous ce nom en 1910 les colonies du Gabon, de l'Oubangui-Chari et du Tchad). Le second est en Extrême-Orient où l'Union indochinoise, qui a été constituée en 1887, regroupe le Cambodge et la Cochinchine, occupés sous le Second Empire, le Tonkin, difficilement conquis à l'époque de Jules Ferry, ainsi que le Laos et l'Annam, pénétrés sans grande résistance.

La plupart de ces territoires sont des *colonies*, administrées directement par la métropole, avec l'aide de cadres indigènes dotés de pouvoirs très limités. D'autres comme la Tunisie, le Tonkin ou le Cambodge sont soumis (comme plus tard le Maroc) au régime du *protectorat* — la France y est représentée par un résident général et se réserve la direction des affaires militaires et de la politique extérieure — mais conservent leur souverain et un semblant d'indépendance. La philosophie qui préside aux rapports entre la métropole et les territoires d'outre-mer relève d'une conception «romaine» de la colonisation, très différente du modèle pragmatique et décentralisé que constitue l'Empire britannique.

Longtemps combattu par de larges secteurs de l'opinion — nationalistes de droite et de gauche qui reprochaient à Jules Ferry et au «parti colonial» de détourner la France de sa véritable «mission» qui était de reconquérir les provinces perdues, puis socialistes, hostiles à l'impérialisme pour des raisons politiques et humanitaires — le projet colonial rencontre au début du XXe siècle des partisans de plus en plus nombreux et de plus en plus enthousiastes. En ce sens, il participe très largement de l'«air du temps» et se nourrit des courants vitalistes et néo-darwiniens qui, dans l'Europe tout entière, pénètrent des familles idéologiques aussi différentes que le nationalisme, le syndicalisme révolutionnaire, le libéralisme et même le marxisme. Mais en même temps, il trouve dans l'hexagone un point d'appui supplémentaire dans le désir qu'ont beaucoup de Français d'effacer l'humiliation de 1871 et de donner à leur pays, avec un surcroît de puissance, les moyens de prendre sa revanche sur l'Allemagne.

Cette espérance correspond-elle ou non à une réalité? Les avis sur ce point divergent, selon qu'est mis en avant tel ou tel aspect de la colonisation. En termes de prestige international, de stratégie et d'influence à l'échelle planétaire, d'effet sécurisant et de satisfaction d'amour-propre pour des populations ayant fortement ressenti le traumatisme de la défaite, et en tant que mythe permettant de transcender les antagonismes sociaux, la colonisation a eu de toute évidence des résultats positifs. D'un point de vue politique, militaire et culturel, elle a incontestablement permis à la France d'acquérir, puis de maintenir, en dépit de son repli démographique et de sa relative stagnation économique, un statut de puissance mondiale. Mais sur au moins deux points majeurs la réponse est loin d'être aussi claire.

Economiquement tout d'abord. Les colonies ont-elles effectivement apporté un surcroît de puissance à la France? Ont-elles — pour reprendre les termes dans lesquels Jacques Marseille pose la question — été «*une bonne affaire*» et pour qui? (Cf. sa thèse «Empire colonial et capitalisme français, années 1880-années 1950», et le livre qu'il en a tiré, *Histoire d'un divorce*, publié chez Albin Michel en 1984). La question n'est pas simple et appelle une réponse nuancée. A court terme, et dans la période qui nous intéresse ici, il est indéniable que le système de protection douanière qui a été appliqué au commerce avec les territoires d'outre-mer a permis à la France de pallier les effets de la dépression de la fin du siècle en créant des marchés réservés. A très long terme en revanche, il n'est pas moins patent que cette pratique protectionniste a eu pour l'économie métropolitaine des conséquences sclérosantes dont les effets seront surtout perceptibles après la Seconde Guerre mondiale.

Si l'on reste dans le cadre chronologique de ce chapitre, la question qui se pose est celle du coût de l'entreprise impériale et des profits qu'elle a permis de réaliser. Sur ce point, la réponse donnée par Jacques Marseille est sans équivoque. La France, écrit-il, a acquis son Empire «*pour une bouchée de pain*»: un milliard de francs-or environ, soir le cinquième des dépenses ordinaires de l'Etat pour la seule année 1913, ou encore deux années d'impôts indirects sur les boissons. Certes, il a fallu ensuite «pacifier» les territoires acquis, les administrer et y installer les infrastructures nécessaires au fonctionnement de l'économie de *traite*, laquelle consiste à drainer vers les ports de la colonie les produits bruts de l'intérieur et à répartir en sens inverse les produits fabriqués importés du pays colonisateur. Là encore, si l'on suit Jacques Marseille dans les évaluations très précises qu'il a faites des dépenses publiques financées par la métropole, les chiffres paraissent très modestes: 8 milliards de francs courants pour les dépenses militaires effectuées entre 1850 et 1913, et un peu plus de 4 milliards de francs pour les dépenses civiles sur l'ensemble de la période 1850-1930. La règle fixée par la loi du 13 avril 1900 étant que les colonies ne devaient rien coûter à la métropole et devaient s'autofinancer.

S'agissant des investissements privés, la colonisation n'a pas été non plus une mauvaise affaire. Certes, les Français n'ont pas été parmi les colonisateurs ceux qui ont réalisé les profits les plus juteux. Avec des investissements beaucoup plus modestes, particulièrement en matière d'infrastructures, les Belges et les Néerlandais ont tiré des avantages matériels beaucoup plus considérables du Congo et de l'Indonésie. Les Britanniques, eux, ont à la fois investi beaucoup (près de la moitié des capitaux placés hors de la métropole) et puissamment rentabilisé leurs placements, surtout en Inde où la mise a été beaucoup moins forte que dans les grandes colonies de peuplement blanc. La France se trouve dans une situation intermédiaire. Son investissement global a été de loin inférieur à celui de la Grande-Bretagne (de 4 à 6 milliards de francs-or selon les estimations à la veille de la guerre contre 47 milliards pour le Royaume-Uni), mais elle a concentré ses placements dans les zones les plus rémunératrices (l'Indochine et surtout l'Afrique du Nord), tout en consacrant des sommes non négligeables aux dépenses d'équipement financées par le budget. Ceci, avec des risques infiniment moins grands que dans les régions non soumises au contrôle politique de la métropole, et pour le plus grand bénéfice des groupes concernés. En 1913, le taux de profit de la Banque d'Indochine s'élevait ainsi à près de 70 %, celui de la Compagnie française d'Afrique occidentale à 41 %, celui des Charbonnages du Tonkin à 84,6 %, sans parler des gains spéculatifs réalisés sur les actions de ces sociétés (celles de la Banque d'Indochine, achetées 125 francs en 1901 pouvaient se vendre 1 680 francs dix ans plus tard).

Sur le plan militaire, l'appel à l'immense potentiel humain des colonies ne s'est fait que de manière tardive et dans la précipitation de la grande tuerie de 1914, si bien qu'en ce domaine l'aspect positif de la colonisation est essentiellement, semble-t-il, d'ordre psychologique. La possession d'un Empire que l'on suppose être un immense réservoir d'hommes, susceptible de pallier les carences démographiques de la métropole, rassure les habitants de l'hexagone, au même titre que l'alliance avec le «rouleau compresseur» russe. Encore faudrait-il que soit mise en place la structure d'accueil de ces éventuelles recrues. Cela implique du temps, de l'expérience, une lente accoutumance des populations autochtones à l'idée de leur participation à la défense métropolitaine. Or, les projets gouvernementaux pour créer une véritable «armée coloniale», formée de contingents levés dans les territoires d'outre-mer et d'engagés volontaires, sont restés lettre morte jusqu'au tout début du siècle, et ce n'est guère qu'à partir de 1900 que les unités de «tirailleurs» recrutées parmi les autochtones ont reçu un statut définitif.

En 1910, le général Mangin s'était illustré dans la célèbre campagne pour *La force noire*, mais les oppositions conjuguées des colons, des militaires métropolitains et des socialistes avaient réduit à bien peu de choses les grands projets de levée en masse des indigènes. Si bien que, même après l'adoption en 1912 de décrets facilitant les enrôlements volontaires, les effectifs des troupes coloniales ne dépasseront pas une trentaine de milliers d'hommes en Afrique du Nord et en AOF, et quelques milliers d'autres dispersés dans les autres territoires de l'Empire.

Cela n'empêchera pas la France de recourir, dès le début de la Guerre mondiale, aux contingents levés dans les colonies, d'abord par engagements volontaires (on avait simplement augmenté la prime d'enrôlement), puis par recrutement forcé. L'Empire fournira ainsi, entre 1914 et 1918, 600 000 hommes dont la moitié venus d'Afrique du Nord (175 000 pour la seule Algérie), le tiers d'Afrique noire, 50 000 d'Indochine et 40 000 de Madagascar. Globalement, les pertes (environ 10 % de l'effectif mobilisé) seront moins fortes que celles des troupes métropolitaines, mais là où les unités «indigènes» seront engagées, elles seront parfois effroyables: ainsi, 7 000 Sénégalais furent tués ou mis hors de combat au Chemin des Dames en 1917.

La place de la France dans le monde, à la charnière du XIXe et du XXe siècles, dépend également bien sûr, et au premier chef, de ses capacités économiques. En termes de production, et notamment de production industrielle, la très forte croissance qui caractérise les quinze années qui précèdent la guerre (de l'ordre de 5 % pour les secteurs les plus dynamiques selon les travaux de François Crouzet), et les spectaculaires progrès accomplis dans des branches telles que l'électro-métallurgie, l'électro-chimie, les industries mécaniques, l'automobile, l'aéronautique, ne suffisent pas à empêcher que la France ne soit reléguée du second au quatrième rang des puissances industrielles, sa part dans la production industrielle mondiale tombant de 10% en 1870 à 7 % en 1913, alors que celle de l'Allemagne est passée dans, la même période, de 12 à 15 % (et celle du Royaume-Uni de 32 % à 14 %).

Il en est de même du commerce extérieur, lui aussi en plein essor au début du siècle, après la forte récession qui a caractérisé la période 1880-1900, mais dont la progression est moins forte que celle de nos principaux concurrents. Si bien que là aussi il s'effectue une redistribution des cartes dont rend compte le tableau ci-dessous.

Part relative des principaux pays exportateurs dans les ventes mondiales d'articles manufacturés de 1876 à 1913
(en % du total mondial)

	France	*GB*	*All.*	*USA*	*Italie*	*Japon*
1876-1880	16,2	37,7	—	4,0	—	—
1881-1885	14,5	38,2	17,8	4,2	1,7	—
1891-1895	14,2	34,4	18,2	4,7	1,3	0,5
1901-1905	13,0	29,4	20,0	8,0	2,1	1,0
1911-1913	11,8	27,5	21,4	9,2	2,7	1,3

La présence française dans le monde au début du XXᵉ siècle

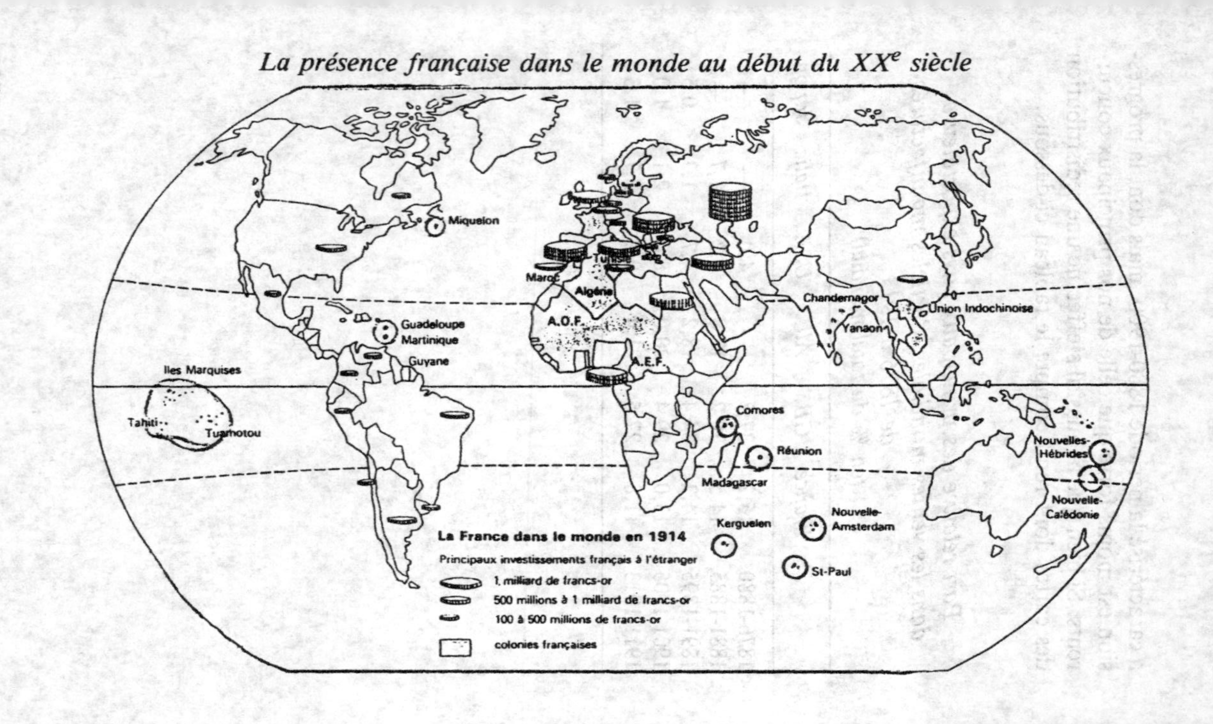

Les capitaux français placés à l'étranger
(d'après l'enquête de 1902, en millions de francs)

EUROPE		ASIE	
Russie	6 966	Chine	651
Espagne	2 974	Asie turque	354
Autriche-Hongrie	2 850		
Turquie	1 818	AFRIQUE	
Italie	1 430	Afrique britannique	1 592
Angleterre	1 000	Égypte	1 436
Portugal	900	Tunisie	512
Belgique	600		
Suisse	455	AMÉRIQUE	
Roumanie	438	Argentine	923
Norvège	290	Brésil	696
Grèce	283	États-Unis	600
Serbie	201	Mexique	300
Hollande	200	Colombie	246
Monaco	158	Chili	226
Danemark	131	Uruguay	219
Suède	123	Canada	138
		Venezuela	130
		Cuba	126
		Pérou	107

D'après R. Poidevin, *Les relations économiques et financières entre la France et l'Allemagne*, Colin, 1969.

Ce relatif repli en valeur relative du commerce extérieur de la France — infiniment moindre que celui de la Grande-Bretagne qui voit sa part diminuer de dix points en une quarantaine d'années — est essentiellement dû à la montée en puissance de ses autres concurrents européens et extra-européens: Etats-Unis et surtout Allemagne, dont la part, dans le commerce mondial, passe (tous trafics mêlés) de 9 % en 1880 à plus de 13 % à la veille de la guerre. Une percée que les Allemands doivent aux coûts relativement bas de leur production industrielle, à la hardiesse de leurs voyageurs de commerce et à l'excellence de leurs méthodes commerciales. Les consuls français en Amérique latine ou en Asie orientale expliquent ainsi dans leurs rapports que là où les maisons de commerce françaises exigent le paiement anticipé, les firmes britanniques se contentent du paiement comptant et les Allemands consentent de larges facilités de crédit.

Il ne faut cependant pas noircir le tableau. S'il est vrai que le solde commercial français reste très nettement négatif en 1913 (d'environ 1,5 milliard de francs), la balance des paiements dégage un excédent de 1,3 milliard: somme considérable et qui marque de manière tangible l'enrichissement du pays (chap. II).

Cette richesse accumulée ne sert pas seulement à grossir le légendaire «bas de laine» du petit bourgeois français. Elle est à la base d'une puissance financière qui fait de Paris la première place boursière du monde dès les toutes premières années du siècle, et des habitants de l'hexagone les seconds investisseurs de la planète. A la veille de la guerre, face aux Britanniques qui détiennent de très loin le premier rang, avec un investissement de 95 milliards de francs-or, dont 47 % dans l'Empire, 41 % répartis à peu près également entre les deux Amériques et seulement 8 % en Europe, la France possède pour 45 milliards d'avoirs à l'étranger, représentant plus du tiers de sa fortune mobilière et se répartissant de façon très différente: 27,5 milliards dans les affaires européennes, dont 12,3 milliards pour la Russie, 6 milliards en Amérique latine, 2 en Amérique du Nord, 3,3 en Afrique et seulement 4 milliards dans les colonies.

L'expression «placements à l'étranger» recouvre en fait deux catégories d'investissements. La première englobe les achats de fonds d'Etat et d'autres valeurs à caractère public telles que les emprunts de municipalités ou les obligations de chemins de fer garanties par les Etats étrangers. Ce sont de loin ces placements dits «de pères de famille» qui constituent la part la plus importante du portefeuille français hors de l'hexagone, et ce sont eux qui ont fait à la fois la force du marché parisien des valeurs mobilières et la réputation durablement faite au capitalisme français d'être resté confiné dans une conception étriquée de l'investissement extérieur.

Or, s'il est vrai que la philosophie du rentier, porteur de titres au revenu modeste, mais réputés «sûrs», constitue effectivement la règle, surtout si l'on se réfère au nombre des prêteurs (pour la plupart de petits porteurs dont l'épargne, il est vrai, est drainée par les grandes banques d'affaires), il existe aussi des investissements directs, sous la forme de participations dans des sociétés industrielles ou commerciales, dont la possession implique de la part de leurs propriétaires un comportement plus dynamique et une stratégie moins passive que celle du simple «rentier».

René Girault a clairement montré dans ses travaux (notamment dans sa thèse: *Emprunts russes et investissements français en Russie, 1887-1914*, Paris, A. Colin, 1973) que, dans le cas des placements en Russie, qui représentaient en 1914 à peu près le quart des avoirs français à l'étranger, sur les 12 milliards de francs (en chiffres arrondis) investis, 82 % environ l'étaient dans des fonds publics: pourcentage considérable, mais dont René Girault explique qu'il a subi une baisse relative depuis 1900 (il était alors de 87 %) au dépens des investissements directs. De 1907 à 1914 ces derniers ont progressé annuellement de près de 9 %, contre 2,42 % pour la première catégorie. Avec comme conséquence tangible la multiplication des initiatives d'envergure de la part du capitalisme français:

«*Entre 1908 et 1913* — écrit Girault —, *les entreprises françaises en Russie se multiplient: aménagement de chantiers navals, de ports de guerre, de voies ferrées, études pour le canal Don-Volga, le bassin du Kouznets, etc. Les visées les plus grandioses ont trait à l'élaboration d'un trust métallurgique à l'échelle de la Russie tout entière; des pourparlers s'engagent entre capitalistes français avant 1914, ils se poursuivent pendant la Première Guerre mondiale, et seule la révolution de 1917 stoppera cet élan; les promoteurs comme Pierre Darcy (fils du président du comité des Forges) et le banquier Villars (président de la Banque de l'Union parisienne) conçoivent alors des plans grandioses...»* («Existe-t-il une bourgeoisie d'affaires dynamique en France avant 1914?», *Bulletin de la Société d'Histoire moderne*, n° 1, 1969, pp. 2-7).

Jacques Thobie fait des constatations analogues pour l'Empire ottoman où, entre 1881 et 1914, la valeur des placements publics a augmenté de 66 %, tandis que celle des investissements directs était multipliée par 7, avec une

Emprunts ottomans placés en France et capitaux français investis dans l'Empire de 1881 à 1914 (en millions de francs)

Au 31 déc.	*Fonds publics*	*Investissements directs*	*Total*
1881	1328,3	85,0	1413,3
1890	1543,4	134,2	1677,6
1900	1665,7	372,9	2038,6
1910	1606,5	525,5	2134,0
1914	2209,1	587,1	2796,2

Source: J. Thobie, «Placements et investissements français dans l'Empire ottoman, 1881-1914», in *La position internationale de la France, aspects économiques et financiers, XIXe-XXe siècles*, Textes réunis et présentés par M. Lévy-Leboyer, Paris, PUF, 1977, pp. 288-289.

accélération particulièrement sensible dans le courant de la décennie 1890. Le tableau de la p. 196 rend compte dans le détail de cette évolution.

Enfin, les travaux de J.F. Rippy sur l'Amérique latine ont établi que, dans cette partie du monde, les investissements français dans les entreprises privées et les achats de terres étaient, dès le début du siècle, très supérieurs aux placements publics.

Les investissements français en Amérique latine en 1902
(en millions de francs)

	Emprunts publics	*Terres*	*Ch. de fer*	*Banques*	*Entreprises*	*Total*
Argentine	310	366	100	53	94	923
Chili	8	80	—	—	138	226
Uruguay	48	138	—	8	103	297
Brésil	490	30	40	11	125	696
Mexique	—	100	—	20	180	300
Antilles	73	100	—	7	30	210
Am. centr.	—	—	—	—	47	47
Autres	32	170	18	39	295	554
Total	961	984	158	138	1 012	3 523

Source: J.-F. Rippy, «French Investments in Latin America», in *Inter-American Economic Affairs*, Washington, 1948.

L'image d'un capitalisme français entièrement absorbé par les «placements de pères de familles» relève donc du légendaire économique, et en tout cas mérite d'être fortement nuancée. Il n'en reste pas moins que, comparée aux stratégies britannique et allemande (le Reich vient en troisième position des pays investisseurs, avec 29 millions de francs-or placés principalement en Europe, aux Etats-Unis, en Amérique latine et dans l'Empire ottoman), davantage orientée vers les investissements directs et les concessions de zones économiques exclusives, celle de la France se caractérise par un dynamisme moindre et débouche sur des formes différentes d'utilisation de l'arme financière.

Quoi qu'il en soit, celle-ci offre à la diplomatie française des moyens d'action qui fonctionnent d'ailleurs tantôt à l'initiative du pouvoir, lorsque par exemple le Quai d'Orsay exerce une pression sur les intérêts privés pour que soient conclues des opérations auxquelles il attache une importance politique, tantôt en sens inverse, le gouvernement couvrant des initiatives privées, prises sans autre considération que celle du profit, mais dont les responsables politiques estiment qu'elles servent, d'une façon ou d'une autre, les intérêts de la nation.

La diplomatie du franc, les manœuvres exercées sur le marché des changes, les encouragements ou au contraire les moyens dissuasifs employés auprès de telle ou telle entreprise, de tel ou tel groupe financier, pour l'incliner ou non à s'engager hors de l'hexagone, l'«admission à la cote» de la Bourse de Paris des titres d'emprunts étrangers accordée ou refusée par les Affaires étrangères, toute la panoplie d'outils politico-financiers dont dispose le pouvoir seront ainsi utilisés par lui pour atteindre ses objectifs extérieurs, ou pour contrecarrer ceux des puissances concurrentes. C'est en ce sens que, pendant la période que nous examinons ici, le Quai d'Orsay usera de l'arme financière pour conclure et renforcer l'alliance avec la Russie, attirer dans l'orbite française de petits pays de l'Europe balkanique — Grèce, Serbie et Bulgarie —, incliner l'Italie à se détacher de la Triple Alliance, lier financièrement à la France des pays sur lesquels elle songe à établir progressivement une tutelle (le Maroc ou l'Ethiopie), ou encore préparer, par le biais de la pénétration économique et financière, la mise en place de zones d'influence: c'est le cas notamment en Chine et dans l'Empire ottoman.

Influences et rayonnement culturels

La place de la France dans le monde à l'aube du XXe siècle ne se mesure pas seulement en termes de puissance industrielle et financière, de force militaire ou de possessions coloniales. Elle traduit également l'universalité d'un modèle politique et culturel dont la diffusion s'opère par des moyens extrêmement divers.

C'est d'abord une certaine image d'elle-même que la France exporte dans le reste du monde, en Europe et hors d'Europe. Celle de la «nation-guide», porteuse des idéaux qui ont triomphé un siècle plus tôt sur son sol avec la «Grande Révolution». La liberté, l'égalité devant la loi, le respect des droits de la personne humaine, l'idée d'un progrès infini apporté aux hommes par l'usage de la raison et les conquêtes de la science, la certitude que la démocratie est à la fois la condition et le produit du triomphe de l'intelligence sur les forces obscures de l'instinct et de la foi, tout cela constitue un système de valeurs dont les élites républicaines ont tendance à faire, de manière exclusive, le fondement de l'identité française et l'instrument d'une pénétration pacifique tous azimuts qui est assimilée par beaucoup à l'avancée de *la* Civilisation.

Quelles que soient les entorses qu'elle apporte à ses propres principes, par exemple dans la soumission des peuples «*indigènes*» — encore que sur ce point le discours «civilisateur» et «humanitaire» d'un Jules Ferry n'ait aucune difficulté à faire coexister domination coloniale et «*devoir de civiliser les races inférieures*» (Cf. sa déclaration à la Chambre du 28 juillet 1885) —, la France peut en effet tirer parti d'arguments objectivement recevables. Elle a joué, avec l'Angleterre, un rôle pionnier dans la suppression de l'esclavage. Elle a été la première en Europe à instituer le suffrage universel. Elle est, au début du siècle, le seul grand Etat moderne sur le vieux continent doté d'un régime républicain. Elle est incontestablement un refuge (pas le seul) et un symbole pour les exilés politiques du monde entier, ainsi qu'un modèle pour des peuples aspirant à plus de liberté et de représentativité.

La diplomatie française joue de la richesse et du poids de cette image. Elle lui sert à conforter des positions et à en conquérir d'autres. Ce qui n'est pas toujours facile, dans la mesure où le «modèle français» peut tout aussi bien constituer un repoussoir pour les oligarchies dirigeantes, qui le jugent subversif et dissolvant. Il a ainsi fallu de nombreuses années aux dirigeants républicains pour vaincre la répulsion du tsar à l'égard de la France «révolutionnaire», et le rapprochement franco-italien a longtemps buté sur les réticences du roi Humbert à traiter avec une puissance non respectueuse de «l'ordre» et qui accueillait sur son territoire tout ce que la couronne d'Italie comptait d'adversaires déclarés. Mais dans beaucoup de cas, la référence au modèle hexagonal a joué dans le sens d'un accroissement de l'influence française. En Amérique latine par exemple, dans une situation de forte dépendance à l'égard des grandes puissances du moment, il est fréquent de voir les Etats latino-américains, ou plus exactement les bourgeoisies créoles qui les dirigent, fonder leur identité culturelle sur des concepts de latinité et de *panlatinisme* qui se nourrissent largement d'influences françaises, jouant ainsi l'impérialisme faible que constitue, dans cette région du monde, celui de la France, contre les impérialismes forts et en particulier contre celui, tout proche, du grand voisin nord-américain.

C'est à bien des égards pour rendre son modèle politique et culturel plus facilement exportable que la République met l'accent, à partir de la dernière décennie du XIXe siècle, sur la modération de ses objectifs intérieurs et extérieurs. En témoigne l'agencement de cette vitrine sur le monde qu'elle offre périodiquement à ses visiteurs avec les Expositions universelles. Celle de 1889 faisait encore figure de «provocation à la face de rois» lancée par un régime *avancé* (Cf. P. Ory, *Les Expositions universelles de Paris*, Paris, Ramsay, 1982 et *1889*, *L'expo universelle*, Complexe, 1989). Des délégations d'étudiants venus de pays sous domination étrangère — Polonais, Tchèques, Croates — avaient transformé leur visite en manifestation nationale aux accents de *la Marseillaise*, et les monarchies avaient boudé la grande fête du Champ-de-mars. En 1900 au contraire, alors que s'annonce paradoxalement, au lendemain de l'arrivée au pouvoir du Bloc des gauches, l'ère de la «république radicale», c'est l'économie, la science et la «philosophie du XXe siècle» qui sont mis en avant par les concepteurs de l'«Expo». Symboliquement réintégrée dans le «concert des puissances», la France républicaine accueille sur les rives de la Seine les représentations des Etats les plus conservateurs du continent: Allemagne, Autriche-Hongrie et Russie en tête.

En cette époque de balbutiements du cinématographe où l'image se trouve encore réduite à son support de papier, le livre constitue le principal vecteur de l'influence culturelle et la langue l'instrument privilégié de la pénétration des esprits. Or, si l'anglais ne cesse de gagner du terrain à ses dépens, devenant à la fin du XIXe siècle l'outil international des affaires, le français conserve des positions solides. L'aire de la francophonie a même sensiblement progressé au Canada, en Afrique du Nord et en Afrique noire, en Syrie, au Liban et même en Extrême-Orient. D'autre part, le français demeure l'instrument de communication des diplomates, des savants et des hommes de lettres, ainsi qu'une langue véhiculaire de culture entre les représentants des élites du monde entier. Il en résulte que ceux-ci envoient encore fréquemment leurs fils étudier à Paris, même si la prépondérance exercée en ce domaine par l'université française tend de plus en plus à se réduire au profit des établissements universitaires britanniques et allemands.

L'heure a sonné en effet où, pour de larges secteurs des classes dirigeantes européennes et extra-européennes, le style d'éducation à l'anglaise et le modèle technico-scientifique allemand sont considérés comme plus valorisants que le modèle humaniste façonné par la vieille Sorbonne. Le succès international de l'Ecole libre des Sciences politiques — que fréquentent les étudiants étrangers et dont s'inspirent, par exemple, les fondateurs de l'Université Bocconi de Milan — témoigne cependant d'une capacité de renouvellement et d'attraction qui est loin encore d'être épuisée à la veille de la guerre.

La diffusion de la langue et celle du modèle culturel français passent par le truchement d'établissements d'enseignement qui, à cette époque, dépendent encore très largement des congrégations religieuses. L'action de ces dernières ne se limite d'ailleurs pas au domaine scolaire. Elle relève d'une entreprise missionnaire dont s'accommode parfaitement la République laïque qui triomphe avec Jules Ferry, de même qu'elle voit d'un œil favorable le maintien du protectorat français sur les populations catholiques des Empires ottoman et chinois. Les républicains qui détiennent les leviers de commande de l'Etat et le Quai d'Orsay qui a à charge de gérer la question y voient un utile moyen pour écarter les influences étrangères. Si bien que, non seulement ils ne songent pas à renoncer au «droit» de protection ainsi reconnu à la France, mais ils cherchent à l'étendre à d'autres pays, l'Egypte par exemple où règne l'influence anglaise, ou l'Ethiopie, terrain d'affrontement entre les influences françaises et italiennes par capucins et lazaristes interposés.

C'est dans la même perspective qu'ils acceptent de subventionner les congrégations et les écoles religieuses dont l'activité missionnaire compense en partie l'insuffisance des intérêts économiques implantés dans certaines régions où la France entend maintenir et même accroître son influence. Le conflit entre l'Eglise et l'Etat, qui commence en gros avec le siècle, et l'expulsion des congrégations qui marque le point le plus aigu du différend, n'y changeront rien et auront au contraire tendance à renforcer ce type d'action extérieure, les institutions visées se voyant contraintes de transférer leurs cadres et leurs établissements à l'étranger.

Le «Bureau des Ecoles et des Œuvres» du ministère des Affaires étrangères, créé en 1900 et rattaché à la Direction politique de ce département (c'est seulement en 1946 que cet organisme, transformé en «Service des Œuvres» en 1920, deviendra la Direction des Affaires culturelles), continueront ainsi à fournir aux écoles congréganistes des subventions dont le montant ne cesse de croître jusqu'en 1914. Les «Œuvres françaises en Orient», inscrites au chapitre 22 du budget des Affaires étrangères, et qui concernent une aire géographique englobant l'Empire ottoman, l'Egypte, la Grèce, la Crête, Chypre, la Bulgarie, la Roumanie, la Perse et l'Ethiopie, qui recevaient une subvention annuelle de 700 000 francs en 1892, voient ce montant s'élever à un million de francs en 1910 et à près de 1 300 000 francs en 1914.

Cela n'empêche pas le gouvernement de la République de favoriser le développement d'écoles non confessionnelles au cours des deux décennies qui précèdent le conflit mondial. Déjà, en 1884, dans un cadre non directement relié au cursus scolaire et universitaire, a été créée à l'initiative d'une cinquantaine de personnalités rassemblées autour de Paul Cambon, alors résident général à Tunis, une «Association nationale pour la propagation de la langue française dans les colonies et à l'étranger». Plus connue sous le nom d'*Alliance française*, elle s'est donnée pour mission de rendre à la France son image de marque internationale altérée depuis 1870, de relancer l'expansion de la culture française et de lutter contre l'influence grandissante de la culture allemande. Une quinzaine d'années plus tard, elle compte déjà 170 comités dont près de la moitié à l'étranger, groupant 28 000 membres et subventionnant 300 écoles, principalement au Proche-Orient, en Amérique latine, aux Etats-Unis et en Afrique.

En 1902 est fondée la «Mission laïque française», dont le but est le même mais qui vise plus spécifiquement le public scolaire sur lequel s'exerce l'influence des congrégations. Elle se propose de veiller au recrutement des instituteurs et institutrices français dans les colonies et à l'étranger et de soutenir les établissements non confessionnels pour diffuser «*avec la langue française, l'esprit et les idées de la France moderne*»: entendons de la France laïque et républicaine. Aussi n'est-il pas surprenant que la «rallonge» accordée aux «Œuvres françaises en Orient» dans les années 1905-1914 soit allée de manière préférentielle vers les établissements relevant de sa mouvance. Enfin, au chapitre des entreprises émanant du secteur public, il faut encore signaler les liens établis entre des universités comme celles de Lille, de Grenoble et de Toulouse avec des institutions universitaires étrangères: ils ont joué en effet un rôle important dans la fondation des premiers Instituts français: Florence en 1908, Londres et Madrid en 1913.

Pour la seule partie orientale de l'Empire ottoman, où se concentre il est vrai l'essentiel de l'action enseignante des missions religieuses et laïques françaises, et qui a été minutieusement étudiée par Jacques Thobie («La France a-t-elle une politique culturelle dans l'Empire ottoman à la veille de la Première Guerre mondiale?», *Relations internationales*, n° 25, printemps 1981, pp. 21-40), on dénombre en 1912 dans les «écoles françaises» de l'Empire plus de 87 000 élèves (49 000 garçons et 38 000 filles), dont près de la moitié pour la seule Syrie. A quoi il convient d'ajouter les 20 000 élèves qui fréquentent des établissements semblables en Egypte. Ce sont, de loin, les établissements des congrégations qui viennent en tête, malgré les progrès enregistrés en dix ans par leurs concurrents laïques, et ce sont les écoles primaires et primaires supérieures qui rassemblent les plus gros contingents d'élèves: 80 000 dans l'Empire ottoman, contre 7 000 dans le secondaire et guère plus de 300 dans le supérieur, concentrés il est vrai dans la très dynamique et très réputée *Université Saint-Joseph* de Beyrouth, que dirigent les Pères jésuites et dont le consul général de France dit en 1913 qu'elle est «*l'établissement fréquenté par la classe élevée du pays, où nous avons le plus d'intérêt à rechercher nos clients*». On ne peut exprimer plus clairement les objectifs de ce qui relève bel et bien d'un impérialisme culturel, encore que, dans ce domaine comme dans beaucoup d'autres, la France soit plus souvent en position défensive qu'offensive, face aux entreprises de ses concurrents britanniques et allemands.

Sans entrer ici dans le détail de l'histoire culturelle, rappelons pour conclure ce bilan de l'influence française à la veille du premier conflit mondial, que celle-ci doit encore beaucoup aux travaux et aux productions de ses élites intellectuelles et artistiques. Paris n'est pas seulement l'épicentre de la mode, l'une des deux ou trois grandes capitales des lettres, le lieu où se conjuguent, comme à Vienne, les enseignements d'un immense patrimoine culturel et les hardiesses des avant-gardes. Il est avec son université (quoique celle-ci n'accueille des étudiants en science qu'à partir de 1877, avec un certain retard sur l'Angleterre et l'Allemagne), ses laboratoires, ses grandes écoles techniques, ses sociétés savantes, ses expositions universelles, l'un des pôles d'invention et de diffusion de la culture scientifique et technologique. Sur les 62 Prix Nobel attribués par le jury de Stockholm entre 1901 et 1914, pour les quatre disciplines primées, 19 sont allemands et 12 sont français, ce qui place la France en seconde position devant l'Angleterre, les Pays-Bas la Suède et l'Italie (respectivement 6, 5, 4 et 3 récompenses).

La « Grande politique » *de Théophile Delcassé*

La position de la France dans le monde du début du XXe siècle demeure donc celle d'une grande puissance dont les intérêts sont présents sur les cinq continents et dont la politique étrangère relève d'une double préoccupation. D'une part celle de la consolidation, voire de l'élargissement de l'*Empire* et des zones sur lesquelles la «République impériale» exerce son influence économique et culturelle. D'autre part celle du maintien et du renforcement de sa sécurité en Europe, face à une Allemagne supposée agressive et dominatrice. Le «système» diplomatique qu'elle tente — avec un certain succès — de mettre en place à la charnière du XIXe et du XXe siècle répond globalement à ces deux objectifs.

L'homme qui a attaché son nom à cette construction politique et stratégique est un ancien journaliste de l'entourage de Léon Gambetta, devenu député en 1889 et qui, après avoir été écarté de la «carrière», est entré au Quai d'Orsay par la grande porte en juin 1898, en devenant ministre des Affaires étrangères dans un cabinet présidé par Henri Brisson. Théophile Delcassé occupera ce poste pendant sept ans, au milieu des remous suscités par l'Affaire Dreyfus, et ne le quittera qu'en juin 1905, dans les conditions dramatiques qui seront examinées plus loin.

Au moment où il devient le chef de la diplomatie française, Delcassé a 46 ans. Il est né le 1er mars 1852 à Pamiers, dans l'Ariège, dans une famille de petite bourgeoisie provinciale. Il fait donc partie de cette génération qui sort tout juste de l'adolescence au moment où la France subit coup sur coup l'humiliation de la défaite et les soubresauts de la Commune, et il tire de cette double blessure les éléments qui feront de lui un ardent patriote et un «républicain» convaincu, passé comme son «maître» Gambetta (il collabore depuis 1877 à *La Petite République* et est entré deux ans plus tard à *La République française*) du radicalisme à l'«opportunisme». Candidat une première fois à la députation en 1885, l'ancien étudiant en lettres de Toulouse est élu quatre ans plus tard dans la circonscription de Foix, avec une confortable avance sur son rival monarchiste, et il ne tarde pas à devenir l'un des ténors de la Chambre et l'un des porte-parole les plus écoutés du «groupe colonial» d'Eugène Etienne, un autre disciple de Gambetta devenu député d'Oran.

L'intérêt qu'il porte aux questions d'outre-mer le désigne pour devenir sous-secrétaire d'Etat, puis ministre des Colonies, en 1893 et 1894. Il incarne à cette date, au sein du groupe colonial, la tendance activiste et expansionniste qu'animent les membres du *Comité de l'Afrique française*, et il joue un rôle déterminant dans la décision d'envoyer une mission sur le Haut-Nil, engageant la

France dans le processus qui devait aboutir à l'épreuve de force de Fachoda.

L'arrivée de Delcassé au ministère des Affaires étrangères, en juin 1898, marque à bien des égards la victoire du groupe colonial sur les tenants d'une politique continentale qu'avaient incarnée Ribot et Hanotaux. Elle traduit, semble-t-il, un changement qui s'est accompli dans les mentalités — tant au niveau parlementaire que dans l'opinion publique — au cours des années qui ont suivi la conclusion de l'alliance franco-russe. Celles-ci sont en effet marquées par l'émergence d'un nationalisme de conquête tourné vers le monde extra-européen, tandis que se manifeste un certain recul de l'idée de revanche. Au point que, dans la perspective d'un affrontement jugé inévitable avec l'impérialisme britannique, nombre de représentants du groupe colonial songent à une détente, peut-être même à un rapprochement avec l'Allemagne de Guillaume II.

Or, devenu ministre des Affaires étrangères, Delcassé va pratiquer une politique assez différente de celle qu'attendaient ses amis du «parti colonial». Ou plutôt, il va chercher à concilier les idées expansionnistes qui règnent dans ce secteur de l'opinion parlementaire — et qui sont très largement les siennes — avec les contraintes de la politique continentale.

Pour comprendre ce choix d'une ligne médiane entre les aspirations des milieux impérialistes et les vœux de tous ceux qui continuent de voir dans l'Allemagne l'ennemi principal, il faut considérer, outre la personnalité même de Delcassé, que rien ne prédispose à être le simple exécutant d'un courant d'opinion ou d'un groupe d'intérêts, la nature de son nationalisme, fait de différentes strates dont les plus anciennes — le souvenir de la défaite de 1871 coïncidant avec sa propre ouverture au monde extérieur, les idées acquises dans l'entourage de Gambetta, la vision des relations internationales forgée au contact de ses amis de *La République française* —, ne sont pas nécessairement les moins vives. Il y a, sans doute, ses liens avec le «parti colonial», mais l'adhésion de Delcassé aux thèses impérialistes a elle-même été conditionnée par le souci de donner à la France les moyens d'une grande politique étrangère, sentiment qu'il partage avec Gabriel Hanotaux et avec beaucoup d'autres hommes politiques de sa génération, passés du regard exclusif fixé sur la «ligne bleue des Vosges» à l'idée d'une nécessaire expansion outre-mer.

A ces considérations d'ordre personnel et générationnel s'ajoutent les contraintes qui résultent de la situation extérieure. L'adoption par l'Allemagne, au début de la décennie 1890, d'une politique à vocation mondiale, les intérêts que ce pays tente d'implanter, le plus souvent avec succès, dans des zones convoitées par l'impérialisme français, la menace que l'attitude belliqueuse de Guillaume II fait planer sur l'avenir des relations avec Berlin, tendent à donner un nouveau contenu à la rivalité franco-allemande — la question d'Alsace-Lorraine passant provisoirement au second plan — et à faire renaître l'idée d'une inévitable épreuve de force avec la voisine de l'Est, non plus pour reconquérir les provinces perdues, mais dans une perspective purement défensive.

La «grande politique» de Théophile Delcassé et le «système» diplomatique qu'il s'efforce de mettre en place à partir du printemps 1899, après quelques mois de réflexion et d'hésitations dues aux événements du Soudan, visent donc à élaborer une synthèse entre les impératifs de l'expansion outre-mer — une expansion au demeurant limitée, consistant surtout à protéger sur leur flanc occidental les deux pièces maîtresses de l'Empire: l'Algérie et l'Indochine — et ceux de la sécurité en Europe continentale. Ce qui, estime Delcassé, implique à la fois un réglement à l'amiable du contentieux colonial franco-anglais, le renforcement de l'alliance avec la Russie et le rapprochement avec l'Italie.

L'alliance franco-russe, pièce maîtresse du dispositif diplomatique français jusqu'à la guerre, avait été conclue quelques années plus tôt, à la suite d'une longue et difficile négociation sur laquelle avaient fortement pesé d'un côté les répugnances du tsar Alexandre III à passer contrat avec une puissance qu'il jugeait «subversive», de l'autre les puissants intérêts que les banques françaises avaient réussi à implanter dans l'Empire russe par le biais des investissements directs et surtout des placements en fonds publics. Après la visite de la flotte française à Kronstadt en juillet 1891, puis la convention de politique générale paraphée en septembre de la même année (par un échange de lettres secret, les deux pays proclamaient leur amitié et promettaient de se consulter dans le cas où l'un des deux se sentirait menacé), l'étape décisive avait été la signature en août 1892 d'une convention militaire, ratifiée par les Russes en décembre 1893, par les Français en janvier 1894, et qui transformait l'accord de 1891 en une véritable alliance. Il était stipulé que, si la France était attaquée par l'Allemagne, ou par l'Italie soutenue par l'Allemagne, la Russie l'aiderait en mettant en ligne 800 000 hommes contre l'Allemagne. Symétriquement, si la Russie était attaquée par l'Allemagne, ou par l'Autriche-Hongrie soutenue par cette dernière puissance, l'aide française serait automatique et mettrait en jeu des effectifs de 1 300 000 hommes. On précisait que la mobilisation même partielle de l'un des pays de la Triplice (l'alliance défensive entre l'Allemagne, l'Autriche-Hongrie et l'Italie, conclue en 1882 et renouvelée en 1887 avec une pointe agressive dirigée contre la France) entraînerait la mobilisation générale en France et en Russie, que les deux pays ne feraient pas de paix séparée, que l'alliance aurait la même durée que la Triplice, enfin que la convention demeurerait rigoureusement secrète.

C'était pour la France, dont l'encerclement avait été patiemment et efficacement réalisé par Bismarck, la fin de l'isolement diplomatique en Europe et la promesse, en cas de guerre préventive menée par le Reich (on l'avait redoutée en 1875 et en 1887), d'une aide, que l'on espérait décisive, du «rouleau compresseur russe». De là l'immense enthousiasme de l'opinion française en regard des manifestations tangibles du rapprochement avec Pétersbourg: la visite de l'escadre russe à Toulon en 1893, plus tard celle de la famille impériale à Paris. La République célébrait ainsi son premier grand succès diplomatique depuis la défaite de 1871.

Les graves difficultés coloniales avec l'Angleterre et l'affaire de Fachoda, que Delcassé a eu à affronter quelques semaines après son arrivée au Quai d'Orsay, ont eu pour conséquence immédiate de resserrer l'alliance franco-russe. Jusqu'en 1898 en effet le gouvernement français avait interprété l'alliance au sens strict: la convention militaire de 1892 devait s'appliquer dans le cas seulement d'une guerre avec l'Allemagne. Elle écartait l'éventualité d'une intervention de la France dans les affaires balkaniques, de même que la Russie ne voulait pas s'engager à donner son appui à son alliée dans la question d'Alsace-Lorraine. Peu satisfaite de l'indifférence française à l'égard de ses intérêts en Europe orientale, la Russie avait témoigné bien peu d'empressement à seconder Paris au moment de la crise de Fachoda.

Craignant un affaiblissement de l'alliance, Delcassé s'était préoccupé de cette situation, aussitôt retombée la «fièvre soudanaise», et il avait entrepris d'y porter remède. Dans cette perspective, il engage une négociation qui aboutit, en août 1899, à un échange de lettres avec le ministre russe Mouraviev. Le texte des accords de 1892 demeure inchangé, mais les deux parties décident d'en modifier l'esprit. L'alliance n'aura plus pour seul but «*le maintien de la paix*». Elle visera en outre à préserver «*l'équilibre européen*». Par cette formule, la France s'engage à assister la Russie dans sa politique balkanique, dans le cas notamment où l'Autriche-Hongrie tenterait de porter atteinte au statu quo, et la Russie promet de son côté son appui dans la question d'Alsace-Lorraine. L'année suivante, un protocole d'état-major prévoit le cas d'une guerre avec l'Angleterre, la France s'engageant à mobiliser dans cette éventualité 150 000 hommes sur les côtes de la Manche (clause qui disparaîtra en 1904 à la faveur du rapprochement franco-britannique), la Russie à lancer à partir du Turkestan une opération de diversion en direction de l'Inde.

Le second volet de la politique de Delcassé concerne précisément les relations avec Londres. Dans l'été 1898, la rencontre sur le Haut-Nil de la mission dirigée par le commandant Marchand et de l'armée du général anglais Kitchener avait été bien près de provoquer une guerre entre les deux grandes puissances coloniales. Face à la flambée nationaliste et belliciste qui avait gagné les opinions publiques de part et d'autre de la Manche, il avait fallu beaucoup de sang froid aux gouvernements de Londres et de Paris pour éviter le pire, et si, en France, on s'était abstenu de recourir aux armes pour régler le différend de Fachoda, c'est essentiellement parce que l'impréparation militaire et l'état de division dans lequel le pays se trouvait plongé du fait de l'Affaire Dreyfus, rendaient hautement hypothétique l'issue d'un conflit avec le Royaume-Uni.

Delcassé avait donc décidé le rappel de Marchand, non sans provoquer une vive amertume dans de larges secteurs de l'opinion. Pourtant, en quelques années, la tension des nationalismes français et britannique va se transformer en une forte volonté de coopération entre les deux pays, devenus conscients l'un et l'autre du danger que constitue pour eux l'accession de l'Allemagne au rang de grande puissance maritime et impériale. De ce constat découlent les initiatives et les pourparlers qui aboutiront en avril 1904 à l'Entente cordiale.

En choisissant d'entériner par une convention, signée en mars 1899 avec le gouvernement de Londres, la défaite diplomatique de la France — celle-ci abandonnait toutes ses prétentions sur le bassin du Nil et sur la région de Bahr-el-Ghazal, ne conservant que les régions situées à l'est et au nord du lac Tchad —, Delcassé réduisait les points de friction entre les deux puissances coloniales et rendait possible leur rapprochement ultérieur. Il faudra toutefois, pour que s'amorce celui-ci, que Londres ait épuisé les autres solutions possibles, à commencer par le projet d'alliance avec l'Allemagne que le ministre des Colonies Joë Chamberlain a tenté de promouvoir entre 1898 et 1901 et que les exigences du Reich ont fait échouer. Or, engagée vis-à-vis de l'Allemagne dans une partie de bras de fer à propos des armements navals (en 1898, l'empereur Guillaume II avait chargé l'amiral von Tirpitz de présider au développement d'une puissante marine de guerre, appelée à devenir l'instrument de la *Weltpolitik*), et de plus en plus consciente des effets, sur son commerce extérieur et sur son industrie, de la concurrence allemande, la Grande-Bretagne ne peut être que l'alliée formelle ou l'adversaire déclarée du Reich. L'entente avec Berlin ayant fait long feu, c'est vers Paris que se tournent les dirigeants anglais.

Parmi eux, Chamberlain est l'un des premiers à troquer son idée d'alliance allemande contre un projet de rapprochement avec la France. Il est suivi par le roi et par le nouveau Premier ministre Balfour, qui vient de remplacer à la tête du cabinet son oncle, l'isolationniste Salisbury. Le chef du *Foreign Office*, Lansdowne est moins enthousiaste. Il admet cependant que la France est une puissance navale et qu'en cas de guerre avec l'Allemagne — hypothèse que l'attitude de Guillaume II ne permet pas d'écarter — l'appui de la flotte française serait un atout précieux. De là les avances britanniques pour la conclusion d'une entente avec la France, dans la mesure où le contrat passé avec cette puissance n'aliénerait par trop la liberté d'action du gouvernement de Londres.

Encore faut-il qu'en France on soit prêt à admettre le principe d'une entente avec la Grande-Bretagne. Fachoda a été en effet à l'origine d'un violent courant d'anglophobie. Revues et journaux nationalistes, ruminant de vieilles rancunes, énumèrent à plaisir les «perfidies d'Albion», tandis que dans les rues de la capitale, à l'heure où s'ouvre l'Exposition universelle que le Prince de Galles a refusé d'inaugurer, couplets populaires, refrains de chansonniers et «bandes dessinées» rappellent aux badauds l'affront subi sur le Haut-Nil et la glorieuse épopée du commandant Marchand.

L'atmosphère n'est donc pas à l'amitié débordante, et pourtant Delcassé ne renonce pas à engager des pourparlers avec le gouvernement britannique, persuadé qu'il est de l'irréversibilité de l'antagonisme anglo-allemand. Il envoie donc à Londres l'ambassadeur Cambon, avec mission d'engager la négociation sur le terrain colonial, afin de régler à l'amiable toutes les questions susceptibles d'alimenter la rivalité des deux pays, préalable indispensable à une collaboration plus étroite. Il faudra toutefois pour qu'on avance que se manifeste un renversement de tendance dans l'opinion française. C'est chose faite au milieu de l'année 1903. En mai, le roi Edouard VII se rend à Paris où il rencontre d'abord un accueil très hostile. Cela ne dure pas. Le sens de l'humour du souverain britannique, quelques paroles aimables dictées par son sens de l'opinion, ont tôt de fait de transformer les *lazzis* et les sifflets des premiers jours en applaudissements et en acclamations enthousiastes. En juillet, le président Loubet se rend à son tour à Londres en visite officielle: il y est reçu avec une très grande chaleur.

Finalement, on aboutit en avril 1904 à un accord qui marque la liquidation du contentieux colonial entre les deux puissances et qui porte sur les points suivants:

— la France renonce au droit de pêche exclusif à l'ouest de Terre-Neuve, en échange des îles de Los en face de Konakry, d'une rectification de frontières dans la zone Tchad/Niger et d'une indemnité;

— les deux pays reconnaissent leurs zones d'influence respectives au Siam et règlent les modalités de l'administration conjointe des Nouvelles-Hébrides;

— enfin et surtout on échange des déclarations par lesquelles la France s'engage à «*ne pas entraver l'action de la Grande-Bretagne en Egypte*» (c'est la fin de la politique des «*coups d'épingle*»), tandis que l'Angleterre reconnaît «*qu'il appartient à la France de veiller à la tranquillité du Maroc*».

Ce traité, qui inaugure l'Entente cordiale ne comporte donc aucune clause de politique générale. Il ne lie pas le sort des deux nations dans une alliance comparable à celle que la France et la Russie ont scellée une dizaine d'années plus tôt. Tel qu'il est, il n'en constitue pas moins un changement capital dans la situation diplomatique de l'Europe et un succès de première grandeur pour la politique française.

Après avoir renforcé ses liens avec la Russie et établi des rapports d'amitié avec l'Angleterre, il reste à la France, pour que soit retournée contre les puissances germaniques l'arme de l'isolement diplomatique dont Bismarck avait autrefois usé à son égard, à faire entrer l'Italie dans le système imaginé par Delcassé. L'entreprise n'est pas simple, dès lors que la sœur latine est, depuis le début des années 1880, l'alliée des puissances centrales et que se font sentir à la fin du siècle les effets conjugués d'une guerre douanière et financière de dix ans et ceux d'anciennes rancunes (la question romaine, les «chassepots» de Mentana [1]) attisées par les rivalités coloniales du moment.

Delcassé n'est pas l'instigateur du rapprochement franco-italien. C'est de l'autre côté des Alpes que l'initiative est venue et les questions économiques ont pesé lourd dans les choix des dirigeants transalpins (difficultés de l'agriculture méridionale à la recherche de débouchés extérieurs, projet de conversion de la dette italienne impliquant la réouverture du marché parisien, etc.). Du côté français les premiers pas ont été accomplis par le prédécesseur de Delcassé, Gabriel Hanotaux, assisté des ambassadeurs Billot et Barrère, si bien que lorsque l'ancien protégé de Gambetta arrive au Quai d'Orsay, la voie de la détente entre les deux sœurs latines est déjà largement ouverte.

Pour cela, et parce que dans ce cas également il faut ménager les opinions publiques et avancer de manière prudente, Rome et Paris ont décidé de faire en sens inverse le chemin parcouru depuis 1881. La tension franco-italienne est née en Méditerranée à propos de la Tunisie et secondairement de la Tripolitaine. Elle s'est ensuite alimentée de la rupture commerciale et de la guerre des tarifs. Elle a enfin atteint son point critique avec les clauses offensives d'une Triple-Alliance renouvelée avant terme (en 1887). Pour mettre fin à cette situation et rapprocher les deux sœurs latines on commencera donc — comme pour l'Angleterre — par liquider les litiges coloniaux, en réglant à l'amiable la question tunisienne et en cherchant un terrain d'entente à propos de Tripoli. On mettra fin ensuite au contentieux commer-

[1] Lors de la tentative de Garibaldi pour s'emparer de Rome en 1867, les troupes du «héros des Deux-Mondes» avaient été stoppées et battues à Mentana par le corps expéditionnaire français équipé des nouveaux fusils «chassepots». «Les "chassepots" ont fait merveille» avait eu la maladresse de télégraphier le général français de Failly.

cial, de façon à rétablir entre les deux pays des liens matériels solides. On s'attachera enfin à désamorcer la Triplice faute de pouvoir la briser, ceci du côté français, et à obtenir de l'Italie qu'elle renonce à tout engagement offensif dirigé contre la France.

C'est donc par le réglement de la question tunisienne, point de départ de la brouille franco-italienne, que les deux gouvernements inaugurent leur nouvelle orientation politique. Dès septembre 1896, donc avant l'arrivée de Delcassé à la tête de la diplomatie française, l'Italie reconnaît par une convention le protectorat français sur la «Régence» en échange d'un statut privilégié pour ses nationaux. Deux ans plus tard, en novembre 1898, un accord commercial met fin, à la suite de longues et difficiles négociations, à la guerre douanière entre les deux pays. Cette fois Delcassé est derrière le ministre du Commerce et utilise le terrain économique pour faire avancer ses projets. Avec un certain succès. L'étape suivante en effet est l'accord secret de décembre 1900. Il donne au gouvernement de Rome l'assurance que la France ne s'opposera pas à la réalisation des visées italiennes sur la Tripolitaine, Delcassé obtenant une promesse du même ordre concernant le Maroc.

Enfin, l'ultime phase du rapprochement s'achève en juin 1902 avec l'établissement d'un accord secret qui assure à la France, en toute circonstance ou presque, la neutralité italienne en cas de guerre franco-allemande. Pour que cet engagement transalpin ne puisse apparaître comme un contre-traité annulant les clauses de la Triplice, Delcassé et son homologue italien Prinetti se sont entendus pour lui donner la forme d'un échange de lettres. Il est stipulé qu'en cas de guerre franco-allemande, l'Italie restera neutre, non seulement si l'Allemagne est l'agresseur — dans ce cas la Triplice ne joue pas — mais tout aussi bien dans le cas où la France prendrait l'initiative d'ouvrir les hostilités à la suite d'une «provocation indirecte» (on prend comme exemple celui de la «Dépêche d'Ems» en 1870). Si l'accord demeure effectivement secret, au point que certains chefs militaires français se plaindront plus tard de ne pas en avoir été avisés, l'existence de liens nouveaux rapprochant l'Italie de la France n'est ignorée de personne, surtout après que le roi d'Italie a, en octobre 1903, effectué une visite à Paris, rendue en avril 1904 par le président Loubet, au milieu de l'enthousiasme général.

Le Maroc entre la France et l'Allemagne

Au début de 1905, la France paraît avoir complètement retourné contre sa voisine du Rhin la stratégie d'isolement que Bismarck avait appliquée un quart de siècle plus tôt à la République vaincue. Elle a noué avec la Russie une alliance militaire clairement dirigée contre les puissances germaniques. Elle a établi avec le Royaume-Uni une «entente cordiale» promise semble-t-il à devenir plus intime. Elle a fortement érodé, en signant des accords secrets avec l'Italie, l'un des trois piliers de la Triplice. Il suffit à Delcassé, pour parachever sa «grande politique» d'incliner Londres et Pétersbourg à se rapprocher l'une de l'autre, ce qu'elles feront deux ans plus tard. Déjà l'on parle à Berlin d'«encerclement» de l'Allemagne prémédité par la diplomatie française et l'on cherche une occasion pour se débarrasser de l'homme qui en est à la fois le promoteur et le symbole. La question marocaine va en offrir l'opportunité au gouvernement du Reich.

Maîtresse de l'Algérie et de la Tunisie, désireuse par conséquent de prolonger ses possessions jusqu'à l'Atlantique et poussée dans cette voie par les hommes du parti colonial, la France s'est appliquée depuis les toutes dernières années du XIXe siècle à obtenir l'adhésion des puissances méditerranéennes à ses projets d'expansion dans l'Empire chérifien: un pays plongé dans un état d'anarchie endémique, en proie aux rivalités des tribus et de leurs chefs, mais un pays indépendant, n'ayant pas fait partie comme l'Algérie et la Tunisie de l'Empire ottoman et dont la souveraineté était assumée par un Sultan, à la fois souverain politique et chef religieux.

Successivement l'Italie en 1900, en échange du désintéressement français en Tripolitaine, le Royaume-Uni en 1904, puis l'Espagne — également en 1904 et contre promesse secrète de cessions territoriales au nord et à l'extrême sud du pays — ont donné leur accord au gouvernement français. Fort de ces appuis diplomatiques, celui-ci s'est engagé dans une politique d'interventions au Maroc visant à y établir son protectorat. Quant au gouvernement de Berlin, Delcassé n'a pas jugé utile de lui demander son aval, l'Allemagne n'étant pas «puissance méditerranéenne» et n'ayant à ses yeux que des intérêts mineurs dans l'Empire chérifien. Les responsables de la Wilhelmstrasse sont évidemment d'un avis différent. Ayant hautement proclamé sa volonté de mener une «politique mondiale», le Reich peut-il accepter que la question marocaine soit réglée sans qu'il soit le moins du monde consulté?

Ce sont ces considérations de prestige, en même temps que le désir de saisir au vol une occasion de perturber la toute récente Entente cordiale franco-anglaise qui inclinent Berlin à agir, le souci des intérêts économiques du Reich servant surtout de prétexte à son intervention. Le moment est favorable. La Russie, aux prises avec les Japonais, puis avec de très graves difficultés intérieures, se trouve alors totalement neutralisée et hors d'état de porter assistance à son alliée occidentale. La diplomatie allemande voudrait à la fois séparer les deux protagonistes de l'Entente cordiale, en montrant à l'Angleterre les dangers de l'alliance française, et amener une rupture entre la France et la Russie en faisant valoir auprès de Nicolas II le peu d'appui que son alliée lui apporte. Enfin, on ne serait pas fâché à Berlin de voir le ministre français des Affaires étrangères contraint de quitter son poste à la faveur d'une crise internationale dont on lui ferait porter la responsabilité. Au-delà de ces objectifs, le chancelier von Bülow et le baron von Holstein — éminence grise de la politique étrangère allemande — ont, semble-t-il, conçu un vaste programme diplomatique comportant une alliance germano-russe à laquelle la France serait invitée à adhérer, en échange de l'acceptation par l'Allemagne du protectorat français au Maroc. Le but suprême de cette combinaison savante étant l'isolement total de la Grande-Bretagne.

Pour mettre ses projets à exécution, Bülow va se servir de Guillaume II, d'abord réticent aux idées de la Wilhelmstrasse mais que les arguments du chancelier et de Holstein finissent par convaincre. Profitant d'une croisière de l'Empereur en Méditerranée, Bülow obtient de Guillaume II qu'il fasse escale à Tanger, fin mars 1905, non en simple touriste comme le Kaiser l'eût souhaité, mais avec un éclat suffisant pour donner à l'événement une signification politique sans équivoque. Il n'y aura pas un «discours de Tanger», comme on le dit généralement, mais plusieurs déclarations faites par l'Empereur — de fort mauvaise humeur car il a dû affronter les effets d'une mer démontée et les écarts de l'étalon berbère qu'on lui a envoyé au débarcadère — à la colonie allemande, au représentant du Sultan, à la légation d'Allemagne. Le ton est ferme mais non menaçant. C'est la façon dont les propos de l'Empereur seront par la suite présentés dans la dépêche qu'a dictée à l'agence Havas le représentant de l'Allemagne à Tanger — et que la presse a eu tôt fait de reprendre à son compte — qui donne à l'événement la portée d'un ultimatum:

«*C'est au Sultan, en sa qualité de souverain indépendant, que je fais aujourd'hui ma visite. J'espère que, sous la souveraineté du Sultan, le Maroc libre sera ouvert à la concurrence pacifique de toutes les nations, sans monopole ni exclusive. Ma visite à Tanger a pour but de faire savoir que je suis décidé à faire tout ce qui est en mon pouvoir pour sauvegarder efficacement les intérêts de l'Allemagne au Maroc.*»

Soutenu par Berlin qui, ayant choisi de faire monter la tension, repousse à trois reprises les invites à la négociation présentées par Delcassé, le Sultan demande dès le 1er avril la convocation d'une conférence internationale. A Paris, on est divisé sur le comportement à suivre devant la grave crise qui s'annonce. Delcassé est partisan de la résistance. Il pense que l'Allemagne bluffe, que Bülow n'a nullement l'intention de faire la guerre pour le Maroc et que, quand bien même il agiterait la menace d'un conflit armé, il faudrait encore tenir bon, Londres ayant manifesté son intention de soutenir la politique française. Mais le président du Conseil, Rouvier, ne partage pas son optimisme. Il n'a qu'une confiance limitée dans les avances anglaises, craint que le Royaume-Uni n'abandonne la France une fois celle-ci engagée dans l'épreuve de force et estime que la balance des forces militaires ne penche pas du côté de la République. «*La guerre* — déclare-t-il lors du Conseil des ministres du 6 juin — *aujourd'hui, dans les conditions d'infériorité où nous nous trouvons, serait une aventure plus que téméraire et bien coupable.*»

La diplomatie allemande ne manque pas d'exploiter ces divergences. Le 30 mai, Bülow exige le renvoi immédiat de Delcassé, et comme le président du Conseil tente de louvoyer, il hausse le ton: le gouvernement allemand ne souffrira aucun retard. Craignant la rupture, Rouvier cède et se décide à sacrifier aux exigences du Reich l'homme qui depuis sept ans dirigeait la politique étrangère de la République. Abandonné de tous lors du Conseil des ministres du 6 juin, l'ancien collaborateur de Gambetta n'a plus qu'à démissionner. L'Allemagne marque ainsi le premier point.

Elle en obtient un second en juillet, lorsque Rouvier, qui a pris l'intérim des Affaires étrangères, accepte après quelque hésitation la réunion d'une conférence internationale. Réunie à Algésiras en janvier 1906, celle-ci ne donne toutefois à la diplomatie allemande — pratiquement isolée pendant toute la durée de la rencontre — que des satisfactions mineures. Certes, la France doit provisoirement renoncer à établir son protectorat sur le Maroc, mais l'acte final de la conférence lui reconnaît une situation privilégiée dans ce pays, si bien que la seconde phase du conflit se solde en fin de compte pour elle par un net avantage sur sa rivale.

Surtout, déjouant les combinaisons savantes de la Wilhelmstrasse, elle a évité la dislocation de ses alliances. Elle a même pu constater avec satisfaction que la politique de rapprochement, menée à Rome par notre ambassadeur Barrère, commençait à porter ses fruits et que la Triplice, dont elle avait si longtemps déploré le maintien, donnait enfin des signes d'épuisement. Autrement dit, si le départ forcé de Delcassé heurte fortement l'opinion française, la «*grande politique*» inaugurée au lendemain de Fachoda par le ministre démissionnaire paraît devoir survivre à son élimination.

L'acte d'Algésiras ne prévoyait rien dans le cas de troubles intervenant à l'intérieur du Maroc. Or, à partir de 1907, les désordres prennent dans l'Empire chérifien un caractère permanent, offrant aux militaires d'innombrables prétextes d'intervention. Inquiète de cette progression à petits pas, l'Allemagne comprend vite qu'elle ne pourra empêcher indéfiniment l'implantation de la France et qu'il peut lui être utile de se servir des droits qu'elle prétend posséder au Maroc. Aussi adopte-t-elle à la fin dc 1908 une attitude nouvelle, Guillaume II se déclarant disposé — pour obtenir de la France une plus grande souplesse dans les affaires balkaniques — à *«en finir avec ces frictions»*. L'accord conclu entre les deux pays en février 1909 reconnaît à la France une situation prépondérante au Maroc, en échange de quoi celle-ci admet de partager avec l'Allemagne un certain nombre d'avantages économiques.

Que ce «condominium» aux contours mal définis ait pu servir de prologue à un rapprochement franco-allemand, comme l'avait imaginé le ministre des Affaires étrangères Pichon, ne relève pas nécessairement du domaine de l'illusion rétrospective. Des travaux récents, en particulier ceux de Jean-Claude Allain, biographe de Caillaux et historien minutieux de l'affaire marocaine, montrent que l'«échec» de la convention de 1909, monté en épingle dans les deux pays par une historiographie fortement imprégnée de nationalisme, est largement mythique (Cf. J.-C. Allain, *Joseph Caillaux, 1/Le défi victorieux, 1863-1914*, Paris, Imprimerie nationale, 1978; et du même auteur, *Agadir, 1911*, Paris, Publications de la Sorbonne, 1976). En fait, le changement de cap de la diplomatie allemande répond à bien des égards à celui de la France.

En effet, amorcé depuis plusieurs mois, le tournant de la politique marocaine de Paris devient manifeste au printemps 1911, lorsque la décision est prise de faire marcher sur Fez les troupes du général Moinier à la suite d'une rébellion contre le nouveau Sultan, Moulay-Hafid, et dans le but affiché de protéger la vie des colons européens bloqués dans la ville. De cette décision du 22 avril, par laquelle la France s'engage dans l'engrenage aventureux de la conquête militaire, nous savons qu'elle a été prise par une équipe extrêmement restreinte où figurent, en l'absence du chef de l'Etat et d'une bonne partie des membres du cabinet, les deux ministres intéressés — Cruppi aux Affaires étrangères, Bertaux à la Guerre — et le président du Conseil Monis, qui entérine la décision plus qu'il ne la crée, en accord avec les militaires et avec certains diplomates influents.

Il existe alors un «groupe dirigeant marocain», proche des centres de commande et dont les membres — une vingtaine de personnes — concourent à forger la politique marocaine de la France. Mais, au sein même de cette équipe, qui rassemble un certain nombre de diplomates et d'hommes d'affaires, s'affrontent deux conceptions de l'impérialisme: une tendance à la progression par la négociation internationale, qui a la faveur des «financiers», et une tendance plus dure qui, soutenue par certains industriels, incline vers l'épreuve de force.

La marche sur Fez, achevée le 21 mai, outrepasse singulièrement les droits attribués à la France à Algésiras. Elle permet donc à Berlin de rouvrir le dossier du Maroc. Dans quel but? Pour les milieux pangermanistes, l'intervention française doit fournir au Reich l'occasion de prendre pied dans ce pays, et leur pression s'exerce directement dans le sens de l'épreuve de force. Guillaume II au contraire estime que son pays doit rester dans une expectative prudente, tandis que la France s'épuisera, militairement et financièrement, dans une aventure outre-mer qui peut déclencher contre elle une véritable «guerre sainte». Il finit néanmoins par se rallier à la solution médiane, proposée par le secrétaire d'Etat aux Affaires étrangères, Kiderlen-Wächter, lequel conseille d'abandonner à la France la totalité du Maroc, en échange de substantielles compensations. Bien entendu, il faut pour cela exercer une forte pression, par exemple en prenant une hypothèque sur le sud marocain. La décision d'envoyer la canonnière *Panther* devant Agadir, où ce navire arrive le 1er juillet 1911, s'inscrit dans cette stratégie de la tension calculée.

A Paris, on avait envisagé l'éventualité d'un troc avec l'Allemagne, mais le «coup d'Agadir» — qui marque le début de la «seconde crise marocaine» — provoque une vive émotion, aussi bien dans les milieux gouvernementaux que dans l'opinion publique. Quelle va être la réaction du pouvoir ? Envoyer à son tour un navire de guerre dans le sud marocain et riposter à la force par la force ? Nombre de responsables militaires et certains hommes politiques, comme le ministre des Affaires étrangères de Selves, penchent en ce sens. Mais ce n'est l'avis ni du ministre de la Marine Delcassé, ni surtout de Joseph Caillaux, devenu le jour même du «coup d'Agadir» président du Conseil. Comme le lui conseille le gouvernement britannique, celui-ci se montre décidé à reprendre la négociation, bien que les Allemands aient dans l'entretemps fait monter les enchères. En échange de la liberté de manœuvre consentie à la France au Maroc, ils réclament la totalité du Congo français, et pour cela ils n'hésitent pas à faire résonner le cliquetis des armes.

Quels que soient les sentiments pacifiques de Caillaux, il ne peut souscrire aux exigences maximalistes de l'Allemagne. Sur ce point, le cabinet est unanime et, dès le 17 juillet, les Allemands sont avisés que la France n'accepte pas la cession de toute sa colonie d'Afrique centrale. La rupture paraît imminente. Mais le Kaiser et son entourage se montrent moins agressifs que les hommes de la Wilhelmstrasse. Les Français reçoivent du gouvernement britannique un appui décisif. Lloyd George, chancelier de l'Echiquier, se risque même à déclarer dans un discours public que «*la formule de la paix à tout prix est indigne d'un grand pays*», et les escadres anglaises sont mises en état d'alerte. Six ans après l'élimination de Delcassé, Berlin peut ainsi constater que l'Entente cordiale a tenu bon.

Après quelques jours d'une vive tension, l'Allemagne doit se résoudre à modérer ses exigences. La négociation va cependant s'avérer difficile, au point que la France envisage un moment d'avoir recours aux armes, et si elle choisit finalement la voie de la conciliation c'est parce que le ministre de la Guerre a convaincu Caillaux que l'état de désorganisation dans lequel se trouvait le Haut-Commandement et la faiblesse de la France en artillerie lourde rendaient extrêmement aléatoire l'issue d'un conflit armé. Les négociateurs français doivent, en conséquence, se montrer un peu plus généreux envers l'Allemagne, en offrant notamment des concessions économiques au Maroc. Berlin se voit de son côté incité à plus de souplesse par le déclenchement d'une panique boursière que Caillaux, technicien de haut vol des finances internationales, prétendra par la suite avoir provoquée de toutes pièces.

Finalement, un accord est conclu entre les deux puissances le 4 novembre 1911. L'Allemagne s'engage à «*ne pas entraver l'action de la France au Maroc*» et accepte à l'avance l'établissement du protectorat français sur ce pays. En échange, elle reçoit une partie importante du Congo français, avec accès à l'Atlantique et contre cession à la France — ce troc très inégal permettant à celle-ci de ne pas avoir l'air de céder à un chantage — d'un petit territoire, le «bec de canard», situé au sud du lac Tchad. Le risque de guerre est provisoirement écarté mais, à deux reprises au moins, on a frôlé la catastrophe.

La partie jouée au bord du gouffre par les hommes de la Wilhelmstrasse s'achève donc par un gain substantiel obtenu par l'impérialisme allemand aux dépens d'un rival dont, il faut le rappeler, le comportement aventuriste et peu respectueux des engagements internationaux n'a pas été d'un poids négligeable dans les premiers développements de la crise. Si celle-ci n'a pas dégénéré en guerre européenne — dans une large mesure grâce au sang-froid et à l'habileté de Caillaux —, elle a incontestablement laissé des traces, inaugurant une période de raidissement et de course aux armements qui trouvera son aboutissement trois ans plus tard, dans les événements de l'été 1914.

La marche à la guerre

Le «discours de Tanger», la pression allemande contraignant un président du Conseil français à «démissionner» son ministre des Affaires étrangères, le sentiment d'une inexorable montée en puissance de la grande voisine de l'Est, l'affirmation par le Kaiser de la vocation «mondiale» du Reich à un moment où le partage du gâteau colonial est à peu près achevé, tout cela provoque aux alentours de 1905 un brusque réveil du nationalisme français et une flambée d'antigermanisme que vont entretenir les menaces de guerre et les crises qui ponctuent, jusqu'en 1914, l'histoire des relations internationales.

Sans doute l'hostilité envers l'Allemagne était-elle déjà sensible avant la première crise marocaine. L'humiliation subie en 1871, les souvenirs de «l'invasion», l'amputation du territoire ont entretenu pendant les deux décennies qui ont suivi la guerre franco-prussienne une très forte germanophobie ambiante. Après 1890, celle-ci a toutefois eu tendance à s'assoupir, ou du moins à se cantonner dans certains secteurs, conséquence à la fois de la relève des générations, du sentiment de sécurité apporté à l'opinion par l'alliance russe et du transfert d'agressivité opéré aux dépens des Britanniques, suite à l'affaire de Fachoda.

Dans le même temps, le culte de la nation et de l'armée ont subi le contrecoup des événements intérieurs: le boulangisme, puis les retombées politiques de «l'Affaire», ont mis à jour les liens entre la haute hiérarchie militaire et la «réaction», suscitant chez nombre de républicains des réactions antimilitaristes. Les progrès du socialisme et du syndicalisme révolutionnaire se sont accompagnés d'une conversion partielle (et de surface) aux idéaux de l'internationalisme et du pacifisme. Il en est résulté, dans une partie de l'opinion, une hostilité très vive à l'égard de l'institution militaire et de ses cadres dont témoigne toute une littérature, tantôt sous la forme badine du théâtre de Courteline (*Les Gaîtés de l'escadron*, 1886; *Le train de 8 h 47*, 1888), tantôt dans le romanesque antimilitariste d'un Abel Hermant (*Cavalier Misery*, 1887), d'un Lucien Descaves (*La caserne*, 1887, *Les Sous-offs*, 1889) ou d'un Georges Darien (*Biribi*, 1890), tantôt encore par des pamphlets dénonçant les risques que l'armée fait courir à la République, comme ceux que publie Urbain Gohier à l'extrême fin du siècle (*L'armée et la nation*, 1899, *Les prétoriens et la Congrégation*, 1900).

Cet antimilitarisme de choc affecte davantage la bourgeoisie de gauche, les universitaires et beaucoup de ceux que l'on a commencé à appeler au moment de la bataille dreyfusienne les «intellectuels» que le peuple, toujours prompt à rire des effets du «comique troupier», mais tout aussi empressé à aller «voir et complimenter l'armée française», lors de la revue militaire de Longchamp. Il en est de même de l'idéologie pacifiste qui tend à pénétrer les milieux de l'enseignement et qui s'appuie sur un mouvement international dont l'apogée est marquée par l'organisation en 1904 d'un Congrès universel de la Paix. Minoritaires également sont, au sein du mouvement socialiste, les partisans d'un antimilitarisme révolutionnaire, rassemblés autour d'un Georges Sorel ou d'un Gustave Hervé.

Tout cela ne disparaît pas avec le coup de tonnerre de Tanger. Pacifisme et antimilitarisme continuent de s'exprimer jusqu'à la guerre sous des formes diverses, par exemple sous la plume d'un Romain Rolland (*Jean-Christophe*, 1904-1912) ou d'un Victor Margueritte (*Les frontières du cœur*, 1912), tandis qu'en sens inverse se développe un ultra-nationalisme aux visages multiples (Barrès, Maurras, Péguy) dont l'Allemagne redevient la cible prioritaire. L'essentiel n'est cependant pas dans ces courants minoritaires, mais dans la véritable fièvre patriotique qui reprend peu à peu possession des masses et imprègne la majorité des forces politiques. Face à la montée en puissance d'une Allemagne que l'on juge de plus en plus dangereuse et de plus en plus menaçante, c'est moins le réflexe de la revanche qui joue que celui de la «patrie en danger» et, à ce jeu, la gauche républicaine et radicale, dans laquelle se reconnaissent nombre d'habitants de l'hexagone, n'est pas la moins empressée à entendre *L'Appel des armes* (titre d'un ouvrage publié en 1913 par Ernest Psichari, un jeune intellectuel de 30 ans, ancien dreyfusard devenu officier et qui sera tué au début de la guerre). Clemenceau n'a-t-il pas donné le ton au lendemain du «coup de Tanger», lorsqu'il écrivait dans *L'Aurore*:

«*Etre ou ne pas être. Voilà le proplème qui nous est posé pour la première fois depuis la Guerre de Cent Ans par une implacable volonté de suprématie. Nous devons à nos mères, à nos pères et à nos enfants de tout épuiser pour sauver le trésor de vie française que nous avons reçu de ceux qui nous précédèrent et dont nous devrons rendre compte à ceux qui nous suivront*» (*L'Aurore*, 19 juin 1905).

«*L'Allemagne a réveillé la France!*», s'écrie Paul Déroulède en décembre 1908, devant le monument aux morts de la bataille de Champigny. Cette formule lancée par le vieux baroudeur du combat nationaliste ne s'applique pas seulement à la classe intellectuelle et aux producteurs d'un discours patriotique que véhiculent, outre l'immense corpus de la production journalistique, des œuvres littéraires destinées à tous les publics: depuis cet hymne à la «*nation privilégiée de Dieu*» que Péguy dédie, avec *Le Mystère des Saints-Innocents* au «*peuple inventeur de la Croisade*» (1912), jusqu'aux images commentées pour les enfants que Hansi publie la même année sous le titre *Mon village*, en passant par l'œuvre romanesque d'un Barrès (la série des *Bastions de l'Est: Au service de l'Allemagne*, 1905, *Colette Baudoche*, 1909), d'un Georges Ducrocq (*Adrienne*, 1914), d'un André Lichtenberger (*Juste Lobel Alsacien*, 1911), d'un Paul d'Ivoi (*La Patrie en danger. Histoire de la guerre future*, publiée en 1905 en collaboration avec le colonel Royet), les essais d'un Robert Baldy (*L'Alsace-Lorraine et l'Empire allemand*, 1912) ou d'un Etienne Rey (*La Renaissance de l'orgueil français*, 1912), ou encore la fameuse enquête menée auprès des étudiants de la Sorbonne par deux jeunes auteurs relevant de la mouvance maurrassienne: Henri Massis et Alfred de Tarde (sous le pseudonyme d'Agathon: *Les Jeunes gens d'aujourd'hui*, 1912).

Le réveil du sentiment national se manifeste en effet à bien d'autres niveaux comme en témoignent mille indices glanés dans le vécu des habitants de l'hexagone: la ferveur avec laquelle sont commémorés le 14 juillet et d'autres anniversaires patriotiques, l'accueil enthousiaste fait aux chefs d'Etat amis ou alliés lors de leurs visites en France, la façon dont est saluée en 1913 l'élection du lorrain Raymond Poincaré à la présidence de la République, le crêpe noir ornant la statue de Strasbourg sur la place de la Concorde, la renaissance, à partir de 1908-1909, d'un irrédentisme tourné vers l'Alsace-Lorraine et qui a son symétrique de l'autre côté de la frontière. Certes il faut très fortement nuancer l'image des provinces perdues tout entières figées dans le «*souvenir français*», telle que l'a forgée toute une mythologie littéraire, relayée par l'imagerie et la chanson populaires. Les preuves abondent toutefois d'un regain d'intérêt, voire pour certains d'une ferveur renouvelée pour l'ancienne patrie, au cours des années qui précèdent immédiatement la guerre. Tous les ans, trois ou quatre mille jeunes gens passent la frontière pour ne pas servir sous l'uniforme allemand: ils seront 16 000 en 1914. On se rend également en France, individuellement ou par groupes serrés, pour assister à Belfort ou à Nancy aux cérémonies du 14 juillet. En 1909 est créée la Société du Souvenir français. A sa première réunion, une fanfare entonne *La Marseillaise* que reprend une foule immense. A Saverne, en novembre 1913, des incidents violents opposent les officiers allemands de la garnison à la population de la ville. Ils sont suivis dans toute l'Alsace de manifestations francophiles. Cela ne suffit certes pas à créer entre la France et l'Allemagne un état de tension susceptible de déclencher la guerre, mais la question d'Alsace-Lorraine vient s'ajouter à beaucoup d'autres sujets de friction entre les deux blocs qui, depuis 1907 (date des arrangements anglo-russes qui marquent la naissance de la Triple-Entente), se font face dans une Europe qu'a saisie la fièvre de la course aux armements.

L'essentiel, s'agissant de la lente escalade qui va conduire les Européens à l'affrontement suicidaire de 1914, ne se joue pas sur la frontière de l'est de la France mais au-delà des mers, comme l'ont démontré les deux crises marocaines de 1905 et 1911, et davantage encore dans les Balkans. Ici, si la France a des intérêts économiques et stratégiques — elle détient des avoirs non négligeables en Roumanie et en Serbie, elle fournit à ce dernier pays des armes et du matériel militaire —, c'est la Russie qui mène le jeu, face à un Empire austro-hongrois qui, comme elle, caresse le projet d'étendre son influence sur la majeure partie de l'Europe orientale. Non directement impliquée dans les affaires balkaniques, mais liée à la

Russie par un traité d'alliance qui constitue la pièce maîtresse de son système diplomatique, elle n'a d'autre alternative, dans le cas où l'Empire des tsars serait amené à prendre des risques majeurs dans cette partie du monde, que de partager ces risques ou de renoncer à l'un des instruments essentiels de sa sécurité.

Lors des trois crises qui se succèdent dans les Balkans entre 1908 et 1913, la France s'efforce tant bien que mal de louvoyer entre ces deux écueils. Lorsque l'Autriche-Hongrie annexe la Bosnie-Herzégovine en octobre 1908, dans le but d'asphyxier la Serbie en empêchant ce pays d'acquérir une façade maritime aux dépens de l'Empire ottoman (ces deux provinces restaient théoriquement sous la dépendance du Sultan, mais, en 1878, leur administration avait été confiée «*provisoirement*» à la Double Monarchie par le Congrès de Berlin), Paris intervient une première fois pour retenir son alliée au moment où celle-ci paraît décidée à soutenir le gouvernement de Belgrade.

Vienne, en effet, exige du petit royaume balkanique qu'il reconnaisse officiellement l'annexion de la Bosnie-Herzégovine et qu'il s'engage du même coup par une promesse écrite à «*changer le cours de sa politique actuelle envers l'Autriche-Hongrie, pour vivre désormais avec cette dernière sur le pied d'un bon voisinage*». Tandis qu'on s'interroge à Pétersbourg sur les possibilités de soutien à la Serbie, von Bülow à son tour entre en scène, exigeant du ministre des Affaires étrangères russe, Isvolsky, «*son assentiment formel et sans réserve*» au nouvel état de choses, et ajoutant qu'«*une réponse évasive, conditionnelle, obscure, sera considérée comme un refus*». Conscient de ne pouvoir engager seul la guerre contre les puissances centrales, le gouvernement russe se tourne vers les responsables français. La réponse est claire: le ministre des Affaires étrangères Stephen Pichon, prévient Isvolsky que la France ne pourrait s'engager dans un conflit issu d'une situation dans laquelle les «*intérêts vitaux*» de la Russie ne sont pas en jeu. Le tsar doit donc accepter d'«*avaler une pilule amère*» en signant la note austro-allemande.

La Russie sort ainsi profondément humiliée de cette crise qui a fortement inquiété l'Europe et qui préfigure, à maints égards, les événements de l'été 1914. Pourtant, contrairement à ce qu'avait espéré Bülow, l'alliance franco-russe n'est nullement brisée par la «leçon» que Berlin a cru infliger au tsar. Au contraire, si ce dernier en veut incontestablement à la France de ne pas lui avoir apporté le soutien qu'il s'estimait en droit d'attendre de son alliée, son hostilité est encore plus vive à l'égard des Allemands dont l'intervention a été déterminante. Si bien que loin de vouloir renoncer à l'alliance avec Paris, les dirigeants russes se montrent au contraire résolus à la renforcer afin d'éviter un nouvel affront. Le gouvernement français ne peut évidemment que s'en féliciter, à la condition expresse de ne pas indéfiniment se dérober aux devoirs que l'alliance lui impose.

Or la question de l'engagement français dans la région va se poser à nouveau à deux reprises, lors des conflits balkaniques de 1912 et 1913. Le premier oppose l'Empire ottoman et les petits Etats du sud des Balkans — Bulgarie, Grèce, Monténégro, Serbie — groupés en une «Ligue balkanique» qui jouit du soutien russe. Il éclate en octobre 1912 sans que Poincaré, alors président du Conseil, ait pu faire quoi que ce soit pour empêcher les protégés du tsar de s'engager dans une guerre aux conséquences hasardeuses. Quelques semaines plus tôt, en juillet, une Convention d'Etat-Major avait été signée entre la Russie et la France: elle définissait les modalités de la collaboration entre les flottes et les armées des deux pays et envisageait des délais plus courts pour une mobilisation russe. En août, Poincaré s'était rendu à Saint-Pétersbourg et avait promis de nouveaux crédits destinés à l'amélioration des communications dans l'Empire. Mais en même temps, mis au courant de la situation diplomatique dans les Balkans, il avait conseillé la modération aux Russes, marquant à l'avance les limites de l'engagement français. Trop tard pour que Nicolas II puisse retenir ses clients balkaniques.

On entre à partir de cette date dans une configuration diplomatique qui débouche sur l'engrenage de l'été 1914. Les protégés balkaniques de la Russie prennent des risques de plus en plus grands, estimant qu'en dépit des conseils de prudence qu'elle ne cesse de leur prodiguer cette puissance ne pourra les abandonner. Pétersbourg pratique de la même façon à l'égard de la France et celle-ci se trouve conduite, malgré elle, à intervenir indirectement sur la scène des Balkans. Lors de la première guerre balkanique, au moment où l'Autriche et la Russie mobilisent partiellement et qu'une nouvelle fois la guerre européenne paraît en vue, Poincaré promet en effet son soutien à ses alliés, tandis que Guillaume II agit de même auprès du gouvernement de Vienne. Il s'en faut de peu à cette date — une intervention habile de la diplomatie britannique permet finalement à chacun de sauver la face — pour éviter la conflagration générale.

L'année suivante, lors de la nouvelle «guerre balkanique» qui se déclenche, en juin 1913, pour le partage des dépouilles turques entre la Bulgarie, soutenue par Vienne, et les autres vainqueurs de l'Empire ottoman, renforcés par la Roumanie et qui ont l'appui du tsar, la France et l'Allemagne se trouvent derechef confrontées à la contradiction majeure de leur diplomatie: ou bien elles suivent leur alliée respective jusqu'aux limites extrêmes d'une politique qui conduit tout droit à la guerre européenne, ou bien elles prennent le risque de voir la pièce maîtresse de leur «système» s'en détacher, réduisant à rien plusieurs décennies d'action internationale. En 1913, c'est Guillaume II qui va le plus loin dans cette seconde voie, obligeant l'Autriche-Hongrie à abandonner sa protégée bulgare, renforçant ainsi la position de la Serbie auprès des Slaves du Sud, et réduisant d'autant l'influence de sa principale alliée. Il ne se le pardonnera pas.

La crise de 1914 s'inscrit dans cette situation internationale complexe. Aussi réticentes que soient les deux puissances riveraines du Rhin à s'engager dans un conflit en Europe de l'Est, dont il est clair qu'il a de fortes chances de s'étendre à l'ensemble du continent, ni l'une ni l'autre ne peuvent s'offrir le luxe de voir leur principale partenaire rompre une alliance qu'elle estimerait ne pas tenir compte de ses intérêts vitaux. C'est dans cette perspective que Poincaré a tenu à donner, à l'automne 1912, une interprétation large de l'alliance avec la Russie: la France soutiendra celle-ci dans l'éventualité d'une attaque allemande, même si la guerre a pour origine un conflit balkanique. Tout le problème consiste ensuite pour les dirigeants français à reprendre d'une main ce qu'ils ont accordé de l'autre, en essayant de convaincre les Russes de ne pas s'engager eux-mêmes trop loin dans leur politique de soutien à la Serbie et aux Etats des Balkans. S'ils n'y parviennent pas, il est clair que la guerre ne pourra être évitée.

Guillaume II se trouve dans une situation identique. Depuis sa dérobade de l'été 1913, il se reproche la mollesse avec laquelle il a soutenu son allié autrichien. Il est maintenant résolu à soutenir la Double Monarchie «contre vents et marées» et à régler dès que possible le compte de la Serbie. Cette attitude lui paraît d'autant plus nécessaire à la sécurité de l'Allemagne que, du «système» diplomatique élaboré par Bismarck un quart de siècle plus tôt, seule paraît devoir subsister à moyen terme l'alliance avec Vienne. La Russie a changé de camp au début des années 1890, l'Angleterre est devenue l'associée de la France dix ans plus tard, et l'Italie, bien qu'elle ait accepté de renouveler pour la sixième fois la

Triplice en décembre 1912 et de mener des entretiens d'Etat-Major assez poussés avec les Allemands dans le courant de l'année suivante, demeure un allié douteux. Sans doute y a-t-il eu quelques frictions avec la France lors du conflit italo-turc de 1911-1912 (l'affaire du *Carthage* et du *Manouba*, deux paquebots français, suspectés de transporter de la contrebande de guerre et des officiers turcs, arraisonnés par la flotte italienne en janvier 1912), mais ils ont peu affecté par la suite les relations entre les deux pays. Surtout, le resserrement de la Triple-Alliance est beaucoup plus apparent que réel, compte tenu de la rivalité italo-autrichienne à propos des terres irrédentes (Trente et Trieste) et de la pénétration italienne sur le littoral adriatique des Balkans. Seule l'Autriche-Hongrie est pour Berlin une alliée sûre. Il n'est donc pas question de la laisser affronter seule un conflit avec l'Empire russe.

Lorsque le 28 juin 1914 l'archiduc-héritier d'Autriche François-Ferdinand est assassiné avec son épouse par un jeune nationaliste bosniaque, dans la petite ville de Sarajevo en Bosnie, personne n'imagine en France que le geste de cet étudiant, Prinzip, membre d'une société secrète liée au mouvement national «yougoslave» et qui a des ramifications en Serbie, va mettre en route un processus d'où sortira la Première Guerre mondiale. Ni directement, ni indirectement, la France n'est en effet mêlée à la crise qui se prépare et, à Paris, on a autre chose en tête que les problèmes des Balkans. Henriette Caillaux, la femme de l'ancien président du Conseil, vient d'abattre le journaliste Calmette dans les locaux du *Figaro* et pendant le mois qui suit l'attentat de Sarajevo c'est le procès Caillaux qui est à la une des journaux, non l'avenir de la Serbie sur lequel portent, à l'insu des autres Etats européens, les tractations secrètes entre Vienne et Berlin. Or, de cette négociation à deux va sortir l'ultimatum qui va mettre le feu aux poudres.

Dans les milieux politiques, on est un peu moins rassuré. Pas au point cependant d'annuler le voyage que le Président de la République Poincaré et le président du conseil Viviani ont entrepris de faire en Russie. «*Nous allions*, écrit Viviani, *le front haut et le cœur tranquille vers la paix, vers le resserrement de notre alliance.*» Visite de routine, peut-on dire, où l'on parle certes des questions balkaniques et des problèmes militaires, mais sans qu'il soit question d'autre chose semble-t-il que d'alliance défensive. Le 23 juillet au soir, les deux dirigeants politiques français reprennent tranquillement la mer pour un voyage qui va durer six jours, pendant lesquels l'irréparable va s'accomplir sans qu'ils aient la possibilité de communiquer avec Pétersbourg et avec Paris autrement que par radiogrammes.

Avec l'accord de Guillaume II, le gouvernement austro-hongrois a en effet profité de l'opportunité offerte par le voyage présidentiel pour adresser dès le 23 juillet à la Serbie l'ultimatum par lequel Vienne exige — entre autres demandes qui celles-ci seront acceptées — que des fonctionnaires autrichiens puissent opérer sur le territoire serbe pour déterminer les responsabilités de Belgrade dans l'attentat de Sarajevo. Cette exigence ayant été repoussée, le 28 juillet l'Autriche déclare la guerre à la Serbie. Cela, Berlin et Vienne l'avaient prévu et voulu, l'heure étant venue, estimait-on dans les deux capitales des Empires centraux, de régler son compte au petit royaume balkanique, élément cristallisateur d'un nationalisme «yougoslave» qui constituait une réelle menace pour la Double Monarchie.

En agissant de la sorte, les puissances triplicistes ont incontestablement pris le risque d'un affrontement armé à l'échelle européenne. Croyant, à ce qu'il en disait du moins, à l'inéluctabilité d'une guerre avec la France, Guillaume II estime que si celle-ci doit avoir lieu, le moment est favorable à l'Allemagne. Pour les dirigeants autrichiens, la liquidation de la Serbie est une question vitale. Il y va du maintien de l'unité de l'Empire et après tout, s'il faut payer à ce prix la survie de l'Etat des Habsbourg, on ne se dérobera pas. Simplement, on croit dans les deux capitales germaniques à la possibilité de localiser le conflit au champ de bataille balkanique, et c'est pourquoi on a essayé de prendre de vitesse les protecteurs de l'Etat serbe. Or l'agression contre ce pays entraîne dès le lendemain la mobilisation partielle de l'armée russe — le gouvernement du tsar ne pouvant, il l'avait clairement annoncé dès le 24, laisser «*écraser la Serbie*» —, puis le 30 juillet sa mobilisation générale. Le processus de la guerre se trouve désormais enclenché.

Le jour même où Nicolas II décidait de mobiliser partiellement, Poincaré et Viviani débarquaient enfin à Dunkerque au milieu d'une foule considérable. «*C'est vraiment la France qui nous attend et qui vient au-devant de nous*, écrira le président de la République. *Je me sens pâle d'émotion... Ce qui me frappe, c'est qu'ici beaucoup de personnes semblent croire la guerre imminente.*»

Elle l'était en effet. A partir du 31 juillet, tandis que les gouvernements français, allemand et britannique tendent plutôt à freiner le mouvement, ce sont de plus en plus les militaires qui, soucieux de ne pas se laisser prendre de vitesse par l'adversaire, pèsent sur les décisions, mettant ainsi en route un engrenage irréversible. Le 31, l'Allemagne somme la Russie d'arrêter sa mobilisation et adresse un ultimatum à la France. Celle-ci n'ayant pas donné de réponse, elle décrète le 1er août la mobilisation générale et le même jour, tandis que la France mobilise, elle déclare la guerre à la Russie. Le 2, elle exige le libre passage pour ses troupes et le 3 elle engage les hostilités contre la France. Quant à l'Angleterre, si elle n'a pas voulu s'engager trop tôt pour ne pas encourager l'intransigeance de ses deux partenaires de l'Entente, elle se décide après l'invasion de la Belgique à se joindre à ces dernières et, le 4 août, elle déclare la guerre à l'Allemagne. De toutes les puissances européennes engagées dans les deux blocs antagonistes, seules l'Italie et la Roumanie, qui ont estimé que les conditions dans lesquelles la guerre s'engageait ne les obligeait pas à intervenir, sont restées à l'écart de l'épreuve de force. En moins de deux semaines, la crise balkanique s'est transformée en un conflit généralisé, prélude à la Première Guerre «mondiale» de l'Histoire. Pour la France, qui est entrée dans la guerre non parce qu'elle était directement concernée par les affaires balkaniques, mais par fidélité à une alliance qu'elle jugeait indispensable à sa sécurité, celle-ci va durer cinquante-deux mois, tuer 1 300 000 de ses fils et réduire très sensiblement la place qu'elle occupait dans le monde au début du XXe siècle.

V

La France en Guerre (1914-1918)

La France entre en guerre

De manière assez paradoxale, le conflit qui se déclenche au tournant des mois de juillet et août 1914 prend la France de court. Sans doute les crises internationales qui, depuis les débuts du XXe siècle se sont multipliées ont-elles rendu proche la perspective d'une guerre. Cependant celle-ci est plus un thème de réflexion des chancelleries, des congrès politiques, des états-majors qu'une réalité concrète qui pourrait modifier la vie des citoyens. Au demeurant, depuis 1905, on s'est habitué aux crises internationales et au fait que les habiletés des diplomates et la prudence des gouvernements permettent en dernier ressort d'éviter l'étincelle fatale qui embraserait l'Europe. De surcroît, l'assassinat de l'archiduc-héritier d'Autriche à Sarajevo ne paraît pas un motif plus sérieux de conflit que la crise bosniaque ou l'affaire d'Agadir (chap. IV).

Aussi en ce mois de juillet 1917 où va se nouer le sort

de l'Europe, l'intérêt des Français est-il moins sollicité par l'activité des chancelleries que par le pain quotidien de l'actualité. C'est d'abord le congrès du Parti socialiste SFIO réuni du 14 au 16 juillet et qui débat de la motion proposée par l'Anglais Keir-Hardie et le Français Vaillant en vue du futur congrès de l'Internationale socialiste, sur les moyens d'empêcher une guerre éventuelle. Et une fois de plus, l'habileté rhétorique de Jaurès fait merveille, aboutissant au vote d'un texte qui préconise une grève générale organisée simultanément dans tous les pays belligérants en cas de menace de guerre afin d'imposer aux gouvernements un recours à l'arbitrage. Texte qui, selon Jaurès, ne doit pas être compris comme une volonté de saboter la mobilisation car, si la paix ne pouvait être sauvée, les socialistes feraient leur devoir.

Plus passionnant pour l'opinion est le procès de Madame Caillaux qui dans les dix derniers jours de juillet fait vibrer les Français: le subtil mélange de données sentimentales, criminelles et politiques dont il est composé représente le dosage idéal du fait divers à sensation qui captive les esprits. L'acquittement de l'accusée le 10 juillet clôt par une fin heureuse le roman vécu qui a fait vibrer les Français et — accessoirement — ouvre à son mari les portes du pouvoir qui s'étaient — très provisoirement — refermées devant lui.

Enfin, l'attention des Français est sollicitée par le voyage qu'accomplissent, du 20 au 24 juillet, le président de la République Raymond Poincaré et le président du Conseil René Viviani dans la capitale du grand allié russe à Saint-Pétersbourg. Voyage de routine, prévu de longue date, et si peu lié aux inquiétudes internationales qu'il doit être suivi d'une croisière dans les pays scandinaves jusqu'au 31 juillet.

C'est donc dans une douce torpeur que vivent les Français alors que se met en place l'engrenage qui va conduire au déclenchement du premier conflit mondial.

Car en quelques jours, tout est joué, et ce qui a débuté comme une crise internationale de plus s'avère bientôt devoir être la crise finale qui va jeter l'Europe dans la guerre. Le 23 juillet, alors que Poincaré et Viviani achevaient leur visite en Russie, l'Autriche a adressé un ultimatum à la Serbie et le 28, constatant que cette dernière a rejeté un des points de cet ultimatum (celui qui concernait la participation de fonctionnaires austro-hongrois à l'enquête sur l'assassinat de l'archiduc), elle lui déclare la guerre. Le 29 juillet, lorsque le président de la République et le président du Conseil, qui ont précipité leur retour débarquent à Dunkerque, le processus qui conduit à la guerre est en route, sans que les Français paraissent en mesure de peser sur lui. Pour témoigner de sa volonté de paix, le gouvernement prend la décision de faire reculer les troupes à dix kilomètres des frontières.

Mais le sort de la paix se décide désormais ailleurs qu'à Paris. Le 29 juillet, la Russie décide une mobilisation partielle qui devient générale le 30. Le 31 juillet, l'ultimatum allemand à la Russie et à la France montre que la marche vers la guerre est irréversible. Et le lendemain 1er août, pendant que la France mobilise à son tour, l'Allemagne déclare la guerre à la Russie. Le 3 août, elle déclare la guerre à la France et le 4 août, les troupes du Reich ayant violé la neutralité belge, l'Angleterre décide à son tour d'entrer dans le conflit contre les Puissances centrales aux côtés de la France et de la Russie.

Si la responsabilité des Puissances centrales dans le déclenchement du conflit ne fait aucun doute, s'ensuit-il pour autant que le gouvernement français subit une agression injuste et qu'il n'aurait aucune part dans l'ensemble des événements qui ont rendu la guerre irréversible? Des polémiques qui ont surgi après la Première Guerre mondiale ont mis en cause l'attitude du président de la République Raymond Poincaré. Si lui-même dans ses mémoires (*Au service de la France*) s'est toujours défendu d'avoir rien dit ou rien fait qui aurait pu précipiter le cataclysme, ses accusateurs mettent en avant les assurances qu'il aurait données au tsar lors de son voyage en Russie sur l'appui que celle-ci pouvait espérer de la France en cas de conflit européen, assurances qui auraient poussé Saint-Pétersbourg à précipiter les événements en décrétant la mobilisation générale du 30 juillet. Ils remarquent aussi que le gouvernement français, qui ne pouvait ignorer la gravité du fait, n'a pas jugé nécessaire de dissuader la Russie de procéder à l'accélération de ses préparatifs militaires. Enfin, ils notent que l'ambassadeur Paléologue, en poste dans la capitale russe, n'a informé Paris que le 31 juillet de la mobilisation générale, sans encourir aucun blâme de la part de son ministre.

S'il est vrai que ces faits, peut-être artificiellement juxtaposés, permettent d'instruire le procès d'un Poincaré (dont l'influence sur le gouvernement est déterminante dans cette période) qui aurait vu venir la guerre «avec une secrète espérance» (celle de reprendre l'Alsace-Lorraine), aucun document ne vient étayer cette affirmation. La thèse selon laquelle le chef de l'Etat aurait «accepté la guerre sans regret» demeure, jusqu'à plus ample informé, un simple procès d'intention instruit dans les années vingt pour des raisons politiques par les adversaires de celui qui apparaissait alors comme le chef des modérés. En revanche, c'est sous un tout autre jour qu'apparaît Poincaré aux contemporains, celui de l'homme qui, dans ces jours tragiques, a su incarner le consensus national.

L'Union sacrée

Quelle allait être l'attitude des Français en face d'une guerre dont la réalité s'impose brutalement à la conscience de chacun ? En particulier, comment le Parti socialiste qui avait fait de la lutte contre la guerre le thème principal de ses récents débats allait-il réagir au conflit désormais déclenché ? Comment la CGT dont l'antipatriotisme et l'antimilitarisme constituaient des piliers du programme adopté à Amiens en 1906 allait-elle accepter une mobilisation que ses dirigeants s'étaient promis de saboter ?

La question est si loin d'être purement rhétorique que le gouvernement a, de longue date, pris ses précautions pour faire face à ces éventualités. Une liste des révolutionnaires à mettre immédiatement sous les verrous en cas de conflit (le carnet B) avait été dressée qui devait permettre d'éviter toute agitation révolutionnaire susceptible d'entraver l'effort de guerre.

Mais très vite, le gouvernement va se montrer rassuré par la tournure des événements en ce domaine. Dans les derniers jours de juillet, le dirigeant socialiste Jean Jaurès reconnaît que la France n'a aucune responsabilité dans la crise internationale qui secoue l'Europe, mais il demande au gouvernement d'aller plus loin en modérant son allié russe dont les intentions l'inquiètent.

En attendant, socialistes et syndicalistes organisent des réunions pour sauver la paix, la CGT, après quelques velléités de manifestations révolutionnaires, se ralliant à la position prônée par Jaurès d'une pression ouvrière internationale dans le cadre légal. Le 29 juillet le Bureau socialiste international réuni à Bruxelles en présence du dirigeant de la SFIO étudie les mesures à prendre pour éviter la guerre. Efforts qui paraissent bien vains tant les événements se précipitent. Le 31 juillet l'assassinat de

Jean Jaurès par le nationaliste Raoul Villain symbolise cruellement l'échec du pacifisme socialiste.

Mais ce drame ne remet pas en question le mouvement de ralliement de l'extrême gauche au gouvernement. Le 4 août, sur la tombe de Jean Jaurès, Léon Jouhaux, secrétaire général de la CGT affirme que, la France ayant été agressée, les ouvriers feront leur devoir pour défendre la patrie des Droits de l'Homme contre les Empereurs d'Allemagne et d'Autriche-Hongrie, symboles de la réaction politique, les hobereaux de Prusse et les grands seigneurs autrichiens accusés d'avoir voulu la guerre par haine de la démocratie. En fait les quelques dirigeants socialistes et syndicalistes qui songent à résister au mouvement de ralliement y renoncent rapidement, devant l'irrépressible courant qui entraîne les masses ouvrières vers la défense nationale. On peut en conclure avec Jean-Jacques Becker que l'épreuve de l'entrée en guerre a fait craquer le vernis internationaliste du mouvement ouvrier pour révéler la profondeur de l'attachement à la patrie, ancré dans la conscience collective par une éducation qui remonte à la prime enfance et à l'enseignement de l'école primaire.

Quoi qu'il en soit, le ralliement de la classe ouvrière à la défense nationale est assez unanime pour que le gouvernement renonce à arrêter les militants socialistes et syndicalistes inscrits sur le carnet B. Au niveau gouvernemental, ce ralliement se manifeste par l'entrée au gouvernement de deux ministres socialistes le 26 août 1914, Jules Guesde, l'ancien champion du refus de la participation aux majorités bourgeoises, qui devient ministre sans portefeuille et le député Marcel Sembat, qui considérait naguère dans un livre de grand retentissement, *Faites la paix, sinon faites un roi*, qu'un gouvernement républicain serait hors d'état de mener une guerre, et qui, dans ce gouvernement de guerre, gère le ministère des Travaux publics.

Dès le 4 août 1914, ce mouvement de ralliement à la Défense nationale a trouvé un chef de file dans le président de la République Raymond Poincaré. Dans un message aux Chambres, le chef de l'Etat, après avoir rejeté sur les Empires centraux la responsabilité de *«l'agression brutale et préméditée»* se déclare *«l'interprète de l'unanimité du pays»* en affirmant que la France sera *«héroïquement défendue par tous ses fils, dont rien ne brisera, devant l'ennemi, l'union sacrée...»*. *«Union sacrée»:* le terme est lancé pour définir une trêve du combat politique afin de laisser place à l'affirmation prioritaire de la défense de la patrie en danger.

Au-delà du ralliement des socialistes qui en constitue l'aspect majeur, l'Union sacrée a-t-elle une réelle consistance? On peut considérer qu'elle se réalise à la base, au niveau de l'opinion publique. Jean-Jacques Becker a montré que si l'enthousiasme populaire lors de l'entrée en guerre était une fabrication *a posteriori* ne correspondant pas à la réalité, il était par contre exact d'affirmer que, le premier moment de stupeur passé, les Français s'étaient résignés au conflit et étaient partis au combat avec résolution et détermination, puisqu'il s'agissait de défendre la patrie agressée. Tonalité suffisamment unanime pour que le ralliement socialiste fasse tache d'huile, de la base au sommet de la nation.

Dans la croyance générale en une guerre courte qui permettrait en quelques semaines à la France démocratique de régler son compte à l'Allemagne, chacun consent à faire le sacrifice très provisoire de ses convictions sur l'autel de l'unité nationale. Dans les villages, le curé et l'instituteur oublient un moment leur rivalité pour communier dans la défense de la patrie. Le nationaliste Maurice Barrès, président de la Ligue des Patriotes, assiste, aux côtés du syndicaliste révolutionnaire Léon Jouhaux, aux obsèques de Jaurès. Les vaincus du scrutin de 1914 deviennent ministres, comme les socialistes lors du remaniement du 26 août 1914 (Delcassé aux Affaires étrangères, Briand à la Justice, Millerand à la Guerre, Ribot aux Finances). Quant à l'Eglise catholique qui bénéficie d'un soudain regain de ferveur suscité par les dangers de la guerre, elle célèbre des offices pour la sauvegarde de la patrie. Symbole de l'union retrouvée à l'heure du danger, le *Comité de secours national* peut se targuer de la participation du représentant de l'archevêque de Paris, de dirigeants de l'*Action française*, de la SFIO et des principaux partis de gouvernement.

Sans doute cette unanimité concerne-t-elle plus les apparences que le fond. Si chacun se montre décidé à taire publiquement ses différences, l'analyse du discours des divers participants de l'Union sacrée prouve à l'évidence que chacun voit dans l'événement la justification de ses prises de position antérieures et l'annonce que, dans l'avenir, ses vues l'emporteront. Les nationalistes considèrent que la guerre montre l'inanité de l'internationalisme et du pacifisme, les socialistes participent à l'Union sacrée pour creuser définitivement la tombe du militarisme cocardier et préparer l'avènement de la République sociale universelle, les catholiques, pour leur part, jugent que l'événement prouve l'ignominie des persécutions que leur a fait subir l'anticléricalisme militant et voient dans le retour des Français vers les églises le début d'une reconquête des âmes qui leur rendra la place fondamentale qui leur revient dans la nation. Dans les justifications de l'Union sacrée se profilent déjà les querelles de l'avenir.

Mais pour l'heure, celles-ci ne sont articulées que *mezzo voce*. L'heure est, pour quelques semaines, à l'Union sacrée, le temps pour le pays de remporter la rapide victoire dont personne ne doute.

L'échec de la guerre de mouvement

Cet espoir d'une victoire rapide est fondé sur les conceptions militaires qui prévalent dans l'armée française à la veille de la guerre. Depuis 1912 et la nomination à la tête de l'Etat-major français du général Joffre, une nouvelle génération d'officiers supérieurs fait prévaloir ses idées en matière de doctrine militaire. Répudiant la conception, née au lendemain de la guerre de 1870, de la «puissance prépondérante du feu» qui donne le rôle principal à l'artillerie, des hommes comme les généraux Bonnal, Cardot, Langlois, prônent l'offensive à outrance: «*On attaque partout, à fond, et l'on voit.*» Cardot considère froidement le problème des pertes inévitables qu'entraînera une telle doctrine: «*Il faut des massacres et l'on ne va sur le champ de bataille que pour se faire massacrer.*» Mais, à la veille de la guerre, ce sont les théories du colonel de Grandmaison, chef du 3e bureau de l'état-major de l'armée qui déchaînent l'enthousiasme. Renchérissant sur les champions de l'offensive à outrance, il n'hésite pas à déclarer: «*Dans l'offensive, l'imprudence est la meilleure des sûretés.*» C'est l'esprit des conférences qu'il prononce devant l'état-major en 1911 qu'on retrouve dans le *Règlement d'infanterie de 1913:*

«*L'infanterie est l'arme principale. Elle agit par le mouvement et par le feu. Seul le mouvement en avant poussé jusqu'au corps à corps est décisif et irrésistible... La baïonnette est l'arme suprême du fantassin. La section marche à l'assaut au pas de course au commandement de «en avant à la baïonnette» du chef de section, répété par tous. Chaque tirailleur doit tenir à honneur de triompher du plus grand nombre possible d'adversaires et la lutte se poursuit à l'arme blanche, avec la plus farouche énergie jusqu'à ce que le dernier combattant ennemi soit hors de combat...»*

Cette conception va conduire l'armée française à reléguer ses mitrailleuses au 2e ou 3e échelon pour briser une éventuelle contre-offensive ennemie, à négliger systématiquement ses obusiers lourds à grande portée et à ne privilégier dans l'artillerie que le canon de 75, maniable et léger, qui peut suivre l'infanterie dans ses déplacements rapides et en quoi le colonel de Grandmaison voit l'arme absolue, «*le Père, le Fils et le Saint-Esprit*».

Dans ces conditions, le plan français mis au point par Joffre, le plan XVII, est beaucoup plus fondé sur les considérations tactiques des théoriciens français que sur une conception stratégique d'ensemble. Il prévoit une double offensive, de part et d'autre du secteur fortifié Metz-Thionville dont la IIIe Armée concentrée à Verdun pourrait entreprendre la conquête en cas de succès des premières opérations. Au nord, la Ve Armée du général de Lanrezac doit se porter en direction de Thionville ou vers la Belgique si les Allemands violent la neutralité de ce pays; au sud les Ie et IIe Armées des généraux Dubail et de Castelnau doivent avancer sur Morhange et Sarrebourg. Plan qui entre autres défauts sépare les deux offensives françaises et ne prévoit que de refouler ou d'enfoncer l'ennemi, laissant le soin au quartier-général d'improviser la suite des opérations.

En fait, la tentative d'exécution du plan français va déboucher sur un fiasco total. Avant même de lancer ses offensives principales, le général Joffre décide une opération en Alsace qui revêt un double caractère, celui d'une diversion destinée à faire croire à l'ennemi que c'est là le but de l'attaque française, de façon à le conduire à dégarnir le front de Lorraine où l'état-major compte porter le coup décisif, celui d'obtenir un effet psychologique en entamant la reconquête des provinces annexées en

Le Plan français

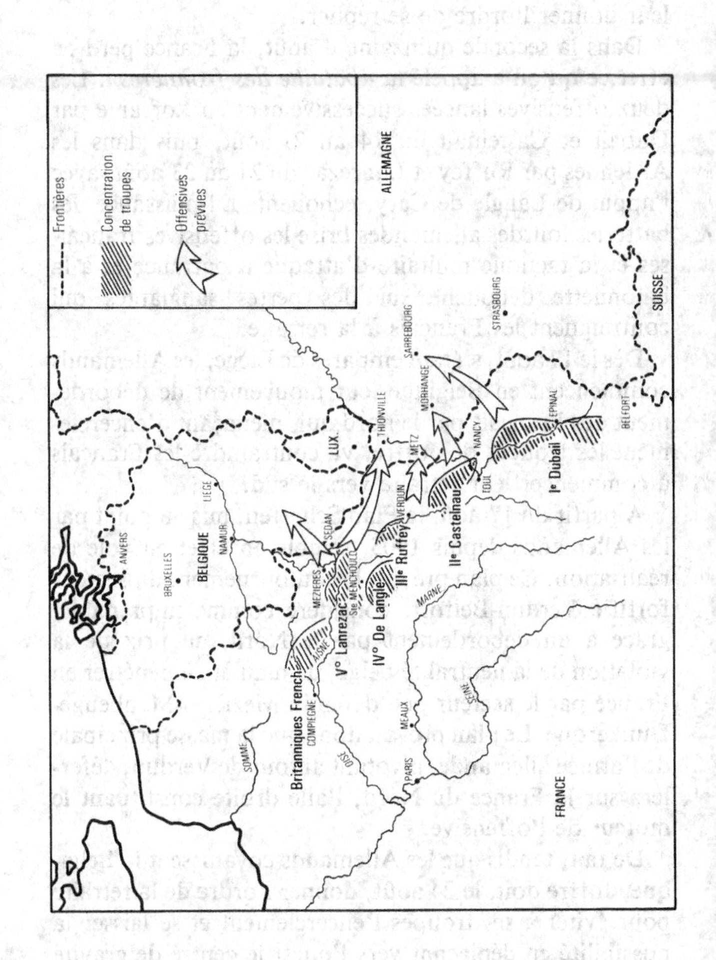

1871. Du 6 au 9 août, le général Bonneau s'empare d'Altkirch et de Mulhouse, provoquant dans la presse française un indescriptible enthousiasme. Mais l'échec de l'offensive française en Lorraine rend la position des troupes engagées en Alsace bien aventurée et Joffre doit leur donner l'ordre de se replier.

Dans la seconde quinzaine d'août, la France perd en effet ce qu'on a appelé la «*bataille des frontières*». Les deux offensives lancées successivement en Lorraine par Dubail et Castelnau du 14 au 21 août, puis dans les Ardennes par Ruffey et Lanrezac du 21 au 23 août, avec l'appui de Langle de Cary, échouent. La puissance des batteries lourdes allemandes brise les offensives françaises et la tactique militaire d'attaque à outrance et à la baïonnette débouche sur des pertes sanglantes qui contraignent les Français à la retraite.

Dès le 17 août, s'étant emparés de Liège, les Allemands commencent en Belgique leur mouvement de débordement des Français par le nord qui, menaçant d'encerclement les troupes de Joffre, va contraindre les Français à commencer leur retraite vers le sud.

A partir du 17 août le Plan Sclieffen, mis au point par les Allemands depuis 1905, semble en effet en voie de réalisation. Ce plan prévoit le contournement du secteur fortifié Verdun-Belfort, considéré comme imprenable, grâce à un débordement par le Nord, au prix de la violation de la neutralité belge, de manière à pénétrer en France par le secteur peu défendu Mezières-Maubeuge-Dunkerque. Le plan prévoit donc que la masse principale de l'armée allemande, pivotant autour de Verdun, déferlera sur la France du Nord, l'aile droite constituant le moteur de l'offensive.

De fait, tandis que les Allemands envahissent la Belgique, Joffre doit, le 24 août, donner l'ordre de la retraite pour éviter à ses troupes l'encerclement et se laisser la possibilité en déplaçant vers l'ouest le centre de gravité

Le Plan allemand

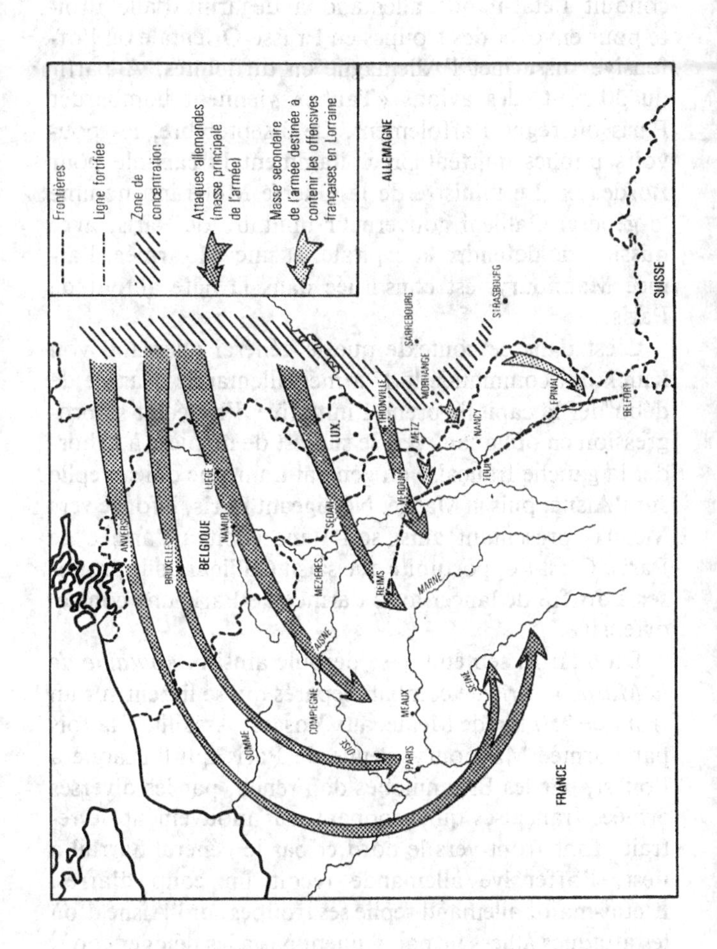

Frontières
Ligne fortifiée
Zone de concentration
Attaques allemandes (masse principale de l'armée)
Masse secondaire de l'armée destinée à contenir les offensives françaises en Lorraine
ALLEMAGNE
SUISSE
STRASBOURG
SARREBOURG
MORHANGE
THIONVILLE
EPINAL
BELFORT
NANCY
METZ
TOUL
LUX.
VERDUN
LIEGE
NAMUR
SEDAN
BELGIQUE
ANVERS
BRUXELLES
MEZIERES
REIMS
MARNE
AISNE
MEAUX
SEINE
COMPIEGNE
OISE
SOMME
PARIS
FRANCE

de ses troupes, de livrer à l'ennemi une seconde bataille offensive. Cette retraite permet aux Allemands d'exécuter la manœuvre prévue en envahissant le nord de la France, et même de l'exécuter à moindres frais puisque l'absence de résistance des Français et des Britanniques conduit l'état-major allemand à dégarnir l'aile droite pour envoyer des troupes en Prusse-Orientale où l'offensive russe met l'Allemagne en difficultés. A partir du 30 août, des avions «Taube» viennent bombarder Paris où règne l'affolement. Le 3 septembre, les pouvoirs publics quittent précipitamment la capitale pour Bordeaux. Le ministre de la Guerre Millerand nomme le général Galliéni gouverneur militaire de Paris, avec mission de défendre la capitale, et une VIe armée, l'armée Maunoury, est constituée dans la hâte autour de Paris.

C'est dans ce contexte que le général allemand von Kluck qui commande la Ie armée allemande chargée de déborder la capitale prend l'initiative d'infléchir sa progression en obliquant vers le sud-est de manière à déborder la gauche française du général Lanrezac qui se replie sur l'Aisne, puis la Marne. Négligeant Paris, il fonce vers Meaux, présentant ainsi son flanc droit à l'armée de Paris. C'est l'opportunité que saisit Galliéni pour proposer à Joffre de lancer avec l'armée de Paris une contre-offensive.

Du 6 au 13 septembre se déroule ainsi la *«bataille de la Marne»*, série de combats séparés qui se livrent sur un front de 250 km de Meaux aux Vosges. Assaillie à la fois par l'armée Maunoury, venue de Paris qui l'attaque à l'ouest, par les Britanniques de French, par les diverses armées françaises qui, stoppant leur mouvement de retraite font front vers le nord et par le général Sarrail à l'est, l'offensive allemande reçoit un coup d'arrêt. L'état-major allemand replie ses troupes sur l'Aisne d'où les attaques alliées ne parviennent pas à les déloger et où,

L'offensive allemande et la bataille de la Marne
(17 août - 13 septembre)

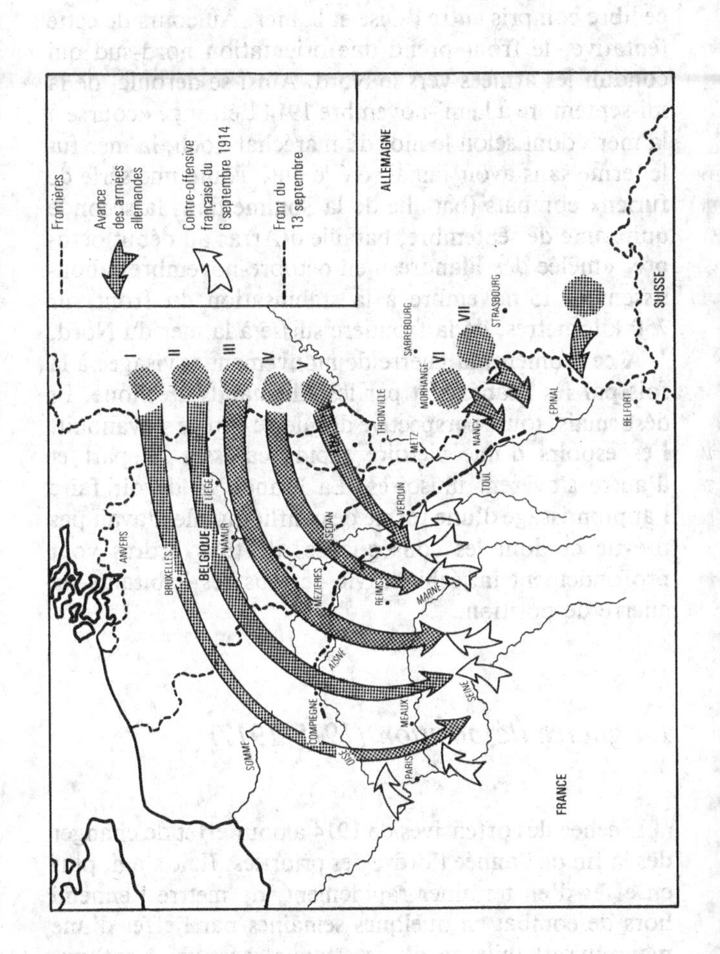

résolues à tenir à tout prix le terrain, elles creusent à la mi-septembre les premières tranchées.

Désormais, n'ayant pu opérer la percée décisive qu'ils espéraient, Français et Allemands tentent réciproquement de se déborder par l'ouest, en Picardie, dans l'espace libre compris entre l'Oise et la mer. Au cours de cette tentative, le front prend une orientation nord-sud qui conduit les armées vers le Nord. Ainsi se déroule, de la mi-septembre à la mi-novembre 1914 l'étrange «course à la mer» dont selon le mot du maréchal Foch, la mer fut le terme sans avoir jamais été le but. Toute une série de furieux combats (bataille de la Somme dans la seconde quinzaine de septembre, bataille d'Arras au début octobre, «mêlée des Flandres» en octobre-novembre) aboutissent le 15 novembre à la stabilisation du front sur 750 kilomètres, de la frontière suisse à la mer du Nord.

A ce moment, la guerre de mouvement envisagée à la fois par les Français et par les Allemands a échoué. Et désormais, toute perspective de guerre courte s'évanouit. Les espoirs d'une victoire rapide caressés de part et d'autre s'avèrent illusoires. La France va devoir faire l'apprentissage d'une forme de conflit qu'elle n'avait pas prévue et dont les conséquences de tous ordres vont profondément infléchir la vie de tous ses habitants, la guerre de position.

La guerre de position (1915-1917)

L'échec des offensives de 1914 a pour effet de changer dès la fin de l'année l'ordre des priorités. Il ne s'agit plus en effet d'en terminer rapidement, de mettre l'ennemi hors de combat en quelques semaines par l'effet d'une manœuvre habile ou d'une attaque massive et enthousiaste, mais de s'accrocher à tout prix au terrain conquis. Pour cela, de part et d'autre on creuse des tranchées et des abris, d'abord précaires, directement dans la terre, étayés par des planches, reliés entre eux par des lignes de boyaux sinueux. Ces tranchées sont protégées par des sacs de sable et des réseaux de fils de fer barbelés pour se garder des attaques adverses. Durant des années, le soldat va devoir apprendre à survivre dans cet univers de boue, dans le froid, le manque d'hygiène, au milieu des odeurs insupportables, en compagnie des rats et des poux, et avec le danger permanent de la mort. Des armes nouvelles, adaptées à cette nouvelle forme de guerre, pour laquelle le fusil apparaît comme inadéquat font leur apparition ou leur réapparition: mitrailleuses ou fusils-mitrailleurs qui permettent de balayer le *no man's land* entre les tranchées, armes de jet sorties tout droit des guerres du XVIIe siècle comme la grenade qu'on lance d'abord à la main à 15 ou 20 m, puis au fusil à 400 m. Bientôt les Allemands utilisent un mortier de tranchées (le «*Minenwerfer*») auquel répondra le «*crapouillot*» français qui projette des torpilles à ailettes chargées de 50 kilos de cheddite. Dès avril 1915, dans cette panoplie de mort, apparaissent les gaz asphyxiants, utilisés pour la première fois par les Allemands à Ypres.

Si la vie dans la tranchée est pénible et pleine de dangers, que dire de la sortie de la tranchée pour l'attaque des positions ennemies? Après une préparation d'artillerie nourrie qui s'efforce d'écraser sous les bombes les défenses adverses, il faut se hisser hors de la tranchée, quitter l'abri précaire, mais cependant rassurant des sacs de sable, pour courir face à l'ennemi, à ses mitrailleuses et à son artillerie. Durant cette périlleuse progression où l'attaquant sert de cible vivante, les pertes sont innombrables, d'autant que l'avance est encore retardée par les entrelacs de fils de fer barbelés qu'il faut sectionner. Les survivants de l'épreuve qui parviennent à la tranchée ennemie doivent encore «nettoyer» celle-ci à la grenade, puis à l'arme blanche au cours d'un combat au corps à corps. Et à supposer que l'opération soit menée à son terme, tout est à recommencer avec la ligne suivante de retranchements, car les états-majors allemand et français ont l'un et l'autre mis en pratique l'organisation de la défense en profondeur, par lignes de tranchées échelonnées, de façon à essouffler l'attaque ennemie.

Dans ces conditions, on conçoit sans peine que toute offensive soit vouée à l'échec, échec coûteux car il entraîne des pertes humaines considérables pour un gain de terrain nul. Et cependant aucun des états-majors, et surtout pas celui de Joffre, ne renonce à l'idée d'opérer une percée qui permettrait la rupture du front adverse et la reprise de la guerre de mouvement. C'est la raison pour laquelle le commandant en chef des troupes françaises s'oppose à toute ouverture d'un nouveau front qui le contraindrait à distraire une partie de ses troupes indispensable pour la percée. Et lorsque, sous la pression des Britanniques, les Alliés décident en février 1915 de forcer les détroits reliant la mer Egée à la mer Noire pour mettre la Turquie hors de combat, l'échec de l'opération (le corps expéditionnaire, bloqué par les Turcs dans la presqu'île de Gallipoli, est décimé par les combats et la maladie) renforce Joffre dans ses convictions.

Aussi les années 1915-1917 sont-elles celles des tentatives avortées et sanglantes de rupture du front. Offensives françaises dans la Woëvre, en Artois, en Champagne en 1915 qui font de 310 000 à 350 000 morts, offensive allemande sur Verdun déclenchée en février 1916 et qui devait durer jusqu'en décembre, les combats acharnés qui se déroulent autour du saillant faisant 163 000 tués et disparus du côté français, 143 000 du côté allemand (si on ajoute les blessés de part et d'autre, les victimes de la boucherie de Verdun atteignent le chiffre de 770 000 !). C'est au cours de la bataille de Verdun que Joffre déclenche en juillet 1916 une grande offensive sur la Somme qui va durer jusqu'en novembre provoquant, pour de faibles gains territoriaux, des pertes (tués, blessés, disparus) de 200 000 hommes pour les Français, 420 000 pour les Britanniques, 500 000 pour les Allemands. Mais entre 1915 et 1916, les objectifs de ces grandes offensives ont changé.

Alors qu'à l'origine, il s'agissait de percer, on en vient peu à peu à l'idée que le but principal est d'«user l'adversaire», c'est-à-dire de lui tuer le maximum d'hommes. «*Je les grignote*», avait déclaré Joffre pour justifier ses offensives de l'hiver 1914-1915; désormais, les états-majors fixent comme ultime objet aux assauts qu'ils décrètent une sinistre comptabilité: provoquer chez l'ennemi des pertes supérieures à celles qu'eux-mêmes subiront. Le double et coûteux échec de la guerre d'usure, venant après celui de la guerre de mouvement, va coûter leurs postes aux commandants en chef. Depuis l'été 1916, l'Allemand Falkenhayn a dû céder la place au maréchal Hindenburg. En décembre 1916, c'est au tour de Joffre d'être mis à l'écart. Nommé maréchal de France et désormais confiné dans des fonctions de caractère honorifique, il est remplacé par le général Nivelle qui s'était distingué par des succès partiels à Verdun.

Abandonnant la guerre d'usure qui n'a décidément valu à Joffre que des mécomptes, le nouveau commandant en chef des armées du nord en revient à l'idée de rupture du front obtenue grâce à une offensive «napoléonienne», c'est-à-dire en jetant une masse d'hommes sur le champ de bataille pour submerger l'ennemi. L'expérience est tentée à partir du 16 avril 1917: 30 divisions se lancent à l'assaut des positions ennemies entre l'Oise et la Montagne de Reims. En quelques heures, l'offensive est brisée, alors que les pertes alliées s'élèvent à 800 000 hommes. Les assauts désespérés tentés dans les jours qui suivent à Craonne ou au Chemin des Dames ne pourront qu'accroître le nombre des morts, de même que les tentatives anglaises qui durent jusqu'à novembre: la rupture a échoué, les positions de part et d'autre ont tenu. Fin 1917, après trois années et demi de combats, il faut se rendre à l'évidence: la guerre à l'ouest est dans l'impasse et aucune perspective de solution ne se dessine.

Or, depuis trois ans et demi que dure une guerre que l'on pensait devoir être courte, il a bien fallu apprendre à vivre avec elle. Et il est évident que les effets de tous ordres qu'elle entraîne pèsent lourd sur les traditions, les habitudes, les comportements.

Les gouvernements de guerre

Comment gouverner un pays en guerre? Dans l'hypothèse d'un conflit de quelques semaines, la solution proposée avait été celle de la suspension provisoire de la vie politique. Le Parlement avait été ajourné *sine die* au lendemain de la séance du 4 août 1914. Quant au gouvernement, remanié le 26 août selon les axes tracés par le thème de l'Union sacrée, il rassemblait, à l'exception des catholiques et des hommes fortement marqués à droite de la Fédération républicaine, l'ensemble des partis «républicains», des modérés de l'*Alliance démocratique* aux socialistes.

Mais les premières défaites, l'évacuation des pouvoirs publics sur Bordeaux et surtout la stabilisation du front en novembre 1914 changent considérablement les règles du jeu, posant dans l'immédiat au gouvernement deux délicats problèmes: celui du rôle du Parlement en période de conflit et celui des rapports entre pouvoir civil et pouvoir militaire.

Sur le premier point, les protestations de la gauche

devant la situation de dictature née de la mise en vacances du Parlement se font de plus en plus fortes à partir du moment où la guerre se prolonge. Peut-on laisser plus longtemps le gouvernement sans contrôle, peut-on, alors que le sort du pays est en jeu, interdire l'exercice de leur mandat aux représentants du peuple souverain? La réponse, conforme aux traditions de la démocratie libérale, vient avec la convocation à Paris le 22 décembre des deux Chambres, qui représente le retour à la vie parlementaire après une interruption de cinq mois. Au début de 1915, les deux Chambres résolvent le problème en décidant de siéger en permanence jusqu'à la fin du conflit.

Plus difficile à résoudre fut la question des rapports entre pouvoir civil et pouvoir militaire. En d'autres termes, il s'agissait de savoir qui, du gouvernement représentant la nation ou des chefs militaires supposés compétents en matière de stratégie, devait décider de la conduite de la guerre. Au début des hostilités, ce conflit de compétences fut tranché, avec l'appui du ministre de la Guerre, Alexandre Millerand, en faveur des militaires. Dans la perspective d'une guerre courte, il fut tacitement admis que Joffre disposait de tous les pouvoirs dans la zone des opérations et que tout ce qui, à un titre ou à un autre, relevait du déroulement du conflit, passait sous son autorité. Cette primauté du pouvoir militaire est encore accentuée par le départ du gouvernement pour Bordeaux devant l'avance allemande le 3 septembre et par le fait qu'*ipso facto* le général Galliéni, gouverneur militaire de Paris, dispose dans la capitale de tous les pouvoirs, au point de susciter l'inquiétude de parlementaires chez qui les souvenirs du boulangisme demeurent vifs. Aussi est-ce avec soulagement que, le 10 décembre 1914, le Président de la République et le gouvernement regagnent Paris.

Avec la rentrée des Chambres et des pouvoirs publics dans la capitale, coïncidant avec la perspective d'une guerre longue, la vie politique, un moment suspendue, reprend ses droits, les hommes politiques s'accommodant mal d'un effacement qui contraste avec les pouvoirs considérables dont disposent les militaires, lesquels jouissent par ailleurs d'un extraordinaire capital de popularité, œuvre d'une presse qui tresse leurs louanges à longueur de colonnes. Si bien qu'au cœur du débat politique renaissant se trouve la question des rapports entre pouvoir civil et pouvoir militaire. Joffre refusant obstinément tout contrôle parlementaire aux armées, et acceptant difficilement celui que les députés exercent sur les bureaux de la Guerre dont les carences sont mises en évidence, le conflit entre les deux pouvoirs va se cristalliser sur le ministre de la Guerre, vivement attaqué par les parlementaires, en particulier radicaux et socialistes. Viviani s'appliquant à couvrir Millerand, c'est le gouvernement lui-même qui se trouve fragilisé par le conflit. En mai 1915 il doit accepter que le ministre de la Guerre soit flanqué de quatre sous-secrétaires d'Etat (à l'Artillerie et aux munitions, au ravitaillement et à l'intendance, au Service de santé, à l'Aéronautique militaire), ce qui amoindrit d'autant ses pouvoirs, le socialiste Albert Thomas devenant sous-secrétaire d'Etat à l'Artillerie et aux munitions. Ebranlé par la démission du ministre des Affaires étrangères Delcassé, conscient de la nécessité d'écarter Millerand du ministère de la Guerre, Viviani préfère démissionner le 29 octobre 1915, cédant la présidence du Conseil à Aristide Briand.

En constituant le jour même son cinquième gouvernement, Aristide Briand réussit une double opération. Il élargit l'Union sacrée en faisant entrer au gouvernement comme ministre d'Etat un catholique, Denys Cochin et en nommant également à des postes de ministres d'Etat les vieilles gloires de la République, le sénateur Freycinet, les radicaux Léon Bourgeois et Combes et même le socialiste Guesde. Ribot aux Finances, Viviani à la Justice, Méline à l'Agriculture, Doumergue aux Colonies font en outre de ce cabinet un véritable syndicat d'anciens présidents du Conseil. De surcroît, il donne satisfaction aux parlementaires et, en particulier, au redoutable Georges Clemenceau, président de la Commission de l'Armée du Sénat, en nommant au ministère de la Guerre, le général Galliéni, fort populaire depuis la victoire de la Marne et considéré comme le rival de Joffre, devenu la bête noire du Parlement, en dépit de son audience dans le pays. Double habileté qui vaut au ministère Briand de recevoir de la Chambre une confiance unanime.

Toutefois, ce succès politique ne résout pas pour autant les difficultés qui ont occasionné la chute de Viviani. Joffre demeure toujours aussi rétif à l'intervention du pouvoir civil dans les affaires du haut-commandement, ce pouvoir fût-il représenté par Galliéni. La maladie de ce dernier qui doit démissionner en mars 1916 — il meurt en mai — donne un sursis au commandant en chef. De courte durée. Les carences de la défense de Verdun, mises en évidence par les parlementaires, obligent Briand et le nouveau ministre de la Guerre, le général Roques, à lâcher du lest. En juin 1916, le gouvernement doit accepter la tenue d'un Comité secret devant la Chambre sur la conduite du conflit. Sept autres suivront jusqu'en octobre 1917, cependant que pour sa part, le Sénat en réunira quatre. Ces comités instituent ainsi un droit de regard du Parlement sur la conduite des opérations et décident, au grand dam du Haut-Commandement, d'un contrôle parlementaire aux armées. A ces tensions s'ajoutent celles nées des rivalités entre Joffre et le général Sarrail, nommé commandant du corps expéditionnaire de Salonique, les deux généraux intriguant par parlementaires interposés auprès du pouvoir civil. Ces multiples conflits, liés à la stagnation du front, empoisonnent l'atmosphère politique en France. Devenu la cible de nombreux députés de droite comme de gauche qui lui imputent l'échec de toutes les offensives, Joffre constitue désormais une cause d'affaiblissement pour le gouvernement. Afin de sauver celui-ci le président du Conseil décide de le remanier et de sacrifier le général en chef.

Formé le 12 décembre 1916, le sixième ministère Briand est constitué d'une équipe resserrée dont disparaissent les vieux symboles (de Méline à Léon Bourgeois, de Combes à Freycinet) au profit de ministres considérés comme techniquement compétents: Ribot aux Finances, Clémentel au Commerce, Albert Thomas à l'Armement et le jeune maire de Lyon, Edouard Herriot aux Travaux publics, Transports et Ravitaillement. Pour le ministère de la Guerre, Briand fait le choix du résident général au Maroc, le général Lyautey. Quelques jours plus tard, Joffre ayant été nommé au poste vague de conseiller technique du gouvernement pour les affaires militaires, renonce à son poste de commandant en chef en échange d'un bâton de maréchal, cependant que Nivelle accède au Haut-Commandement.

Mais Briand n'obtient ainsi qu'un répit de brève durée. En mars 1917, le gouvernement tombe sur l'éternel problème des rapports entre pouvoir civil et pouvoir militaire. Lyautey ayant exprimé publiquement ses doutes sur la discrétion des députés réunis en Comité secret, le tollé est tel que le ministre de la Guerre doit démissionner, entraînant avec lui le cabinet tout entier (20 mars 1917).

Dès lors l'impasse politique s'ajoute à l'impasse militaire.

Au bout de trois années de conflit, la France n'a pas su définir la structure d'un véritable gouvernement de temps de guerre. Pendant que les opérations militaires stagnent au prix de coûteuses et inutiles tentatives de percée, le Parlement poursuit une vie politique classique. En confiant au vieux routier des luttes parlementaires qu'est Alexandre Ribot la succession d'Aristide Briand, le président de la République ratifie en quelque sorte cette conception. Et en formant le 20 mars un gouvernement classique à ossature de centre-gauche (radicaux, républicains-socialistes, sénateurs de la gauche démocratique, membres de la gauche radicale), Ribot se comporte comme si la guerre ne modifiait en rien les conditions de la vie politique.

Or, le conflit a totalement bouleversé le cadre politique de la démocratie libérale comme les pratiques économiques de l'avant-guerre.

La remise en cause de la démocratie libérale

La propagande de guerre en France présente le conflit comme un combat des démocraties contre les régimes autoritaires d'Allemagne et d'Autriche-Hongrie, thématique que la présence de la Russie tsariste dans le camp de l'Entente rend assez dérisoire. Toutefois, le problème posé est de savoir si une guerre qui nécessite l'unité de commandement, le secret, la centralisation est compatible avec les principes d'un régime de démocratie libérale qui suppose la séparation des pouvoirs, le contrôle étroit de l'Exécutif par le Législatif, le maintien absolu de toutes les libertés. Le conflit larvé entre Parlement et état-major a déjà mis en évidence les difficultés de cette conciliation entre principes antagonistes. Mais jusqu'en 1917, on l'a vu, le Parlement n'a jamais accepté que soient transgressés, au niveau de ses droits, les fondements du régime. En revanche, il a dû, contraint et forcé, consentir à une limitation des libertés.

Des lois de 1849 et de 1878 avaient prévu, en cas de guerre, l'institution par décret de l'état de siège. Pour l'essentiel, celui-ci transférait aux militaires les pouvoirs de police. Parmi ces pouvoirs, celui d'interdire toute publication ou toute réunion considérée comme susceptible de troubler l'ordre public. Dans la pratique, la liberté de la presse est suspendue. Une censure sourcilleuse filtre les informations de manière à interdire toute diffusion de nouvelles susceptibles de favoriser l'ennemi ou de provoquer des inquiétudes dans l'armée ou dans la population. Conception très extensive de la censure qui conduit par exemple à introduire un black-out complet sur les informations concernant le front durant les premières semaines de la guerre, la presse se contentant d'évoquer des «*opérations aux frontières*», si bien que l'opinion apprendra avec stupéfaction début septembre qu'une contre-offensive a été lancée sur la Marne! Par ailleurs, dès ce moment, Millerand, ministre de la Guerre, juge que toute attaque contre le gouvernement ou les chefs de l'armée est de nature à nuire à l'effort de guerre. De militaire, la censure devient politique, entraînant de multiples incidents entre l'administration et les journalistes ou les parlementaires (dont la liberté d'expression et de critique à travers la presse se trouve ainsi amoindrie).

De moindre conséquence sera le contrôle exercé sur les réunions publiques. En effet, la mobilisation en appelant sous les drapeaux la plupart des hommes valides a pratiquement supprimé la vie politique à la base. Une grande partie des adhérents et des militants des partis politiques se trouvant appelés aux armées, ces partis sont désorganisés et on ne pourrait songer à reprendre une activité normale avec des structures vides, ni à convoquer des réunions publiques. De surcroît, la pratique de l'Union sacrée telle qu'elle s'établit exerce une pression morale qui interdirait celles-ci. Alors que le sort de la patrie est en jeu, que les hommes combattent pour elle au péril de leur vie, le moment est-il bien choisi pour reprendre les luttes politiques qui risqueraient d'affaiblir l'effort de guerre? Seul le Parti socialiste SFIO, le plus structuré de tous, maintient une activité normale, en évitant d'ailleurs jusqu'en 1917, toute autre manifestation publique que la tenue de ses congrès statutaires. Mais, des radicaux à la droite, l'activité partisane se réduit pratiquement à celle des groupes parlementaires et les députés demeurent les seuls représentants des formations politiques.

La proclamation de l'état de siège, d'abord étendue à l'ensemble du territoire national, puis réduite en septembre 1915 à la zone des combats, étendue enfin en juillet 1917 à toutes les régions littorales où peuvent débarquer les renforts alliés a pour conséquence une vertigineuse extension des compétences des Conseils de guerre. Ceux-ci ont désormais juridiction sur l'ensemble du territoire national et sur l'ensemble des citoyens à partir du moment où le délit considéré peut avoir un rapport (même lointain) avec les opérations. Or la procédure des tribunaux militaires est réduite à sa plus simple expression et les conditions de l'instruction, de la défense et des recours éventuels relève plus souvent de l'arbitraire que des règles juridiques habituelles. De surcroît, Joffre institue dès septembre 1914 des «cours martiales» dont les jugements sont immédiatement exécutoires. Les tempêtes de protestation provoquées par l'exercice de la justice militaire vont conduire par étapes à en restreindre l'application et les compétences et à donner quelques garanties aux justiciables: suppression en 1916 des cours martiales, invitation faite aux tribunaux militaires à ne pas poursuivre des civils, sauf exception, décision de soumettre à une possibilité de révision les jugements des tribunaux militaires, rétablissement du droit de grâce en 1917, etc.

Au total, il est peu douteux qu'entre les principes démocratiques ouvertement proclamés et les pratiques mises en œuvre, il existe un écart considérable. La guerre faite au nom de la démocratie a souvent fait bon marché des valeurs de la démocratie libérale. Et si les entorses à celles-ci sont peu à peu supprimées, c'est du fait de l'activité maintenue du Parlement. Celui-ci a donc tout à la fois joué le rôle d'un rempart des libertés et de la démocratie et d'un organisme de contrôle dont la prétention à affirmer son droit de regard sur la conduite des opérations est tenue par les militaires pour un obstacle à l'efficacité de leur action.

L'écart entre les principes proclamés et les réalités est encore bien plus considérable dans le domaine des questions économiques.

Naissance d'une économie de guerre

Pas plus en France que dans les autres pays belligérants, on n'a envisagé une organisation économique de la nation en temps de guerre. A cela deux raisons. L'une de principe: les règles du libéralisme économique impliquent que s'exercent librement les mécanismes du marché, sans intervention de l'Etat, le rôle de celui-ci se bornant à créer les conditions permettant aux acteurs économiques de jouer leur rôle sans entrave. L'autre, conjoncturelle: dans la perspective d'une guerre courte, pourquoi bouleverser les règles établies, perturber les circuits économiques, se charger de tâches pour lesquelles les pouvoirs publics apparaissent incompétents?

Que la distance soit grande entre les principes et la réalité, les perturbations introduites par la mobilisation dans la vie économique en apportent la preuve. C'est ainsi que dès les derniers jours de juillet 1914, la Bourse de Paris est fermée. Du même coup, entreprises et particuliers manquant de capitaux liquides procèdent au retrait de leurs dépôts en banques. Très vite, il faut accorder des moratoires temporaires pour le paiement des dettes.

Par ailleurs, l'Etat se montrant soucieux de préserver

son stock d'or pour faire face à d'éventuels achats internationaux, la libre convertibilité de la monnaie en or, l'un des principes de base de l'économie libérale, est suspendue et le demeurera durant tout le conflit, des accords passés avec les Alliés décidant le maintien des parités entre leurs monnaies respectives.

Autre perturbation de grande ampleur provoquée par la mobilisation, l'appel sous les drapeaux prélève une importante partie de la main-d'œuvre disponible et des cadres, ce qui oblige 47 % des entreprises françaises à fermer leurs portes fin juillet 1914, mettant du même coup au chômage deux millions de travailleurs épargnés par la mobilisation.

Au demeurant, la réquisition des chemins de fer pour les besoins de l'armée afin de permettre l'acheminement des troupes et du matériel vers les théâtres d'opération, prive l'économie des moyens de transport indispensables.

Mais ces perturbations, pour une part temporaires, sont peu de choses à côté de celles qui sont provoquées par l'évolution du conflit et dont on commence à prendre conscience au début de 1915. En premier lieu une grande partie des territoires du Nord et de l'Est où se localisent les industries lourdes modernes est occupée par les Allemands, privant la France de 95 hauts-fourneaux sur 123 et de la moitié des bassins houillers du Nord et du Pas-de-Calais ainsi que de nombreuses usines textiles, métallurgiques, chimiques. En second lieu, les fronts bloqués, les Alliés songent à utiliser l'arme économique pour vaincre les Empires centraux et commencent à mettre en œuvre toute une série de procédés destinés à rendre effectif l'état de blocus de l'Allemagne décrété dans son principe dès le déclenchement du conflit. Mais l'Allemagne réplique dès février 1915 par un «contre-blocus», la guerre sous-marine, destinée à asphyxier économiquement l'Angleterre en coulant les convois qui la ravitaillent en denrées alimentaires, matières premières, armes et munitions. Si l'Angleterre est la plus touchée, la France qui compte en partie sur les navires britanniques pour ses propres importations est également atteinte. La gravité de la situation qui en résulte va pousser le gouvernement français, surtout à partir de 1916, à se préoccuper de l'organisation d'une économie de guerre, ce qui n'était à l'origine ni dans ses intentions ni dans ses principes.

Progressivement, entre 1916 et 1918, l'ensemble des importations, des exportations et des opérations de change sont soumises au contrôle de l'administration, de manière à imposer une priorité pour les fournitures nécessaires à l'armée. En février 1918, la flotte marchande est frappée de réquisition, mettant entre les mains de l'Etat les moyens de transport — au demeurant insuffisants — indispensables à l'effort de guerre.

A l'intérieur, l'Etat est peu à peu conduit à organiser la mobilisation économique. Dans le domaine spécifique de l'Armement, c'est l'œuvre d'Albert Thomas, sous-secrétaire d'Etat, puis ministre de l'Armement de 1915 à 1917, qui entend faire de l'Etat le véritable entrepreneur des industries de guerre. A un niveau plus général, le rôle fondamental est celui d'Etienne Clémentel, inamovible ministre du Commerce, de l'Industrie et des Postes, Télégraphes et Téléphones d'octobre 1915 à janvier 1920, dont les conceptions sont différentes. Pour lui, l'Etat ne doit pas être maître d'œuvre, mais incitateur, poussant les entreprises à s'organiser et à se cartelliser sur le plan national afin d'être capables de satisfaire aux demandes militaires. Pour ce faire, il va pousser les industriels des secteurs stratégiques (métallurgie, chimie, textiles...) à organiser des consortiums ou des offices. Ceux-ci passent accord avec des sociétés formées de commerçants patentés qui reçoivent mandat d'acheter, sous le contrôle de l'Etat qui fixe les prix, les matières premières nécessaires et de les répartir entre les consortiums, à charge pour ceux-ci de les distribuer entre les entreprises capables de répondre aux demandes des pouvoirs publics.

Car la guerre va, par étapes, faire de l'Etat, le principal client de l'économie nationale. Il achète d'abord armes et munitions, puis les matières premières nécessaires aux besoins de l'armée, denrées alimentaires, textile, cuirs... Toutefois, s'éloignant encore un peu plus des mécanismes de l'économie libérale, l'Etat-acheteur fixe lui-même les prix, supprimant du même coup la concurrence, mais assurant en retour aux industriels capables de lui fournir ce qu'il demande de fructueux marchés. Comment l'Etat qui avait peu l'habitude de sc mêler d'économie et ne disposait pas du personnel nécessaire pour effectuer ce gigantesque contrôle a-t-il trouvé les moyens de le mettre en œuvre ? Pour l'essentiel, en s'appuyant sur les grands industriels eux-mêmes dont il a fait ses conseillers et ses interlocuteurs privilégiés. C'est le magnat de l'électricité, Ernest Mercier, qui conseille l'Etat pour la conclusion de ses contrats. C'est le sidérurgiste Schneider qui est chargé de la coordination de l'ensemble des industries d'armement. C'est le fabricant d'automobiles Citroën, par ailleurs chargé de la fabrication des obus de 75, qui dirige la répartition des matières premières industrielles.

Bien entendu, ces fabuleux marchés d'Etat ont favorisé les entreprises les plus importantes, les plus rationalisées, celles qui étaient susceptibles de répondre rapidement aux gigantesques commandes d'un Etat moderne en guerre. Si bien que ces grandes entreprises sortent du conflit considérablement enrichies et beaucoup plus puissantes et performantes qu'elles n'y étaient entrées: c'est le cas de Renault qui va recevoir un véritable monopole de fabrication pour les munitions et les chars, de Berliet, principal fournisseur des camions de l'armée, de Boussac qui fait fortune grâce au monopole de la toile d'avion.

A cette spectaculaire intervention de l'Etat dans la vie économique qui se manifeste par la multiplication des «offices» et des «comités» chargés des relations avec les diverses entreprises ou les différents secteurs économiques (on en comptera près de 300 en 1918 !), s'ajoute une intervention non moins hétérodoxe dans les rapports sociaux. La prolongation du conflit pose dès l'automne 1914 le problème de la main-d'œuvre indispensable dans les usines travaillant pour la défense nationale. Ouvriers, cadres, entrepreneurs mobilisés manquent cruellement dans la production, à la différence des paysans dont les travaux peuvent être effectués par les femmes, les vieillards ou les enfants. On décide donc de rappeler du front la main-d'œuvre indispensable. Ces *«affectés spéciaux»* qui échappent à l'enfer du front feront bien des envieux parmi ceux qui restent au combat, d'autant qu'erreurs, habiletés ou passe-droits permettent à des *«embusqués»* de bénéficier de ce traitement de faveur sans justification évidente. Toutefois, Millerand, ministre de la Guerre, entend bien que ces soldats affectés à la production continuent à être considérés comme des conscrits et ne puissent revendiquer ni droits sociaux, ni avantages salariaux. Position intenable alors que les entrepreneurs travaillant pour la défense nationale font de prodigieux bénéfices et que les syndicats ne sauraient admettre que des ouvriers dépourvus de tout droit servent de main-d'œuvre passive, au risque de détériorer la situation des autres ouvriers qu'il serait toujours possible de remplacer par des mobilisés. A la position de Millerand, grosse de conflits potentiels, Albert Thomas va préférer l'entente avec les syndicats. Ce sont eux qui désigneront les ouvriers qualifiés recrutés comme *«affectés spéciaux»* (et les militants syndicaux seront nombreux dans cette catégorie). C'est avec eux que, pour éviter la multiplication des conflits sociaux, préjudiciables en période de guerre, il négocie les conditions de travail et les salaires. Et c'est enfin pour conseiller le gouvernement dans les problèmes de relations sociales, que les dirigeants de la CGT, le secrétaire général Léon Jouhaux en tête, acceptent d'entrer en contact avec les ministres et de définir avec eux les grandes lignes de l'action sociale. La guerre est donc, là aussi, porteuse de novations puisque sous l'action d'Albert Thomas et de Léon Jouhaux se met en place une collaboration entre le pouvoir et le monde ouvrier qui aboutit à une incontestable amélioration du sort de celui-ci. Albert Thomas en donne encore l'exemple en pratiquant systématiquement une politique de hauts salaires dans les arsenaux et les usines qui travaillent pour la défense nationale.

Le rôle d'animation et de contrôle de l'économie de guerre joué par l'Etat dans le domaine économique et social pose toutefois un problème fondamental, celui du financement des gigantesques dépenses entraînées par les nouvelles pratiques. Il apparaît très rapidement que le budget ordinaire de l'Etat est incapable de supporter l'énorme surcroît de dépenses entraînées par le conflit. Dès 1915 le déficit budgétaire est de l'ordre de 18 milliards de francs, alors que l'ensemble des recettes de l'Etat en 1913 ne dépassait pas 5 milliards. Plutôt que d'avoir recours à une aggravation de la pression fiscale, lente et difficile à mettre en œuvre, le ministre des Finances Alexandre Ribot va, dans un premier temps, utiliser deux procédés: les avances de la Banque de France qu'une convention signée le 21 septembre 1914 porte à 6 milliards, et surtout le recours systématique à l'emprunt. Les souscripteurs répugnant à immobiliser leurs avoirs en *«rentes perpétuelles»* (au capital non remboursable ou remboursable à très long terme), on invente des bons de caisse à très court terme, baptisés *«bons de la Défense nationale»*, renouvelables de trois mois en trois mois et portant un intérêt de 5%.

Au total, entre 1914 et 1918, le déficit cumulé des années de guerre atteint environ 120 milliards. Ceux-ci ont été soldés à hauteur de 15% environ par l'impôt (surtout indirect), mais pour l'essentiel par l'emprunt et par l'inflation. Si bien qu'à la fin du conflit, la France connaît un endettement considérable. D'abord vis-a-vis de l'étranger: la dette extérieure représente 39,5 milliards de francs-or dus pour l'essentiel aux Etats-Unis et au Royaume-Uni, les deux principaux partenaires commerciaux de la France. Ensuite, vis-à-vis des Français. La dette intérieure est passée de 31 milliards en 1913 à 75 milliards en 1919 du fait de l'émission des grands *«emprunts de la Défense nationale»,* et son service pèse lourdement sur les finances publiques. Plus dangereuse encore est la *«dette flottante»*, constituée des 51 milliards de *«bons de la Défense nationale»* émis à jet continu durant le conflit pour pallier les difficultés de trésorerie et qui sont remboursables pratiquement à tout moment, menaçant de faillite la trésorerie de l'Etat. Seule la confiance interdit que cette redoutable éventualité se produise.

Or cette confiance risque précisément d'être atteinte le jour où la suspension des accords monétaires entre Alliés révélera la dépréciation du franc qui est l'inévitable conséquence de l'inflation. Le recours permanent à la planche à billets a été en effet la troisième source de financement des dépenses de guerre. Si Ribot a quelque peu tenté de freiner le recours à cette solution de facilité, il n'en va pas de même de son successeur au ministère des Finances à partir de novembre 1917, Louis-Lucien Klotz. Au total, la masse des billets en circulation passe de 6 milliards en 1913 à 35 milliards en 1918. Le stock d'or de la Banque de France demeurant inchangé, la couverture de la monnaie n'est plus assurée qu'à 21,5 % contre 69,4 % avant la guerre. Par rapport à la livre sterling, la dépréciation du franc (constatée dans les pays neutres, car les accords interalliés maintiennent ailleurs les parités d'avant-guerre) est d'environ 30 % en 1918.

Au total, la guerre a pour résultat d'accroître considérablement le champ des compétences de l'Etat dans le domaine économique comme dans le domaine social et d'entraîner sur le plan financier et monétaire de gigantesques déséquilibres, marqués par les conditions spécifiques de la guerre, mais qui vont constituer le cœur même des problèmes de la France de l'après-guerre.

En attendant, la principale préoccupation des Français est de sortir victorieux de l'interminable conflit qui s'enlise depuis 1914. Or l'année 1917, loin de dessiner l'issue espérée paraît, au contraire, éloigner la solution de la guerre. Il en résulte une crise profonde qui va ébranler le consensus établi dans le pays depuis août 1914.

Les crises de 1917

L'année 1917 représente en effet le point crucial d'un malaise né à la fin de 1916 et qui tire son origine de l'impression de plus en plus nette que tous les sacrifices consentis à la victoire depuis 1914 se sont avérés vains. Les sanglantes et inutiles offensives lancées par les généraux depuis le début du conflit atteignent un point d'orgue avec le désastre de la tentative Nivelle d'avril 1917. Lorsque le 16 mai, Painlevé, ministre de la Guerre obtient enfin le retrait de Nivelle, remplacé comme généralissime par Pétain, il est déjà trop tard. Depuis le 4 mai une vague de mutineries gagne l'armée française, sous forme de refus de monter en ligne. De folles rumeurs parcourent les tranchées. Ici ou là on brandit le drapeau rouge et on chante l'*Internationale*. Il n'en faut pas plus pour que des généraux — Franchet d'Esperey par exemple — évoquent un complot révolutionnaire inspiré par l'Allemagne pour obtenir la décomposition de l'armée française selon un processus que connaît au même moment l'armée russe. La réalité, mise en évidence par les travaux de Guy Pedroncini, est plus simple. Les quelque 40 000 «*mutins*» qui, durant les mois de mai et juin, participent au mouvement refusent de se laisser massacrer dans d'inutiles offensives mal préparées, mal exécutées et sans perspective véritable. Ils appartiennent aux unités commandées par des officiers particulièrement peu soucieux du sang de leurs hommes, stationnées dans les zones où se sont déroulées les récentes offensives (particulièrement le Chemin des Dames). Aucun cas de fraternisation avec l'ennemi n'est à signaler, et si la propagande pacifiste fait des progrès dans l'armée en 1917, les unités mutinées ne sont pas celles où cette propagande est la plus active.

Au demeurant, l'importance réelle des mutineries est mise en évidence par la facilité avec laquelle le nouveau généralissime, Pétain, en vient à bout. Partisan depuis longtemps d'une tactique défensive, qu'il a appliquée avec succès à Verdun, il décide le 19 mai de renoncer aux grandes opérations offensives menées depuis le déclenchement du conflit, au moins tant que les Alliés ne disposeront pas d'une réelle supériorité en hommes et en matériel. Or, de ce point de vue, les choses sont précisément en train de changer. L'entrée en guerre des Etats-Unis en avril 1917 peut faire espérer à l'Entente de sérieux renforts en hommes dans un délai de quelques mois. Par ailleurs, la décision a été prise de faire fabriquer massivement par les usines Renault des chars d'assaut, expérimentés dès la fin de 1916 par les Anglais, et qui apparaissent comme l'arme la mieux adaptée à l'offensive, compte tenu des formes nouvelles de guerre qui rendent le fantassin fragile. «*J'attends les Américains et les chars*», devient la devise du nouveau chef de l'armée française. Quant aux effets des mutineries eux-mêmes, Pétain en vient sans peine à bout en mêlant habilement la répression (la justice militaire prononce 3 427 condamnations dont 554 à la peine de mort, 49 étant réellement exécutées) et une amélioration du sort des soldats: meilleurs cantonnements, plus grande équité dans les tours de repos et de permission, effort au niveau de l'alimentation, trains spéciaux réservés aux permissionnaires. Il y acquiert la réputation d'un général humain et une durable popularité auprès des combattants. En fait, plus que d'un mouvement révolutionnaire, les mutineries sont une preuve de la lassitude qui gagne la population. C'est qu'outre la stagnation du front, les nouvelles de la guerre sont mauvaises. En 1915, l'entrée en guerre de la Bulgarie aux côtés des Puissances centrales a déterminé l'effondrement de la Serbie, prise à revers par ce nouvel adversaire. L'expédition de Salonique, sous les ordres du général Sarrail, ne parvient ni à empêcher la défaite serbe, ni à convaincre le roi de Grèce Constantin d'entrer en guerre aux côtés de l'Entente. L'année 1916 n'est pas meilleure sur le plan international: la Roumanie qui s'allie aux démocraties occidentales est mise hors de combat en six semaines par les Allemands, les Austro-Hongrois et les Bulgares. Enfin, en 1917, si l'entrée en guerre des Etats-Unis change à long terme les perspectives du conflit et si les pressions françaises contraignent le roi Constantin à l'abdication, amenant au pouvoir Venizelos qui rompt avec les Puissances centrales, la Révolution russe apparaît comme un coup très dur qui pourrait avoir des effets décisifs. Sans doute, la chute du tsar et l'avènement d'un gouvernement démocratique satisfont-ils les principes idéologiques de l'Entente, mais la Révolution risque d'accentuer la décomposition de l'armée russe et de contraindre le grand allié de l'Est à mettre bas les armes, permettant ainsi aux puissances centrales de reporter tous leurs efforts vers l'ouest. De fait, si les libéraux au pouvoir, puis le socialiste Kerensky, entendent respecter les engagements internationaux de la Russie, il est clair qu'ils n'en ont pas les moyens.

L'offensive lancée par Kerensky en Galicie en juillet 1917 est un échec rapide. La prise de pouvoir par les bolcheviks en novembre concrétise les craintes françaises. Lénine propose la paix immédiate. L'armistice, signé à Brest-Litovsk en décembre 1917 est transformé en paix en mars 1918. La Russie est hors de combat. Si les nécessités de l'occupation de l'Ukraine où l'Allemagne trouve le blé et les matières premières qui lui faisaient défaut ne permet pas à Hindenburg de faire revenir toutes les troupes allemandes vers l'ouest, du moins l'état-major allemand peut-il désormais reporter ses efforts sur le front français. A peu près au même moment (octobre 1917), le front italien s'effondre à Caporetto devant l'offensive austro-allemande. Enfin, la vigoureuse reprise de la guerre sous-marine en février 1917 menace d'asphyxie économique la Grande-Bretagne à partir du printemps. En cette année 1917, alors qu'ont échoué toutes les tentatives de percée, l'avenir apparaît bien sombre pour les Alliés.

Rien d'étonnant, par conséquent, à voir se prolonger une guerre qui paraît sans issue, que la cohésion sociale et morale qui avait été une des forces de la France en guerre craque soudainement. Dès le début de 1917 des grèves éclatent, dans des maisons de couture d'abord, dans les usines d'armement ensuite, à l'initiative des femmes et des ouvriers non mobilisés. Si, dans ce dernier cas, l'intervention rapide d'Albert Thomas qui institue un salaire minimum et une procédure d'arbitrage obligatoire empêche le mouvement de faire tache d'huile, les grèves reprennent par à-coups, en particulier en mai-juin 1917, témoignant du mécontentement du monde ouvrier devant la hausse des prix qui justifie les revendications salariales. Mais, ici ou là, des mots d'ordre pacifistes apparaissent dans les manifestations de rues.

La reprise des mouvements sociaux, même limités, témoigne de la lassitude qui gagne l'arrière. La longue patience des années 1914-1916 est bien révolue et les rapports des préfets montrent que l'opinion souhaite la fin des combats, des souffrances et des difficultés de tous ordres qu'ils engendrent. Cette aspiration à la paix est cependant susceptible de mises en œuvre diverses. La grande majorité de l'opinion souhaite une paix victorieuse et les souffrances de la guerre n'ont créé chez elle ni défaitisme ni chute du patriotisme. Au demeurant cette forme d'aspiration à la paix est en quelque sorte la doctrine officielle des gouvernements et ne provoque par conséquent aucune difficulté. Il en va différemment pour ceux, relativement nombreux, qui souhaitent la paix par la négociation. Cette position en effet n'est pas admise par les gouvernements successifs qui vont abusivement assimiler cette forme de pacifisme à une trahison.

Car la trahison existe et elle constitue l'une des composantes de cette crise morale qui forme la toile de fond de l'année 1917. Trahison pure en simple comme celle du député Turmel qui vend des informations à l'ennemi. Trahison indirecte comme celle des directeurs de journaux dont les organes de presse sont financés par l'argent allemand, le sénateur Humbert, propriétaire du *Journal*, l'ancien anarchiste Almereyda, directeur du *Bonnet rouge* qui a des contacts avec les radicaux Caillaux et Malvy, ce dernier ministre de l'Intérieur jusqu'en septembre 1917...

Mais on ne saurait la confondre avec l'attitude de ceux qui souhaitent une paix de compromis. Ils trouvent un chef de file en Joseph Caillaux, toujours nominalement président du Parti radical et qui, malgré les risques qu'il encourt ainsi, ne fait pas mystère de sa volonté de nouer des contacts afin de mettre fin au massacre, au prix d'une paix sans annexion ni indemnité. Plus important est le courant pacifiste qui emporte le mouvement ouvrier et va conduire les socialistes à la rupture de l'Union sacrée. Dès 1915, naît au sein de la SFIO un mouvement d'opposition à la guerre organisé autour de la Fédération de la

Haute-Vienne et du député de la Seine Jean Longuet, petit-fils de Karl Marx. Sans remettre en cause la participation de leur parti à la défense nationale, ces opposants insistent pour que celui-ci recherche les moyens de mettre fin au conflit. En même temps au sein de la CGT s'organise autour de Pierre Monatte, venu des milieux anarchistes, et de son journal *La Vie Ouvrière* un courant beaucoup plus radical d'opposition à la guerre et à la pratique de l'Union sacrée. C'est ainsi que deux syndicalistes français Alphonse Merrheim, secrétaire de la Fédération des Métaux et Albert Bourderon, de la Fédération du Tonneau, participent en septembre 1915 à une réunion internationale de socialistes qui entendent définir face à la guerre une position socialiste et internationaliste et qui se tient à Zimmerwald, dans l'Oberland bernois. L'année 1916 voit le renforcement de ce courant de refus de l'Union sacrée aussi bien au sein de la SFIO qu'à l'intérieur de la CGT. A la conférence internationale de Kienthal, réunie par les «Zimmerwaldiens», assistent trois députés socialistes, désavoués par leur parti. Avec la crise de 1917 et la brusque chute du moral qu'elle provoque, l'audience de ces courants, jusqu'alors très minoritaires, croît brusquement dans le monde ouvrier, contraignant le Parti socialiste et la CGT à réviser leurs positions.

En ce qui concerne la confédération syndicale, l'influence croissante de Merrheim pousse Jouhaux à prendre ses distances vis-à-vis de l'Union sacrée et à décider une politique de défense sans concession des intérêts ouvriers, jusqu'alors subordonnés aux nécessités de la victoire. En même temps, il réclame en décembre 1917 une conférence internationale ouvrière pour la paix. Du côté du Parti socialiste, l'évolution est parallèle. Autour du mot d'ordre d'une paix blanche sans annexion ni indemnité, défendu par Jean Longuet, se rassemblent des militants de plus en plus nombreux. Le refus des passeports demandés par les responsables socialistes en 1917 pour se rendre à une conférence internationale réunie à Stockholm à l'initiative des mencheviks russes afin de mettre en œuvre le programme de paix blanche, sera l'occasion pour les socialistes de quitter l'Union sacrée. En septembre 1917, après la chute du ministère Ribot, les socialistes refusent de participer au nouveau gouvernement dirigé par Paul Painlevé. En juillet 1918, au Conseil national de la SFIO, les pacifistes qui se rassemblent sur une motion Longuet deviennent majoritaires, s'emparant des leviers de commande du Parti socialiste: Frossard devient secrétaire général, Marcel Cachin (ancien partisan de la Défense nationale) directeur de *L'Humanité*, Longuet et Paul Faure ainsi que dix de leurs collègues membres de l'organisme, dirigeants du parti, la Commission administrative permanente qui comprend vingt-trois membres.

Ce retrait des socialistes et des syndicalistes du consensus national créé en août 1914 ne s'explique pas seulement par la radicalisation du mouvement ouvrier devant les souffrances provoquées par une guerre interminable. Elle résulte également du changement de nature de l'Union sacrée au cours du conflit. Envisagée au départ comme une simple trêve des luttes politiques durant les quelques semaines que devait durer la guerre (et comme telle acceptable par toutes les forces politiques), elle va voir son caractère se modifier à mesure que la guerre se prolonge. En effet, la simple conception d'une suspension provisoire des luttes politiques ne saurait suffire. Autour du postulat de base qui avait servi de point de départ à l'Union sacrée, tout faire pour assurer la victoire du pays, il faut mobiliser l'opinion. Or, tout naturellement, c'est autour des valeurs du patriotisme que s'opère cette mobilisation. On y affirme le primat de la patrie qui doit passer avant toute autre considération. On affirme qu'aucune idée, intellectuelle, morale, religieuse, éthique ne saurait prévaloir sur la nécessité de l'emporter dans le combat contre l'ennemi. On juge donc que toute reprise des luttes politiques, toute revendication sociale, toute mise en cause de l'armée et de son action, toute réserve sur la politique de lutte à outrance s'apparentent à une véritable trahison de la patrie en danger. Ce glissement de plus en plus net de l'Union sacrée vers une véritable doctrine au contenu idéologique s'opère donc au profit des idées de la droite et même des idées des nationalistes. Il est d'ailleurs caractéristique que ces derniers se coulent sans difficulté dans le moule de cette Union sacrée nouvelle manière. En publiant, en 1917, son ouvrage *Les diverses familles spirituelles de la France* où il exalte la participation de tous les citoyens de religion ou d'idéologies différentes à la défense de la patrie, Maurice Barrès, président de la Ligue des Patriotes, se fait le chantre de l'Union sacrée. Quant à l'*Action française*, elle entend être le moteur de celle-ci, acceptant de soutenir les gouvernements républicains et dénonçant sans relâche *«l'ennemi intérieur»* et tout laxisme dans le châtiment des innombrables *«traîtres»* que discernent ses rédacteurs. Sans doute la conception de l'Union sacrée telle que la voient les nationalistes paraît-elle dans la forme un peu excessive aux hommes de gouvernement, mais ils sont d'accord quant au fond avec les postulats de base de cette acception de droite de l'Union sacrée. La priorité absolue à la défense nationale, le maintien du statu quo social et politique ne sont-ils pas partie intégrante des vues politiques de la droite et du centre-droit ?

Mais il en va naturellement tout différemment des partis de gauche. La nouvelle pratique de l'Union sacrée pose problème à un certain nombre de radicaux. Mais le Parti, désorganisé par la mobilisation, réduit à ses parlementaires qui, ralliés dès le départ à l'Union sacrée évoluent en même temps que celle-ci, se trouve totalement immergé dans la défense nationale. Il en résulte pour lui une véritable perte d'identité qui le fait se confondre avec les hommes de la droite, voire avec les nationalistes à la Barrès. Si bien qu'au total l'Union sacrée a pour résultat de faire glisser à droite l'ensemble de la société politique française à la seule exception des socialistes et de la CGT qui quittent la coalition constituée en août 1914 au cours de l'année 1917.

Rien n'illustre mieux ce dérapage de l'Union sacrée que l'épineuse question des buts de guerre. Aux origines du conflit, un accord général s'est établi sur un programme en trois points défini par Viviani en décembre 1914: le rétablissement de l'intégrité de la Belgique, le retour à la France des provinces d'Alsace et de Lorraine annexées par la force en 1871, et enfin la mise hors d'état de nuire du militarisme prussien. Mais la guerre se prolongeant, des surenchères se produisent qui étendent le domaine des revendications françaises. Des nationalistes comme Barrès, des historiens comme Lavisse et Aulard, des hommes politiques préconisent de détacher du Reich la rive gauche du Rhin pour en faire un territoire autonome qui, à terme, pourrait se rattacher à la France. Un «Comité de la rive gauche du Rhin» est créé pour populariser cette idée. De leur côté, les sidérurgistes préconisent l'annexion du bassin houiller de la Sarre pour permettre l'exploitation du minerai de fer lorrain qui retournerait à la France. Ces perspectives d'annexion ou de démembrement de l'Allemagne provoquent des protestations dans la gauche et l'extrême gauche, mais ne laissent pas insensibles les milieux gouvernementaux. Poincaré ne dissimule pas qu'il partage pour l'essentiel les vues des annexionnistes et Briand lui-même, tout en refusant d'ouvrir sur la question un débat parlementaire en janvier 1917, prépare activement sur le plan politique et sur le plan diplomatique un projet qui reprend à son compte les visées d'annexion de la rive gauche du Rhin et de la Sarre. Cette évolution entre d'ailleurs pour beaucoup dans la prise de distances de la SFIO et de la CGT par rapport à une Union sacrée qui revêt de plus en plus, leurs yeux, un caractère impérialiste.

Toutefois, après avril 1917, les échecs militaires et diplomatiques, les mutineries dans l'armée, l'agitation sociale, la poussée pacifiste, l'éclatement de l'Union sacrée semblent prouver que le moment des annexions n'est pas venu. Et devant la crise profonde que subit le pays et qui menace la cohésion nationale, beaucoup pensent qu'il serait préférable d'accepter une paix négociée qui préserverait l'essentiel et permettrait d'arrêter l'hécatombe plutôt que de prendre le risque d'une défaite. Au total, si l'intention existe bien, les actes ne suivent guère. L'essentiel des velléités de négociation tourne autour de la volonté, clairement affirmée celle-là, du nouvel Empereur d'Autriche-Hongrie, Charles Ier, d'arrêter la guerre pour éviter le risque d'éclatement qui menace son pays. Par l'intermédiaire du prince Sixte de Bourbon-Parme, officier dans l'armée belge et beau-frère de l'Empereur, celui-ci tente de prendre contact avec les Français et les Britanniques. Si Ribot, président du Conseil de mars à septembre 1917, est informé par Briand du désir d'un diplomate allemand de nouer des contacts avec lui, le gouvernement français ne donne pas suite à ces ouvertures qui risquent de susciter les alarmes des Italiens et des Russes, alliés de la France. Au demeurant, les négociations sont sans objet, l'Italie, informée, refusant de renoncer aux avantages territoriaux que les Alliés lui ont promis par le traité secret de 1915 et l'Allemagne n'ayant pas la moindre intention de restituer l'Alsace-Lorraine. Cette négociation mort-née est en fait la seule marque tangible, dans les milieux officiels français, de la perspective d'une paix négociée. Tout le reste est inconsistant. Ainsi en va-t-il des projets prêtés à Caillaux dont l'essentiel repose sur les propos défaitistes que ce grand bavard aurait tenus lors de son séjour en Italie en 1916. Ainsi en va-t-il également des soupçons qui pèsent sur les catholiques, après que le pape Benoît XV eut lancé en août 1917 un appel aux belligérants en faveur de la paix dans lequel les dirigeants de l'Entente voulurent voir un geste favorable à l'Allemagne, placée en bonne situation par l'état des opérations militaires à ce moment. Si les anticléricaux — Clemenceau en tête — se déchaînent contre le pape *«bochophile»*, les catholiques français nettement engagés dans l'Union sacrée désavouent quasi unanimement l'initiative pontificale et s'indignent de la *«rumeur infâme»* selon laquelle ils souhaiteraient la défaite de la France en expiation des persécutions que la République leur avait fait subir.

Il faut bien le constater: si la crise n'est pas contestable, ses manifestations traduisent davantage la lassitude d'un peuple qui veut la victoire et se désespère de ne pas l'obtenir que la volonté de remettre en question la cohésion nationale, la défense de la patrie ou l'ordre social. Les mutineries n'ont rien à voir avec le défaitisme, les grèves ne sont pas révolutionnaires, la rupture de l'Union sacrée est davantage une protestation contre sa dérive nationaliste que contre la priorité de la défense nationale et il n'existe aucune volonté sérieuse de négocier une paix qui ne comporterait pas, comme clause minimale, la restitution de l'Alsace-Lorraine. Et c'est bien parce que la rupture de la formule politique de l'Union sacrée ne signifie nullement la rupture du consensus national né en août 1914, que Clemenceau pourra, de manière relativement aisée, redresser la situation intérieure en 1917-1918 et préparer ainsi les conditions de la victoire.

Le gouvernement Clemenceau et la solution de la crise française

La crise de l'année 1917 frappe les gouvernements français apparemment les moins bien armés pour l'affronter. Vieux parlementaire de la IIIe République, Alexandre Ribot n'est sans doute pas l'homme le plus apte à juguler la rafale de difficultés de tous ordres qui s'abattent sur le pays, et son passage au pouvoir, de mars à septembre 1917, représente le moment le plus difficile que connaît la France durant le conflit. Son successeur, le mathématicien Paul Painlevé, précédemment ministre de la Guerre, ne se maintient que deux mois au pouvoir de septembre à novembre 1917, ballotté par les affaires de trahison, la mise en cause par Léon Daudet (de l'*Action française*) de l'ancien ministre de l'Intérieur Malvy, suspecté de complaisances envers les traîtres et les pacifistes, les soupçons de négociations secrètes qui pèsent sur certains hommes politiques. De surcroît le caractère incertain et irrésolu du président du Conseil, l'hostilité des socialistes à son égard fragilisent un gouvernement qui paraît sans cesse sur le point d'être renversé. Or c'est précisément le moment où le désastre de Caporetto, la révolution bolchevique en Russie exigent un gouvernement disposant d'une autorité dont semble précisément dépourvu Painlevé. Les difficultés dans lesquelles se débat le ministère et l'aspiration à un gouvernement efficace se combinent pour provoquer en novembre 1917 la chute du ministère Painlevé. Passant outre ses répugnances personnelles, Raymond Poincaré appelle à la tête du gouvernement Georges Clemenceau, président de la Commission de l'Armée et de la Commission des Affaires étrangères du Sénat, qui, depuis 1914, n'a cessé de dénoncer avec passion l'incompétence des généraux, la mollesse des gouvernements, les complaisances du pouvoir envers les pacifistes et préconise une conduite énergique des opérations. Le 16 novembre le ministère Clemenceau est formé. Constitué à l'image de la majorité parlementaire de gauche, il ne comprend que des amis personnels du président du Conseil ou des personnalités de second plan. Mais la Chambre est sensible au vigoureux discours du chef de gouvernement qui se résume dans la formule: *«Nous nous présentons devant vous dans l'unique souci d'une guerre intégrale...»*. C'est à ce moment le langage que le pays, comme le Parlement, sont prêts à entendre: par 418 voix contre 65 (pour l'essentiel des socialistes) la Chambre vote la confiance au nouveau gouvernement.

Durant l'année qui s'écoule entre cette investiture et l'armistice du 11 novembre, Georges Clemenceau exerce une autorité politique sans partage. Président du Conseil, ministre de la Guerre, il dirige en même temps les Affaires étrangères formellement confiées à son ami personnel Stephen Pichon, et a la haute main sur l'Intérieur dont le ministre en titre est l'insignifiant sénateur Jules Pams. Il a conservé au Commerce et à l'Industrie, Postes, Télégraphes et Téléphones, auxquels il a joint pour faire bonne mesure la Marine marchande, le ministre compétent qu'est Clémentel, plus technicien que politique, et lui a fourni des moyens d'action en faisant voter en matière de ravitaillement et de commerce la loi du 10 février 1918 qui accroît considérablement les moyens d'action du gouvernement auquel le Parlement consent une large délégation de pouvoirs. Le président du Conseil réglant les affaires importantes, les réunions du Conseil des ministres se raréfient ou apparaissent purement formelles, ce qui contribue à tenir à l'écart le président de la République.

La quasi-dictature de Clemenceau est complétée par le rôle amoindri du Parlement. Sans doute celui-ci a-t-il la possibilité de renverser un président du Conseil dont l'autoritarisme indispose. Mais ce serait défier l'opinion publique auprès de laquelle Clemenceau jouit d'une extraordinaire popularité; ce serait aussi priver le pays d'un chef du gouvernement qui s'avère être l'homme de la situation. Au demeurant, si le Parlement perd une partie de son emprise sur l'Exécutif, Clemenceau lui donne des compensations: il autorise le contrôle parlementaire aux armées, y compris durant les opérations, ne fait pas obstacle à la constitution de commissions d'enquête sur les erreurs commises par les chefs militaires et multiplie au bénéfice des parlementaires les fonctions de *«commissaires du gouvernement»* qu'il attribue même à des membres de l'opposition socialiste.

Cette autorité, sans égale dans l'histoire de la République, Clemenceau entend la mettre au service de la victoire qui est son seul but proclamé. L'instruction des affaires de trahison est poussée avec rapidité. Mais surtout Clemenceau est décidé à discréditer, en les assimilant à des traîtres, les partisans d'une paix de compromis. Malvy est renvoyé devant la Haute-Cour de justice qui le condamnera au bannissement. Quant à Caillaux qu'il vise principalement comme chef de file des partisans de la paix négociée, il obtient, malgré la minceur du dossier, qu'une instruction soit ouverte contre lui en décembre 1917. Arrêté en janvier 1918, Caillaux est incarcéré sans être jugé, Clemenceau trouvant un avantage politique à ne pas révéler le peu de sérieux des charges retenues contre lui et à laisser planer contre son adversaire politique le soupçon de trahison.

Maître du jeu politique, le *«Tigre»* peut ainsi consacrer toute son énergie à la conduite des opérations. S'il accepte de couvrir les chefs militaires auxquels il fait confiance, il considère toutefois que c'est au gouvernement et non au Haut-Commandement qu'appartient la décision. C'est en fait lui-même, éclairé par le général Mordacq, chef de son cabinet militaire, qui devient le responsable suprême des opérations. Non sans résultats. Reprenant un projet avorté de Painlevé, il fait nommer le général français Foch coordinateur des armées sur le front ouest, puis commandant en chef interallié avec la direction stratégique des opérations militaires conduites par les troupes britanniques, françaises et américaines. Il est vrai qu'au moment où Clemenceau obtient ces décisions (mars-avril 1918), les offensives allemandes mettent en péril les Alliés et que la victoire du Reich apparaît plus proche que celle de l'Entente et de ses associés américains.

Les dernières alarmes et la victoire alliée

Les premiers mois de 1918 apparaissent comme une période décisive dans le déroulement du conflit. Il est clair que le temps joue en faveur des Alliés. L'entrée en guerre des Etats-Unis a fait basculer l'équilibre des forces. Les espoirs mis par les Allemands dans la guerre sous-marine ont été ruinés par la fourniture massive de navires par les Etats-Unis, l'organisation des convois et la mise au point d'armes adaptées à la lutte contre les sous-marins. Par ailleurs, les efforts entrepris pour la fabrication des chars, l'arrivée régulière de renforts américains dont on considère qu'ils seront opérationnels dans le second semestre de 1918 font considérer que les Alliés seront en mesure de l'emporter à ce moment. Il ne reste donc que quelques mois aux Allemands, libérés de tout souci sur le front de l'Est, pour mettre à l'Ouest les Alliés de l'Entente hors de combat.

C'est ce délai que met à profit Ludendorff pour tenter, dans un effort désespéré, d'emporter la décision avant qu'il ne soit trop tard. Entre mars et juillet, les Allemands vont lancer quatre assauts successifs pour essayer de percer le front par des attaques brusquées, avec l'espoir de submerger l'adversaire et de provoquer son effondrement.

La première offensive se déroule entre le 21 mars et le 5 avril sur le front de la Somme. Ludendorff réussit une percée entre les armées anglaises et françaises, ouvrant une brèche dans la région d'Amiens. L'intervention de Foch qui parvient à maintenir la liaison entre Français et Anglais permet de briser l'attaque allemande, puis de la stopper.

Quelques jours plus tard, Ludendorff lance, toujours contre les Britanniques, ébranlés par le précédent assaut, une nouvelle offensive dans les Flandres dont l'objectif est Cassel. Là encore, après quelques succès initiaux, l'opération est stoppée. En fait ces deux premiers assauts ont révélé que les Allemands ne disposaient plus d'effectifs suffisants pour tirer parti des avantages de la percée effectuée.

Le troisième assaut qui se produit le 27 mai est, de loin, le plus dangereux. Les Allemands attaquent au Chemin-des-Dames, à l'ouest de Reims et obtiennent des succès inespérés. Le 30 mai, ils atteignent la Marne à Château-Thierry. De là, un canon lourd, la «*grosse Bertha*», bombarde Paris. Pétain, commandant en chef de l'armée française envisage une retraite générale et demande au gouvernement de se préparer à quitter Paris. Dans la capitale, la panique commence à régner et, à la Chambre, les députés exigent de Clemenceau des sanctions contre Pétain et Foch. Le président du Conseil défend énergiquement les généraux. Finalement le 11 juin, l'attaque allemande est contenue, mais Ludendorff peut se targuer d'un gain de terrain de 60 kilomètres à proximité de la capitale française et de 50 000 prisonniers. Il reste que le front a tenu et que Foch et Pétain s'accordent sur la nécessité de couvrir Paris en attendant d'avoir les moyens de la contre-offensive.

Celle-ci commence à la mi-juillet, au moment où l'état-major allemand lance le quatrième de ses coups de boutoir contre le front de Champagne. Après avoir emporté facilement les premières lignes françaises, volontairement dégarnies sur ordre de Pétain, les Allemands se heurtent aux secondes lignes renforcées. Dès le 16, l'offensive est enrayée. C'est alors que Foch déclenche, à la surprise des Allemands, la contre-offensive. Le 18, le général Mangin attaque sur le flanc ouest la poche allemande de Chateau-Thierry. Surpris, Ludendorff doit évacuer le terrain conquis depuis le 27 mai.

Désormais, Foch, assuré de la supériorité numérique, pouvant compter sur les chars Renault, les avions, les canons qui arrivent massivement — alors que l'Allemagne, épuisée, a joué son va-tout —, assène aux troupes allemandes des coups répétés. Le 8 août, l'offensive déclenchée en Picardie par les troupes franco-anglaises commandées par le général britannique Haig aboutit à une percée qui montre que les Allemands ne sont plus en mesure de redresser la situation. *«Ce jour de deuil de l'armée allemande»*, selon les mots de Ludendorff, annonce le temps du recul pour les armées du Reich. Le premier septembre l'état-major allemand donne l'ordre du repli général. L'Allemagne sait désormais que la guerre à l'ouest est perdue. Sur tous les fronts, les Empires centraux reculent. A la mi-septembre, les Français et les Serbes rompent le front bulgare dans les Balkans et le 29 septembre les Bulgares signent l'armistice entre les mains du général Franchet d'Esperay. Fin octobre, les Italiens écrasent les armées autrichiennes à Vittorio-Veneto, contraignant l'Autriche-Hongrie à signer l'armistice le 3 novembre. Depuis le 30 octobre, la Turquie a renoncé à poursuivre un combat désormais sans espoir. Demeurée seule en guerre, menacée au sud par l'effondrement de ses alliés, minée par les troubles sociaux, l'Allemagne n'a plus d'autre perspective que de négocier les conditions de sa défaite. Après avoir en vain tenté d'obtenir du président américain Wilson des conditions de paix favorables, elle en vient à sacrifier l'Empereur lui-même sur l'autel de la préservation de l'armée. Le 9 novembre, la révolution éclate à Berlin et l'état-major pousse l'Empereur à abdiquer.

Le 11 novembre 1918, les plénipotentiaires de la toute neuve République allemande signent l'armistice à Rethondes entre les mains du maréchal Foch.

Au terme de plus de quatre années d'efforts surhumains de la nation tout entière, la France, après avoir frôlé la défaite à plusieurs reprises, est enfin victorieuse. Mais dans quel état et avec quelles perspectives ?

Les présidents du Conseil
de la Première Guerre mondiale

René Viviani: juin 1914 - octobre 1915
Aristide Briand: octobre 1915 - mars 1917
Alexandre Ribot: mars - septembre 1917
Paul Painlevé: septembre - novembre 1917
Georges Clemenceau: novembre 1917 - janvier 1920

VI

LES DÉSILLUSIONS DE LA PAIX (1918-1932)

C'est aux environs de 11 heures du matin, le 11 novembre 1918, que la nouvelle de la signature de l'armistice s'est répandue, accompagnée du son des cloches, dans toutes les villes et villages de France. Un témoin raconte:

«La nouvelle, espérée depuis quelques jours, eut beau tomber sur un pays soumis depuis quatre ans et trois mois aux plus rudes et plus diverses épreuves, en une minute, la France oublia tout. J'ai vécu à Paris cette joie immodérée et ces heures de folie sublime dont les vagues déferlèrent irrésistiblement sur la ville quand, au milieu du jour, le canon tonna, que les cloches sonnèrent à toute volée, que les façades se pavoisèrent et que les fenêtres garnies de visages radieux s'ouvrirent sur des rues en liesse. Les gens marchent ou courent dans les rues comme des fous, rient, pleurent, chantent, hurlent, se donnent la main en farandoles endiablées... On s'embrasse à bouche-que-veux-tu, sans même se connaître» (Témoignage de G. Perreux, in A. Ducasse, J. Meyer & G. Perreux, *Vie*

et mort des Français, Paris, Hachette, 1962, pp. 456-458).

A l'immense soulagement que l'annonce de la cessation des hostilités apportait aux combattants et à leurs familles s'ajoutait pour tous les Français un légitime sentiment de fierté. Face à l'adversaire le plus puissant, la France avait, plus longtemps et plus intensément que les autres pays de l'Entente, supporté le poids de la guerre. Celle-ci s'était principalement déroulée sur son sol. Elle avait engagé contre l'ennemi les effectifs les plus nombreux. A elle revenait donc la gloire d'avoir été le principal artisan de la victoire. Du moins est-ce ainsi que la majorité des habitants de l'hexagone percevaient leur histoire immédiate. Peu nombreux étaient ceux qui avaient conscience du rôle décisif que l'intervention américaine avait eu dans la dernière phase de la guerre et qui comprenaient que le succès — acquis au prix fort — des armées de la République dissimulait en réalité la ruine du pays.

Bilan d'une victoire

On ne va pas tarder toutefois à dresser le bilan du conflit le plus meurtrier de l'Histoire. Il est terrifiant. Sur les 8 660 000 hommes mobilisés entre 1914 et 1918, 5 millions ont effectivement combattu et 1 350 000 ont trouvé la mort, soit 27 % des effectifs engagés, 15 % des mobilisés, 10,5 % de la population active masculine. A quoi il faut ajouter les 100 000 décès prématurés de gazés et de grands blessés (sur un total de près de 3 millions de blessés), les quelque 1 100 000 invalides de guerre (dont 130 000 mutilés), ainsi que les pertes civiles: environ

250 000 personnes, victimes de la surmortalité du temps de guerre due aux mauvaises conditions d'hygiène, aux privations ou encore à l'épidémie de grippe dite *«espagnole»* qui fauche à elle seule plus de 100 000 civils en 1918.

Au-delà de la froide abstraction des chiffres, il suffit, pour prendre une mesure plus tangible de l'intensité du carnage, de déchiffrer les colonnes de noms sur les monuments aux morts de tous les villages de France. Ou encore de contempler la photographie d'une classe de baccalauréat des années 1910 en se représentant qu'un jeune homme sur quatre ou sur cinq figurant sur ce document n'est pas revenu vivant de l'enfer, qu'un sur deux ou sur trois porte encore dans sa chair les traces visibles des combats.

Tout aussi désastreuses sont les conséquences à long terme de cette saignée. Aux années de guerre correspond en effet un déficit des naissances qui s'élève en France à près d'un million et que ne compense pas la modeste «récupération» de l'immédiat après-guerre (790 000 naissances en 1913, 380 000 en 1916, 830 000 en 1920). Encore que, contrairement à ce que l'on dit souvent, la France ait été en ce domaine proportionnellement moins touchée que les autres belligérants. Le déficit des naissances a été en effet de 1 348 000 pour l'Italie, de 3 700 000 pour l'Allemagne qui ne retrouvera jamais son taux de natalité de l'avant-guerre. A moyen terme, il semble que le conflit a eu pour effet de stabiliser en France une natalité déjà faible, alors qu'elle a déclenché une baisse importante chez nos voisins. Conjuguant ses effets avec ceux d'une propagande nataliste nourrie de thèmes patriotiques et avec les rigueurs de la loi de 1920, qui punit gravement l'avortement, ce phénomène aura pour conséquence d'enrayer en France l'effondrement du nombre des naissances.

Evaluée très grossièrement à 3 millions de personnes,

l'hécatombe directe ou indirecte n'en est pas moins dramatique, et elle se prolonge bien au-delà de la conclusion des traités. Ainsi, pour ce qui est de la mortalité infantile, l'un des indicateurs les plus fiables de l'état sanitaire d'une population, il apparaît que la guerre a interrompu les rapides progrès enregistrés depuis le début du siècle. Stabilisé à 17,5 ‰ à la veille des hostilités, son taux est grimpé à 22 ‰ en 1918 et ne retrouvera son niveau initial qu'aux alentours de 1922.

Ces phénomènes cumulés donnent naissance aux «classes creuses», identifiables sur la pyramide des âges et qui atteindront l'âge adulte entre 1934 et 1939, au moment où s'exacerbent à nouveau les tensions internationales. La France, nous l'avons vu (Chapitre IV), n'a pas attendu 1914 pour faire le constat du vieillissement de sa population, mais celui-ci se trouve fortement accentué par la guerre, la part des plus de 60 ans passant de 12,6 à 13,7 % entre 1911 et 1921. Aussi, l'alourdissement des charges qui pèsent sur la population active et le renforcement des comportements de prudence et de pessimisme comptent-ils parmi les conséquences majeures d'une évolution qui concerne tous les domaines de la vie sociale, politique et culturelle.

Les dommages matériels ont surtout affecté les régions envahies et les zones de combat, soit une bonne partie de la France du Nord et de l'Est. On compte 300 000 maisons détruites et 3 millions d'hectares cultivables mis hors d'état, souvent de manière définitive, car les bombardements d'artillerie ont détruit les sols et mis la roche à nu. Le géographe Albert Demangeon parle ainsi dans son livre paru en 1920, *Le Déclin de l'Europe*, de cette «*zone de mort*», longue de 500 km, large de 10 à 25, qui suit le front de bataille et qui a été transformée en désert. «*Partout où le cyclone a passé*, écrit-il ..., *il faut recréer toute la vie économique.*»

L'infrastructure ferroviaire, les routes, ponts, voies

d'eau et de nombreuses installations industrielles ont été anéantis, et ceci dans les zones économiquement les plus prospères. De plus, avant de se retirer, les Allemands ont inondé les mines du Nord et de l'Est, provoquant une réduction de près de 60 % de la production de minerai de fer et réduisant plus fortement encore celle de charbon et de coke (pour les mines du Nord, elle est tombée de 19 millions de tonnes en 1913 à 600 000 tonnes six ans plus tard).

Le secteur agricole est lui aussi fortement sinistré. Entre 1914 et 1919, la récolte de blé est tombée de 89 à 63 millions de quintaux, celle de pommes de terre de 132 à 62 millions de quintaux. Le nombre de têtes de bétail est passé de 14,7 millions à 13,3 millions pour les bovins, de 16,4 à 9,4 millions pour les ovins. La chute de la production industrielle atteint presque 35 % au cours de la même période et la France, dont le commerce extérieur se trouve lui aussi considérablement réduit, a perdu 30 % environ de sa flotte marchande.

Tout n'est cependant pas négatif dans le bilan matériel du conflit. La mobilisation économique et les commandes de l'Etat ont en effet stimulé nombres de secteurs industriels, tandis que l'occupation par l'ennemi des régions métallurgiques et textiles du Nord et de l'Est favorisait le développement de ces branches d'activité dans l'ouest du Bassin parisien et en Normandie. D'autre part, outre les réparations en nature dont il sera question ultérieurement, le retour des départements perdus en 1871 permettait, pour s'en tenir au seul domaine industriel, d'accroître très sensiblement le potentiel sidérurgique de la France: 3,5 millions de tonnes de charbon des mines de Moselle, 21 millions de tonnes de minerai de fer, 56 hauts-fourneaux en état de marche produisant 4 millions de tonnes de fonte. A quoi il convient d'ajouter, dans le secteur des textiles, les milliers de métiers à tisser la laine et le coton de la région de Mulhouse.

En revanche, le bilan financier est globalement catastrophique. Pour solder ses achats à l'étranger, en vivres et en matériel de guerre, la France a dû puiser dans ses réserves métalliques car le déficit de la balance commerciale a cessé d'être compensé par les rentrées «invisibles». Elle a également eu recours aux ventes de valeurs étrangères que les porteurs français ont spontanément apportées à la Banque de France ou qu'ils ont vendues au Trésor, ce qui a réduit de moitié le portefeuille extérieur. De plus, ces moyens de financement, conjugués avec l'augmentation des impôts et avec les avances de la Banque de France, ne suffisant pas à couvrir le déficit de la balance des paiements et celui du budget (les déficits accumulés entre 1914 et 1918 dépassent les 100 milliards de francs), il a fallu faire un large appel à l'emprunt.

Contractée auprès des banques suisses, scandinaves, espagnoles et surtout anglaises et américaines, la dette extérieure est ainsi passée de 51 millions en 1914 à 33,6 milliards en 1918, 90% des sommes empruntées étant venues des Etats-Unis, soit directement, sous la forme de crédits bancaires et d'avances consenties par le Trésor fédéral, soit par l'intermédiaire des banquiers britanniques. Quant à la dette intérieure, elle est le résultat de la multiplication des emprunts, le plus souvent sous la forme d'émissions de bons à court terme: classiques bons du Trésor et bons de la Défense nationale exonérés de l'impôt sur le revenu. Au total, la dette publique française est passée de 33 milliards de francs-or en 1914 à 219 milliards à la fin de 1919, la moitié de ce chiffre étant représenté par la dette flottante, ce qui constitue une grave menace pour le franc. En effet, si par suite d'une crise de méfiance des épargnants, les demandes de remboursement des bons étaient supérieures aux achats et aux renouvellements, le Trésor ne pourrait éviter de faire appel à la Banque de France et d'accroître ainsi la circulation fiduciaire.

Or l'inflation est devenue en quatre ans un mal endémique, dont la monnaie française n'est pas la seule à souffrir, mais qui ronge son pouvoir d'achat intérieur et traduit sa dépréciation sur le marché des changes. Pendant la guerre, pour financer les énormes dépenses du conflit, l'Etat a dû augmenter le volume de papier-monnaie en circulation, bien au-delà de ce que lui permettait l'encaisse de la Banque de France. Couverte à 71 % en 1913, celle-ci ne l'est plus qu'à 21 % en 1918 et cette situation ne s'améliore pas avec la fin des hostilités, compte tenu du déséquilibre entre une production insuffisante et la forte demande des particuliers. Comme la plupart de ses homologues européennes, la monnaie française cesse d'être convertible en or, tandis que l'on constate un quadruplement des prix depuis 1913. Aucun des remèdes envisagés ne paraît satisfaisant: une politique de déflation risquerait de freiner la reprise, la dévaluation ou la banqueroute sont jugées indignes d'une grande puissance victorieuse.

Le Traité de Versailles

Deux formules, deux slogans continûment repris, résument l'état d'esprit des rescapés du massacre, et l'opinion de la majorité des Français au début de 1919, lorsque s'ouvre la Conférence de la Paix: la guerre qui vient de s'achever sera la «*der des der*» et «*l'Allemagne paiera*» pour le sang répandu et les ruines accumulées dont sont responsables les dirigeants du Reich. Les négociateurs du futur statut de l'Europe se trouvent ainsi investis d'un mandat qui, quoique non explicité dans le détail — lors du grand débat de politique étrangère à la Chambre, les 29 et 30 décembre 1918, Clemenceau avait obtenu par 398 voix contre 93 la confiance des députés en restant vague sur la question des buts de guerre *(«Il y a des revendications que j'ai à faire, je ne dirai pas lesquelles»)* —, avait un caractère impératif: assurer la sécurité de la France contre toute menace future engendrée par le militarisme allemand.

Cette contrainte de sécurité va très fortement peser sur l'attitude de la délégation française à Versailles. Or la France n'est pas seule dans la Conférence qui s'ouvre le 18 janvier 1919 et où ont été conviées vingt-sept nations, plus les Dominions britanniques. Certes, la Conférence a lieu sur son territoire, sous le regard direct de son opinion publique. Elle est l'un des cinq «Grands» représentés au Conseil des Dix et, à partir du mois de mars, Clemenceau siège aux côtés du Britannique Lloyd George, de l'Américain Wilson et de l'Italien Orlando au sein de ce «Conseil des Quatre» à qui a été confiée l'élaboration des décisions majeures. Mais le *«Tigre»* a beau avoir été nommé, lors de la première séance plénière et, sur proposition de Wilson, président de la Conférence, ce titre ne lui donne aucune priorité sur ses collègues et il doit ajuster son comportement et ses buts à ceux des représentants des autres grands vainqueurs de la guerre.

Ceux-ci divergent sur nombre de points. Certes, au début des négociations de Versailles, une solidarité sans faille contre l'ennemi de la veille paraît animer les chefs des quatre grandes puissances victorieuses, chacun d'entre eux étant persuadé de la culpabilité historique et morale de l'Allemagne. Mais, au-delà de cette unanimité de façade, les hommes qui ont à charge de redistribuer les cartes du jeu international et de redessiner les contours de l'Europe politique s'affrontent sur des questions fondamentales. Au réalisme des Britanniques, dont le souci principal est d'éviter une hégémonie française et de maintenir l'Allemagne à flot, pour préserver un partenaire économique et faire barrage à la contagion du bolchevisme, s'opposent Français et Italiens, champions d'un droit du vainqueur auquel la préoccupation de la «sécurité collective» fournit une légitimation commode. Ils doivent d'autant plus hausser le ton que la voix britannique s'accorde sur bien des points avec celle de Wilson, dont la personnalité et le poids dominent la Conférence.

Le mélange de religiosité et de pragmatisme qui nourrit le discours du président américain, appuyé sur la position dominante des Etats-Unis au lendemain de la guerre, s'est exprimé dès janvier 1918 — sous la forme d'un message au Congrès — dans les «14 points» qui, de manière tout à fait nouvelle, affirment le droit des peuples à disposer d'eux-mêmes, recommandent l'abandon de la diplomatie secrète, et prêchent en faveur de la «*liberté des mers*», du désarmement et de la création d'une «*Ligue des Nations*», destinée à assurer à ses membres des «*garanties nouvelles d'indépendance politique et d'intégrité territoriale*».

Très vite, les discussions au sein du Conseil des Quatre font apparaître que les Américains, et davantage encore les Britanniques, sous-évaluent gravement le légitime souci de sécurité qu'éprouvent leurs alliés continentaux, même si cet impératif s'incarne, s'agissant de la France, dans une volonté excessive d'affaiblissement du voisin allemand. Clemenceau, qui a pour lui, en début de parcours, l'immense majorité des Français (Cf. P. Miquel, *La Paix de Versailles et l'opinion publique française*, Paris, Flammarion, 1972), mais qui doit compter avec le maximalisme de certains milieux et avec le nationalisme ambiant, estime pour sa part qu'il serait vain de vouloir «*faire justice aux Allemands*», dès lors que, de toute évidence, «*ils ne pardonneront jamais !*». Cette attitude intransigeante heurte donc directement les principes wilsoniens de droit des nationalités et de libre disposition des peuples. Si bien que les conversations de Versailles, en fixant des objectifs de paix drastiques au nom de la victoire du *Droit* et de la *Justice* sur les forces du «mal» incarnées par le militarisme prussien, affichent autant peut-on dire les divisions des vainqueurs que leur entente sur la mise en place d'un nouvel ordre international.

Les divergences entre les Quatre «Grands» vont s'exprimer prioritairement à propos de la question rhénane. Les Anglais restent attachés au principe du maintien de la puissance allemande. Certes, il ne s'agit pas de rétablir le Reich dans la position dominante qu'il occupait à la veille de la guerre: de cela ils seraient les premiers à souffrir, économiquement et en termes de rivalité navale. Mais pour Londres, le danger se situe désormais ailleurs. Dans une volonté de puissance que la France est censée avoir héritée de l'époque napoléonienne et que la victoire, si durement acquise, de 1918 aurait en quelque sorte réveillée. Aussi s'opposent-ils de toutes leurs forces aux revendications françaises concernant l'établissement sur le Rhin d'une frontière «stratégique» assurant durablement la sécurité de l'hexagone.

Aucun dirigeant français, parmi ceux du moins qui exercent une responsabilité directe dans la conduite des affaires internationales, ne songe, il est vrai, à rendre à la France les limites «historiques» qu'elle s'était donnée à l'occasion des guerres révolutionnaires, en annexant la rive gauche du Rhin. Pas davantage à opérer un démembrement systématique du Reich et à restaurer en plein XXe siècle la mosaïque de micro-Etats que constituait l'Allemagne pré-bismarckienne, comme le demandent certains milieux nationalistes, *Action française* en tête. Clemenceau le premier, dont Jean-Baptiste Duroselle nous dit, dans sa monumentale biographie du «*Tigre*», que dans toute sa carrière d'écrivain et de journaliste, il «*n'avait jamais mentionné l'ancienne tradition républicaine, rejetant les 'honteux traités de 1815' et réclamant les 'frontières naturelles'. Bien probablement, il avait suivi l'évolution d'hommes comme Edgar Quinet qui, dès avant 1870, avait reconnu l'irréalisme d'une telle revendication».* (*Clemenceau*, Paris, Fayard, 1988, p. 727). En revanche la thèse de Foch, pour qui le Rhin devait être la frontière stratégique commune des alliés de l'Ouest — ce qui impliquerait une occupation permanente de la zone rhénane et la création d'Etats-tampons placés sous le contrôle de la SDN — trouve de larges échos dans le monde politique et c'est sur elle que, dans un premier temps, le chef de la délégation française fonde ses propres propositions. Sans grand succès auprès de Lloyd George et de Wilson.

En vain Clemenceau, assisté de Tardieu, fait-il valoir que le contrôle exercé par l'Allemagne sur la rive gauche du Rhin constitue une menace aussi bien pour le Royaume-Uni que pour la France. En vain les deux hommes assurent-ils que la France donnera «*aux pays rhénans les garanties nécessaires à leur activité économique*». Britanniques et Américains opposent un refus catégorique à ce projet et se contentent d'offrir en contrepartie à la France un traité garantissant sa sécurité et ses frontières, qui ne sera jamais ratifié. La rive gauche du Rhin sera occupée militairement par les Alliés, mais l'on prévoit de l'évacuer par secteurs (Cologne, Coblence, Mayence) de cinq ans en cinq ans. Elle est en même temps «*démilitarisée*» (ce qui veut dire que les Allemands n'ont pas le droit d'y faire pénétrer de troupes), ainsi qu'une bande de 50 kilomètres de large sur la rive droite du fleuve. Enfin, l'unité du Reich est maintenue et la zone concernée demeure dans la mouvance du *Land* de Prusse.

Battu sur son projet maximaliste d'occupation permanente de la Rhénanie, Clemenceau va combattre pied à pied sur la position de repli que lui offre la question sarroise. Aux arguments historiques et symboliques qui se rattachent aux «*frontières de 1814*» (celles de 1815 étant celles d'une France «*deux fois vaincue*»), et aux mobiles défensifs qui forment le noyau dur de l'argumentation française, s'ajoutent ici ceux de la réparation et de la reconstruction économiques. En quittant le territoire occupé, au cours des dernières semaines de la guerre, les Allemands ont noyé les mines de houille du Nord et du Pas-de-Calais. D'autre part, la restitution à la France de la région sidérurgique annexée en 1871 pose un problème d'approvisionnement en charbon que le rattachement de la Sarre, qui possède elle-même un bassin houiller important et vit depuis des décennies en symbiose économique avec la Lorraine, peut aider à résoudre. Là encore, refusant de créer une «*Alsace-Lorraine à rebours*», Wilson et Lloyd George disent non et imposent à leur partenaire une solution de compromis, grosse de difficultés futures. Dépossédée de ses mines de charbon, qui sont transférées à l'Etat français, provisoirement rattachée au système douanier français et placée pendant quinze ans sous le contrôle de la Société des Nations, la Sarre pourra, une fois ce délai écoulé, décider par plébiscite de son sort politique. Dans le cas où elle opterait pour son retour à l'Allemagne, celle-ci pourrait racheter à la France la totalité des exploitations minières. C'est ce qui se produira en 1935.

L'opposition entre les thèses «sécuritaires» de la France et le souci d'équilibre des Anglo-Saxons s'est également manifestée à propos des frontières de la Pologne, ressuscitée par les négociateurs de Versailles. Wilson et Lloyd George hésitent en effet à couper la Prusse en deux pour offrir à la Pologne l'accès à la mer dont dépend sa viabilité économique et politique. D'autre part, les dirigeants britanniques n'ont, semble-t-il, qu'une confiance réduite dans le sens politique des Polonais et répugnent à placer sous la souveraineté du nouvel Etat «*plus d'Allemands qu'il n'est absolument indispensable*», prévoyant à juste titre un conflit inévitable entre les deux peuples. Or les délégués français approuvent au contraire sans réserve l'ensemble des revendications polonaises, dès lors que l'alliance russe peut être considérée comme perdue. Et ils se prononcent pour la mise en place d'une Pologne forte, capable de tenir l'Allemagne en respect, l'argument «sécuritaire» jouant ici encore contre celui de l'équilibre européen. Ils auront gain de cause, la Pologne obtenant, via le «corridor» de Dantzig, un débouché sur la Baltique pris sur des territoires de peuplement germanique.

Sécurité permanente et droit des peuples à disposer d'eux-mêmes s'opposent encore — par Anglo-Américains et Français interposés — à propos des rapports entre l'Allemagne et un Etat autrichien ramené par le traité de Saint-Germain-en-Laye (qui sera signé en septembre 1919) à 85 000 km^2. Désormais coupée de la Hongrie, dépossédée de ses territoires de peuplement slave et italien et réduite en quelque sorte à la «*banlieue de Vienne*», l'Autriche ne peut qu'être tentée par la fusion avec l'Allemagne voisine, ceci pour des raisons politiques et culturelles autant que par intérêt économique. Début 1919, les députés germanophones du *Reichsrat*, se constituant en «*Assemblée nationale provisoire de l'Etat allemand d'Autriche*», se prononcent en ce sens, obtenant à Versailles le soutien des délégués anglais et américains.

En revanche, les représentants de la France n'ont pas tardé à s'insurger contre une évolution qui, si elle avait été menée à terme, aurait réduit à néant les stipulations du traité avec l'Allemagne. Enlever au Reich ses sujets polonais, alsaciens, lorrains ou belges, et le laisser se grossir d'Autrichiens et de Sudètes, au demeurant plus facilement assimilables, n'était-ce pas constituer un bloc germanique plus homogène et plus fort que celui qu'avait édifié Bismarck? Les délégués français s'opposent donc avec vigueur au projet d'*Anschluss* et feront intégrer dans le traité une clause interdisant le rattachement de l'Autriche à l'Allemagne. Quant aux Tchèques, ils reçoivent l'assurance que l'Etat successeur qu'ils sont appelés à prendre en charge conservera ses frontières, intégrant les trois millions de Sudètes qui peuplent le pourtour montagneux du plateau de Bohême.

La France joue donc très clairement sur le double registre de la libre détermination des peuples, — n'a-t-elle pas été l'une des toutes premières à en proclamer le principe ? — et de la sécurité. Encore que l'on peut se demander, à regarder de près les quelques centaines d'articles qui composent le traité de Versailles, si l'abaissement de l'Allemagne que consacre l'acte final de la Conférence relève exclusivement d'une obsession «sécuritaire». Certes, en termes de stratégie internationale et de géopolitique, la sécurité de l'un passe par l'affaiblissement de l'autre et, pour que cette sécurité soit *absolue*, il faut que l'adversaire potentiel disparaisse ou du moins qu'il soit réduit au statut d'acteur de seconde zone. C'est incontestablement ce que la France aurait souhaité. Meurtrie dans sa chair et dans son âme, consciente de la supériorité écrasante du Reich en termes de potentiel démographique et industriel, elle ne voit guère d'autre moyen d'empêcher son ex-ennemie de rétablir un jour par la force son hégémonie continentale qu'en la désarmant de manière radicale et durable.

Bien que les négociateurs français aient dû modérer leurs exigences sous la pression des Alliés anglo-saxons, les clauses territoriales et militaires du traité de Versailles s'inscrivent bel et bien dans cette perspective. L'Allemagne, on le sait, perd 1/7e de son territoire et 1/10e de sa population, les principales amputations étant opérées à l'Est aux dépens de la Prusse et de la Silésie, et la France récupérant pour sa part l'Alsace-Lorraine, conformément aux engagements de l'armistice. Le Reich doit d'autre part céder toutes ses colonies, les vainqueurs reprochant aux vaincus ses méthodes de colonisation et empochant, sous la forme de «mandats» de la SDN, des territoires qui constituaient le troisième «Empire» de la planète (le Royaume-Uni et ses dominions ont la meilleure part mais la France reçoit la plus grande partie du Togo et du Cameroun). Quant à l'armée, elle est réduite à une force terrestre de 100 000 hommes (dont 5 000 officiers), recrutés par engagements volontaires de longue durée (12 ans pour les soldats, 25 ans pour les officiers: ceci pour éviter la formation accélérée de cadres). L'armement est limité. L'artillerie lourde, les chars et l'aviation militaire sont interdits. L'essentiel de la flotte de combat doit être livrée aux Alliés (elle se sabordera en rade de Scapa Flow, au nord de l'Ecosse, le 26 juin 1919). Le Grand Etat-Major et les écoles militaires, berceau du *«militarisme prussien»* sont supprimés. Enfin, nous l'avons vu, la Rhénanie est temporairement occupée et démilitarisée de manière permanente.

Voilà pour la sécurité proprement dite. Mais si le «syndrome de Verdun» peut dans une certaine mesure justifier l'acharnement des Français à faire *«payer»* l'Allemagne et à la priver des moyens de prendre sa revanche, il n'en est pas tout à fait de même des règlements de comptes économiques et financiers que comporte la paix de Versailles. Ceux-ci figurent dans la Partie IV du traité, à bien des égards la plus importante en ce sens qu'elle bouleverse la hiérarchie des positions acquises et vise à brider la capacité allemande à reprendre son expansion hors de ses frontières. En effet, non seulement le Reich perd la totalité de ses possessions extra-européennes, mais il se voit dépouillé de tous les droits, créances et privilèges acquis par lui en Europe et hors d'Europe aux termes de conventions passées avant la guerre.

C'est ainsi que les 31 signataires désignés comme *«alliés et associés»* obtiennent la possibilité, par l'article 297-b de liquider *«tous les biens, droits et intérêts»* allemands (même sous forme de participations) existant sur leur territoire national, colonial ou sous mandat et que, par une procédure différente, l'article 260 permet d'aboutir à un résultat identique en Russie, en Autriche, en Hongrie et en Turquie. Il s'agit donc d'une véritable expulsion avec expropriation, qui grève d'autant plus la richesse allemande que le transfert s'opère souvent sans inscription de la valeur des biens séquestrés au compte des réparations.

Les clauses économiques et financières ont fait l'objet d'une mise en place minutieuse de la part des vainqueurs. Elles reposent sur deux idées. D'une part l'application d'un régime inégal envers l'Allemagne, de l'autre la révision nécessaire et la plus large possible des conventions techniques passées avec elle. C'est ainsi que la clause de la nation la plus favorisée, qui repose normalement sur la réciprocité, est imposée unilatéralement au Reich vaincu, celui-ci étant tenu d'accorder le meilleur traitement aux importations et aux exportations des Alliés, sans recourir ni à la prohibition ni au contingentement. La jeune République de Weimar perd tous ses brevets, tandis que ses fleuves (Rhin, Elbe et Oder) sont internationalisés.

Enfin, le célèbre article 231 du traité proclame que «*l'Allemagne et ses alliés sont responsables, pour les avoir causés, de toutes les pertes et dommages subis par les gouvernements alliés et associés et leurs nationaux en conséquence de la guerre*». Il contraint le Reich à verser des réparations dont le montant — fixé seulement en 1921 — s'élèvera à 132 milliards de marks-or versables en trente annuités. A cette condamnation morale et passablement injuste, qui fonde durablement le ressentiment des Allemands à l'égard de leurs ennemis de la veille, s'ajoutent des dispositions tout aussi humiliantes concernant les «*restitutions*» qui devront être opérées dans l'immédiat et qui vont des dizaines de milliers de truies et autres têtes de bétail devant être «*restituées*» à la

France aux œuvres d'art prises par les Allemands en 1871.

Les notions de *«sécurité»* et de *«réparation»* mises en avant par la France tendent, on le voit, à légitimer des buts qui sont très clairement ceux d'une politique de puissance résultant de l'application pure et simple du droit du vainqueur. Longtemps ignoré des historiens, cet aspect proprement impérialiste de la paix de Versailles et de son environnement économique est aujourd'hui bien connu, grâce notamment aux travaux de Georges Soutou. Dans sa thèse, consacrée aux buts de guerre économiques des divers belligérants, ce dernier examine les procédures par lesquelles la France a cherché à ancrer sa puissance économique en Europe à l'occasion des réglements de la paix, pratiquant en Europe centrale et orientale un *«impérialisme du pauvre»* et s'efforçant en même temps de se substituer à l'Allemagne en tant que première puissance sidérurgique du continent (Cf. G. Soutou, *L'or et le sang. Les buts de guerre économiques de la Première Guerre mondiale*, Paris, Fayard, 1989).

Il existe en effet, à la fin de la guerre, un programme économique français dont la pièce maîtresse est le *«projet sidérurgique»*, conçu, non pas comme on pourrait s'y attendre, dans les milieux de l'industrie lourde, mais dans les bureaux du Quai d'Orsay. Le but poursuivi est d'enlever à l'Allemagne près de la moitié de son potentiel énergétique, d'une part en cédant à la France et à la Pologne les mines de la Sarre et de la Haute-Silésie, d'autre part en livrant aux pays bénéficiaires des réparations (la France doit en recevoir la moitié), des quantités importantes de charbon et de coke. Comme dans le même temps les clauses du traité de Versailles ôtent à l'économie du Reich 80 % environ de ses ressources en minerai de fer, prononcent le séquestre des entreprises allemandes de Lorraine désannexée, interdisent à ces entreprises de posséder des mines et des usines sidérurgiques dans le département de la Moselle et font sortir le Luxembourg du système douanier allemand, on voit que ce sont les bases même de la puissance industrielle d'outre-Rhin qui sont visées. L'Allemagne se voit privée du jour au lendemain de 40 % de sa production de fonte, de plus de 30 % de sa capacité de production d'acier, et risque de voir à court terme son industrie sidérurgique paralysée par les goulots d'étranglement dus aux ponctions en charbon et en coke effectuées au titre des réparations.

Qu'il soit ou non motivé par des considérations *«défensives»*, ce projet sidérurgique répond bel et bien à des préoccupations impérialistes. Ce que souhaitent ses concepteurs, c'est une sorte de transfert de puissance de l'Allemagne vers la France, cette dernière devenant le pôle industriel de l'Europe et le centre d'un réseau d'influences économiques servant de support à ses alliances de revers. Car il s'agit, avant toute chose, d'un impérialisme *politique*, conçu dans les milieux proches du pouvoir et porté à bout de bras par les hauts fonctionnaires des Affaires étrangères. Dans l'ensemble, le monde des affaires se sent peu concerné par cette vision grandiose et conquérante de l'Europe des hauts-fourneaux. Mise à part l'appropriation des mines de la Sarre, que le Comité des forges avait demandée, les *«hommes du fer»* paraissent plutôt réticents à endosser les responsabilités que les politiques voudraient les voir prendre. On peut, nous dit Georges Soutou, faire une exception pour Eugène Schneider, *«qui ajoute à ses installations polonaises de Huta Bankowa celles de Skoda et des Hütten-und-Bergwerke en Tchécoslovaquie, et qui est soucieux d'assurer le ravitaillement en charbon de son nouvel empire d'Europe orientale»* (G. Soutou, «L'impérialisme du pauvre: la politique économique du gouvernement français en Europe centrale et orientale de 1918 à 1929. Essai d'interprétation», *Relations internationales*, nº 7, automne 1976). Pour les autres, la tendance est plutôt à la réserve.

Tel est, dans la lettre et dans l'esprit, le texte qui, approuvé en séance plénière le 6 mai 1919 par les puissances représentées à Versailles est remis deux jours plus tard à la délégation allemande. Le 29, celle-ci présente des contre-propositions qui, à quelques exceptions de détail près sont repoussées par les Alliés. Devant le «chèque en blanc» qui est exigé du Reich, beaucoup ont songé en Allemagne à reprendre les hostilités. Mais, à cette date, les clauses militaires de l'armistice sont exécutées, ce qui rend vaine toute velléité de résistance armée. Hindenburg lui-même, que l'on a consulté, juge l'issue d'une nouvelle guerre *«des plus douteuses»*. Si bien que le texte définitif du traité, qui a été remis le 16 juin au chef de la délégation allemande Brockdorff-Rantzau, et qui est cette fois à prendre ou à rejeter en bloc, est finalement accepté par le *Reichstag* (par 237 voix contre 138) et signé — le 28 juin 1919 dans la galerie des glaces du château de Versailles — par le nouveau chef du gouvernement allemand, le socialiste Hermann Müller, et par le Dr Bell, ministre des Affaires étrangères.

L'opinion allemande, dans son immense majorité, n'acceptera jamais la *«paix dictée» (Friedensdiktat)* de Versailles, une paix qui n'a pas été négociée, comme cela était traditionnellement de mise dans les conflits entre puissances européennes, mais imposée au vaincu. Le ministre Erzberger, qui était favorable à la signature, écrira: *«Si quelqu'un m'ayant lié le bras et m'ayant présenté un revolver exige de moi la signature d'un papier par lequel je m'engage à atteindre la lune en quarante-huit heures, tout homme raisonnable, pour sauver sa peau, signera ce qu'on voudra.»*. Et l'ex-chancelier von Bülow renchérit dans ses *Mémoires:*

«Jamais n'a été infligée à un peuple, avec plus de brutalité, une paix aussi accablante et aussi ignominieuse qu'au peuple allemand la paix honteuse de Versailles.

Dans toutes les guerres des derniers siècles, des négociations entre vainqueur et vaincu avaient précédé la conclusion de la paix ... Mais une paix sans négociations préalables, une paix dictée comme celle de Versailles, est aussi peu une vraie paix qu'il n'y a transfert de propriété quand un brigand renverse à terre un malheureux et le contraint ensuite à lui remettre son porte-monnaie» (*Mémoires*, trad. franç., T. III, Paris, Plon, 1931, p. 320).

La France seule

La décennie qui suit la conclusion des traités de paix est placée sous le signe de la prépondérance française en Europe continentale. L'effondrement militaire de l'Allemagne, les dispositions prises par les vainqueurs pour abaisser durablement la puissance de ce pays, le démembrement de l'Empire des Habsbourg, l'effacement de la Russie, en proie aux déchirements de la guerre civile et aux effets de l'intervention étrangère, les crises très graves qui ébranlent l'Italie, la Hongrie, les Etats riverains de la Baltique et ceux de la péninsule ibérique, tout cela laisse en principe le champ libre aux initiatives françaises.

Or cette prépondérance est fragile. La France possède certes en 1919 la plus puissante armée du monde. Elle jouit d'une cohésion morale qui prolonge, pour quelque temps encore, l'Union sacrée du temps de guerre. Elle tire de *sa* victoire un sentiment de confiance que les désillusions du «*retour à la normale*» n'ont pas encore entamé. Pourtant, les bases économiques, financières, démographiques et bientôt psychologiques sur lesquelles se fonde sa puissance sont fortement érodées et permettent difficilement, à un pays que les circonstances ont conduit à être le «*gendarme de l'Europe*», de s'opposer durablement à ceux qui entendent remettre en cause le statu quo établi par les traités. Dès 1925, l'Allemagne a retrouvé assez de force et d'appuis extérieurs pour que l'on doive désormais compter avec elle, comme il faut compter avec la Russie soviétique et avec l'Italie fasciste. Sans parler de la Grande-Bretagne, dont la vocation reste plus mondiale qu'européenne mais que la France trouve à peu près partout sur son chemin et avec laquelle elle se heurte, par petits pays interposés, dans les conflits périphériques du Proche-Orient et de la mer Egée.

Pour que la paix de compromis à laquelle on était difficilement parvenu à Versailles ne fût pas immédiatement remise en cause par les principaux vaincus de la guerre, il aurait fallu que, face à l'inévitable montée des révisionnismes, les anciens Alliés fissent front, et que chacun eût à cœur de faire passer ses intérêts à court terme après les impératifs de la *«sécurité collective»*. Cela impliquait que les intéressés eussent une conscience identique de l'insécurité qui régnait dans le nouveau système international, alors que chaque acteur fondait sa politique sur des données géostratégiques dissemblables: d'un côté le sentiment d'inexpugnabilité que conféraient à l'Amérique sa puissance industrielle et son éloignement, à l'Angleterre son insularité et ses forces navales, de l'autre la vulnérabilité d'une France affaiblie démographiquement et en proie à la menace renaissante de l'hégémonisme allemand.

Déjà, bien avant que ne soient redessinés par les vainqueurs les contours de la nouvelle Europe politique, les Alliés ont eu beaucoup de mal à arrêter une attitude commune face à l'émergence de l'Etat issu de la révolution bolchevique. C'est en effet en dépit des réticences de Lloyd George et de l'opposition très nette de Wilson que les pays de l'Entente sont intervenus à la fin de 1918 dans la guerre civile russe, débarquant des troupes à Odessa, en Transcaucasie, à Arkangelsk et à Mourmansk, ainsi qu'en Sibérie orientale, et soutenant les généraux blancs dans leur tentative de reconquête de l'Empire des tsars.

D'autre part, dès le printemps 1919, inquiets de l'état d'esprit qui règne dans leur corps expéditionnaire (mutinerie des marins de la mer Noire), les Français ont évacué Odessa. Quelques semaines plus tard, les Britanniques retirent à leur tour leurs troupes de la riche région pétrolifère de Bakou: tout ceci se faisant en ordre dispersé, chacun jouant sa propre carte au moment qui lui convient le mieux et sans se préoccuper du jeu des partenaires. Il en sera de même lorsqu'il s'agira d'établir, pour contenir une éventuelle menace de contagion révolutionnaire, un «*cordon sanitaire*» d'Etats liés à l'Occident et prenant appui sur les deux bastions polonais et roumain. La France, qui cherche par cette politique à renouer avec la pratique traditionnelle de l'alliance de revers, pousse au maximum dans cette voie, mais elle n'est pas soutenue par les Anglo-Saxons pour les raisons d'équilibre dont il a été fait mention plus haut. L'Angleterre par exemple, qui a le souci de préserver ses intérêts matériels et de faire obstacle à la prépondérance française, met tout son poids dans la balance pour que Dantzig soit doté d'un statut international.

La désunion des vainqueurs n'a donc pas attendu les empoignades du Conseil des Quatre à propos de la question rhénane, des frontières orientales de l'Allemagne ou des revendications italiennes sur la Dalmatie, pour se manifester. Cette rupture de la solidarité du temps de guerre est d'autant plus périlleuse que la paix de 1919 est une paix fragile. Pour draconiennes que soient les clauses du traité de Versailles, elles abaissent l'Allemagne et limitent sa puissance sans la détruire. Elles l'humilient gravement en lui laissant les moyens de se redresser et de prendre un jour sa revanche. Elles sont perçues comme un *Diktat*, contre lequel s'inscrit un peuple à peu près unanime, pour l'heure plongé dans l'hébétude de la défaite et dans le désarroi provoqué par l'écroulement de l'édifice wilhelmien, mais dont il est clair qu'il n'acceptera pas indéfiniment la place qui lui est faite dans le système international issu de la guerre. Seule la remise à flot de l'Entente cordiale, puis son resserrement, pourraient éventuellement freiner ces tendances révisionnistes.

Autrement dit, dès lors que le retrait américain avait commencé à s'opérer, c'est bien entre le Royaume-Uni et la France que s'est joué, dès le début des années vingt, le sort de la *«sécurité collective»*, si l'on entend par cette formule, inlassablement mise en avant par les Français dans les instances internationales, la coalition défensive devant servir de barrage aux éventuelles visées revanchistes de l'Allemagne. Et le sort de la *«sécurité collective»* s'est joué, dans un sens négatif, à la périphérie de l'Europe, dans la zone comprise entre la mer Egée et le golfe Persique, devenue avec l'émergence de l'enjeu pétrolier l'une des régions les plus convoitées de la planète.

En Turquie tout d'abord où les Anglais ont cru que leur vieux rêve d'hégémonie au Proche-Orient se trouvait réalisé avec l'éviction des Russes et l'acceptation par le Sultan des clauses du traité de Sèvres. Ce traité assurait à la Grèce, cliente docile de l'Angleterre, la possession de la Thrace, tandis que la Palestine, la Transjordanie et la Mésopotamie étaient placées sous mandat britannique et que la France devait se contenter de la Syrie. C'était compter sans le réveil du nationalisme ottoman et sans la personnalité charismatique de Mustapha Kemal. Devenu maître du pouvoir, celui-ci avait refusé de reconnaître la signature du Sultan et s'était engagé dans une guerre de reconquête de la Turquie d'Europe, dirigée contre les Grecs que soutenait le gouvernement de Londres.

Dans le conflit meurtrier qui a opposé pendant trois ans les deux Etats riverains de la mer Egée, la France a pris de bonne heure le parti de la Turquie, s'opposant ainsi indirectement à l'Angleterre. La Grèce ayant été battue et contrainte, en octobre 1922, de signer l'humiliant armistice de Moudania, prélude au traité de Lausanne (paraphé en juillet 1923 et qui annulait en partie les clauses du traité de Sèvres)[1], le Royaume-Uni a fortement ressenti le contre-coup de cette crise, laquelle — après avoir provoqué la chute de Lloyd George — a conjugué ses effets avec ceux de la rivalité qui l'opposait au même moment à la France dans les anciennes provinces arabes de l'Empire turc.

Ici, Français et Britanniques se sont retrouvés face à face dès 1919, pour se disputer les dépouilles de l'*«homme malade»*, sous la forme de mandats distribués par la Société des Nations. Distribution aussitôt remise en cause par l'Angleterre, dont les dirigeants rêvent d'un vaste Empire arabe qui irait de la Méditerranée à la Perse et serait placé sous leur tutelle. C'est dans cette perspective hégémonique, en totale contradiction avec les accords passés pendant et après la guerre, que Londres a poussé contre la France l'émir Fayçal, devenu pour un temps très bref roi de Syrie. L'intervention énergique du général Gouraud, en juillet 1920, a permis aux Français de redresser la situation dans ce pays, mais une rivalité tenace s'est installée entre les deux puissances au moment où commence à se poser l'épineuse question allemande.

Sur ce point capital pour la stabilisation du nouvel ordre international, la France s'oppose non seulement à l'Angleterre mais également aux Etats-Unis. Dans le courant de l'hiver 1919-1920, le Sénat américain a refusé de ratifier le traité de Versailles, et par voie de conséquence le pacte de la Société des Nations. Il en résulte une remise en cause radicale de la construction élaborée par Wilson et ses partenaires européens. Les Etats-Unis ont

---

[1] La Turquie récupérait la totalité de l'Anatolie et 23 000 km^2 en Europe.

en effet signé un traité de paix séparé avec l'Allemagne et, du coup, le *traité des garanties* que Washington avait proposé à la France pour obtenir qu'elle renonce à la rive gauche du Rhin est devenu caduc, et avec lui l'accord similaire négocié avec le Royaume-Uni. C'est pour la diplomatie française un véritable désastre. L'engagement anglo-américain sur le continent, pour lequel Clemenceau avait renoncé à la «*garantie physique*» face à l'Allemagne, n'existe plus.

La France se retrouve donc seule, sa volonté de faire exécuter le traité de Versailles se heurtant désormais au front commun des puissances anglo-saxonnes. Alertées, entre autres signaux, par le livre de l'économiste britannique John M. Keynes, *Les conséquences économiques de la paix*, publié au lendemain immédiat de la guerre, celles-ci ont pris conscience du risque que ferait courir à l'Europe l'effondrement de l'économie allemande et souhaitent le redressement rapide d'un pays qui est à la fois un client important et un marché privilégié pour leurs capitaux. Elles redoutent d'autre part que la persistance des difficultés économiques et sociales fassent basculer la jeune et incertaine République de Weimar du côté de la révolution bolchevique. Enfin, elles s'inquiètent, nous l'avons vu, des risques d'hégémonie française sur le continent. Pour les Américains, dont l'un des buts principaux est la reconstruction d'une Europe prospère, ouverte à leur pénétration économique, la réintégration de l'Allemagne dans le jeu international est considérée comme prioritaire. Elle devrait permettre à la fois d'empêcher le retour des tensions belligènes et la mise en place, à la faveur du traité de paix et de ses prolongements, d'un bloc économique rival.

En effet, aussi peu réaliste qu'ait été le «*projet sidérurgique*» du Quai d'Orsay, il a, semble-t-il, fortement inquiété les puissances anglo-saxonnes, pour qui le risque majeur n'était plus celui d'une Europe unifiée par l'Allemagne mais bien celui d'une Europe dominée économiquement et militairement par la France. C'est la raison pour laquelle les financiers américains et britanniques vont contribuer au relèvement économique du Reich, tandis que leurs gouvernements feront obstacle à la *«politique d'exécution»* pratiquée par leur ancien allié.

De quel poids la France victorieuse mais solitaire peut-elle se prévaloir en face du Reich vaincu? Ce dernier certes n'a plus de force militaire véritable à opposer à l'armée de conscrits de la République, dotée d'armements lourds et toute auréolée des victoires de 1918. Ceci vaut pour l'immédiat et restera vrai au moins jusqu'à la fin de la décennie. Plus tard apparaîtront des signes d'obsolescence qui résultent d'ailleurs de l'absence d'émulation dont les clauses militaires du traité sont le fruit, mais en 1920 le problème de la balance des forces ne se pose pas.

Plus inquiétante est la situation démographique. En effet, si elle a perdu 10 % de sa population, l'Allemagne conserve plus de 60 millions d'habitants, alors que la France, une fois récupérées les provinces perdues en 1871, n'en a qu'une quarantaine de millions. D'autre part, la saignée démographique (1 900 000 morts contre 1 400 000 en chiffres arrondis) a été pour elle relativement moindre, en ce sens qu'elle s'est effectuée sur une population plus nombreuse et plus jeune. La différence de potentiel démographique est, à moyen terme, l'une des données de base du problème franco-allemand, et ceci d'autant plus que la guerre a montré les limites du recours au matériel humain fourni par l'Empire. A cela il faut ajouter que les millions de germanophones vivant en Europe centrale et orientale, hors des frontières de la République de Weimar, constituent un puissant levier de sa politique extérieure révisionniste.

En termes de puissance économique et de capacité de production industrielle, le problème se pose dans les mêmes termes. Les deux pays ont beaucoup souffert de la guerre. Mais, bien que victorieuse et bénéficiaire de clauses qui lui sont très favorables, la France reste plus faible que son ex-ennemie. Sans doute le traité crée-t-il des goulots d'étranglement pour l'industrie allemande, mais tout dépend en fin de compte de la façon dont il sera exécuté. Comment la France, qui manque de charbon et de coke, fera-t-elle fonctionner le potentiel sidérurgique dont elle hérite si l'Allemagne ne remplit pas ses obligations?

Ainsi, si les forces visibles du moment paraissent pencher du côté de la France, les forces profondes restent du côté de l'ancien Reich. Il y a là un déséquilibre dangereux qui ne peut être compensé que par le maintien de la suprématie militaire française. Or, pour conserver cet avantage, le gouvernement de la République n'a d'autre choix que d'imposer à sa population des charges continues et d'obtenir, par le biais des réparations allemandes, le financement de ses propres dépenses d'armement. Il en résulte que la politique française ne tarde pas, aussi bien dans les pays anglo-saxons qu'en URSS et en France même, dans les milieux de gauche hostiles aux options intérieures et extérieures du Bloc national, à être taxée de militarisme et d'impérialisme. Un *«impérialisme du pauvre»*, pour rependre l'expression de Georges Soutou, qui, joint aux préoccupations sécuritaires de l'opinion, conditionne la politique menée par la France en Europe de l'Est. Le système d'alliances de revers qu'elle s'efforce de constituer dans les années 20 relève de ce projet global, à la fois politique, économique et stratégique.

S'agit-il d'un système très solide? Il est clair que les pays qui le composent — Pologne, Tchécoslovaquie, Yougoslavie, Roumanie — sont des pays jeunes, peu ou pas industrialisés, sans grands moyens, sans frontières sûres, parfois menacés de l'intérieur par des minorités insatisfaites (Sudètes, Croates, etc.). Ils ont plus besoin de la France qu'ils ne peuvent l'aider. Ce réseau d'amitiés exigeantes et pas toujours très assurées crée ainsi à la France des responsabilités et des charges nouvelles. Il le pousse à lancer à l'Allemagne de nouveaux défis, dès lors que toute une partie de cette zone avait vécu jusqu'alors dans la mouvance germanique. La France va, de ce fait, devoir entrer en rivalité économique et financière avec sa voisine dans la zone danubienne. Elle va se trouver coresponsable de la frontière polonaise et de l'intégrité du «corridor» de Dantzig, de l'indépendance de la Tchécoslovaquie et de celle de l'Autriche. Autrement dit, alors qu'elle éprouve déjà quelque difficulté à maintenir la cohésion de son Empire, elle a désormais des responsabilités à l'échelle européenne. Elle va devoir les assumer seule et tenir à bout de bras l'Europe nouvelle.

La politique d'exécution

N'ayant pu obtenir de ses ex-Alliés ni la «*frontière stratégique*» que réclamaient ses chefs militaires, ni la garantie conjointe de son territoire, la France n'a plus guère d'autre possibilité pour «*gagner la paix*» — c'est cn gros l'engagement qui a été pris par les hommes du Bloc national — que d'exiger de l'Allemagne l'exécution stricte du traité. Or, à peine celui-ci était-il conclu que les Allemands manifestaient leur volonté farouche de résister à son application et de mettre en échec le projet hégémonique élaboré par le gouvernement français.

S'agissant de la compétition industrielle avec la France, il ne faudra pas plus de trois ans aux représentants du grand patronat allemand — que le gouvernement de Berlin a associés à la direction des affaires et au règlement des questions internationales — pour faire échouer le projet français de restructuration du continent européen. A la conférence de Spa, en juillet 1920, la délégation allemande (dont fait partie, en qualité d'expert, le grand industriel Stinnes) obtient une forte révision à la baisse des ponctions opérées sur le potentiel charbonnier du Reich: elle retourne ainsi contre la France l'arme du goulot d'étranglement énergétique. Deux ans plus tard la sidérurgie allemande, qui a rétabli sa capacité de production de l'avant-guerre, égale les chiffres-records de 1913 et retrouve ses positions sur les marchés européens. Si bien qu'à la fin de 1922, on peut dire que le projet sidérurgique élaboré par le Quai d'Orsay a fait long feu. L'Allemagne a reconquis sa prééminence en ce domaine et c'est la sidérurgie française désormais qui, par manque de coke et de débouchés, se trouve en proie aux plus graves difficultés.

En même temps les dirigeants allemands entreprennent une véritable guerre d'usure contre les clauses du traité qu'ils jugent inacceptables. Ils rejettent les «*articles honteux*» qui fondent en droit l'exigence des réparations (le fameux article 231) et exigent la livraison des «*criminels de guerre*» (l'ex-empereur Guillaume II, le prince héritier de Prusse, l'ancien chancelier Bethmann-Hollweg, les généraux Hindenburg et Ludendorff, etc.). Ils remettent en question l'attribution de la Haute-Silésie à la Pologne et obtiennent finalement de récupérer une partie de cette région (avec un million d'habitants et la moitié des mines de charbon). Ils freinent au maximum l'application des clauses relatives aux effectifs militaires et ne s'inclinent qu'en mai 1921 devant les exigences alliées de dissolution des formations paramilitaires et des corps-francs. Et surtout, ils engagent avec la France une véritable «guerre froide» dont l'enjeu est la question des Réparations.

A Spa, en juillet 1920, on a établi la part de chaque bénéficiaire des sommes que l'Allemagne aurait à verser à ses «*victimes*», soit 52 % pour la France, 22 % pour la

Grande-Bretagne, 10 % pour l'Italie, 8 % pour la Belgique, le reste se trouvant réparti entre les autres Alliés. Quant au montant exigible par les vainqueurs, il ne sera fixé par la Commission des réparations qu'au printemps 1921, d'abord à 150 puis à 132 milliards de marks-or, payables à raison de 2 milliards par an, plus 26 % de la valeur annuelle des exportations. Pour obliger l'Allemagne à accepter cet *«état des paiements»*, un véritable ultimatum est adressé à cette date à son gouvernement qui démissionne, cédant la place au cabinet Wirth, avec Rathenau aux Affaires étrangères. C'est à cette équipe qu'il échoit de satisfaire la *«politique d'exécution»* imposée par la France.

Le paiement des réparations constitue en effet pour cette dernière une question capitale. Outre qu'elles affaiblissent leur ennemie de la veille et rivale en puissance, et permettent de solder une partie des dettes contractées pendant la guerre, ces sommes conditionnent très largement la reconstruction de la France et l'équilibre des finances publiques. N'a-t-on pas inscrit dans le budget de l'Etat, avant même que le chiffre de l'indemnité ne soit fixé, les dommages de guerre, les pensions et les frais d'occupation (au total une trentaine de milliards) au chapitre des *«dépenses recouvrables»* ? Pour les financer, on ne compte ni sur l'impôt ni sur l'emprunt, mais sur les versements allemands.

Or il est clair que l'Allemagne, qui se trouve aux prises à partir de 1921 avec d'énormes difficultés financières, n'acquittera les sommes énormes qui sont exigées d'elle que si elle y trouve des avantages compensatoires — par le biais par exemple d'accords de complémentarité, comme le proposait le plan Seydoux en 1920 —, ou si elle y est contrainte par la force, ce qui requiert le maintien d'un minimum d'entente entre les vainqueurs et en particulier entre les Britanniques et les Français.

Au début de 1921, les Anglais ont paru suivre. Lorsque

l'Allemagne a menacé de rejeter l'*«état des paiements»*, le gouvernement de Londres a apporté son appui à la France pour *«mettre la main au collet»* de l'ex-ennemi, selon la formule de Briand, alors président du Conseil dans un gouvernement de Bloc national et à cette date favorable à la politique d'exécution. Mais le front franco-britannique n'a pas résisté très longtemps aux effets conjugués des rivalités impériales entre les deux puissances et aux offensives diplomatiques lancées par le Reich pour mettre l'Angleterre de son côté. A l'automne 1921, la pression de l'extrême droite et l'aggravation de la crise monétaire incitent Berlin à la résistance, et ceci au moment où les idées de Keynes commencent à trouver une audience en Grande-Bretagne, tandis que Briand, conscient du risque que son isolement diplomatique fait courir à la France, se rapproche des positions de Londres.

A la conférence de Cannes, en janvier 1922, le président du Conseil français et son homologue britannique, Lloyd George, parviennent à un accord portant sur la révision à la baisse des obligations allemandes. Briand est sur le point d'accepter un aménagement de la dette allemande en échange d'une garantie des frontières de la France par le Royaume-Uni, mais il n'a derrière lui qu'une fraction minoritaire de l'opinion et de la classe politique que séduisent les idées *«genevoises»* de sécurité collective fondée sur la coopération internationale et sur l'arbitrage de la SDN. Désavoué par le président de la République Millerand, il donne sa démission sans attendre le verdict d'un vote parlementaire qui lui aurait vraisemblablement été hostile.

Il est remplacé par Raymond Poincaré. Président de la République de 1913 à 1920, ce Lorrain intransigeant et patriote, dont la vie et la carrière ont été marquées par le voisinage avec l'Allemagne, jouit d'un très grand prestige auprès de l'opinion française. Partisan résolu d'une stricte application du traité, il va se trouver conforté dans ce choix par plusieurs événements. Tout d'abord l'échec d'un nouveau «*traité des garanties*» avec le Royaume-Uni. Poincaré aurait voulu obtenir de cette puissance une promesse d'intervention automatique, en cas d'attaque allemande, que Lloyd George refuse de prendre, lors de la rencontre qui a lieu entre les deux chefs de gouvernement à Boulogne-sur-mer, en février 1922. En second lieu, le rapprochement germano-soviétique, préparé par une longue et minutieuse négociation et qui aboutit, lors de la conférence de Gênes d'avril-mai 1922, aux fameux accords de Rapallo. L'Allemagne en retire un certain nombre d'avantages d'ordre économique et militaire, et surtout le rapprochement avec l'URSS lui permet de sortir du ghetto diplomatique dans lequel elle se trouvait enfermée depuis la fin du conflit. Elle dispose dès lors d'un puissant moyen de pression sur les Occidentaux pour obtenir des aménagements importants dans la question des réparations.

Le troisième événement réside dans la décision prise par le gouvernement de Londres, en juillet 1922, d'aligner sa position sur celle des Etats-Unis, en exigeant également de ses anciens Alliés le remboursement des dettes contractées pendant la guerre. Or sur ce point, la position des dirigeants français est ferme. Ils mettent comme condition au remboursement des sommes exigées par leurs créanciers le paiement rigoureux par l'Allemagne des réparations dues au titre de l'article 231 du traité de paix.

Dans le courant de l'été 1922, le gouvernement du chancelier Cuno fait savoir qu'il est incapable de poursuivre ses paiements et réclame un moratoire de six mois que Poincaré refuse de lui accorder: sauf si en échange les mines de la Ruhr sont temporairement remises aux Alliés. Ainsi s'élabore la doctrine du «*gage productif*», permettant au vainqueur de se payer en nature, et par prélèvement direct, sur le patrimoine économique de son débiteur. La France pourra de cette façon obliger l'Allemagne à payer ce qu'elle doit — ceci est d'autant plus urgent que l'équilibre du budget en dépend pour une bonne part —, assurer son ravitaillement en charbon et en coke, et contraindre l'Angleterre à montrer plus de compréhension vis-à-vis des positions françaises réclamant la liaison entre les réparations et les dettes de guerre.

La décision française est prise le 27 novembre 1922, dans une réunion présidée par Millerand et à laquelle participe le maréchal Foch. Poincaré, qui a longtemps hésité avant d'opter pour l'épreuve de force, se résout à se saisir de la Ruhr dans le but de rétablir d'un coup une position française qui n'avait cessé de se dégrader depuis trois ans. Un retard de quelques semaines dans une livraison en nature lui fournit l'occasion souhaitée pour saisir la commission interalliée chargée de l'exécution des réparations. Le 26 décembre, par trois voix (France, Italie, Belgique) contre une (celle de l'Angleterre), celle-ci prend acte du manquement allemand et, le 11 janvier 1923, les troupes franco-belges pénètrent dans la Ruhr.

L'Allemagne réplique par la *«résistance passive»*: une grève générale de deux millions d'ouvriers, soutenue financièrement par le gouvernement du Reich. Celui-ci en effet a vu venir l'épreuve de force et l'a acceptée en connaissance de cause, estimant que la France était tombée dans un piège, qu'elle s'était isolée sur le plan international et qu'elle serait incapable de remettre en marche l'énorme machine industrielle de la Ruhr.

Or, du côté français, on ne s'est pas non plus lancé dans l'affaire sans en avoir mesuré les conséquences. Préparé depuis 1920, le plan d'occupation de la Ruhr comportait une série de mesures qui ont été immédiatement appliquées. Une «frontière» est mise en place entre le Reich et la région occupée. Tenue par des douaniers français et belges, elle est destinée à faire payer aux marchandises transitant dans les deux sens des droits de douane qui vont alimenter la caisse des réparations. On établit d'autre part une régie des chemins de fer, qui sera la grande réussite de l'occupation et le coin enfoncé dans la *«résistance passive»*. En mai 1923, cet organisme emploie 32 000 cheminots français et 7 000 allemands qui, lassés de la grève, ont repris le travail, la remise en marche du réseau ferroviaire permettant de relancer la vie économique de la région. Enfin, on procède à plus de 100 000 expulsions, dont celles de nombreux fonctionnaires.

Au début de l'été 1923, la résistance donne d'évidents signes d'essoufflement. Le gouvernement de Berlin a cru qu'il suffirait de tenir bon quelques mois pour que les Britanniques interviennent, ou du moins proposent leur médiation. Or, si les dirigeants de Londres désapprouvent la politique française, ils se gardent bien de prendre la moindre initiative. En Allemagne, nombreux sont ceux qui, dans les milieux nationalistes et jusqu'au sein de l'équipe dirigeante estiment qu'il faut aller plus loin et engager contre l'occupant une véritable résistance armée. Sans attendre une décision en ce sens, des actions isolées sont entreprises dans les régions occupées auxquelles les autorités militaires françaises répondent avec une très grande sévérité. Une échauffourée aux usines Krupp fait 13 morts le 31 mai. Quelques jours plus tôt un Allemand est fusillé pour avoir fait sauter un train militaire. Des attentats contre des soldats français et des sabotages ont lieu, tandis que des corps-francs commencent à se constituer. S'achemine-t-on vers une véritable épreuve de force ? En fait, il apparaît vite que le glissement vers l'action terroriste révèle plutôt un fléchissement sensible de la résistance passive. En août, l'échec ne fait plus de doute pour personne. L'Allemagne est isolée. Le financement de la résistance a achevé de ruiner ses capacités financières. Les trains recommencent à rouler tandis que le charbon et le coke prennent le chemin des centres sidérurgiques français et belges. Conscient de sa défaite, Cuno démissionne et cède la place à un cabinet de large union présidé par Stresemann.

La République de Weimar paraît à cette date en pleine décomposition. Manifestations séparatistes et tentatives de putschs se succèdent à l'automne, culminant début novembre avec le coup de force hitlérien de Munich. Aussi, conscient de la gravité de la situation, ne pouvant lutter à la fois contre l'occupant français et contre ses adversaires de l'intérieur, Stresemann décide-t-il le 26 septembre de mettre fin à la résistance passive dans la Ruhr.

Poincaré a donc gagné. Pourtant, il ne se presse pas d'engager avec Berlin une négociation susceptible de régler définitivement — et en position de force — le problème des réparations, comme Stresemann le lui propose. En France, il est clair que le chaos dans lequel se débat la grande nation voisine a réveillé l'espoir de voir se constituer un Etat-tampon sur sa frange occidentale. Poincaré n'est pas un homme d'aventure et il est loin de partager les fantasmes de ceux qui rêvent de revenir aux frontières de 1792. Il n'en est pas moins tenté, à l'heure où les autonomistes intransigeants, comme Dorten, s'effacent devant Adenauer et où l'on s'apprête à créer une banque rhénane, pour substituer une monnaie locale au mark en perdition, à jouer la carte de l'autonomie rhénane. Fin 1923, rien ne paraît devoir s'opposer à ce projet qui assurait enfin à la France la sécurité qu'elle recherchait en vain depuis la fin de la guerre.

Or les choses vont évoluer dans un tout autre sens. La rapide stabilisation monétaire et politique du Reich, opérée par l'équipe Stresemann/Schacht, l'aide apportée à l'Allemagne par la Banque d'Angleterre et le ralliement au pouvoir central de la majorité «légaliste» du mouvement autonomiste enlèvent à la France ses principaux instruments de pression. Très vite Poincaré est amené à adopter une attitude plus souple, non seulement à propos de la question rhénane — il ne tarde pas à abandonner la carte autonomiste —, mais dans celle des réparations. Il y a à cela deux raisons principales: le peu d'inclination qu'il porte aux actions illégales, donc au soutien de la dissidence, et les difficultés du franc dont la valeur n'a cessé de baisser depuis l'automne 1922. N'ayant pu obtenit de la Chambre élue en 1919, et alors que les législatives approchent, l'effort fiscal qui aurait permis de rétablir l'équilibre du budget et de donner une certaine aisance au Trésor, soucieux d'autre part de juguler les effets d'une spéculation internationale, impulsée au départ par les financiers d'outre-Rhin (comme l'a montré l'historien américain S.A. Schuckert dans un livre paru en 1976: *The End of French Predominance in Europe*), aggravée par les tendances inflationnistes de certains milieux d'affaires français, et qui joue contre le franc, Poincaré se voit contraint au début de 1924 de demander à la banque américaine Morgan l'ouverture d'un crédit. Londres et Washington en profitent pour exercer une pression sur le gouvernement français. Celui-ci finit par céder et accepte la réunion d'un comité d'experts présidé par un banquier américain, le général Dawes.

L'ère de la sécurité collective (1924-1929)

Quelles que soient les raisons, internes et externes (Cf. J.-N. Jeanneney, «De la spéculation financière comme arme diplomatique. A propos de la première bataille du franc, novembre 1923 - mars 1924», *Relations internationales*, n° 13, printemps 1978, pp. 5-27), c'est bel et bien la nécessité de faire face aux difficultés financières qui, l'emportant désormais sur toute autre considération, incline Poincaré à accepter l'idée d'une négociation internationale sur les réparations incluant l'intervention des Britanniques et des Américains et qui aboutit, en avril 1924, à l'élaboration du plan Dawes.

Ce plan, qui limite et échelonne les versements dus au titre des réparations et qui, à bien des égards, constitue l'instrument de la pénétration en Allemagne des capitaux d'outre-Atlantique, en même temps que le triomphe de la conception anglo-saxonne de la reconstruction européenne, est accepté par le gouvernement allemand à la fin du printemps 1924, c'est-à-dire à un moment où, en France, Poincaré n'est déjà plus maître de la situation. Les élections du 11 mai ont en effet traduit un renversement de la majorité des Français en faveur des candidats du Cartel et ceci va entraîner d'importantes conséquences sur la politique étrangère de la République.

Depuis plusieurs mois, de vives critiques avaient été adressées par la gauche à la politique de Poincaré et la question de la Ruhr avait été l'un des grands thèmes de la campagne. En fait si les hommes du Cartel, prenant acte de l'opposition d'une partie importante de l'opinion envers une politique coûteuse et qui isolait la France, savaient à peu près ce qu'ils ne voulaient pas en matière de conduite des affaires internationales, ils étaient loin d'avoir des idées précises sur ce qui devait être fait. Parmi les élus du Cartel, on trouvait à côté de socialistes opposés par principe au contenu du traité de Versailles et qui professaient une totale confiance envers la social-démocratie allemande, une majorité de radicaux peu enclins à l'internationalisme et extrêmement méfiants à l'égard de l'Allemagne, nombre d'entre eux ayant d'ailleurs voté pour Poincaré jusqu'à l'automne 1923. Ce sont des raisons de politique intérieure qui les ont amenés à rompre avec le Bloc national et à conclure une alliance électorale avec la SFIO, non la politique allemande de Poincaré. Ces divergences expliquent le flou qui entoure, après la victoire du Cartel, la nouvelle politique extérieure de la France.

Pendant les mois décisifs du printemps et de l'été 1924 où s'opère le tournant de la diplomatie française, tout repose sur Edouard Herriot, leader du Cartel, président du Conseil et ministre des Affaires étrangères. Maire de Lyon depuis 1905, cet universitaire de haut vol devenu un professionnel de la politique a accédé à la présidence du Parti radical en 1919, dans un climat de grande fièvre patriotique, et rien ne le prédispose à mener une politique d'abandon. Bon connaisseur de l'Allemagne, il est de ceux qui redoutent la volonté revanchiste de ce pays. C'est la raison pour laquelle il s'efforce de nouer de bonnes relations avec les Soviets — la reconnaissance *de jure* de l'URSS par la France aura lieu en octobre 1924 — et c'est dans la même perspective qu'il tient absolument à avoir les Américains et les Britanniques dans son jeu. Mais en même temps, il croit qu'une attitude conciliatrice pourrait consolider en Allemagne le camp des partisans de la démocratie et de la paix.

Lorsque s'ouvre à Londres, à la mi-juillet, la conférence internationale qui doit présider à la mise en place du plan Dawes, Herriot ne peut que constater l'isolement de la France. Entre ses trois principaux partenaires, Grande-Bretagne, Etats-Unis et Allemagne, il s'est établi au cours des semaines précédentes un accord informel sur les conditions à exiger de Paris: d'une part l'évacuation inconditionnelle et sans contrepartie du bassin de la Ruhr, d'autre part le démantèlement immédiat du dispositif administratif mis en place par les occupants. A Londres, la délégation française aura beau lutter pied à pied pour faire prévaloir ses vues, elle n'obtiendra finalement que des concessions mineures. Sur ses objectifs majeurs, à savoir la conclusion d'un pacte de garantie avec le Royaume-Uni, l'aménagement de la dette envers les Etats-Unis et le contrôle préalable du désarmement effectif de l'Allemagne, Herriot devra bel et bien capituler.

L'historiographie française est majoritairement sévère, et probablement un peu injuste, à l'égard du leader du Cartel. Jacques Bariéty évoque son «amateurisme» et son manque de clairvoyance en matière internationale (*Les relations franco-allemandes après la Première Guerre mondiale, 1918-1924*, Paris, Pedone, 1977). Jean-Noël Jeanneney le montre prisonnier de ses «*abandons lyriques*» (*Leçon d'histoire pour une gauche au pouvoir. La faillite du Cartel (1924-1926)*, Paris, Seuil, 1977). Denise Artaud parle d'un «*homme sans volonté, ressort ni profondeur*», et écrit: «*Ce n'est pas l'avènement d'une société sans frontières, ce n'est pas le progrès de l'internationalisme auxquels le Cartel a contribué, mais le triomphe des conceptions anglo-saxonnes. Inconsciemment, il s'est comporté comme le cheval de Troie des intérêts nationaux britanniques et américains*» (Cf. sa thèse multigraphiée: *La Question des dettes interalliées et la reconstruction de l'Europe (1917-1929)*, Université de Lille III, 1976; et aussi: *La reconstruction de l'Europe (1919-1929)*, Paris, PUF, 1973).

Un jugement serein sur les choix de politique internationale opérés par le leader radical doit tenir compte d'un certain nombre de faits. En premier lieu, le constat que fait Herriot, à la veille de la Conférence de Londres, de l'isolement dans lequel se trouve la France et de la mauvaise image qu'a produite son intervention dans la Ruhr. Considérée au lendemain de la guerre comme la principale victime de l'impérialisme et du «*militarisme prussiens*», la voici désormais taxée d'impérialisme et de militarisme par ses ex-Alliés, aussi bien dans la très libérale Angleterre que chez les communistes russes. Cette réputation se trouve d'ailleurs confortée par divers incidents survenus dans la Ruhr et en Rhénanie: par exemple des viols attribués aux troupes coloniales vont susciter une vive émotion dans les puissantes ligues féminines anglaises et américaines. Montés en épingle par la presse allemande, puis par les journaux anglo-saxons, ils concourent fortement au renversement d'images qui s'opère aux dépens de la France, effaçant des mémoires les soi-disant «atrocités» commises par la soldatesque germanique au début du conflit mondial.

Herriot se rend compte que, face à l'Allemagne, la France ne peut demeurer isolée. Le voudrait-elle qu'elle n'en a pas les moyens. S'il a cédé aux pressions de ses partenaires anglo-saxons, ce n'est donc pas par faiblesse à l'égard de son ex-ennemie, mais pour ressouder l'amitié avec le Royaume-Uni, qu'il juge indispensable à la reconstruction européenne et à la sécurité de la France.

Le chef du gouvernement français espérait en effet obtenir en retour de son appui aux thèses anglo-saxonnes une réforme de la SDN. A l'automne 1924, il présentera à Genève un «protocole» prévoyant le recours à l'arbitrage dans l'éventualité d'un conflit entre deux pays et l'application, en cas de refus de l'un ou de l'autre, de sanctions économiques et même militaires. Mac Donald était favorable à ce projet, mais il devra abandonner le pouvoir peu de temps après et son successeur ne donnera pas suite.

Il faut d'autre part tenir compte des contraintes internes de la politique française: la situation difficile du franc, l'hostilité que les milieux d'affaires et la droite nationaliste manifestent à l'égard du gouvernement cartelliste, ainsi que les attentes d'un électorat de gauche qui n'a pas voté contre le Bloc national pour voir la nouvelle équipe dirigeante pratiquer la même politique que les sortants. Le maintien d'une attitude intransigeante à l'égard de l'Allemagne signifierait qu'Herriot se donnât les moyens financiers de sa politique. Comment la majorité cartelliste lui donnerait-elle pour les réunir les instruments fiscaux que la Chambre de Bloc national avait refusés à Poincaré?

Soucieux de promouvoir une *«politique étrangère de gauche»* (Cf. S. Berstein, *Edouard Herriot ou la République en personne*, Paris, Presses de la FNSP, 1985), mais conscient en même temps des capacités réelles de la France, Herriot choisit — peut-être un peu hâtivement et sans avoir mesuré toutes les conséquences de son choix — de faire de nécessité vertu, en renonçant de son plein gré à une politique de rigueur qu'il sait irrémédiablement condamnée. Il estime, et il n'a vraisemblablement pas tort, que l'abandon de la politique d'exécution constitue le prix à payer pour que la France puisse reprendre l'initiative en matière internationale, mettre dans son jeu les Anglo-Saxons et amorcer, grâce à l'afflux de capitaux américains, la pompe des versements allemands.

Quoi qu'en disent certains des contempteurs du leader radical, dont le jugement n'est pas toujours sans lien avec les préoccupations politiques du moment où ils écrivent, il n'est pas du tout certain que Poincaré aurait pu «mieux faire» que son successeur. S'il est de ceux qui, au Sénat, votent l'approbation des décisions prises par la Conférence de Londres, n'est-ce pas parce que l'ancien président de la République a lui-même compris qu'il n'existait pas de politique de rechange, plutôt que — comme cela a été dit et redit — par patriotisme ou par calcul électoral?

La conférence de Londres et la mise en route du plan Dawes marquent un tournant important dans la politique étrangère de la France et, plus globalement, dans le déroulement des événements internationaux. En quelques mois, on passe de la «guerre froide» qui opposait la France et l'Allemagne à un «dégel» qui va s'accentuer au cours des années suivantes. Il y a à cela des raisons diverses dont certaines, qui ne peuvent être développées ici, relèvent du renversement de la conjoncture internationale. Rappelons seulement que la phase dépressive qui a fait suite au «boom» de l'immédiat après-guerre s'achève en 1924 avec le redressement financier du Reich. L'Europe connaît, à l'exception de la Grande-Bretagne, une période de forte croissance qui ne peut que favoriser la détente internationale.

Dans ce contexte, il est clair que ce sont des contraintes internes et externes qui ont incliné les deux principaux responsables de la diplomatie française et allemande à introduire dans les rapports entre les deux puissances riveraines du Rhin une volonté ferme de réglement des questions les plus litigieuses. L'idéalisme et le désir d'assurer la paix en Europe par la conciliation ne sont certes pas absents de leurs motivations. Mais celles-ci reposent surtout sur une appréciation réaliste de la situation des deux pays. Briand est conscient de la fragilité économique et de la faiblesse démographique de la France. Il juge, comme Herriot et pour des raisons identiques, que la conciliation est préférable à une politique de force, face à une Allemagne économiquement puissante, liée à l'URSS et soutenue par les puissances anglo-saxonnes. Stresemann estime que l'entente avec la France favorisera la stabilité économique et politique du Reich et lui permettra par la suite, avec l'appui de Londres et de Washington, d'obtenir une révision des traités. Plutôt que de suivre la voie maximaliste que tracent aux dirigeants de la République de Weimar les chefs des formations nationalistes, il lui paraît plus habile et plus réaliste, comme il le déclare dans sa lettre au Kronprinz du 7 septembre 1925, de *«finasser et de se dérober aux grandes discussions»*. La détente est donc un choix tactique à l'intérieur de stratégies différentes.

Le rôle personnel joué par les deux principaux responsables de la diplomatie française et allemande est également capital. En face de Stresemann, un homme d'affaires nationaliste et monarchiste (favorable pendant le conflit aux projets annexionnistes de Ludendorf), que les difficultés de l'après-guerre ont convaincu de la nécessité d'obtenir une révision du traité de Versailles par des moyens pacifiques, et qui, après avoir assumé la charge de chancelier dirigera la diplomatie allemande jusqu'à sa mort en octobre 1929, c'est Aristide Briand qui, en France, est en charge des relations extérieures.

Ce Nantais originaire d'une famille modeste est né en 1862. Après des études de droit, il a été à Saint-Nazaire l'avocat des syndicalistes et des révolutionnaires, puis est monté à Paris où il s'est lié d'amitié avec Jaurès. Député de Saint-Etienne en 1902, co-fondateur de la SFIO, il est en 1905 rapporteur de la loi de séparation des Eglises et de l'Etat et déploie en cette circonstance des qualités de conciliateur qui le désignent à l'attention de ses collègues. Ministre dès 1906, il prend ses distances avec les socialistes et entame une grande carrière politique: il sera 22 fois ministre et 10 fois président du Conseil. Lorsqu'il occupe cette charge en 1916, il «*fait la guerre*», ce qui ne l'empêche pas l'année suivante d'être parmi ceux qui, par des contacts confidentiels, sondent les possibilités de paix. Ayant joué un rôle déterminant dans l'échec infligé à Clemenceau lors des élections présidentielles de 1920, il devient, nous l'avons vu, chef d'un gouvernement de Bloc national en 1921 et il parle alors de «mettre la main au collet» de l'Allemagne. C'est pourtant son expérience gouvernementale de 1921 qui le convainc que la France n'est pas en mesure, seule, d'obliger l'Allemagne à exécuter toutes les clauses du traité. Il va donc s'efforcer de l'y conduire en douceur en tant que ministre des Affaires étrangères, dans les différents cabinets qui se succèdent entre 1925 et 1932, employant à cela ses talents d'orateur (la fameuse «voix de violoncelle»), son sens aigu de l'«arrangement» et jusqu'à son apparent désintérêt pour les discussions auxquelles il prend part (Clemenceau parle de sa *«spirituelle nonchalance et de son calme un peu félin»*).

L'idée qui domine le «grand dessein» de Briand est de réconcilier la France et l'Allemagne pour établir en Europe une paix durable. Il faut donc, si l'Allemagne donne des signes de bonne volonté, et en échange de certaines garanties, accepter des aménagements aux clauses du traité de Versailles. Ses adversaires, et notamment la droite nationaliste lui reprocheront son absence de réalisme, sa passivité et son *«aveuglement»* face aux manœuvres de son partenaire. Or il faut très fortement retoucher l'image d'un Briand idéaliste et pacifiste «béat» (image qu'il se plaît à donner de lui-même en accréditant la légende du *«pèlerin de la paix»*), qui aurait été berné de bout en bout par l'habileté et les «finasseries» de Stresemann. Il est encore moins un *«germanophile»* comme le proclame l'*Action française*. Simplement, il pense que la France doit faire la *«politique de sa natalité»* et de ses moyens financiers. Il veut éviter qu'elle se trouve isolée en face d'une Allemagne reconstruite de 60 millions d'habitants, en bons termes avec l'URSS et avec les Anglo-Saxons, et prête à prendre la tête d'une *Mitteleuropa* économique, premier pas vers le rétablissement de son hégémonie continentale. C'est dans ce sens qu'il faut interpréter les tentatives faites par Briand pour intégrer le Reich dans un ensemble international assez vaste pour qu'il n'y joue pas seul les premiers rôles: la Société des Nations, les signataires du pacte Briand/Kellog, puis l'«Union européenne».

Le rapprochement avec l'Allemagne auquel le chef de la diplomatie française donne l'impulsion, secondé par le secrétaire général du Quai d'Orsay Philippe Berthelot, comporte plusieurs étapes. La première débouche, en octobre 1925, sur la Conférence et sur les accords de Locarno. L'initiative vient d'ailleurs de Stresemann, ou plutôt de l'ambassadeur britannique d'Abernon qui a conseillé au ministre allemand de proposer à la France — ce qu'il fait en février 1925 — la conclusion d'un acte diplomatique par lequel le Reich reconnaîtrait ses frontières occidentales, avec la garantie de tierces puissances. Berlin y voit un double avantage. D'une part il serait établi ainsi une différence implicite entre les frontières occidentales du Reich, que l'on accepterait de garantir, et les frontières orientales qui devraient être révisées un jour. D'autre part, la France obtenant une assurance de sécurité, on pourrait exiger d'elle qu'elle évacue avant la date prévue la rive gauche du Rhin. Cela permettrait aux dirigeants allemands de désarmer l'opinion nationaliste et d'offrir à leur pays une plus grande liberté de manœuvre.

De retour au Quai d'Orsay en avril 1925, Briand fait du réglement du problème rhénan la grande affaire de sa rentrée politique. A la suite d'une longue et difficile négociation, les représentants des principales puissances intéressées — Briand, Stresemann, le Britannique Chamberlain, le Belge Vandervelde et le chef de l'Italie fasciste, Benito Mussolini — se réunissent à Locarno, en Suisse, du 5 au 16 octobre 1925, et signent une série d'accords visant à stabiliser la situation entre l'Allemagne et ses partenaires ouest-européens. Le Reich reconnaît ses frontières avec la France et la Belgique, ainsi que la démilitarisation de la zone rhénane. Il s'engage à ne pas utiliser la force pour obtenir la révision éventuelle de ce *statu quo*, tandis que l'Angleterre et l'Italie se portent garantes de ces engagements. En échange, l'Allemagne obtient son admission à la SDN avec un siège de membre permanent du Conseil. D'autre part des conventions vagues et complexes sont signées avec la France, la Belgique, la Pologne et la Tchécoslovaquie: elles garantissent à l'Allemagne que, dans le cas où la SDN déciderait des sanctions militaires contre un éventuel agresseur en Europe orientale, leur exécution ne pourrait se faire en passant par le territoire du Reich. Ce qui enlève à l'armée française toute possibilité de secourir les petites puissances alliées de l'Est européen.

Si Stresemann éprouve quelque difficulté à faire ratifier les accords de Locarno, Briand est pour sa part accueilli en France de manière triomphale, sauf par les communistes et par l'extrême droite dont il est devenu l'une des cibles favorites. Pourtant, répétons-le, l'ancien avocat socialiste n'est pas l'idéaliste «bêlant» que se plaisent à dénoncer les polémistes de la feuille maurrassienne. Il a tout à fait conscience de la stratégie à long terme de son homologue allemand. Il sait que ce dernier vise à la fois la révision des frontières orientales du Reich et l'isolement de la Tchécoslovaquie et de la Pologne. Aussi se hâte-t-il de signer des traités d'alliance avec ces deux pays, tout en poussant Berlin à entrer à la SDN, afin d'enserrer la République de Weimar dans un réseau de liens et d'engagements internationaux qui freinent son action révisionniste. Ce pas décisif est accompli le 10 septembre 1926. L'Allemagne fait son entrée au Palais de Genève et se voit attribuer, d'entrée de jeu, le siège de membre permanent du Conseil qu'il a fallu refuser à la Pologne. Autrement dit, elle se trouve placée du jour au lendemain sur un pied d'égalité avec la France, le Royaume-Uni, l'Italie et le Japon. L'événement est salué par les discours «historiques» de ses deux principaux artisans et en particulier par la fameuse péroraison de Briand: «*Arrière les fusils, les mitrailleuses, les canons! Place à la conciliation, à l'arbitrage et à la paix!*»

Peu de temps auparavant, en juillet 1926, Poincaré a été rappelé aux affaires à la suite de la débâcle du franc et de l'éclatement de la majorité cartelliste. Or, contrairement aux attentes de ceux pour qui le retour de l'homme d'Etat lorrain impliquait que l'on revînt à la politique d'exécution, le nouveau président du Conseil ne rompt pas avec la politique étrangère de ses prédécesseurs et maintient Briand dans ses fonctions, preuve, s'il en fallait une, qu'une page a été tournée en 1924 dans les rapports entre la France et l'Allemagne. Sans avoir entièrement les mains libres, le *«pèlerin de la paix»* se voit confirmé dans sa mission de promouvoir la détente.

L'occasion lui en est fournie lors du fameux entretien que le ministre français aura avec Stresemann, dans une auberge de Thoiry, près de Genève, le 17 septembre 1926. Jacques Bariéty, qui a étudié dans sa thèse, à partir des archives françaises et allemandes, la préparation de cette rencontre, explique qu'il ne faut pas voir dans le «plan dit Thoiry» un projet improvisé dans l'euphorie d'un bon déjeuner. Le tête-à-tête en effet a été préparé de longue date par des approches confidentielles, chacun des deux protagonistes poursuivant, une fois encore, sa stratégie propre sans qu'il y ait pour autant un trompeur et un trompé.

A l'origine de l'entrevue de Thoiry, il y a, du côté français, les difficultés persistantes du franc, lequel continue à chuter dangereusement alors que les initiatives de Schacht et les crédits américains ont permis le redressement du mark. L'idée de Stresemann est de fournir aux Français un ballon d'oxygène, en réglant d'un coup une partie des réparations. L'Allemagne ne dispose pas de tous les capitaux nécessaires pour mener à bien cette opération, mais les banques américaines pourraient faire l'avance. En échange, Stresemann demande l'évacuation anticipée de la rive gauche du Rhin, la fin du contrôle militaire interallié et la restitution immédiate de la Sarre sans plébiscite, avec rachat des mines à l'Etat français.

L'accord verbal établi à Thoiry n'aura pas de suite. Si l'on suit Denise Artaud, qui a travaillé sur d'autres sources que Bariéty, Poincaré n'aurait pas été entièrement hostile à l'idée de l'évacuation de la Rhénanie en échange de compensations financières. Il ne désavoue donc pas Briand, sans toutefois l'encourager à aller plus avant dans la négociation. En fait, il laisse jouer au bénéfice de la France un redressement financier qui s'amorce au début de l'hiver 1926-1927 et va lui permettre l'année suivante de stabiliser le franc. Cette opération étant menée sans qu'il soit nécessaire de recourir au soutien financier du Reich; les projets examinés à Thoiry se trouvent sans objet.

A partir de 1927, la détente franco-allemande se manifeste hors du champ strictement politique. Sur le plan des relations économiques, elle bénéficie tout d'abord des accords de cartel qui sont signés en septembre 1926 par les représentants des sidérurgistes français, allemands, belges, luxembourgeois et sarrois. L'*Entente internationale de l'acier* qui est ainsi mise en place et qui fixe, entre les différents pays producteurs, des quotas révisables, met fin à la guerre au couteau que se livraient depuis plusieurs années dans ce secteur les industriels français et allemands. D'autre part, un traité de commerce est conclu entre les deux Etats en août 1927, à la suite d'une longue et laborieuse négociation. Ni l'un ni l'autre de ces accords ne sera remis en cause avant 1939.

S'agissant des opinions publiques, si l'animosité de fond subsiste de part et d'autre du Rhin, quelques signes de détente se font jour néanmoins au milieu de la décennie. En Allemagne, les nazis et les autres formations de l'ultra-droite revanchiste perdent du terrain, tandis que les grands partis nationaux modèrent leurs critiques à l'égard de la politique conciliante de Stresemann. En France, les socialistes demeurent dans l'opposition mais approuvent les initiatives de Briand, tandis que nombre de catholiques passent de la méfiance à l'égard de l'Allemagne à la défense de Locarno. Une petite partie d'entre eux, appartenant à la tendance démocrate-chrétienne, manifeste même un vif enthousiasme pour la SDN et pour le rapprochement franco-allemand, rejoignant sur ce point la cohorte des intellectuels, des grands universitaires, des hommes politiques proches du radicalisme qui constituent le *«milieu genevois»*. Quant à l'*Action française*, elle mène une guerre sans merci contre ces groupes qu'elle désigne comme des *«ennemis de l'intérieur»*, mais depuis sa condamnation par le Saint-Siège à la fin de 1926, elle a perdu une grande partie de son audience, notamment auprès des catholiques.

Une véritable mystique de la pacification franco-allemande naît pendant ces années fastes de la «prospérité», dans un contexte où fleurissent les projets d'union douanière et d'unification européenne. Elle émane, il est vrai, de milieux extrêmement restreints où coexistent des représentants de la classe politique, comme Adenauer et von Papen pour l'Allemagne, Herriot, Briand et Blum pour la France, des intellectuels de réputation mondiale (Valéry, Claudel, Gide, Romain-Rolland, Unamuno, etc.), ou encore de grands industriels comme Emile Mayrisch, magnat de la sidérurgie luxembourgeoise, inspirateur du cartel de l'acier et fondateur en 1926 d'un *Comité franco-allemand d'information et de documentation* auquel adhèrent de nombreuses personnalités et qui s'est donné pour tâche de réduire les malentendus entre les deux pays en agissant sur les opinions publiques par la voie de la presse et de manifestations diverses (colloques, voyages de jeunes, traductions, etc.). Aussi minoritaires que soient ces actions, elles n'en ont pas moins contribué à détendre l'atmosphère.

Signé en août 1928, le pacte Briand/Kellog peut être considéré comme marquant l'apogée de la *«sécurité collective»*. Par cet acte, les quinze puissances signataires — dont la France et l'Allemagne — condamnent solennellement le recours à la guerre et s'engagent à rechercher la solution d'éventuels différends par des moyens exclusivement pacifiques. Briand, qui en avait eu l'initiative, aurait voulu qu'il restât limité à la France et aux Etats-Unis, qu'il espérait ainsi faire revenir sur la scène européenne. Mais le secrétaire d'Etat américain refusa de se laisser enfermer dans cette combinaison et transforma l'engagement initialement envisagé en un pacte multilatéral sans contenu réel. Stresemann, qui avait été mis dans la confidence par les Américains, s'empressa de s'associer au projet, trop heureux de pouvoir démontrer aux différents acteurs du jeu européen que le maintien par la France d'une armée importante et de son réseau d'alliances de revers était devenu caduc.

On voit qu'au-delà des quelques manifestations spectaculaires de la détente, chacun des deux protagonistes poursuit ses objectifs prioritaires: pour la France l'adhésion de l'Allemagne au système de la sécurité collective, pour cette dernière la révision de ses frontières orientales. On continue donc de s'observer, d'anticiper sur les réactions de l'autre, voire de faire pression sur lui par divers moyens.

Par exemple, dans le but de maintenir deux fers au feu et de faire pression sur les Occidentaux, Stresemann poursuit la *«politique à l'Est»* inaugurée par les accords de Rapallo, signant un traité de commerce avec les Soviets en octobre 1925, puis un pacte de non-agression et de neutralité en avril 1926. D'autre part, n'ayant pas pardonné à Poincaré l'échec de Thoiry, le chef de la diplomatie allemande n'hésite pas à agir en sous-main pour déstabiliser l'homme d'Etat lorrain, subventionnant à coups de fonds secrets les journaux qui lui sont hostiles, ou faisant transiter par la Suisse les sommes destinées à soutenir ses adversaires aux élections d'avril 1928.

L'éclatante victoire électorale remportée par le chef du gouvernement français oblige toutefois Stresemann à modifier sa tactique. A l'occasion de sa rencontre avec Poincaré lors de la signature à Paris du pacte Briand/Kellog, les deux hommes se mettent d'accord sur l'évacuation anticipée de la Rhénanie. En échange de quoi l'Allemagne renoncerait définitivement à l'Alsace-Lorraine et à l'*Anschluss* et accepterait un nouveau plan de paiement des réparations qui prendrait le relais du plan Dawes. Ce sera le plan Young (du nom du président du comité d'experts qui procède à son élaboration), qui sera discuté et accepté lors d'une conférence internationale réunie à La Haye en août 1929. La dette allemande se trouve une nouvelle fois réduite et devra être acquittée en 59 annuités de 1929 à 1988. L'année suivante, la Rhénanie est évacuée avec près de cinq ans d'avance sur la date prévue.

Les limites de la détente

La fin de la guerre froide franco-allemande n'a pas eu pour effet de faire disparaître les autres sujets de tension en Europe et hors d'Europe. Trois problèmes principaux préoccupent pendant cette période les dirigeants français.

Le premier a trait aux positions de la France dans les zones où elle a imposé sa présence coloniale. En apparence, l'Empire a traversé le premier conflit mondial sans bouleversement majeur. Il y a bien eu, en Indochine, à Madagascar et en Algérie, quelques révoltes locales provoquées par l'augmentation des impôts, les réquisitions d'hommes et la propagande des puissances centrales, mais elles ont été réprimées rapidement et à peu près complètement ignorées à l'extérieur du fait de la censure. D'autre part les colonies ont fourni à la métropole des matières premières, des combattants et des travailleurs qui n'ont pas été pour rien dans le succès de l'Entente et qui, de retour dans leur pays, ont commencé à s'interroger sur la signification de ces «principes de 1789» dont les démocraties victorieuses ont fait leur cheval de bataille. Rien de bien dangereux au début en ce sens que, dans la majorité des cas, ce que réclament les élites indigènes ce n'est pas l'indépendance de leur pays, mais au contraire une association plus étroite avec la métropole et un accès plus facile à la citoyenneté française. Il en est ainsi des jeunes intellectuels algériens, comme en témoignent les écrits de jeunesse de Ferhat-Abbas, des instituteurs kabyles s'exprimant par la revue *La Voix des humbles* et qui en rajoutent parfois en militantisme laïque sur leurs collègues métropolitains, ou encore des adhérents à la Ligue française pour l'accession des indigènes de Madagascar aux droits de citoyens français, dont le fondateur est également un instituteur ancien combattant, Ralaimongo. Mais, la réponse donnée par les colons à ces exigences modérées et l'indifférence majoritaire des hommes et des partis politiques métropolitains ne vont pas tarder à transformer la revendications assimilationnistes en un projet révolutionnaire et indépendantiste.

C'est principalement dans les territoires récemment acquis par la France où celle-ci exerce son autorité par le système du protectorat que les oppositions se font les plus vives. En Indochine, l'instituteur Nguyen Thai Hoc fonde en 1927 le Parti national vietnamien qui propose l'action directe pour accéder à l'indépendance et à une révolution inspirée de celle du Chinois Sun Yat Sen. En Tunisie, une campagne d'agitation se développe dans la première moitié des années vingt autour du mouvement nationaliste du *Destour* (=constitution). Le résident Lucien Saint réussit à la maîtriser mais elle trouve un second souffle à la fin de la décennie, lorsque rompant avec la direction du parti, de jeunes éléments groupés autour de Habib Bourguiba décident de lancer un formation rivale, le *Néo-Destour*, qui adopte aussitôt une attitude beaucoup plus radicale. Mais c'est au Maroc que la remise en cause de la tutelle française prend le caractère le plus dramatique. Au printemps 1924, un mouvement de dissidence animé par Abd el-Krim et parti du Maroc espagnol, déborde sur le protectorat français, menace Fez et met en danger l'ensemble du pays. Après avoir écarté le maréchal Lyautey et chargé Pétain d'une mission exceptionnelle, le gouvernement français enverra plus de cent mille hommes pour rétablir l'ordre au Maroc. Il faudra un peu plus d'un an pour gagner la «guerre du Rif», mais l'alerte aura été chaude. De même qu'au Liban et en Syrie, territoires sous «mandat» attribués à la France par la SDN et où se développe entre 1925 et 1927 une révolte des populations chrétiennes et druses, relayée par des éléments musulmans. Là encore, après le rappel du général Sarrail — qui avait fait bombarder Damas par l'artillerie de la citadelle —, il faudra un effort militaire considérable pour venir à bout de la rébellion.

Aux prises avec ces formes diverses de l'opposition nationaliste, l'entreprise impériale française doit également compter avec l'influence du communisme international. D'abord sur le terrain avec la constitution d'organisations reliées au *Komintern*, en particulier le Parti communiste indochinois que fonde en 1930 Nguyen Ai Quoc — le futur Ho Chi Minh — et l'Etoile nord-africaine, constituée en 1926 et qui ne tarde par à trouver un leader dynamique en la personne de Messali Hadj. Ensuite dans la métropole, avec l'action menée au moment de la guerre du Rif, sur injonction formelle de la IIIe Internationale, par les militants du jeune Parti communiste français.

La seconde préoccupation du gouvernement français concerne précisément les rapports avec le «monde communiste», c'est-à-dire avec la jeune Union soviétique et avec cette courroie de transmission des directives du Kremlin qu'est en train de devenir, après la mort de Lénine, l'Internationale communiste. Avec l'URSS, le problème qui continue de se poser après sa reconnaissance par le gouvernement Herriot a trait au remboursement des dettes de l'Etat tsariste. En février 1925, une conférence franco-soviétique s'ouvre à Paris pour examiner ce problème. Mais l'intransigeance du délégué soviétique, qui réclame la restitution de la flotte russe de la mer Noire (internée à Bizerte) et demande que le remboursement des dettes ait pour contrepartie l'octroi par la France de crédits correspondants, retarde, malgré la bonne volonté manifestée par le chef de la délégation française, Anatole de Monzie, la conclusion d'un accord. La signature d'un traité d'alliance franco-romain en juin 1926 (qui sanctionne l'annexion de la Bessarabie par cet Etat), puis le retour au pouvoir de Poincaré, un mois plus tard, enterrent définitivement cette affaire et inaugurent une période de tension entre Paris et Moscou. On envisage même en France à la fin de 1926 de rompre les relations diplomatiques avec la Russie des Soviets, comme le fera le Royaume-Uni quelques mois plus tard à la suite des ingérences — réelles et supposées — du Komintern dans les énormes problèmes sociaux rencontrés par le gouvernement Baldwin depuis le printemps 1926.

A partir de 1927, l'Etat communiste vit dans la hantise d'une nouvelle «croisade antibolchevique» dont l'Angleterre et la France seraient le fer de lance. En mai, le VIIIe Plenum de l'IC proclame que «*le danger de guerre contre l'Union soviétique devient la question la plus brûlante du mouvement ouvrier international*». L'années suivante, le programme du Komintern établit que «*le prolétariat international, dont l'URSS est la seule patrie, le rempart de ses conquêtes, le facteur essentiel de son affranchissement international, a pour devoir de contribuer au succès de l'édification du socialisme dans l'URSS et de la défendre par tous les moyens contre les puissances capitalistes*».

Il en résulte une double conséquence sur les rapports entre la IIIe Internationale et les partis communistes nationaux, particulièrement importante dans un pays comme la France où la jeune formation issue de la scission de 1920 constitue une force politique non négligeable. D'abord la lutte contre la «guerre impérialiste» devient le thème central de la propagande des sections de l'IC et se concrétise dans l'organisation d'un «mouvement de masse» connu en France sous le nom de Comité Amsterdam/Pleyel. D'autre part, la croyance dans la nécessité de préparer une prochaine offensive révolutionnaire conduit à l'adoption de la tactique «classe contre classe», laquelle met dans le même sac fascisme et social-démocratie et aboutira en Allemagne aux événements de 1933. En attendant, cette attitude agressive a pour conséquence, outre l'enfermement des PC — considérés désormais comme des «partis de l'étranger» — dans de véritables ghettos politiques, l'animosité croissante des démocraties libérales, donc de la France, à l'égard de l'URSS. L'adhésion de cette puissance au pacte Briand/Kellog marque toutefois, en fin de période, une amélioration de ses rapports avec les Occidentaux.

Le troisième sujet de difficulté vient des rapports avec l'Italie fasciste, devenue dans le courant des années vingt le chef de file, en Europe, des Etats «révisionnistes», alors que la France fait au contraire figure de leader et de protectrice des Etats «satisfaits». Pourtant, les premières années du fascisme ont vu les relations entre les deux «sœurs latines» s'inscrire dans une perspective de «bon voisinage» qui constitue, à cette date, la ligne directrice de la diplomatie mussolinienne. Le Duce a besoin en effet, pour asseoir son régime, d'un environnement international paisible et de la reconnaissance des puissances, donc d'offrir de son pays l'image d'un Etat respectueux de l'ordre établi par les traités. Poussé dans cette voie par le secrétaire général des Affaires étrangères, Contarini, il cherche à établir des rapports acceptables avec les dirigeants des grandes démocraties. S'agissant de la France, ce projet ne rencontre pas de difficulé majeure tant que les hommes du Bloc national sont au pouvoir. Non que la droite modérée ait une sympathie débordante pour un régime que l'on se représente d'ailleurs comme une dictature classique et de toute évidence temporaire. Mais le fascisme est encore considéré à cette date comme un coup d'arrêt porté au communisme et comme un obstacle mis à sa propagation en Europe, et surtout, dans la «guerre froide» qu'il a engagée contre l'Allemagne, Poincaré se soucie essentiellement de la question rhénane et de tout ce qui peut l'aider à faire prévaloir sur ce point les positions de la France. Aussi, l'Italie ayant soutenu ses positions dans l'affaire de la Ruhr, il va lui rendre en quelque sorte la monnaie de sa pièce à l'occasion de la crise internationale qui fait suite, dans le courant de l'été 1923, au bombardement et à l'occupation par les Italiens de l'île grecque de Corfou, menant à la SDN une action discrète mais efficace en faveur des thèses italiennes.

L'idylle entre Rome et Paris sera toutefois de courte durée. La politique d'alliances de revers pratiquée par la France et l'aide apportée en particulier à la Yougoslavie — avec laquelle l'Italie se trouve en litige à propos de Fiume[2] —, ne peuvent que heurter les dirigeants transalpins, au moment où la victoire du Cartel porte au pouvoir en France des hommes fortement attachés à «l'esprit de Genève» (c'est-à-dire à l'idéologie de la SDN) et très hostiles au fascisme. Néanmoins, tant que Contarini demeure en place, l'Italie ne s'écarte pas trop des sentiers genevois. En octobre 1925, Mussolini se rend à Locarno

[2] Ce port du littoral adriatique ne faisait pas partie des territoires promis à l'Italie par le traité de Londres. Mais la ville comportait une majorité d'Italiens et était revendiquée par les nationalistes. Occupée en 1919 par d'Annunzio, elle avait été l'année suivante évacuée par le dirigeant nationaliste et était demeurée jusqu'en 1924 — date de son annexion par Mussolini — une pomme de discorde entre Rome et Belgrade.

et accepte, malgré les rebuffades de Briand *(«il est difficile de franchir deux fois le Rubicon, surtout lorsque celui-ci est rempli de sang»)*, de garantir, conjointement avec l'Angleterre, les frontières de la France. A la fin de 1925, il semble même que l'Italie soit prête à apporter son soutien aux champions de la détente et de la sécurité collective.

Pourtant, l'année 1926 marque, dans le domaine extérieur comme dans celui de la politique intérieure, un changement radical d'orientation. Rompant avec la politique de «bon voisinage» impulsée par Contarini, Mussolini oriente sa politique du côté de l'Europe centrale et des Balkans où l'Italie va se faire la championne du révisionnisme des vaincus, soutenant par des moyens divers les pays désireux d'obtenir une modification des traités: Hongrie, Bulgarie et Autriche. Lorsqu'après les deux traités de Tirana (1926 et 1927), l'Albanie devient un véritable protectorat italien, l'encerclement de la Yougoslavie, alliée de la France, est à peu près total.

Or la diplomatie française n'a pas seulement constitué dans la région un réseau d'alliances fondé sur le respect du *statu quo* établi par les traités. Elle est parvenue, par le biais de ces accords politiques, mais aussi grâce à l'action de ses financiers et de ses hommes d'affaires, à prendre pied économiquement en Europe centrale et orientale. Et pas seulement dans les pays avec lesquels elle entretient des relations d'amitié. De 1918 à 1929, le montant des emprunts hongrois, autrichiens, roumains, bulgares et polonais placés en France s'élève à plus de 700 millions de francs. Des banques françaises possèdent de fortes participations dans les instituts de crédit autrichiens. A elle seule par exemple, la Société générale acquiert de 1919 à 1925 50 % du capital de la Banque de crédit de Prague. Les résultats sont moins probants dans le secteur industriel, si ce n'est en Tchécoslovaquie où la société Schneider a pris en 1919 le contrôle de la firme Skoda.

Il est clair dans ces conditions que la rencontre des influences françaises et italiennes dans la zone danubienne et dans les Balkans entretient entre les deux pays des tensions qu'attisent d'autre part la propagande du fascisme auprès de la population italienne de Tunisie, son action encore discrète en direction des séparatistes corses et, en sens inverse, l'accueil réservé en France aux exilés antifascistes.

La fin d'une époque

Jusqu'en 1929, ces entorses à la détente s'inscrivent dans un climat international qui reste soumis aux effets bénéfiques de la «prospérité». Or celle-ci prend fin en Europe dans le courant de l'année 1930. Non pas, comme on l'a longtemps expliqué, en écho mécanique au Krach boursier du 24 octobre 1929, mais parce que c'est à cette date que les indices de croissance qui avaient commencé à fléchir bien avant le «Jeudi noir» de Wall Street enregistrent, dans un certain nombre de secteurs, une baisse significative. Si la «crise» proprement dite, avec son cortège de faillites, de fermetures d'usines, de suppressions d'emplois, frappe surtout l'Europe à partir de l'été 1931, produisant dans nombre de pays des turbulences sociales et des bouleversements politiques dont le plus lourd de conséquences est l'avènement du national-socialisme en Allemagne, les premières retombées du grippage des économies surgissent au moins un an plus tôt dans le champ des relations internationales.

L'échec du projet d'Union européenne présenté par Briand à l'assemblée générale de la SDN, en septembre

1929, marque symboliquement la fin d'une époque. L'idée d'une fédération des Etats européens, qui avait eu ses prophètes et ses pionniers solitaires tout au long des XVIIIe et XIXe siècles (Cf. J-B. Duroselle, *L'idée d'Europe dans l'Histoire*, Paris, Denoël, 1965), a connu un très vif engouement dans certains cercles politiques et intellectuels au cours de la décennie qui a suivi l'hécatombe de 1914-1918. Très fortement liée à la notion de sécurité collective et à l'idéologie «genevoise», elle a donné naissance à toute une floraison d'associations et de comités divers comme le mouvement «Paneuropa» du comte Coudenhove-Kalergi, le Comité fédéral de coopération européenne d'Emile Borel, l'Union douanière européenne présidée par le sénateur Yves Le Trocquer, etc. Pour ces organisations, au demeurant très minoritaires, la réalisation des «*Etats-Unis d'Europe*» est devenue une nécessité vitale à l'heure où, après les bouleversements d'une guerre qui a bien failli faire basculer l'Europe dans le chaos et la barbarie, se profile le double danger que constituent pour le maintien de l'intégrité et de l'identité européennes, le «*bolchevisme*» et l'«*américanisme*».

Briand est, avec Herriot, l'un de ceux qui, en France, ont suivi avec le plus d'attention et de sympathie l'action militante des propagateurs de l'idée européenne. Depuis 1926, il encourage avec chaleur les initiatives de Coudenhove-Kalergi, et l'année suivante il est devenu président d'honneur de son «Union paneuropéenne». Il y voit un prolongement de ses propres efforts en vue d'établir en Europe un système durable de sécurité collective. Il y voit également un moyen, parmi d'autres, d'arrimer solidement l'Allemagne à ses partenaires continentaux et de «noyer» cette puissance aux ambitions économiques démesurées dans un ensemble transnational dont, il faut bien le dire, les contours ne paraissent pas avoit été très clairs dans son esprit.

Toujours est-il que dans le discours qu'il prononce le

5 septembre 1929 devant l'Assemblée de la SDN, Briand fait état d'un projet qu'il a conçu quelques mois plus tôt et dont il va préciser la teneur dans son mémorandum du 17 mai 1930. A l'heure où la crise menace et pour faire face à «*des circonstances graves, si elles venaient à naître*» — on voit que la perception de la crise est déjà présente dans son propos —, il faut que l'Europe s'unisse. Il faut que les pays qui la composent établissent entre eux «*une sorte de lien fédéral*», dont il ne précise pas ce qu'il devrait être. Tout au plus souligne-t-il qu'il faudrait «*commencer par les liens économiques*» et envisager par la suite les liens politiques, mais c'est pour ajouter aussitôt que ces derniers ne devraient «*toucher à la souveraineté d'aucune nation*». Le dilemne, appelé à une belle longévité, de l'Europe transnationale et de l'«*Europe des Patries*» est déjà en place à l'orée des années 30, mais Briand n'est pas Monnet et les temps ne sont pas mûrs pour que l'on aille très loin dans le concret de la construction européenne.

Présenté à 27 Etats européens membres de la Société des Nations, le mémorandum sur l'Union européenne et le projet d'organisation qu'il comportait — et qui était calqué sur l'organigramme de la SDN — seront rejetés par la plupart des destinataires pour des motifs très variés. Seules la Bulgarie et la Yougoslavie donnèrent un avis favorable. Si bien que le projet fut assez vite enterré dans les travaux des commissions. Il ne survivra ni à la généralisation de la crise, ni surtout à l'élimination politique (par Laval qui démissionne pour reconstituer aussitôt un cabinet dans lequel il prend les Affaires étrangères), puis à la mort de Briand, survenues à quelques semaines d'intervalle au début de 1932.

Stresemann a lui-même quitté la scène diplomatique en octobre 1929, tué par le surmenage nerveux. Au moment où la crise financière déferle sur l'Autriche et sur l'Allemagne, puis sur le Royaume-Uni, dans le courant du printemps et de l'été 1931, l'édifice de paix difficilement mis en place par les deux artisans du rapprochement franco-allemand paraît déjà fortement lézardé. En mars de la même année, le nouveau ministre allemand des Affaires étrangères Curtius et le chancelier autrichien Schober ont signé un projet d'union douanière entre les deux pays germanophones.

Il s'agissait essentiellement de faire pièce aux tentatives amorcées en 1930, entre les pays de la «*Petite Entente*» et la Pologne, pour créer un «*bloc des pays agricoles*», plus ou moins lié économiquement à la France, et de lui substituer une *Mitteleuropa* dominée par les pays germaniques. L'émotion est vive en France où l'on craint que ce projet ne débouche sur une unification politique, sur *l'Anschluss*, comme le *Zollverein* établi autour de la Prusse au XIXe siècle avait abouti à l'Unité allemande (c'est l'argumentation qu'Herriot développe dans *L'Ere nouvelle*). Mais l'affaire est vite enterrée, car l'Autriche qui est touchée par la crise mondiale en mai 1931 doit faire appel à la France pour renflouer ses finances et renoncer à l'«*Anschluss économique*» avec l'Allemagne. Elle le fera en septembre, avant même que la Cour permanente de La Haye eût exprimé son «*avis consultatif*», jugeant par 8 voix contre 7 que l'union douanière austro-allemande était incompatible avec le Protocole de Genève du 4 octobre 1922. Mais qui, hors du camp de plus en plus réduit des démocraties, se soucie encore à la fin de 1931, dans un climat international troublé par la question des réparations et du réarmement allemand[3], des engagements contractuels pris dix ans plus tôt dans le cadre de la SDN?

---

[3] La fin des Réparations, la question des dettes interalliées et le problème du désarmement seront traités dans le volume suivant.

VII

Crises Financières et Prospérité Économique (1919-1929)

C'est une situation paradoxale que connaît la France des lendemains de la Première Guerre mondiale, situation marquée d'une part par une très grave crise des finances publiques qui est sans doute la préoccupation fondamentale de la plupart des gouvernements et donne le sentiment que la France ne parvient pas à se relever des dommages subis pendant le conflit, mais d'autre part, une fois passées les difficultés de la reconversion, par une spectaculaire expansion économique qui fait des années vingt une des belles périodes de croissance du XXe siècle, après celle du début du siècle (chapitre II) et avant celle des années cinquante (voir tome II). Parce que la croissance économique, phénomène aux aspects multiples et inégaux selon les secteurs, n'est perceptible qu'avec le recul, parce que ses effets jouent sur les structures de l'économie, les contemporains y ont été moins sensibles sur le moment qu'aux turbulences financières et monétaires qui polarisent l'attention.

La crise des finances publiques

La guerre, on le sait, a coûté cher au pays. Pour solder le lourd déficit de 120 milliards, l'emprunt auquel on a largement eu recours et qui pèse sur le budget national, n'a pas suffi. L'avenir du pays, obéré par le service de la dette intérieure et extérieure, est en outre compromis sur le plan financier par les effets de la *«dette flottante»* et par ceux de l'inflation. Sur le premier point, l'Etat vit dans la hantise d'une demande généralisée de remboursement de la part des porteurs de *bons de la Défense nationale* émis sans retenue durant le conflit et dont la masse (51 milliards) est une épée de Damoclès menaçant la trésorerie.

Sans doute le taux d'intérêt relativement élevé de ces bons (5 %) pousse-t-il leurs détenteurs à en demander le renouvellement. Mais celui-ci demeure soumis au maintien de la confiance dans la solidité des finances publiques et celle de la monnaie. Or, précisément, le phénomène de l'inflation, autre legs de la guerre, a inévitablement pour effet de compromettre la confiance dans la monnaie (chapitre V). L'abondance de la monnaie en circulation (35 milliards de billets contre 6 en 1913), jointe à la pénurie de produits de première nécessité entraîne une forte hausse des prix. En novembre 1918 ceux-ci sont deux fois et demi supérieurs à leur niveau d'avant-guerre. De surcroît, la couverture de la monnaie par les réserves de la Banque de France se trouve réduite à un taux de 21,5 % (contre 69,4 % avant la guerre), ce qui est de nature à susciter la méfiance des porteurs de capitaux envers le franc. Toutefois, les Français ne disposent plus, à ce moment, des moyens habituels d'appréciation de la valeur de leur monnaie: la loi du 5 août 1914 a suspendu pour la durée des hostilités la convertibilité de la monnaie en or; un décret du 3 juillet 1915 a prohibé la sortie de l'or du territoire national; enfin le contrôle des changes est institué depuis avril 1918. De plus, les effets de la dépréciation du franc sont masqués par la décision prise par les Alliés, au début du conflit, de préserver la solidarité des changes sur la base des parités d'avant-guerre en instaurant une trésorerie internationale commune. Cette décision a pour effet de permettre à la France de bénéficier d'avances en devises consenties par la Grande-Bretagne, puis, après 1917, par les Etats-Unis. Si bien que, pour les Français, en novembre 1918, le dollar vaut, comme en 1913, 5,18 F et la livre sterling 25,25 F.

A l'abri de ces multiples paravents, la politique suivie par les gouvernements de l'après-guerre va avoir pour effet d'aggraver considérablement la crise des finances publiques. Le choix de ces gouvernements est marqué par une volonté de retour quasi-immédiat au libéralisme économique: la suppression rapide des offices, des consortiums, des missions économiques et de toute intervention de l'Etat dans la vie économique a pour résultat de faire disparaître les mécanismes de régulation qui avaient permis de guider l'économie durant le conflit. Le désir du retour à la normale est par ailleurs perceptible dans l'artifice comptable dont le ministre des Finances de Clemenceau, Klotz, prend l'initiative pour le budget de 1919. Estimant que le phénomène de la guerre représente un événement hors du commun dont le financement ne peut être couvert par les moyens habituels dont dispose un ministre des Finances, il décide de scinder le budget en deux rubriques: le budget des *«dépenses ordinaires»* que lui-même et ses successeurs s'efforceront d'équilibrer avec les recettes habituelles de l'Etat et un *«budget des dépenses extradordinaires»* comprenant les dépenses de tous ordres entraînées par le conflit et dont l'essentiel doit être couvert par le paiement des Réparations allemandes, l'Etat consentant des avances qui doivent permettre la mise en œuvre rapide des travaux de reconstruction du pays. Cette dichotomie du budget durera de 1919 à 1924, le «*budget des dépenses extraordinaires*» prenant bientôt le nom de «*budget des dépenses recouvrables*», terminologie qui souligne de la manière la plus nette la conception selon laquelle, dans ce domaine, le gouvernement se contente d'avancer des fonds pour aider les victimes de la guerre, mais qu'en dernière analyse, selon la phrase célèbre de Klotz, «*l'Allemagne paiera*».

Puisque le financement de la reconstruction incombe au vaincu, il ne convient pas de se montrer ladre. Et c'est pourquoi le gouvernement met en œuvre une politique généreuse d'indemnisation des victimes de guerre qui permet une reconstruction rapide du pays (elle sera pratiquement effective en 1929). Celle-ci va être à l'origine de la croissance française des années vingt et permettre de résoudre la grave crise sociale qui marque le début de ces mêmes années. Politique aux effets économiques incontestablement positifs, mais qui a pour effet, sur le plan financier et monétaire, d'aggraver considérablement la crise des finances publiques. Pour financer les dépenses inscrites au budget «*extraordinaire*» ou «*recouvrable*», en attendant que l'Allemagne paie, Klotz (et ses successeurs dans une moindre mesure) vont avoir recours aux procédés déjà utilisés pendant la guerre, l'emprunt et la planche à billets. L'année 1919 voit ainsi l'émission de 25 milliards supplémentaires de bons du Trésor et la mise en circulation de billets nouveaux pour un montant de 25,5 milliards ! Qu'importe puisque l'Allemagne doit payer ! Or, précisément, l'Allemagne paie mal ou ne paie pas. En tout état de cause, ce qu'elle accepte de concéder n'est pas, tant s'en faut, à la hauteur des espérances françaises. Si bien que le laxisme financier des premiers gouvernements de l'après-guerre détériore un peu plus encore les finances du pays.

Tant que la solidarité entre les monnaies des pays alliés permet de masquer le phénomène, les Français tiennent les difficultés financières du gouvernement pour des troubles passagers hérités du conflit. A partir du moment où cette solidarité cesse, l'opinion prend conscience de la gravité de la situation financière par l'intermédiaire de la chute du franc sur le marché des devises que l'on a appelé les *«crises des changes»*.

La première crise des changes (mars 1919-1921)

En mars 1919, le Trésor américain et la Trésorerie britannique décident de mettre fin aux accords de solidarité financière du temps de guerre, c'est-à-dire en termes concrets, qu'ils cessent de soutenir le franc. Aussitôt celui-ci décroche de son cours officiel et commence une glissade sur le marché des changes qui se poursuit jusqu'en décembre 1920.

A cette date, le dollar qui en 1913 valait 5,18 F en vaut 15, et la livre sterling passe d'une valeur 1913 de 25,25 F à 59 F. En d'autres termes, les effets de la politique financière de la guerre et de l'immédiat après-guerre ont entraîné une décote du franc de l'ordre de 60 % environ par rapport à l'avant-guerre, ce qui représenterait le coût financier de la guerre et de la reconstruction.

Face à cette situation, deux politiques financières sont techniquement possibles. La première consisterait à reconnaître le fait accompli de la dépréciation du franc en dévaluant la monnaie d'un montant égal à la décote, solution qui aurait l'avantage d'apurer les comptes et de permettre un nouveau départ sur des bases assainies. Techniquement souhaitable cette solution est politiquement et psychologiquement impossible à mettre en pratique. D'abord parce qu'une longue habitude de la stabilité monétaire a persuadé les Français que le franc est un étalon au même titre que le mètre. Depuis Germinal An XI (1803), c'est-à-dire depuis sa création, le franc est défini par un poids de 322,5 mg d'or fin. Comment admettre, sans faire bon marché de plus d'un siècle d'histoire, que l'on décide tout à coup d'amputer d'une partie de sa valeur-or l'étalon monétaire national. Il y a là impossibilité de conception psychologique pour l'opinion publique qui n'est pas davantage prête que les milieux financiers à accepter cette révolution.

Mais à l'impossibilité psychologique s'ajoute une barrière politique qu'aucun homme d'Etat, de quelque parti qu'il soit, n'est disposé à franchir. La stabilité de la monnaie est la clé de voûte des comportements de la société française. C'est en se fondant sur elle que l'épargne est devenue l'une des grandes vertus nationales. C'est en prenant en compte son existence que se constituent les rentes qui alimentent la trésorerie de l'Etat en promettant à ceux qui lui confient leur argent un revenu stable qui assurera leurs vieux jours. C'est parce qu'on croit que la stabilité de la monnaie donne la garantie que les dettes seront remboursées avec intérêt, à une valeur correspondant au pouvoir d'achat de la monnaie au moment de la souscription, que les Français ont massivement acheté, durant le conflit, les bons de la Défense nationale ou répondu aux appels qui leur étaient lancés en faveur des emprunts de la Défense nationale. Toucher à la stabilité de la monnaie en acceptant de sanctionner officiellement par une dévaluation la dépréciation constatée, c'est par conséquent heurter de front les croyances les mieux ancrées de la société et — le risque n'est pas mince après la guerre — faire bon marché du patriotisme des souscripteurs.

Aussi l'unanimité du monde politique français refuse-t-elle même de prendre en considération cette perspective hérétique et décide-t-elle au contraire de rétablir l'équilibre en revalorisant le franc, c'est-à-dire en le ramenant à sa valeur-or d'avant-guerre. Un plan est élaboré pour faire disparaître le principal déséquilibre qui est l'abondance de la circulation monétaire en supprimant progressivement les avances de la Banque de France à l'Etat. Le 29 décembre 1920, une Convention, signée entre l'Etat et la Banque de France, prévoit de ramener ces avances de 27 à 25 milliards pour l'exercice 1921, puis de les diminuer ensuite régulièrement de deux milliards par an. L'opinion publique a le sentiment qu'un effort sérieux a enfin été tenté pour mettre de l'ordre dans les finances publiques. Mieux, que cet effort est suivi quasi-immédiatement de résultats prometteurs: en avril 1922, la livre qui valait 59 francs en décembre 1920 est revenue à 48 francs.

En réalité, un phénomène conjoncturel est venu se greffer sur l'effort d'assainissement financier, donnant l'illusion de son efficacité. La France subit, comme le reste du monde, les effets de la crise économique des années 1920-1922, crise de reconversion de l'économie de guerre à l'économie de paix. Cette crise entraîne une chute de l'activité économique et, du même coup, une baisse des prix qui se prolonge jusqu'en 1923. Toutefois, l'illusion du redressement financier ne dure guère.

La seconde crise des changes (1923-1924)

Si la crise économique de 1920-1922 permet un éphémère redressement du franc, la reprise qui se manifeste à partir de 1923 compromet à nouveau la situation des finances françaises. Les étrangers et nombre de Français qui avaient placé en France des capitaux à court terme pour profiter du maintien de l'activité économique dans le pays les rapatrient pour chercher des investissements plus rentables. Par ailleurs, les capitaux flottants qui vont de place en place pour profiter des taux de changes les plus avantageux fuient la place de Paris et cherchent des monnaies plus prometteuses que le franc. Dans le contexte spéculatif que la reprise économique met ainsi en place, la tension internationale régnant à partir de janvier 1923 avec l'occupation de la Ruhr (chapitre VI) va jouer au détriment du franc français. Elle attire l'attention sur le fait que l'équilibre financier de la France est étroitement dépendant du paiement des Réparations allemandes. Or l'occupation de la Ruhr et la résistance passive qui s'ensuit provoquent l'effondrement de l'économie allemande, rendant plus improbable que jamais le paiement des Réparations. Dans ces conditions, il n'est nul besoin d'invoquer, comme l'ont fait les contemporains, une quelconque intention politique expliquant par une inspiration étrangère, d'origine allemande ou américaine, la spéculation contre le franc. Celle-ci résulte des données économico-politiques qui ont été évoquées et qui font que les détenteurs de francs s'en débarrassent parce qu'ils n'ont aucune confiance dans la solidité de la monnaie française.

Les mesures prises par Poincaré, alors président du Conseil, pour assainir les finances françaises vont transformer en panique financière la crise des changes qui débute en octobre 1923. Le chef du gouvernement décide en effet de fondre en un seul budget, le budget des dépenses ordinaires et celui des dépenses recouvrables. Du même coup s'effondrent les artifices qui avaient jusqu'alors permis de dissimuler l'ampleur du déficit dû à la guerre. Sa révélation provoque une crise de confiance et les spéculateurs qui jouent à la baisse du franc se débarrassent aussitôt d'une monnaie qui leur brûle les doigts. Alors que le cours de la livre qui n'a cessé de monter durant l'année 1923 s'établit à Paris à 76 francs en octobre 1923, il atteint 79 francs en novembre, 83 francs en décembre, 91 francs en janvier et culmine à 122,60 francs en mars 1924 ! Une véritable panique gagne l'opinion publique et c'est en images évoquant les désastres de la guerre proche que celle-ci évoque la possibilité d'un effondrement de la monnaie nationale analogue à celui qu'a connu voici peu la République de Weimar.

Dans ces circonstances dramatiques, Poincaré retrouve son *aura* de président de l'Union sacrée, en livrant et en gagnant la bataille (monétaire) de la dernière chance. Dès janvier 1924, pour inspirer confiance aux milieux d'affaires, il prend des mesures draconiennes destinées à rétablir l'équilibre du budget: un spectaculaire programme d'économies d'un milliard à réaliser par décrets-lois, la création d'une caisse d'amortissement pour les pensions de guerre afin que celles-ci soient garanties par des ressources propres et cessent de peser sur le budget ordinaire de l'Etat et l'augmentation de 20 % des impôts par le vote de la loi sur le «double-décime». Parallèlement à ces mesures de fond qui ne sauraient avoir d'effets immédiats et dont l'ampleur favoriserait plutôt la spéculation en ce qu'elle révèle la gravité de la situation des finances françaises, il s'agit d'arrêter au plus vite la dégringolade du franc sur le marché des changes. Les gouvernements américain et britannique ayant refusé l'aide que sollicitait Poincaré, c'est auprès d'une banque privée américaine, la banque Morgan, que le ministre des Finances Lasteyrie négocie un prêt de 100 millions de dollars, à quoi s'ajoute un prêt de 4 milllions de livres consenti par la Banque d'Angleterre. Sans même attendre la mobilisation de cet emprunt, la Banque de France intervient sur le marché des changes, à la demande du gouvernement, pour acheter des francs et faire remonter la monnaie nationale sur la cote des changes. Opération couronnée de succès. La livre retombe aussitôt à 105 francs et à la fin du mois de mars, elle revient au cours de 78 F. Ce redressement spectaculaire est assimilé à une victoire d'un grand stratège financier. Pour l'opinion, Poincaré demeurera le vainqueur du «*Verdun financier*» de 1924!

La troisième crise des changes (1925-1926)

Si Poincaré a incontestablement établi un constat précis de l'état des finances publiques de la France en unifiant le budget et en prenant de courageuses et impopulaires mesures pour réduire le déficit, il n'a porté remède à aucun des deux problèmes graves légués par le conflit, celui de l'inflation, celui de l'endettement du pays et surtout de cette «*dette flottante*», cauchemar de tous les gouvernements qui se succèdent depuis 1919. Or tous ces phénomènes vont se combiner pour provoquer en 1925-1926 une troisième crise des changes. Toutefois, dans cette crise, aux facteurs structurels qui avaient déjà joué lors des deux précédentes crises et qui expliquent le déclenchement de la troisième s'ajoutent des considérations politiques qui rendent compte de l'ampleur qu'elle revêt. En effet, depuis mai 1924, la gauche est au pouvoir en la personne du président du Parti radical, Edouard Herriot (voir chapitre X) et son gouvernement s'appuie sur une majorité parlementaire essentiellement constituée de socialistes et de radicaux. Or si la position des radicaux, qui sont des libéraux en matière économique et financière, n'a rien qui puisse effrayer les banques et les milieux d'affaires, il en va différemment des socialistes dont les conceptions autoritaires en la matière épouvantent les financiers. De surcroît, l'élection du socialiste Vincent Auriol à la présidence de la Commission des Finances de la Chambre en fait le lieu d'une fronde permanente contre la politique gouvernementale et le berceau de surenchères qui vont contribuer à inquiéter l'opinion. Ainsi en va-t-il de la décision prise par le gouvernement, à l'instigation de la Commission des Finances, de publier un Inventaire de la situation financière léguée par la droite en 1924 qui, s'il désigne des responsables, met surtout en évidence l'inquiétante fragilité des finances publiques. Inquiets, les souscripteurs de bons en demandent le remboursement, faisant peser une menace sur la trésorerie de l'Etat. A cette inquiétude d'origine strictement financière va s'ajouter le poids de manœuvres politiques. La trésorerie apparaissant comme le défaut de la cuirasse du gouvernement, ses adversaires songent à l'utiliser pour provoquer sa chute. Des publications catholiques de l'ouest de la France conseillent à leurs lecteurs, au printempts 1925, de demander le remboursement de leurs bons pour asphyxier un pouvoir dont l'anticléricalisme inquiète. S'il est difficile de mesurer l'efficacité de ce mot d'ordre, il fait peu de doute que les banques qui conseillent leurs clients en matière de placements les ont incités à réaliser leurs avoirs. Mais il faut admettre là encore qu'il est malaisé de démêler dans ces conseils ce qui relève de la malveillance politique envers un ministère lié aux socialistes et ce qui est avis financier judicieux dans un contexte où les socialistes ne font pas mystère de leur vœu de pousser le gouvernement à opérer une consolidation forcée des bons, c'est-à-dire un échange obligatoire des bons à court terme de la *«dette flottante»* contre les bons à long terme beaucoup moins facilement mobilisables. Quoi qu'il en soit, et après l'échec d'un emprunt à dix ans lancé en novembre 1924, au printemps 1925, la crise de trésorerie menace le pays.

Pour écarter le danger, le gouvernement est conduit à faire appel à la recette éprouvée des avances de la Banque de France.

Mais celles-ci ont un plafond, fixé par la loi à 41 milliards. Dès 1924, ce plafond a été à diverses reprises, dépassé, mais le dépassement a été masqué par de subtils jeux d'écriture et le remboursement rapide de l'excédent d'avances a permis de dissimuler à l'opinion et aux responsables des commissions parlementaires que le «*plafond a été crevé*». Herriot reprend à son compte la pratique, mais les Régents de la Banque de France sont nettement moins bien disposés à l'égard d'un homme de gauche qu'ils l'étaient face au modéré Poincaré. En avril 1925, ils jugent que l'opinion est suffisamment lasse du ministère pour qu'ils puissent, sans danger politique, porter l'estocade. Celle-ci prend la forme d'une mise en demeure du gouverneur de la Banque de France Robineau au président du Conseil d'avoir à rembourser à la Banque le milliard de dépassement du plafond des avances, faute de quoi la Banque centrale serait tenue de le révéler publiquement en demandant le vote d'une loi fixant un nouveau plafond, loi que le monde politique ne paraît nullement disposé à accepter. C'est ce mécanisme qui permet, en avril 1925, de jeter bas le gouvernement Herriot qui, se sachant condamné, en est réduit à une fuite en avant vers les solutions préconisées par les socialistes (voir chapitre X). La crise de trésorerie, legs des déséquilibres de la guerre, aboutit donc à la chute du gouvernement Herriot le 10 avril 1925.

Elle est également responsable de l'échec de l'expérience du Cartel des gauches. La chute d'Herriot a montré, dans la conjoncture de difficultés des finances publiques, la puissance de l'arme financière, et les milieux d'affaires vont l'utiliser sans retenue contre ceux des successeurs d'Herriot dont la politique les inquiète. Et surtout lorsque, durant l'été 1926, le président du Parti radical tente un retour au pouvoir, la crise des changes qui se déploie depuis le printemps 1925 atteint son apogée cependant que la trésorerie de l'Etat est menacée d'effondrement. A la seule annonce de la nomination d'Herriot à la présidence du Conseil, les épargnants se précipitent vers les banques et les caisses d'épargne pour retirer leurs dépôts. Les souscripteurs de bons en demandent massivement le remboursement, faisant se lever le spectre de la faillite financière. Le «*plébiscite des porteurs de bons*» qui témoigne de la chute de la confiance de l'opinion dans le pouvoir a sa contrepartie sur les marchés des changes par une fuite devant le franc qui fait s'envoler le cours de la livre. Celle-ci, qui était déjà montée à 173 francs fin juin 1926, atteint le cours-record de 235 francs le 21 juillet, jour où Herriot se présente devant la Chambre. Quelques heures plus tard, l'annonce de la chute du gouvernement et de l'appel à Raymond Poincaré ramène miraculeusement le calme.

Il est peu douteux que l'ampleur de la crise financière de 1925-1926 s'explique par la conjoncture politique qui a, en l'espèce, un effet multiplicateur. Mais la réalité de cette constatation, symbolisée par Herriot dans sa célèbre mise en accusation du «*Mur de l'argent*», ne doit pas dissimuler qu'à l'origine de la crise se situe le déséquilibre des finances publiques légué par la guerre, le refus de voir en face la réalité de la dépréciation du franc et la redoutable courroie de transmission du financier au politique que constitue l'existence de la dette flottante. C'est à ces causes structurelles des difficultés financières que s'attaque Raymond Poincaré lors de son retour au pouvoir en juillet 1926.

La stabilisation Poincaré

La tâche première de Poincaré réside dans le redressement d'une situation financière qui apparaît comme le problème prioritaire de tous les gouvernements qui se sont succédé depuis la victoire. Il semble particulièrement bien placé pour l'accomplissement de cette mission, le redressement immédiat du franc qui suit sa venue au pouvoir attestant de la confiance dont il jouit.

Son action se situe sur un triple plan. Sur le court terme, il s'efforce d'obtenir le retour à l'équilibre budgétaire en dégageant de nouvelles ressources par des augmentations d'impôts et un rigoureux programme d'économies dont l'essentiel réside dans la suppression de 106 sous-préfectures et d'un grand nombre de tribunaux de première instance, de recettes des finances, de conservation des hypothèques... Cette politique stricte donne des résultats rapides. Dès l'automne 1926, le budget est en excédent, consolidant la confiance que l'opinion fait au président du Conseil.

C'est sur cette base et à partir de la prise de conscience de la nécessité de résoudre enfin les déséquilibres liés à la guerre que Poincaré va s'attaquer aux deux problèmes-clés que sont la dette flottante et la mise en rapport du cours du franc avec sa valeur réelle, et ce afin de faire disparaître l'inflation et de ramener le franc à la stabilité souhaitée par l'opinion.

Afin d'écarter la menace que représente l'existence de la profusion de bons à court terme, cauchemar de tous les gouvernements, il s'efforce, dans un premier temps, de rassurer les porteurs en ramenant la confiance. Pour ce faire, la meilleure solution n'est-elle pas de soustraire l'amortissement de la dette au champ des aléas politiques en la confiant à une Caisse autonome, dotée de ressources propres, par exemple, les recettes des tabacs, des loteries etc. ? Le raisonnement, élaboré pour les bons de la Défense nationale est vite étendu à l'ensemble de la dette publique. Pour donner à cette initiative une solennité qui permettra encore d'accroître la confiance, Poincaré n'hésite pas à inclure la création de la Caisse autonome d'amortissement dans la Constitution elle-même. C'est à

Versailles le 10 août 1926, dans le cadre de la procédure de révision constitutionnelle, que le principe de la nouvelle Caisse est adopté et inscrit dans les lois constitutionnelles ! La confiance ainsi rétablie permet à Poincaré de procéder à la consolidation de la dette publique en proposant aux porteurs de bons à court terme de les échanger contre des bons à long terme. En deux ans, de 1926 à 1928, la moitié de la dette flottante est ainsi résorbée, procurant à la Trésorerie de l'Etat une sécurité qu'elle ne connaissait plus depuis 1914. Cette aisance retrouvée permet par ailleurs de rembourser à la Banque de France une partie des avances consenties, ramenant ainsi la situation des finances publiques à la stabilité tant souhaitée.

Ces problèmes immédiats réglés, la situation des finances publiques en voie d'assainissement, le problème se posait du redressement de la monnaie, autre plaie béante de la France d'après-guerre. Là encore, l'évolution de la situation avant toute mesure politique, de quelque ordre qu'elle soit, s'annonce pour les Français sous le jour le plus favorable. La simple annonce du retour de Poincaré au pouvoir a en effet entraîné un spectaculaire redressement du franc. La livre qui était montée le 21 juillet au cours-record de 235 francs revenait à 208 francs le 27 juillet. Fin 1926, le rétablissement de la confiance aidant, le cours du sterling est stabilisé à 120 francs. Sans que le cours officiel du franc soit modifié (la valeur du franc germinal est théoriquement inchangée), la Banque de France retient désormais ce cours pour ses propres achats. Dans les faits, on est bien en présence, par rapport à 1913 d'une dépréciation de 80 % de la monnaie française. Mais tant que la dévaluation n'est pas légalement établie, rien ne dit qu'on en restera à cette valeur. En fait un débat s'ouvre autour de cette question entre revalorisateurs et stabilisateurs. Pour les premiers, il s'agit, comme le souhaitent les banquiers et nombre de souscripteurs des emprunts de la Défense nationale, de ramener le franc à sa valeur-or d'avant-guerre. L'argument, auquel le président du Conseil se montre sensible, se pare des couleurs de l'honnêteté et du patriotisme: seule la revalorisation permettrait de rembourser ceux qui ont confié leur or à la France durant la guerre en une monnaie équivalente à celle qu'ils ont confiée à l'Etat. Mais cette argumentation pèse peu au regard des objections que les stabilisateurs (qui proposent de donner au franc la valeur légale qu'il a acquise de fait fin 1926) opposent à la revalorisation. Celle-ci obligerait l'Etat à réapprécier et à rembourser sa dette en monnaie forte (alors que les 297 milliards de francs 1926 qui la constituent ne pèsent plus que 50 milliards de francs-or). L'effort à consentir apparaît insupportable puisqu'il supposerait de gigantesques économies et une augmentation drastique des impôts. De surcroît, les industriels, ardemment stabilisateurs, font remarquer qu'une revalorisation du franc aurait pour effet de renchérir les produits français et de gêner les exportations. L'exemple de la Grande-Bretagne qui a revalorisé la livre en 1925 provoquant une dramatique crise économique et une vague sociale de grande ampleur dans le pays leur donne d'ailleurs un puissant argument. Poincaré se rend à leurs raisons. Faisant taire ses sentiments personnels, il accepte finalement de donner au franc, après les élections de 1928, un cours officiel correspondant au cours stabilisé en 1926. Une loi du 25 juin 1928 définit la monnaie française par un poids de 65,5 mg d'or fin (contre 322,5 pour le franc germinal). Payant par une amputation des 4/5 le coût de la guerre, la monnaie française est cependant stabilisée à un cours reconnu depuis près de dix-huit mois par le marché international. La stabilisation fait du franc français une monnaie recherchée, désormais considérée comme une devise valable pour les transactions internationales et une monnaie de réserve, au même titre que le dollar, la livre sterling ou le mark allemand. Intégré au système monétaire international rebâti en 1922 à la Conférence de Gênes, le *Gold Exchange Standard* (fondé sur l'or ou sur les devises convertibles en or), il a partiellement retrouvé son statut d'avant-guerre (à la différence toutefois que les billets qui ont cours forcé ne sont plus convertibles en or). Sur cette situation financière assainie qui met fin à la longue crise des finances publiques qui a affecté la France depuis 1919, la prospérité économique des années vingt semble promise à un bel essor.

La prospérité française des années vingt

Si, jusqu'en 1926 les finances publiques de la France se débattent dans une interminable crise, il est bien évident que celle-ci ne signifie en aucune façon que l'économie française soit, durant la même période, en difficulté.

Sans doute la France subit-elle en 1920-1921 les effets de la crise de reconversion de l'économie de guerre en économie de paix. L'arrêt des commandes de l'Etat qui s'accompagne d'ailleurs du démantèlement rapide des offices et consortiums mis en place durant le conflit, les difficultés de la reconversion des entreprises vers de nouveaux marchés, l'afflux des démobilisés qui reviennent sur le marché du travail, le phénomène inflationniste se combinent pour entraîner une stagnation durant les années de l'immédiat après-guerre. L'indice de la production industrielle qui s'établissait à 57 en 1919 (pour une base 100 en 1913), stagne à 62 en 1920 et retombe à 55 en 1921. Cette stagnation économique en période de hausse des prix entraîne des troubles sociaux graves (chapitre X) et rend compte du climat troublé de l'immédiat après-guerre. En fait cette brève crise s'explique surtout par des facteurs conjoncturels internationaux: une surproduction relative due à la croissance du potentiel de production dans le monde durant la guerre, accompagnée d'un blocage des moyens de paiement lié en particulier à l'arrêt des prêts gouvernementaux du gouvernement américain. Ces causes suscitent une contraction du marché international, une chute des exportations, une réduction de la production et le chômage qui, à son tour, est facteur de restriction du marché. Mais vers 1922, la résorption des stocks excédentaires étant effective, un nouvel équilibre s'instaure dans l'économie mondiale, dont la France est évidemment bénéficiaire.

A partir de là, la croissance économique gagne le pays. Dès décembre 1924, l'indice de la production industrielle est à 116. Il monte à 131 à l'automne 1926 avant de culminer à l'indice 144 durant l'été 1930. Sans doute cette croissance n'est-elle pas régulière, soumise aux aléas de la conjoncture financière ou politique. La crise financière des débuts de 1925 la fait retomber, la stabilisation Poincaré, en entraînant une détérioration des exportations artificiellement favorisées auparavant par la dépréciation du franc, lui porte un coup d'arrêt. Mais il faudra ensuite attendre les années cinquante pour que le pays enregistre une aussi belle période de croissance économique.

Les répercussions de cette croissance se traduisent d'ailleurs dans tous les domaines: le revenu national progresse de 5 % par an entre 1922 et 1929, le produit national brut gagne 7 % par an de 1920 à 1924 et se maintient ensuite à 3 % annuels jusqu'en 1929, les profits distribués connaissent une spectaculaire croissance, les bénéfices des sociétés répartis sous forme de dividendes atteignent 3,7 milliards en 1921 et 11,8 milliards en 1929.

Comment expliquer cette phase de remarquable prospérité économique que l'ensemble des indicateurs confirme ?

D'abord par une conjoncture mondiale favorable. De même que la crise de 1920-1921 n'est que l'aspect français d'un phénomène mondial, la prospérité des années suivantes est fille de la *«Prosperity»* américaine. On peut en effet très largement considérer que ce sont les crédits américains, très généreusement injectés dans le circuit économique mondial (sous forme d'investissements, de prêts, d'achats) qui sont à l'origine du rétablissement de celui-ci et d'un mouvement d'activité économique qui s'étend aux dimensions de la planète. Il reste toutefois que tous les pays du monde n'en ont pas également profité. Par exemple le Royaume-Uni dont l'appareil industriel vieilli et la politique de rigueur financière n'ont pas permis que le pays connaisse les bénéfices de la croissance mondiale. La France au contraire joue pleinement ses chances dans la croissance. Si bien qu'il faut prendre en compte les causes strictement nationales du phénomène.

Au premier rang de celles-ci, la politique de laxisme financier suivie durant les premières années de l'après-guerre. Si elle aboutit à la détérioration des finances publiques, elle stimule incontestablement l'économie. La très généreuse indemnisation des dommages de guerre représente un coup de fouet initial qui permet une reconstruction rapide et apparaît comme une subvention déguisée aux entreprises nationales. En même temps, la dépréciation de la monnaie aboutit à rendre particulièrement compétitifs les prix français sur le marché international, favorisant les exportations et permettant la conquête de marchés par les industriels français les plus dynamiques. Ces causes strictement monétaires disparaissent en partie avec la stabilisation de 1926-1928 qui entraîne d'ailleurs un coup d'arrêt des exportations.

Mais le relais est pris par un phénomène qui a commencé à se dessiner à partir de 1922 et qui représente un tournant dans les habitudes de consommation des Français. Alors que, pour la masse de la population, celles-ci étaient dominées par les dépenses de survie et, au premier plan par l'alimentation, secteur majoritaire dans les budgets, l'après-guerre voit naître, à partir de l'exemple américain, des phénomènes de consommation de masse dont le moteur est la classe moyenne et qui est une des retombées de la prospérité. L'électricité, l'automobile, l'équipement ménager figurent parmi les secteurs bénéficiaires de ces nouveaux comportements et la vente de masse y rend possible la production de série et la baisse des coûts. Toutefois, ni la classe ouvrière dans sa majorité, ni le monde rural, toujours numériquement dominants ne sont touchés par cette timide naissance d'une ébauche de société de consommation.

Beaucoup plus que la consommation encore limitée à la bourgeoisie et à la classe moyenne, c'est en fait l'investissement qui explique la croissance des années vingt, et celui-ci se traduit par une modernisation des structures économiques de la France.

La modernisation de l'appareil productif national

Dans les deux secteurs-clés de l'investissement et de la concentration qui ont permis (chapitre II) de mesurer le retard économique français au début du siècle sur les pays industriels les plus dynamiques, les années vingt apportent en effet de spectaculaires nouveautés.

Entre 1922 et 1929, le taux d'investissement varie entre 16 % et 19 % du Produit Intérieur brut. Il y a là un incontestable effort de modernisation qui va aboutir à une modification des structures de l'industrie française dans ses branches les plus dynamiques. Cet effort de modernisation est le fait d'un patronat fasciné par l'exemple américain et qui, dans une perspective très proche de la mystique industrielle des Saint-Simoniens du XIXe siècle qui pensaient apporter le bonheur à l'humanité en stimulant la production, se sentent investis d'une véritable mission, celle de répandre en France la société de consommation née aux Etats-Unis et dont Henry Ford apparaît comme le grand-prêtre. Des hommes comme Ernest Mercier, grand industriel de l'électricité et fondateur du groupe du *Redressement Français* (association d'économistes, d'intellectuels et de hauts-fonctionnaires), comme le fabricant d'automobiles André Citroën, comme l'industriel de la chimie Louis Loucheur, comme le fabricant de textiles Marcel Boussac sont également persuadés de la validité de cette mission. Sous l'influence de ces grands patrons modernistes, l'investissement devient l'arme absolue de transformation de la société.

Ces nouvelles conceptions passent en premier lieu par une mécanisation des industries. L'achat de machines de plus en plus performantes, capables d'accroître la productivité des entreprises commande le projet de modernisation. Partout la manutention manuelle régresse au profit de la machine. Celle-ci gagne tous les secteurs de l'économie, depuis l'extraction minière où le marteau-piqueur remplace l'abatage à la main jusqu'au tertiaire où triomphent les machines à écrire et à calculer et les duplicateurs en passant par le secondaire qui voit la victoire de la machine-outil dans l'industrie mécanique.

Les usines modernes mécanisées sont le lieu d'implantation des méthodes de travail à l'américaine dont la novation frappe si fort les contemporains. L'Organisation scientifique du travail consiste à faire pénétrer dans les entreprises les principes du taylorisme et du fordisme. Le premier se résume à tenter d'accroître la productivité en simplifiant la tâche de l'ouvrier dont chaque geste est analysé, chronométré, puis donne lieu à une décomposition des tâches, cantonnant chaque travailleur dans un nombre limité de gestes toujours identiques. Cette parcellisation des tâches réduit l'ouvrier à n'être plus qu'un simple rouage d'une immense machine dont la signification d'ensemble lui échappe. Sa productivité est mesurée par des quotas de production qui, s'ils sont dépassés, donnent lieu au versement de primes. Sur ce taylorisme se greffe le fordisme qui est une doctrine d'organisation de l'usine prenant en compte le nouveau style de travail. Les machines et les postes de travail sont répartis au long d'une «chaîne», selon la succession des opérations nécessaires au processus de fabrication. Les industries les plus modernes adoptent d'enthousiasme les nouveaux procédés et l'Organisation scientifique du travail règne dans l'automobile (Citroën, Peugeot, Renault...), dans l'aéronautique, les industries alimentaires, la construction ferroviaire etc. Les entreprises qui adoptent l'Organisation scientifique du travail sont aussi celles où l'investissement conduit à la mise en place de laboratoires de recherche qui testent les nouveaux produits, s'efforcent d'inventer des procédés permettant de satisfaire les goûts du public, d'abaisser les coûts en améliorant la technique et en s'efforçant de découvrir les méthodes les plus performantes.

Il va de soi que seules des entreprises de très grande dimension disposant d'importants capitaux sont en mesure de réaliser les investissements nécessaires à la modernisation. Or, dans un pays comme la France où la révolution industrielle est née au XIXe siècle sur un tissu de très petites entreprises et où la politique officielle de l'Etat a pour objet de les favoriser, les entreprises de grande dimension sont peu nombreuses.

Il apparaît cependant évident que, par rapport à l'avant-guerre le phénomène de concentration tend à s'accentuer. Les entreprises automobiles qui étaient plus de 150 en 1924 ne sont plus que 98 en 1929, mais la production est dominée par les trois grands, Renault, Citroën et Peugeot qui fournissent les 2/3 de la production. Dans la chimie, avec Rhône-Poulenc, né en 1928, dans l'aluminium avec Péchiney, créé en 1921, dans l'électricité naissent des firmes capables de pratiquer de larges investissements et d'affronter la concurrence internationale.

Dans la sidérurgie se produisent des phénomènes d'intégration verticale, des entreprises sidérurgiques achetant en aval des fabriquants de tubes — de Wendel prend ainsi le contrôle du groupe Escaut-et-Meuse —, ou s'assurant en amont la maîtrise de l'énergie en acquérant des charbonnages (Pont-à-Mousson achète ainsi des mines en Allemagne et en Belgique).

Enfin, le commerce de détail, domaine d'élection de la petite entreprise n'est pas à l'abri du mouvement. La naissance des magasins à succursales multiples, les chaînes *Monoprix* et *Uniprix* fondées par les Grands Magasins montrent que les phénomènes de concentration ont tendance à se répandre, y compris dans des secteurs où leur apparition heurte des traditions établies de longue date.

Il reste que, pour spectaculaire qu'il soit, le processus de concentration n'intéresse encore qu'un nombre limité de secteurs économiques. Sa nouveauté frappe, précisément parce qu'elle tranche fortement avec la règle de la petite entreprise qui domine le paysage économique français. Toutefois, les secteurs intéressés par la concentration, secteurs-pilotes de la croissance de la France des années vingt, méritent d'être connus en ce qu'ils se confondent avec les branches dynamiques de l'économie française.

Les branches dynamiques de l'économie française

Investissements massifs, mécanisation, recherche, concentration, production de masse, réduction des coûts, introduction de l'Organisation scientifique du travail sont le lot de quatre secteurs industriels dans lesquels se résume le dynamisme de l'économie française dans les années vingt, les autres entreprises ne bénéficiant que de quelques aspects limités de la modernisation ou (nous y reviendrons) s'en tenant résolument à l'écart.

Deux de ces secteurs industriels dynamiques appartiennent au secteur de base: il s'agit de la sidérurgie et de la chimie.

La sidérurgie qui a connu un prodigieux essor dans les premières années du XXe siècle, s'est de surcroît trouvée tout naturellement stimulée par la guerre, puis par la nécessité de la reconstruction. En septembre 1926, elle conclut avec ses homologues allemande, sarroise, luxembourgeoise, belge, le Cartel de l'Acier destiné à organiser le marché européen et qui réserve à la France un quota de production de 30,87 % (contre 42,7 % à l'Allemagne). En 1929, poursuivant la progression amorcée au début du siècle, la sidérurgie française est devenue la troisième du monde, derrière les Etats-Unis et l'Allemagne, produisant près de 10 millions de tonnes d'acier et entraînant un dynamisme considérable de la production de houille.

Comme la sidérurgie, la chimie bénéficie en France d'une vieille tradition qui explique qu'elle ait reçu un coup de fouet de la seconde révolution industrielle dont elle est une des industries de base. A côté des productions traditionnelles que sont les engrais et les colorants, la chimie bénéficie durant la guerre de l'inévitable croissance des productions d'explosifs. Mais la novation des années vingt est la création d'une gamme de produits adaptés à la consommation de masse naissante et qui se trouve stimulée par les nouvelles habitudes de consommation: produits photographiques, produits pharmaceutiques, caoutchouc et surtout, la grande innovation, les produits synthétiques qui commencent leur prodigieuse carrière. Parmi ceux-ci, les textiles synthétiques qui commencent à concurrencer la soie, en particulier sur le marché lyonnais.

A côté de ces deux secteurs de base, la modernisation touche également deux secteurs relevant des industries de transformation. Au premier rang de celles-ci, l'électricité qui connaît une véritable explosion et s'affirme comme la source d'énergie moderne par excellence, celle qui caractérise cette France nouvelle entrée dans la seconde révolution industrielle. Les chiffres sont éloquents. De 2 milliards de kwh en 1913, la production électrique passe à 15,2 milliards en 1930. Des investissements considérables permettent l'édification de grosses centrales thermiques en particulier dans la région parisienne. Mais l'essentiel de cet investissement va vers la construction de barrages hydroélectriques. Les années vingt voient l'équipement des cours d'eau du centre de la France, de la Truyère, de la Dordogne, de la Creuse en particulier. Les projets d'équipement du Rhin sont étudiés et le premier ouvrage sur le fleuve, le barrage de Kembs est mis en chantier. Vers 1930, l'hydroélectricité fournit la moitié de la production française d'énergie électrique. C'est que la demande en la matière croît fortement. Les années vingt voient l'Etat et les collectivités locales fournir un effort particulier pour l'électrification des campagnes. Alors que 17 % des communes seulement étaient électrifiées en 1919, elles le sont à 83 % en 1932. Parallèlement les industries les plus modernes se dotent de machines fonctionnant à l'électricité, et l'électrométallurgie et l'électrochimie se développent dans la région alpine. Cette forte croissance du secteur électrique stimule les entreprises qui se spécialisent dans la production de matériel électrique, secteur porteur par excellence des années de la prospérité d'après-guerre. En tête de ces entreprises dont la croissance est liée au succès de l'électricité, la *Compagnie générale d'électricité* (CGE).

A côté de l'électricité, l'automobile connaît un premier âge d'or. Avec 254 000 véhicules en 1929 (contre 45 000 en 1913), la France est le premier producteur européen devant le Royaume-Uni et le second du monde, loin cependant derrière les Etats-Unis (dont la production dépasse alors les 5 millions de véhicules). Le parc en circulation atteint en 1929 près de 1,5 millions de véhicules, dix fois plus qu'en 1913. Les constructeurs français sont les premiers d'Europe. En tête vient Citroën, le plus caractéristique des patrons modernistes qui a développé ses usines sur le modèle de celles de Ford et qui dépasse les 100 000 véhicules. Renault qui vient en seconde position en fournit environ moitié moins, cependant que Peugeot parti d'une production quasi-artisanale en 1919 accomplit un spectaculaire redressement en dépassant les 40 000 véhicules en 1930. L'industrie automobile stimule d'importants secteurs de l'économie: les glaces (Saint-Gobain est le grand bénéficiaire), les pneumatiques (la fortune de Michelin commence), le raffinage du pétrole (l'Etat encourage en 1924 la création de la *Compagnie française des pétroles*, société d'économie mixte destinée à éviter que les compagnies anglaises et américaines comme *Royal Dutch Shell* et *Standard Oil* ne monopolisent le marché français).

Ces quelques secteurs-pilotes n'épuisent cependant pas le dynamisme de l'économie française. Bien qu'obtenant des résultats moins spectaculaires, les industries dont la grande expansion remonte au début du siècle connaissent des taux de croissance élevés qui leur permettent d'avoir un effet d'entraînement lisible dans les statistiques et qui débouche sur une croissance d'ensemble de l'économie. Ainsi en va-t-il de secteurs comme l'extraction minière, la production de gaz, le bâtiment ou le cuir.

Et surtout, fait très nouveau, les industriels français des branches les plus dynamiques se lancent dans la conquête des marchés extérieurs: automobiles, produits sidérurgiques et chimiques sont largement exportés, la diplomatie française n'hésitant pas à se servir de ses atouts politiques pour aider à l'ouverture des marchés. Celle-ci s'opère en particulier en Europe centrale et orientale, lieu privilégié de l'économie française dans ses efforts d'implantation à l'extérieur. L'aide diplomatique que la France apporte aux pays de la Petite-Entente (Yougoslavie, Tchécoslovaquie, Roumanie) ou à la Pologne se traduit par de fructueux investissements pour les hommes d'affaires français (chapitre VI). Avec l'aide de sa filiale, l'*Union européenne industrielle et financière*, le sidérurgiste Schneider constitue un véritable empire en Europe centrale, acquérant la firme métallurgique Skoda, les mines d'Ostrawa, des usines métallurgiques en Silésie et en Pologne, des participations dans les banques des pays d'Europe centrale...

Il est par conséquent peu douteux que les années vingt ont vu la France connaître une ère de brillante croissance qui, une fois la parenthèse des années de guerre refermée, poursuit celle des débuts du XXe siècle. Cette croissance repose avant tout sur la production de biens d'équipement, mais la consommation n'en est nullement absente et les transformations qui s'amorcent à ce niveau préparent les modifications structurelles de l'économie et une mutation du comportement des Français qui s'épanouiront seulement dans les années cinquante. Car si ces anticipations des années vingt ont été souvent méconnues, c'est que, vingt ans durant, la crise économique, puis la guerre et ses séquelles ont effacé dans l'esprit des Français jusqu'au souvenir de cette phase de croissance annonçant le début de la production de masse et la naissance d'une société de consommation. Mais c'est aussi que le dynamisme de certains secteurs économiques ne réussit pas, à la fin des années vingt, à modifier en profondeur l'ensemble des structures économiques du pays. Derrière les exemples de croissance spectaculaire qui ont été retenus, le fond du paysage économique français demeure celui de la stagnation, de la routine, d'un retard de modernisation qui marquent profondément le système de production, les modes de vie et les mentalités.

Persistance de la France des «petits»

La France des années vingt, en dépit des brillantes anticipations évoquées reste un pays fondamentalement rural et un pays de petites et moyennes entreprises. Au sortir de la Première Guerre mondiale, 53,6 % de la population française vit à la campagne. C'est autour de 1930 que le pourcentage de la population urbaine l'emporte définitivement sur celui de la population rurale, mais si on constate effectivement un courant d'urbanisation, celui-ci est extraordinairement lent et les statistiques sont trompeuses par rapport aux réalités. En effet, sont considérées comme villes les agglomérations de plus de 2 000 habitants. Or il est clair qu'à ce niveau on est en présence de petits bourgs étroitement liés à la vie des campagnes environnantes et dont les fonctions sont en rapport avec elles. De surcroît, la société est imprégnée par une mentalité rurale, et une grande partie des citadins ne se considère encore que comme en transit dans la ville où elle ne réside que pour des raisons économiques en attendant de pouvoir retrouver ses racines à la campagne. De fait, la France se voit comme un pays rural et les revenus dus à l'activité agricole représentent encore aux alentours de 1920 environ 30 % de l'ensemble des revenus privés. Or ce monde rural est dominé par les petites et moyennes exploitations comme le révèle l'enquête agricole de 1929.

	Nombre d'exploitations (en milliers)	*Surface exploitée* (en milliers d'ha)
Moins de 1 ha	931	674
1 à 10 ha	1 754	9 101
10 à 50 ha	959	22 170
50 à 100 ha	81	6 064
plus de 100 ha	32	7 253
Total	3 757	45 262

Sans doute faut-il tenir compte des pièges que recèle cette approche statistique, en particulier au niveau des micro-parcelles qui sont souvent, non des exploitations agricoles, mais de simples jardins d'agrément ou des potagers domestiques. Mais cette rectification une fois faite, force est de constater que les exploitations de plus de 50 ha, les seules qui apparaissent comme économiquement significatives, ne représentent que le tiers de la surface cultivée. En fait, l'agriculture française se caractérise par la prépondérance de la moyenne exploitation de caractère familial.

Or ce type d'exploitation est marqué par l'archaïsme dont le résultat se lit dans la quasi-stagnation de la production agricole au cours des années vingt. Pour un indice 100 en 1910-1913, la production agricole est tombée à 84 en 1919. Elle remonte lentement, par paliers, jusqu'à un indice 106 en 1925 et, avec des aléas conjoncturels (stabilisation de fait de 1926, dévaluation légale en 1928), s'inscrit à l'indice 96 en 1930.

Certes, il s'agit là de chiffres moyens qui recouvrent des réalités contrastées mais aboutissent à la vision d'ensemble d'un secteur dont le poids (il regroupe en 1931 32,5 % de la population active) apparaît globalement comme un frein à la modernisation d'ensemble de l'économie française.

Malgré la diminution du nombre des exploitations (au détriment des plus exiguës) et celle de la population agricole active, les progrès de la productivité sont de très faible ampleur. Ils ne concernent que les grandes exploitations, par exemple les vastes domaines céréaliers du Bassin parisien exploités dans une perspective capitaliste, ou les vignobles du Midi. De manière moins spectaculaire, ils intéressent la moyenne propriété (de 10 à 50 ha) où l'on constate dans les années vingt des achats de machines agricoles (moissonneuses ou faucheuses-lieuses) et l'utilisation plus importante d'engrais. Mais les progrès de la productivité sont quasi-inexistants, faute de capitaux et de possibilités d'amortir les investissements, dans les exploitations inférieures à 10 ha (les 2/3 du total, ne couvrant il est vrai que 20 % des superficies cultivées).

Au total, du fait de la dispersion des exploitations et de la stagnation qui en résulte au niveau des équipements et des méthodes de travail, les rendements sont notablement plus faibles que dans la plupart des pays étrangers (on peut comparer le rendement français du blé — 18 quintaux à l'ha — à celui des 27 quintaux à l'ha de la Belgique ou des 30 quintaux à l'ha des Pays-Bas). De surcroît, ces conditions entraînent un problème général des prix agricoles qui sont à la fois trop peu rémunérateurs pour les exploitants français, lesquels ne peuvent que difficilement dégager des marges bénéficiaires, et trop élevés pour le marché mondial qui connaît dès 1926 un tassement des cours mondiaux au moment précis où la stabilisation Poincaré fait disparaître l'avantage de change dont jouissaient les agriculteurs français.

Rassemblant le tiers de la population active de la France, le secteur agricole constitue donc un frein à la modernisation de l'économie française. Vivant largement en situation d'autosubsistance (ce que manifeste la prédominance de la polyculture), dégageant peu de bénéfices, exerçant une pression sur les milieux politiques en faveur du renforcement de la protection douanière, il n'offre qu'un très faible marché aux secteurs modernes de l'industrie et incline les mentalités vers des comportements frileux et conservateurs qui constituent une entrave à la modernisation du pays.

Or la France des «petits» ne se limite pas au monde rural. Elle est aussi le modèle de l'entreprise artisanale, industrielle ou commerciale en France. En 1931, les entreprises de moins de 20 salariés constituent 44 % des entreprises industrielles françaises. En outre, il existe en France 1 700 000 artisans qui travaillent seuls ou avec un ou deux compagnons, et 418 000 travailleurs à domicile. Si bien qu'au total, à la fin des années vingt, 65 %, des travailleurs de l'artisanat ou de l'industrie exercent leur activité dans des établissements de moins de 100 salariés et 40 % dans des établissements de moins de 10 salariés. Même dans ce domaine, la règle est celle de la petite et moyenne entreprise, bien que leur nombre ait tendance à diminuer au profit des grands établissements de plus de 500 salariés. Statistiquement, la grande entreprise moderne, même si elle polarise l'attention n'est qu'une brillante exception et Citroën et Boussac sont moins représentatifs de l'économie française que le petit atelier rassemblant quelques ouvriers.

C'est encore plus vrai dans le secteur du commerce. La boutique fait mieux que se maintenir, elle progresse. Or elle est le type même de la petite entreprise puisque dans le secteur du commerce, 65 % des salariés travaillent dans des établissements de moins de 5 personnes et 28 % seulement dans des entreprises dépassant 10 salariés.

Ainsi, si on ajoute l'agriculture, le commerce et l'industrie, une écrasante majorité du tissu économique de la France des années vingt est représenté par le secteur des petites ou très petites entreprises, même si l'évolution que permettent de constater les statistiques depuis le début du siècle va vers une lente concentration au bénéfice d'exploitations plus grandes donc plus rentables ou d'entreprises plus importantes. L'évolution n'est pas contestable, mais force est de constater qu'elle n'est qu'amorcée entre 1919 et 1932. Or on ne saurait dire que les mentalités accueillent avec satisfaction cet embryon de transformation. L'esprit public, comme l'idéologie officielle de la République, exaltent la petite entreprise à laquelle on peut accéder en sortant des couches les plus démunies de la société et font un véritable idéal politique de la création d'une démocratie de petits propriétaires-travailleurs. Si bien que la législation de la IIIe République favorise la constitution de petites exploitations rurales par des prêts de faible valeur, mais à longue durée et intérêts bas (par exemple aux Anciens combattants), de même qu'elle encourage par des lois sur les patentes et sur les sociétés anonymes à responsabilité limitée, la propriété commerciale des petits entrepreneurs. Du même coup se développe, au niveau des mentalités, une vision positive de la «*petite entreprise à la française*», modeste sans doute, mais raisonnable, se gardant des ambitions excessives, qu'on oppose à la grande entreprise capitaliste à l'américaine dont le gigantisme s'apparente à une «*folie des grandeurs*», à la perte de toute mesure à taille humaine et aussi à la spéculation capitaliste qui, dans un pays de vieille tradition catholique, laisse un relent de malhonnêteté. Le krach de Wall Street en 1929 sera souvent considéré en France comme une forme de justice immanente satisfaisant la morale en atteignant les téméraires et en épargnant les prudents et les raisonnables.

Sans doute, pour des esprits modernes, les défauts de cette petite entreprise majoritaire sautent aux yeux en mettant en évidence son rôle d'obstacle à la modernisation de l'économie: faibles ambitions en ce qui concerne la conquête des marchés, prédominance de l'autofinancement en raison des risques que fait courir à la stabilité des entreprises le recours aux banques, faibles taux de croissance, limitation des profits, fragilité économique qui fait de l'appel à l'Etat un réflexe quasi automatique et, à un niveau plus large, nécessité de la protection douanière gênant les entreprises les plus performantes soumises à l'étranger à des mesures de rétorsion et frein à toute politique sociale, impossible à supporter pour la trésorerie de sociétés qui ne disposent guère de moyens ni de souplesse financière. Mais, pour les années vingt, ces constatations apparaîtraient comme anachroniques, car elles ne sont le fait que d'un petit nombre de patrons modernistes qui ont été évoqués plus haut et que l'exemple américain enthousiasme. En revanche, ces réflexions sont étrangères à la plupart des patrons français comme à l'opinion publique dans sa quasi-totalité. Il est juste d'ajouter que l'état d'esprit majoritaire de méfiance à l'égard de l'innovation économique est partagé par nombre de dirigeants de grandes entreprises traditionnelles par exemple l'industrie cotonnière du Nord, la soierie lyonnaise ou la chaussure de Bretagne ou du Centre.

La position internationale de la France

Par rapport au marché mondial, quel est le poids relatif des grandes entreprises modernistes tournées vers l'investissement, la mécanisation et l'exportation, et du tissu des entreprises traditionnelles, généralement de petite taille et bornant au mieux leurs ambitions au marché national que nous venons de décrire?

Avant la Première Guerre mondiale (chapitre II), la France pèse dans le monde par la masse des capitaux qu'elle a placés à l'étranger.

Durant la guerre, la plus grande partie de ces capitaux a été liquidée, mais il en demeure un reliquat qui représenterait 7,9 milliards de francs-or. La prospérité des années vingt a cependant vu s'opérer une reprise des placements à l'étranger du fait des grandes banques et des entreprises industrielles les plus dynamiques. C'est essentiellement vers la zone désormais privilégiée de l'Europe centrale et balkanique (Pologne et pays de la Petite-Entente) que se dirigent ces placements, ces pays servant de substitut à la Russie d'avant-guerre qui, du fait de l'avènement du régime bolchevique, ne constitue plus une zone de placement valable. Mais il faut aussi citer les pays du Moyen-Orient (en raison du succès récent de l'extraction pétrolière) et le domaine colonial français qui commence à attirer les capitaux, au moins dans les zones les plus rentables (Syrie, Liban, Maroc, Madagascar, Indochine). Au total, c'est une vingtaine de milliards de francs-or qui sont placés à l'étranger en 1929, représentant un triplement des capitaux français placés dans le monde par rapport à 1919. Toutefois ce total n'est que la moitié de la fortune française à l'étranger en 1913, ces chiffres permettant à la fois de mesurer l'effort de reconstitution de celle-ci durant la prospérité des années vingt, et le déclin relatif par rapport à la position internationale de la France avant la guerre. La prospérité de l'après-guerre est réelle, mais elle n'est pas suffisante pour masquer la perte de puissance internationale occasionnée par le conflit.

Dans quelle mesure le commerce extérieur de la France traduit-il cet effort de reconstitution amorcé, mais inachevé ? La conjoncture économique infléchit très directement la situation de la balance commerciale de la France. Les énormes besoins de reconstruction expliquent le déficit qui la marque dans l'immédiat après-guerre. Usée par le conflit, la France doit beaucoup acheter et a peu à vendre à l'étranger. Jusqu'en 1923, la balance commerciale est déficitaire en permanence. A partir de cette date, les exportations subissent un véritable coup de fouet dû à la fois à l'achèvement de la reconversion et à la dépréciation du franc qui offre une véritable chance aux produits français en diminuant artificiellement leur coût sur le marché international. Bien entendu, la stabilisation légale du franc en 1928 retourne à cet égard la situation en faisant perdre aux produits français l'avantage de change dont ils bénéficiaient et ce au moment même où le retournement de la conjoncture internationale se marque par un tassement des cours mondiaux ce qui entraîne le retour au déficit commercial. Il reste que, prise dans son ensemble, la période des années vingt représente pour la France un réel élan commercial puisque par rapport à un indice 100 en 1913, l'indice du volume des échanges serait à 149 en 1929 contre 127 en moyenne pour le reste du monde.

Cette progression des échanges s'explique d'abord par la forte poussée des importations, et en particulier des matières premières (+ 33 % entre 1913 et 1929) due à la fois aux nécessités de la reconstruction et à l'essor des industries dynamiques, grosses consommatrices de matières premières. Mais la croissance des exportations durant la même période de référence (+ 47 %) est encore plus marquée et concerne, pour les deux tiers, des produits fabriqués à forte valeur ajoutée, la France vendant à l'étranger le quart de sa production. Comme avant la Première Guerre mondiale, la France conserve ainsi le 4e rang mondial pour le commerce, mais ce maintien apparent couvre, comme pour le placement des capitaux à l'étranger, une détérioration relative de sa position par rapport à l'avant-guerre. Elle n'achète plus que 6 % des importations mondiales (contre 7,9 % en 1913) et ne fait plus que 6 % des exportations (contre 7,1 % en 1913).

Si on tient compte de ce que la position internationale dans le domaine des échanges comme dans celui des capitaux est le fait d'une minorité de grandes entreprises, il est peu contestable que la France des années vingt fasse preuve d'un réel dynamisme, tant en ce qui concerne le placement des capitaux à l'étranger que le volume des échanges extérieurs. Mais cette reprise, pour brillante qu'elle soit, demeure limitée, ne permettant guère au pays de retrouver la position qui avait été la sienne en 1913, de refaire le terrain perdu par la guerre. C'est que le poids des vieilles structures, dans le monde rural comme dans le secteur de l'industrie et du commerce constitue, un frein qui interdit au dynamisme du secteur industriel moderne de donner sa pleine mesure en trouvant des relais dans l'ensemble du tissu économique français. C'est donc sur un pays qui ne fait qu'ébaucher sa modernisation que se manifestent les premiers signes du ralentissement de la conjoncture mondiale à la fin des années vingt.

La crise avant la crise

En octobre 1929, l'effondrement de la Bourse de New York, suivi de la crise du système bancaire, de l'arrêt des crédits, de faillites en cascade d'entreprises et d'une vague de chômage annonce le début de la crise économique mondiale. Depuis longtemps, les historiens de l'économie ont mis en relief le fait que si la crise boursière avait donné le signal de la crise économique, ce n'est nullement qu'elle en était la cause mais que, tout simplement, elle avait révélé à l'opinion une situation difficile résultant des déséquilibres structurels de l'économie américaine.

Le raisonnement vaut pour la crise française. Celle-ci n'est perçue par les Français que lorsque se produit en septembre 1931 un événement qui joue le rôle de signal pour l'opinion publique, la dévaluation de la livre sterling qui met brusquement en évidence la surévaluation des prix français par rapport au marché mondial et qui va se manifester par l'effondrement des exportations, la montée du chômage et, en dépit des mesures de protection douanière, la très grande difficulté pour les produits français à résister à la concurrence étrangère, y compris sur le marché national. En fait, l'événement de septembre 1931, généralement considéré comme le début de la crise, ne fait que mettre en relief les déséquilibres structurels de l'économie française. Mais ceux-ci laissaient percevoir les signes annonciateurs de la crise économique dès 1929 et parfois auparavant. Toutefois faute de statistiques solides, de culture économique et de prise en compte (y compris par les dirigeants du pays) des données et des indicateurs, le phénomène n'est guère perçu et la crise américaine apparaît comme le juste châtiment de la présomption des grands enfants d'outre-Atlantique et de leurs imitateurs européens, la sagesse française étant célébrée par la situation du pays, tenu pour *«un ilôt de prospérité dans un monde en crise»*.

Pour étayer ce sentiment, les arguments ne manquent pas. C'est en 1929 que sont atteints dans tous les domaines des records absolus de production, dans l'extraction houillère qui arrive, cette année-là, à 55 millions de tonnes, dans celle du minerai de fer qui culmine à 51 millions de tonnes, dans celle de la bauxite pour laquelle la France consolide sa position avec 680 000 tonnes. Avec près de 17 milliards de kw/h, l'électricité multiplie par 8 sa production de 1913 cependant que la production d'acier est à l'indice 192 par rapport à un indice 100 à la veille de la guerre. Mêmes indices favorables pour la construction (indice 120), l'industrie mécanique (indice 136), la production automobile atteignant 254 000 véhicules.

Année-record encore que 1929 pour les importations (58 milliards de francs) et les exportations (50 milliards), cependant que les revenus des capitaux placés à l'étranger, ceux du tourisme et les Réparations allemandes permettent de solder, au niveau de la balance des paiements, le déficit de la balance commerciale.

Dans un pays où la prospérité est assimilée à la richesse financière, les causes d'optimisme ne manquent pas non plus. L'or afflue à la Banque de France depuis la stabilisation Poincaré, le franc étant tenu pour une des valeurs stables du monde. Aussi les réserves ne cessent-elles d'augmenter, à l'émerveillement des experts: 18 milliards en 1927, 64 en 1928, 67 en 1929, 80 en 1930, le mouvement se poursuivant jusqu'en 1932 et assurant à la monnaie une confortable couverture de 77 %, supérieure à ce qu'elle était en 1913. Dans le domaine si sensible des finances publiques, la situation n'a jamais été aussi favorable depuis la guerre.

Le budget de l'Etat, en excédent depuis 1928, dégage en 1930-1931 un solde positif de plus de 5 milliards de francs, permettant au chef du Gouvernement André

Tardieu, admirateur de la prospérité américaine des années vingt de se lancer dans une politique d'équipement du pays qu'il baptise *«politique de la prospérité»*. Et les Français ont toutes les raisons de penser que cette prospérité, récompense de leur sagesse, est assurée pour longtemps puisque l'année 1930 permet d'établir encore un record, celui du revenu national: 245 milliards de francs! Quant au chômage, plaie chronique de l'Angleterre de l'entre-deux-guerres (jamais moins d'un million de chômeurs), qui se répand comme une traînée de poudre en Allemagne et ravage les Etats-Unis, il est, si l'on en croit les statistiques, inexistant en France: 1 700 chômeurs secourus en 1930.

L'optimisme ainsi entretenu explique que les contemporains aient jugé que, dans ces conditions, la responsabilité de la crise était strictement étrangère, imputable aux effets de l'effondrement américain puis de la dévaluation britannique. Les historiens contemporains tout en admettant que le poids de la crise mondiale a été déterminant sur un pays profondément engagé dans les processus économiques internationaux contestent aujourd'hui ce point de vue en insistant sur les déséquilibres propres à l'économie française et sur la précocité des signes du retournement de la conjoncture économique (Cf. Jacques Marseille, «Les origines inopportunes de la crise de 1929 en France», *Revue Economique*, vol. 31, n° 4, juillet 1980).

De fait, les signes annonciateurs de la dépression ne manquent pas et peuvent à beaucoup d'égards faire considérer *aujourd'hui* que celle-ci résulte d'un processus régulier de dégradation qui apparaît au grand jour fin 1931. C'est ainsi que, depuis 1926, l'indice des prix de gros fléchit en France au rythme d'environ 3 % par an, la France suivant sur ce point l'évolution du reste du monde, la chute étant encore plus marquée pour les prix de gros des matières industrielles. De la même manière, si la balance des paiements reste excédentaire, son solde se réduit d'année en année puisqu'au déficit chronique de la balance commerciale s'ajoute, à partir de 1929 et surtout de 1930, la disparition progressive de deux postes qui permettaient de l'équilibrer: les Réparations allemandes et les rentrées du tourisme. La production elle-même donne des signes d'essoufflement. Depuis 1926 et la stabilisation Poincaré qui fait disparaître l'avantage de change dont elle jouissait, la production agricole, stimulée jusqu'alors par les possibilités d'exportation, marque le pas. Pour les mêmes raisons, l'industrie textile amorce un repli en 1928 et l'industrie automobile commence à stagner fin 1929. Dès mars 1929, un certain nombre de valeurs mobilières connaissent stagnation ou recul. En 1930, le commerce extérieur est atteint à son tour, amorçant un repli de 15 % pour les importations et de 27 % pour les exportations.

On pourrait multiplier les exemples qui nous permettent aujourd'hui d'affirmer que la crise économique, loin d'être un événement brutal, une sorte d'agression étrangère sur un corps économique sain, est en fait un processus graduel qui s'est installé en pleine période de prospérité des années vingt! Mais si on peut admettre que la France connaît alors des difficultés économiques, il faut reconnaître qu'elle est entrée dans la dépression sans le savoir.

La médiocrité des sources d'information, le caractère tardif des statistiques disponibles, l'attachement fétichiste à l'accumulation d'or ne permettaient pas aux responsables de l'époque, même informés des problèmes que nous venons d'évoquer, d'y voir autre chose que des difficultés sectorielles et passagères qu'une politique opportune permettrait de traiter. A l'aube des années trente, la France continue à considérer que son développement économique repose sur l'équilibre maintenu entre agriculture et industrie, sur la gestion sage, prudente et modérée de ses petits entreprises industrielles et agricoles, tenant pour folie, attestée par les difficultés qu'elles connaissent à la fin des années vingt, la constitution de ces entreprises dynamiques et conquérantes qui sont à la base de la croissance de l'après-guerre. Il reste que celle-ci a incontestablement existé et que la crise dont la France prend conscience en 1931 a brutalement arrêté, pour vingt années, un processus d'entrée dans une «société de consommation» dont l'après-Première Guerre mondiale a posé les prémisses.

[illegible] des secteurs [illegible] entreprises industrielles et agricoles, tenant pour long, attestée par les difficultés qu'elles connaissent à la fin des années vingt, la constitution de ces entreprises dynamiques et conquérantes qui sont à la base de la croissance de l'après-guerre. Il reste que cette [illegible] a [illegible] établi [illegible] existe et que la crise dont la France prend conscience en 1931 a brutalement arrêté, pour vingt années, un processus d'entrée dans une « société de consommation », dont l'après-Première Guerre mondiale a posé les prémisses.

VIII

LES MUTATIONS DE LA SOCIÉTÉ

Années Vingt. La décennie qui suit la guerre, comme celle qui l'a précédée, a laissé dans la mémoire collective des Français un souvenir passablement mythique: ici, celui d'une fièvre festive qui, après la terrible épreuve de la guerre, aurait saisi la majorité d'entre eux. Sur fond de *Charleston*, de rythmes venus d'outre-Atlantique avec les *sammies*, de libération des mœurs, de provocation dada, de cortèges noctambules promenant à Montparnasse ou ailleurs de longues limousines remplies de jeunes femmes en robes courtes et coiffées «à la garçonne», la France aurait, à la faveur de la prospérité revenue, vécu sans complexe ses «*années folles*».

Comme celle de la «*Belle Epoque*», cette image n'est ni tout à fait fausse ni tout à fait conforme à la réalité, si l'on considère que le mode de vie des Français, leur comportement et leurs pratiques sociales, leurs façons de penser, de sentir, de se divertir, ne sont pas réductibles à ceux des minorités cultivées et économiquement à l'aise qui transportent leur fureur de vivre et leurs plaisirs turbulents d'une rive de la Seine à l'autre et des lieux de divertissement et de création de la capitale aux étapes, toujours plus fréquentées, des grands itinéraires cosmopolites: Vienne, Berlin, New York, la Riviera, Florence et Rome aussi, du moins jusqu'à ce que l'Italie bascule dans la rigueur totalitaire. «*Années folles*» donc pour un petit nombre, et années de détente pour beaucoup, après les terribles épreuves de la guerre, admettons-le. Mais surtout, pour la masse des Français, années de difficile reconstruction des équilibres de l'avant-guerre. Années d'illusions aussi, dans l'espoir du retour de l'Age d'or.

Combler les vides

A l'image de ses provinces de l'Est, ravagées par la tourmente guerrière, la société française est sinistrée. Comptabilisées en bloc (militaires tués et «*disparus*», civils morts par faits de guerre ou d'épidémies, déficit des naissances, etc.), les pertes en vies humaines tournent autour de trois millions d'individus, à quoi il faut ajouter les centaines de milliers d'invalides et de mutilés incapables de reprendre une activité professionnelle normale. Bilan effroyable donc, et qui frappe toutes les catégories sociales, mais qui a été particulièrement lourd pour la paysannerie — grande pourvoyeuse de ces masses de fantassins que la guerre des tranchées a broyées pendant quatre ans — et pour la bourgeoisie qui a fourni la plus grande part des officiers.

Il y a eu certes un premier «*baby boom*» au lendemain du conflit — 834000 naissances en 1920 —, mais le redressement s'est vite tassé. Dès 1922, les chiffres sont retombés à un niveau voisin de celui de 1914, la population de l'hexagone n'assurant plus son propre remplacement. Dans ces conditions, l'appel à la main-d'œuvre étrangère est devenu, pour la France des années vingt, une nécessité vitale, motivée par la diminution de la population active — 55 % en 1920, 52,4 % en 1931, 49,2 % en 1936 — et amplifiée à la fois par des mutations géographiques et sectorielles de forte amplitude et par des contraintes économiques, sociales et culturelles.

La recrudescence de l'exode rural aggrave en effet dans les campagnes la pénurie de bras occasionnée par la guerre, tandis que les mesures de limitation du temps de travail (la journée de huit heures est adoptée en 1919) réduisent encore la masse des travailleurs disponibles et ceci malgré les poussées périodiques du chômage. En effet, même en période de crise, les chômeurs français ne souhaitent pas toujours retrouver un emploi à n'importe quel prix, c'est-à-dire en changeant de région, en apprenant un nouveau métier ou en acceptant des travaux qu'ils jugent rebutants et mal payés. Si bien que l'agriculture et de nombreuses industries continuent à rechercher de la main-d'œuvre alors que nombre de nationaux se trouvent sans emploi.

Plus globalement, disons que la main-d'œuvre nationale — cela n'est pas nouveau mais le fait se généralise pendant la période — se montre plus exigeante et reste sédentaire. Elle se détourne des tâches épuisantes, dangereuses ou salissantes, répugne aux déplacements qu'imposent les nécessités économiques et aspire à une promotion sociale que le tertiaire paraît lui offrir. Il en résulte dans ce secteur des conflits qui peuvent prendre un caractère aigu: pour les Italiens par exemple dans l'hôtellerie, la restauration et les professions libérales, pour les Juifs d'Europe centrale dans l'artisanat, le petit commerce et les professions libérales également.

La noria migratoire prend donc, au début de la décennie 1920, une accélération qui tranche avec la relative stabilité de l'avant-guerre. Pendant les années du conflit, les flux se sont fortement réduits et les retours ont été nombreux, surtout du côté de l'Italie. Mais la reprise a été rapide et, dès 1921, l'effectif global des étrangers dépasse de 30 % le niveau de 1911. Les immigrés sont alors 1 400 000 en chiffres arrondis. Il y en aura au moins 3 millions dix ans plus tard (le recensement de 1931 donne le chiffre officiel de 2 700 000 mais il faut tenir compte des clandestins et de la migration de transit), soit 7 % environ de la population française. La France est devenue à cette date, devançant les Etats-Unis et les grands pays d'accueil latino-américains (Argentine, Brésil, Uruguay), le premier pays d'immigration du monde.

Principaux groupes étrangers résidant en France en 1931

Nationalités	*Population totale*		*Mariages mixtes*		*Naturalisés*
	H	*F*	*H*	*F*	
Italiens	485 958	322 080	3 444	1 707	100 642
Polonais	305 117	202 694	497	553	13 535
Espagnols	200 136	151 728	1 354	878	26 935
Belges	144 670	109 024	2 064	1 330	66 896
Suisses	58 958	39 157	878	496	19 714
Russes	47 159	24 769	505	96	10 972
Allemands	40 006	31 723	471	619	33 204
Portugais	41 081	7 883	—	—	700
Américains	7 832	8 987	112	64	1 623
Ensemble des étrangers	1 655 962	1 058 735	10 956	6 634	361 231

(H = population masculine — F = population féminine — Mariages mixtes = ceux qui ont été contractés l'année du recensement — Naturalisés = effectif comptabilisé l'année du recensement)

En tête viennent toujours les Italiens. Ils sont maintenant 808 000 en chiffres officiels (en fait au moins un million), soit le tiers de la population immigrée (37,1 % en 1931), résidant toujours majoritairement dans le quart sud-est de la France et dans la région parisienne (Paris a détrôné Marseille comme capitale de la migration transalpine), mais avec trois implantations plus récentes et en progression rapide: la Lorraine sidérurgique (Meuse, Moselle, Meurthe-et-Moselle), la Franche-Comté et certains départements du Sud-Ouest (Gers, Lot-et-Garonne, Tarn-et-Garonne) où les Italiens sont venus combler massivement les vides produits par la forte dépopulation rurale. A cette exception près, il s'agit surtout, comme par le passé, d'une immigration de travailleurs manuels, particulièrement nombreux dans les mines, la sidérurgie, les industries mécaniques, le bâtiment, mais la mobilité sociale de ce groupe est grande et la présence de noyaux beaucoup plus anciennement implantés fait que les Italiens sont également fort représentés dans le petit commerce, l'artisanat (notamment dans les métiers du vêtement, de l'ameublement, de la décoration, de l'alimentation) et dans les services.

L'un des traits spécifiques de l'immigration italienne des années vingt est la présence en son sein de nombreux exilés politiques venus par milliers (entre 30 000 et 40 000 selon les estimations les plus crédibles) chercher refuge dans notre pays à la suite des grandes vagues de violence et de répression qui ont accompagné la conquête du pouvoir par les fascistes, puis la radicalisation du régime en 1925-1926. Beaucoup, de simples militants de base des syndicats et des formations politiques pourchassés par le fascisme, ont d'ailleurs renoncé à poursuivre leur action, par crainte d'être expulsés ou par simple désintérêt, mais des milliers d'entre eux ont rejoint leurs organisations reconstituées dans l'exil, ou se sont insérés dans les rangs du Parti communiste français et de la CGTU. A leur contact, ce sont de larges secteurs de la colonie italienne qui se sont politisés à gauche, tandis qu'un fraction non négligeable de cette population subissait l'influence du régime mussolinien à travers les réseaux associatifs contrôlés par les consulats et par le parti (*fasci*, organisations d'anciens combattants, sociétés de bienfaisance ou de secours mutuel, groupes artistiques, musicaux, sportifs, etc.).

Les immigrés italiens des années vingt se sont dans l'ensemble intégrés rapidement à la société française. Pendant les années de la grande dépression, on verra certes resurgir des réactions d'exclusion, mais elles seront surtout verbales et limitées à certains secteurs. Les violences xénophobes de la fin du XIXe siècle ont disparu et les Italiens ont cessé de polariser sur eux ce qu'il reste d'animosité envers les étrangers dans les populations du cru. Pourtant, la communauté transalpine s'est fortement renouvelée depuis la guerre. Tandis que les plus intégrés franchissaient en nombre croissant le cap de la francisation, les nouveaux venus — parfois originaires de régions faiblement représentées avant la guerre (le Frioul, le Latium, déjà certaines régions méridionales) — redonnaient à la colonie certains des traits qui avaient caractérisé celle-ci une trentaine d'années plus tôt: prépondérance des éléments jeunes, taux de masculinité élevé, très forte mobilité géographique et professionnelle, appartenance de la majorité des migrants à la catégorie des travailleurs manuels, etc. Tout ceci a fortement accru la *visibilité* de la population italienne et aurait pu réveiller les tensions du passé. Que s'est-il passé qui fait que ses représentants sont plutôt bien vus des populations locales, comme en témoignent diverses enquêtes réalisées à l'époque et que Ralph Schor a étudiées dans sa thèse (*L'Opinion française et les étrangers, 1919-1939*, Paris, Publications de la Sorbonne, 1985)? La société française commencerait-elle à tirer profit du bon fonctionnement de ses instruments assimilateurs, mis en place par les républicains et désormais tout à fait rôdés? Sans doute, mais les immigrés récents ne sont passés ni par l'école, ni par le service militaire, et s'il est vrai qu'ils paraissent s'intégrer plus vite que leurs prédécesseurs c'est parce qu'ils sont perçus en France comme moins éloignés que ne l'étaient alors ces derniers du «modèle» français. Ce qui s'était passé un demi-siècle plus tôt pour les Belges et pour les Suisses se produit désormais pour les Italiens. Tout simplement parce que déferlent, dans les années vingt, de nouvelles vagues de migrants.

La plus importante est constituée par les Polonais. Très peu nombreux avant la guerre, et alors recensés avec les Russes ou avec les Allemands, ils ne sont encore que 46 000 en 1921, soit 3 % de la population étrangère. Cinq ans plus tard on en dénombre 309 000 (12,8 %) et en 1931 leur effectif dépasse le demi-million d'individus, employés le plus souvent comme ouvriers agricoles ou comme mineurs. Migration de masse par conséquent, opérée sous l'impulsion des deux gouvernements (une convention a été signée dès septembre 1919) et de la Société générale d'immigration. Recrutés en Pologne au sein d'une population essentiellement rurale, ou venus de la Ruhr où ils avaient émigré au début du siècle (ce sont les «Westphaliens»), les travailleurs polonais sont concentrés, à leur arrivée en France, dans les deux dépôts du Hàvre et de Toul, avant d'être acheminés avec leurs familles vers les exploitations agricoles de la région du Nord et du Bassin parisien et vers les grandes zones d'exploitation charbonnière.

Mineurs «westphaliens» ou paysans reconvertis ou non dans des tâches industrielles, tous occupent à la veille de la crise des années trente une place essentielle dans l'économie française: 48 % des étrangers employés en 1931 dans les industries extractives sont Polonais, 13 % dans l'agriculture, mais 5 % seulement dans le commerce et 8 % dans les industries de transformation. Ce sont de bons ouvriers, dont on reconnaît aisément les qualités de courage, de discipline, de robustesse. Mais on les dit «peu intelligents», manquant d'initiative et enclins à accepter n'importe quelles conditions de travail. En principe, la convention franco-polonaise protège ceux qui travaillent dans les houillères de traitements discriminatoires, mais elle est fréquemment tournée. Payés au rendement, les mineurs polonais sont souvent affectés aux veines les plus pauvres ce qui les empêche d'obtenir les mêmes résultats que les Français.

Surtout, on fait grief aux Polonais de cultiver de façon outrancière leur particularisme culturel et religieux, de refuser de s'intégrer et de s'organiser en véritables ghettos. Janine Ponty, dans la très belle thèse qu'elle a consacrée à l'histoire des travailleurs immigrés polonais dans la France de l'entre-deux-guerres (*Polonais méconnus*, Paris, Publications de la Sorbonne, 1988), nous explique qu'ils sont à la fois mal vus de la droite, qui dénonce en eux les dangers d'un Etat dans l'Etat, et peu aimés de la gauche parce que trop ostensiblement catholiques et trop peu politisés, à l'exception d'une minorité communiste. Et il est vrai que la cohésion de la communauté et le sentiment d'appartenance de ses membres à la nation polonaise restent longtemps très forts. La convention additionnelle d'octobre 1920 ayant légalisé leurs organisations, les Polonais ont développé en France un puissant mouvement associatif: groupes théâtraux, groupes musicaux, associations sportives (il n'est pas rare dans certaines villes du Nord de voir coexister deux clubs de football, un français et un polonais), etc.

Ce particularisme est d'autant plus tenace qu'il dispose

d'un puissant instrument de résistance à l'assimilation avec les écoles polonaises. Le gouvernement de Varsovie a obtenu en effet que des cours de langue, d'histoire et de littérature polonaises soient dispensés aux enfants, avec le concours de moniteurs polonais dès que le nombre d'élèves le justifie. Privilège d'importance dans une France restée majoritairement fidèle à l'esprit de Jules Ferry et qui est accordé avec seulement quelques restrictions. A l'école publique, les cours spéciaux se déroulent hors des horaires normaux et, dans les écoles privées — il y en a près de 600 en 1929 accueillant une vingtaine de milliers d'élèves —, ils ne peuvent excéder la moitié des enseignements dispensés. A la maison, les parents imposent très fréquemment l'usage de la langue polonaise (à la différence de la très grande majorité des Italiens), et à l'église tout rapproche également les jeunes de leur pays d'origine.

Au départ en effet, l'administration diocésaine a essayé de former des prêtres français destinés à l'encadrement de la communauté polonaise. Mais les volontaires sont rares, les allogènes résistent et finalement l'Eglise de France doit se résigner à faire venir des ecclésiastiques de Pologne. Dès lors, les migrants s'organisent autour de leurs propres chapelles, lieux privilégiés d'une résistance passive mais combien efficace à l'assimilation, voire à la simple intégration au sein d'une population locale qui, surtout dans les zones où la déchristianisation a été forte, voit d'un œil méfiant ces poches de religiosité affichée et passablement «exotique».

Sans surprise, il y aura donc peu de mariages mixtes (quatre fois moins que chez les Italiens) et peu de naturalisations au sein de cette communauté qui — dans sa grande majorité — vit en France sans vouloir devenir française. Quand viendra la crise des années trente, les Polonais paieront cher ce repli et feront les frais de la politique de retours massifs.

Population étrangère en France

Nationalité	1921		1926		1931	
	Nombre*	%	Nombre	%	Nombre	%
Pop. totale	38 797		40 228		41 228	
Etrangers	1 532	3,95	2 409	5,99	2 198	6,58
Allemands	76	5,00	69	2,90	72	2,60
Belges	349	22,80	327	13,60	254	9,40
Espagnols	255	16,80	323	13,40	352	13,00
Italiens	451	29,40	760	31,50	808	29,70
Polonais	46	3,00	309	12,80	508	18,70
Portugais	11	0,70	29	1,20	49	1,80
Suisses	90	5,90	123	5,10	98	3,60
Nat. d'Afrique **	38	2,50	72	3,00	105	3,90
Autres	216	14,10	397	16,50	469	17,30

* (*en milliers*)
* (*à l'exception des Algériens qui, réputés sujets français, ne sont pas recensés*)

Ni les Belges, ni les Espagnols ne sont à proprement parler des nouveaux venus, si l'on considère la nationalité du groupe et non les individus qui le composent. Les premiers continuent de voir leur importance numérique se réduire, après une forte reprise au lendemain de la guerre. Ils étaient environ 350 000 en 1921 (22,80 % des étrangers), ils ne sont plus que 254 000 dix ans plus tard et représentent alors moins de 10 % de la population allogène. Mais cette diminution traduit une assimilation rapide de leurs prédécesseurs, devenus fréquemment citoyens français après avoir occupé dans l'industrie des emplois de haut de gamme. Analysant par exemple la répartition des postes aux usines de la Providence, à Rehon (près de Longwy), Gérard Noiriel constate que tous les contremaîtres et employés de bureau sont français ou belges. Et ce qui est vrai des représentants des vagues anciennes l'est également de ceux qui franchissent pour la première fois la frontière après la guerre: beaucoup sont des ouvriers qualifiés qui viennent occuper un emploi dans des entreprises industrielles de toute nature et lorsqu'il s'agit de ruraux, ce sont fréquemment des fermiers dont l'implantation s'étend d'ailleurs loin des zones initiales du Nord et de la région parisienne. On les trouve en effet en Normandie (où l'on parlera d'«*invasion*»), en Bourgogne et dans le Sud-Ouest où ils côtoient petits exploitants italiens et journaliers polonais.

Quant aux Espagnols, s'ils sont déjà relativement nombreux à la veille de la guerre — environ 106 000, soit 9,20 % d'une population étrangère dans laquelle ils occupent alors le troisième rang —, c'est surtout au lendemain du conflit et pendant la décennie suivante que leurs effectifs se développent. On en dénombre en effet 255 000 en 1921 (16,60 % des étrangers) et 352 000 en 1931 (avec un pourcentage retombé à 13 %). A la différence des Belges, ce sont principalement des manœuvres, des terrassiers, des ouvriers agricoles, plus proches par conséquent de la nouvelle immigration (Polonais, Kabyles) que de l'ancienne. Ils viennent souvent à pied, par les deux extrémités des Pyrénées, et s'arrêtent dès qu'ils trouvent un emploi, ce qui explique leur forte concentration géographique et socio-professionnelle. Les trois quarts se sont en effet installés en Aquitaine et en Languedoc, les autres ayant rejoint la région parisienne, la région lyonnaise ou les départements du Nord. L'agriculture accueille près d'un Espagnol sur deux, sans compter les quelques dizaines de milliers de saisonniers (dont beaucoup d'enfants) qui viennent pour les vendanges. Dans l'industrie, ils occupent surtout des emplois de manœuvres dans les secteurs les plus durs (terrassement, mines, chimie, céramique). Restent ceux qui sont employés dans le tertiaire, les femmes comme domestiques,

Répartition territoriale
des principales nationalités à la fin des années vingt

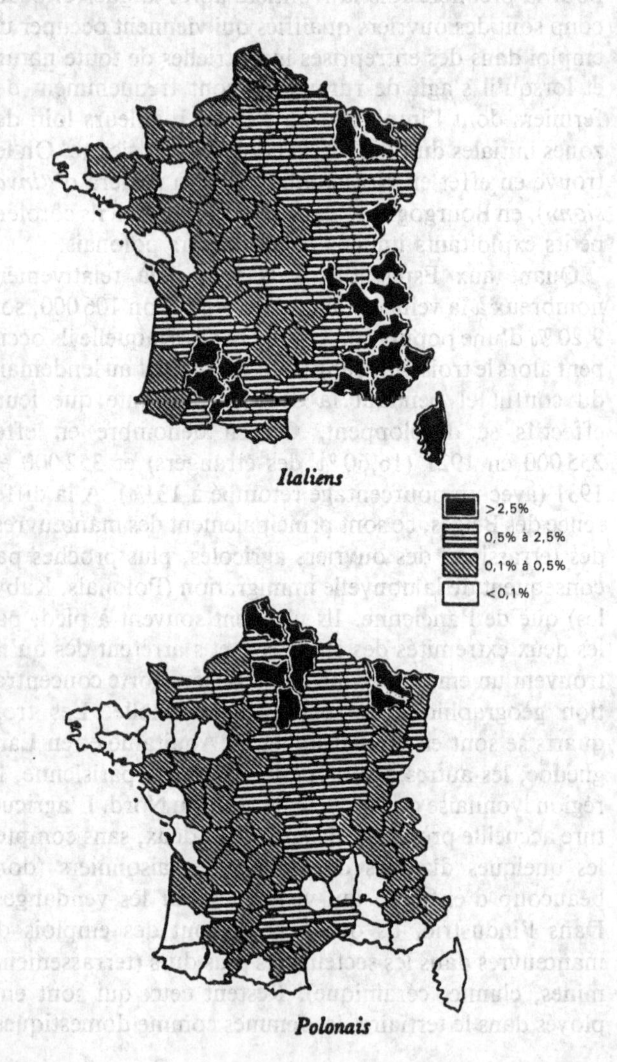

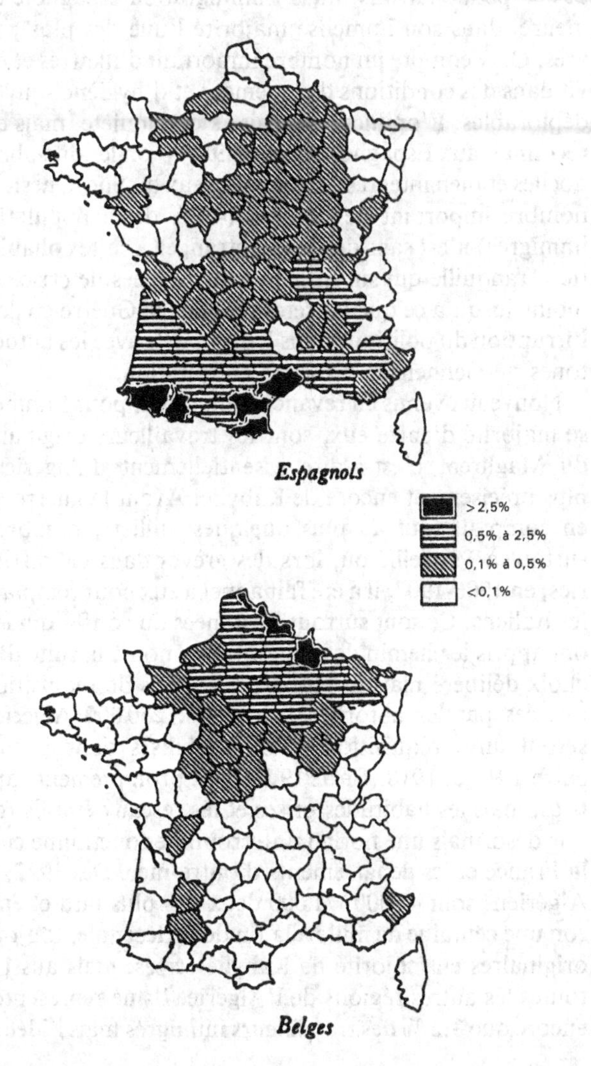
Espagnols
> 2,5%
0,5% à 2,5%
0,1% à 0,5%
< 0,1%
Belges

les hommes dans le commerce, l'hôtellerie ou la restauration. Avec l'agriculture, ce secteur fournit une élite de 25 000 petits patrons, mais l'immigration espagnole demeure, dans son immense majorité l'une des plus pauvres. On y compte un nombre important d'illettrés et elle vit dans des conditions de logement et d'hygiène souvent déplorables. L'opinion française s'en inquiète, mais elle reconnaît aux Espagnols des qualités — on les dit sobres, dociles et bien intégrés —, surtout ceux du Sud-Ouest. Le nombre important de femmes (43 % de la population immigrée) n'est sans doute pas étranger à cette cohabitation tranquille qui survit même aux années de crise. Du moins jusqu'à ce que les retombées de la Guerre civile et l'irruption du politique dans les rapports avec les autochtones ne viennent la remettre en question.

Nouveaux venus en revanche, du moins pour l'immense majorité d'entre eux, sont les travailleurs originaires du Maghreb, c'est-à-dire essentiellement d'Algérie et plus précisément encore de Kabylie. Avant la guerre, on en comptait tout au plus quelques milliers, nombreux surtout à Marseille où, lors des grèves dans les raffineries, en 1906-1907, il a été fait appel à eux pour remplacer les Italiens. Ce sont surtout les années du conflit qui leur ont appris le chemin de la métropole, non à la suite d'un choix délibéré mais la plupart du temps de réquisitions opérées par les autorités françaises. 250 000 Algériens seront ainsi réquisitionnés ou mobilisés dans l'armée entre 1915 et 1918. En 1919 ils sont promptement rapatriés, mais les habitudes prises et les réseaux établis font que désormais une noria ininterrompue fonctionne entre la France et les départements d'outre-mer. Dès 1922, les Algériens sont 45 000, 71 000 deux ans plus tard et environ une centaine de mille à la fin de la décennie, toujours originaires en majorité de Kabylie certes, mais aussi de toutes les autres régions de l'Algérie. Ils ne représentent encore que 3,2 % des travailleurs immigrés mais l'idée est désormais admise par les employeurs que l'Afrique du Nord peut, elle aussi, être utilisée comme réserve de main-d'œuvre.

Pourtant l'opnion les rejette déjà, accusés de tous les maux, porteurs de toutes les menaces dont on affuble les étrangers, on leur fait grief d'être paresseux, sans résistance, incapables de se plier à la discipline de l'industrie et le patronat ne fait pas mystère de ses réticences. Au quotidien, ils inspirent autant de mépris que de crainte, du fait de leur «*violence primitive*» (*dixit* la presse de l'époque) et de leur «*caractère sournois*». Les traits qu'on leur prête — traîtrise, duplicité, couardise, propension à manier le couteau, de préférence «*par derrière*», etc. — sont ceux que l'on attribuait aux Italiens trente ou quarante ans plus tôt, et en plus ils sont musulmans ! Autant dire incapables de s'intégrer à la société française. Quelques uns font valoir que l'Islam a au moins l'avantage de les éloigner du militantisme politique. D'autres, à gauche, dénoncent la surexploitation dont ils sont l'objet, et qui les pousse vers l'alcoolisme, la délinquance ou la maladie, mais ils sont bien peu écoutés.

Telles sont les principales nationalités représentées. Il faut y ajouter les Suisses, encore nombreux au lendemain de la guerre, mais devenus comme les Belges à peu près «transparents», les Allemands — ceux qui arrivent au lendemain du conflit pour participer à la reconstruction de la France sont très mal reçus et il faut vite renoncer à accueillir ces auxiliaires indésirables —, et parmi les groupes peu représentés avant la guerre les Russes, les Juifs d'Europe centrale et les Arméniens. Dans les trois derniers cas, il ne s'agit pas à proprement parler d'une immigration de masse, comparable à celle des Italiens ou des Polonais. Toutefois, chassés de leur pays par des événements politiques inscrits dans le court terme (révolution et guerre civile en Russie, génocide arménien en Turquie, pogroms et hostilité endémique envers les Juifs en Roumanie ou en Hongrie), ces émigrés-réfugiés sont arrivés par groupes denses, dans un laps de temps relativement bref et en des points très circonscrits du territoire (Paris, Marseille, la région lyonnaise), renforçant chez beaucoup d'autochtones le sentiment d'«invasion» qu'a suscité depuis la fin du XIXe siècle l'arrivée massive des migrants.

L'exemple des Arméniens est tout à fait significatif. Nombreux, parmi les rescapés de l'extermination de 1915, sont ceux qui, après avoir transité par le Levant sous mandat ou par la Grèce, arrivent à Marseille au début des années vingt. Dix ans plus tard, on en dénombre en France près de 65 000 (presque autant que de Russes). D'abord concentrés dans la grande cité phocéenne, ils connaissent des conditions de vie épouvantables, acceptant — quand on les autorise à travailler — n'importe quelle tâche sur les docks, dans les raffineries de sucre, quelques uns en usine, travaillant jusqu'à dix-huit heures par jour, s'entassant à dix ou quinze dans une seule pièce, près du Vieux Port: bref reproduisant à quarante ans de distance le «modèle» d'insertion de la première vague transalpine. Comme Marseille ne peut tous les accueillir, certains remontent bientôt vers le nord, en longeant la vallée du Rhône.

Ils s'installent dans la région lyonnaise, dans l'agglomération parisienne, le plus souvent en banlieue car les loyers y sont plus bas et les terrains plus nombreux. A Vienne, Villeurbanne, Alfortville ou Issy-les-Moulineaux se développe très vite autour des premiers arrivés une véritable communauté, avec ses commerces, ses lieux de culte, de sociabilité et de célébration de la mémoire immigrée. Aujourd'hui encore, ces villes demeurent d'importants foyers arméniens, mais le maintien des traditions ne sera jamais un obstacle à l'assimilation.

Traumatisés par le génocide et les épreuves subies, les rescapés cherchent d'abord à se faire oublier. Ils se plient sans réserve aux règles du pays d'accueil: davantage encore que les Italiens qui sont plus fortement politisés et qui participent activement à la lutte entre fascisme et antifascisme. L'opinion française, de son côté, les accepte assez bien. On leur reconnaît des qualités, de l'intelligence, le sens de l'économie et de l'effort. Peut-être leur reproche-t-on d'être parfois trop «*levantins*», de ne pas s'intégrer davantage en dépit de leur bonne volonté. Mais ces réserves initiales sont peu de choses en regard des critiques subies par d'autres communautés étrangères, et elles vont rapidement s'atténuer. Les mariages mixtes sont nombreux. L'école joue pleinement son rôle d'assimilation. La communauté s'organise et finalement elle passera plutôt bien le cap de la grande crise, avec son cortège de xénophobie et d'expulsions.

Globalement, la prospérité des années vingt, la détente internationale, les immense besoins de la France en main-d'œuvre industrielle et agricole jouent dans le même sens, et ceci à un moment où les instruments de l'assimilation que sont l'école, l'armée de conscription, le syndicalisme, les réseaux de sociabilité laïcs ou religieux, fonctionnent aussi correctement que possible et font que le «creuset» hexagonal produit, à chaque décennie, son contingent de nouveaux Français, tandis que s'accomplit, d'un «cycle» à l'autre — belge, puis italien, puis polonais et espagnol —, la lente ascension sociale d'une majorité de migrants. «*Est-ce la répétition de ce qui s'est passé un siècle auparavant pour les provinciaux et les paysans français?*», s'interroge Yves Lequin (*La mosaïque France. Histoire des étrangers et de l'immigration en France*, Paris, Larousse, 1988, p. 352). Sans doute, mais la mobilité de la société française fonctionne-t-elle toujours et pour tous dans le même sens ascensionnel au lendemain de la grande tuerie? C'est l'une des questions auxquelles il nous faut maintenant répondre.

Les pesanteurs du monde rural

Contrairement à ce que l'on imagine parfois, en braquant l'objectif sur la partie émergée de l'iceberg, les structures de la société française n'ont pas été bouleversées par la guerre. S'agissant du nombre des actifs, on constate tout d'abord qu'il est pratiquement le même qu'en 1906: 20,8 millions en 1931 contre 20,4 répartis entre des secteurs d'activité qui sont eux-mêmes demeurés relativement stablcs. Toujours par référence à 1906, le pourcentage des actifs employés dans le secteur primaire est passé de 43 % à 36 %, soit une baisse de sept points qui traduit le fort ralentissement de l'exode rural. Dans le même temps, le secondaire a gagné quatre points (passant de 30 à 34 %) et le tertiaire trois (de 27 à 30 %).

En termes de types d'activité, de modes de vie et de «cultures», cette lente évolution traduit un rééquilibrage du corps social, désormais partagé en trois groupes numériquement voisins: 14 millions de paysans, dont 80 % sont propriétaires ou exploitants, 13 millions d'ouvriers, de statuts très divers et 12 millions de personnes vivant du tertiaire, parmi lesquelles 5 millions relèvent d'une activité salariée (ceci par rapport à la population totale, donc en comprenant les familles).

Si aux indépendants du tertiaire on ajoute les chefs d'entreprises industrielles, les exploitants agricoles et les artisans, on constate que près de la moitié des Français (très exactement 47 %) appartiennent à cette catégorie dont l'essor a été systématiquement favorisé par l'Etat républicain. Etre ou devenir «son propre maître», en matière d'activité socio-professionnelle, et accéder à la propriété, aussi modeste soit-elle, constitue dans la France de l'après-guerre comme dans celle de la «Belle Epoque» le modèle social dominant.

La relative stabilité du rapport entre les trois grands secteurs qui définissent l'activité des Français n'implique pas qu'à l'intérieur de chaque secteur les choses soient demeurées en l'état. Dans le monde rural par exemple, on constate à la lecture de l'enquête de 1929 que de sensibles changements sont intervenus par rapport à l'avant-guerre. L'effectif des ouvriers agricoles a diminué de moitié et ne représente plus que 10 % de la population active dans ce secteur. Le nombre des petites exploitations (moins de 10 hectares) a fortement régressé et celui des grandes unités de productions (plus de 100 hectares) a subi une légère décrue; ceci au profit des exploitations moyennes, comprises entre 10 et 50 hectares. L'après-guerre peut ainsi être défini comme l'Age d'or de l'exploitation «familiale», employant au maximum un ou deux ouvriers agricoles. En 1929, plus des trois quarts des exploitations recensées appartiennent à cette catégorie emblématique d'une démocratie rurale que la République s'était donnée pour tâche de promouvoir.

La guerre a eu des incidences diverses sur la situation du monde paysan. Dans certaines régions, dévastées par les combats, elle a apporté la ruine et accéléré des processus d'abandon de la terre entamés depuis des décennies. Ailleurs, les effets anciens de l'exode rural ont été accentués par les pertes humaines, particulièrement lourdes dans une fraction de la population qui a fourni les gros contingents de l'infanterie. Selon les évaluations, on estime que sur une population active agricole masculine de 5,4 millions de personnes, il y aurait eu entre 500 000 et 700 000 tués, entre 350 000 et 500 000 mutilés et invalides, soit une ponction terrifiante de 16 à 22 %. A quoi s'ajoutent les effets prolongés de la baisse de la natalité, le non-retour au pays de milliers de jeunes démobilisés et le départ de nombreuses veuves, incapables de faire face aux problèmes posés par la disparition du chef d'exploitation.

A l'époque, l'impression qui domine, particulièrement dans les villes, tend pourtant à considérer que la paysannerie a été l'une des grandes bénéficiaires du conflit. On lui attribue des gains fabuleux. On la tient pour responsable de la vie chère. Dans certaines régions, la presse locale n'hésite pas, explique Annie Moulin, à stigmatiser «*les paysannes qui font de la toilette, fréquentent les pâtisseries ou s'offrent le luxe d'acquérir une bicyclette. Certaines vont même jusqu'à mettre des bas de soie, symboles de la futilité mais aussi de la débauche!*» (*Les paysans dans la société française. De la Révolution à nos jours*, Paris, Seuil, 1988, p. 176). Au-delà du mythe, la vérité est difficile à saisir car cette catégorie sociale ne brille pas par sa transparence fiscale. Ce qui est sûr, c'est que les revenus nominaux des paysans ont augmenté pendant la guerre. L'inflation, les allocations militaires versées aux familles nécessiteuses dont le soutien était mobilisé, plus tard les pensions versées aux combattants ou aux veuves, ont provoqué un afflux d'argent dans les campagnes. D'autre part, si les céréales réquisitionnées ont été payées à bas prix, les autres productions se sont vendues dans de bonnes conditions et ont permis de réaliser des gains non négligeables. Certes, les prix industriels ont également monté, mais la pénurie a contraint le monde rural à épargner. Il a pu, de ce fait, rembourser une partie de ses dettes, puis acquérir des terres, et ceci d'autant plus facilement que leur prix a baissé (de moitié environ en valeur réelle) au fur et à mesure que disparaissaient au combat leurs acheteurs potentiels. De 1918 à 1922, nombreux sont les petits exploitants qui vont ainsi pouvoir arrondir leur domaine, ou accéder à la propriété s'ils n'étaient que métayers ou fermiers. Après cette date, le mouvement se ralentit tandis que le prix de la terre s'envole, mais il est loin d'être complètement stoppé.

Maigre compensation aux souffrances vécues, la guerre a donc concrétisé pour certains le rêve paysan d'une indépendance fondée sur la possession de la terre. Peu importe si à l'heure où il se réalise, l'existence même de l'exploitation familiale reposant sur le travail du couple et de ses enfants, sur l'autosubsistance, sur un niveau technique médiocre, paraît mal adaptée aux mutations et aux besoins du capitalisme moderne. A l'exception de certains milieux d'affaires et de quelques économistes, personne ne s'en soucie vraiment. Au lendemain d'une victoire vécue par beaucoup comme celle de la liberté et de la démocratie sur les forces du passé, l'individualisme agraire et la petite propriété rurale paraissent avoir de beaux jours devant eux.

L'aspiration à acquérir une exploitation familiale est d'autant plus forte que les campagnes françaises donnent au début des années vingt d'incontestables signes de prospérité. Le brassage de la guerre a modifié les habitudes alimentaires des ruraux. On consomme davantage de pain blanc, de viande, de beurre, de fromage, de bière et de vin, certains de ces produits étant désormais achetés dans de petits magasins d'alimentation (épicerie, boucherie, boulangerie) qui n'existaient pas autrefois dans les villages. L'habillement change également et tend à s'aligner sur celui des ouvriers. La blouse et les somptueux costumes locaux des temps de fête sont en recul rapide, tandis que s'accélère la diffusion des vêtements citadins: complet, pardessus et casquette pour les hommes, jupe, chemisier et robe coupés selon les modèles offerts par les catalogues venus des villes pour les femmes.

Les transformations de l'habitat sont beaucoup moins sensibles. Sauf dans les zones où les destructions de la guerre ont obligé la population à construir des bâtiments neufs, dotés d'un plus grand confort, la très grande majorité des demeures rurales sont anciennes et vétustes. Le remplacement du bois et du torchis par la pierre ou la brique, la généralisation de l'emploi des tuiles ou des ardoises pour recouvrir les maisons, la substitution du ciment ou du parquet au sol de terre battue, tout cela était déjà largement en place avant la guerre. Quant au confort apporté par l'électrification et l'adduction d'eau potable, il varie beaucoup d'une région à l'autre. La première a été beaucoup plus rapide que la seconde et a donné lieu, notamment, à un très gros effort à partir de 1927-1928. En revanche, à la fin des années vingt, moins de 20 % des logements paysans sont dotés de l'eau courante.

Globalement, la vie rurale s'est donc améliorée depuis le début du siècle. Même si elle reste modeste et souvent inconfortable, la maison paysanne témoigne de changements intervenus dans les mentalités. La pièce unique, où cohabitent bêtes et gens, n'existe plus guère qu'en Bretagne et dans quelques secteurs enclavés des zones montagneuses. Partout ailleurs, autour de la cuisine-salle commune apparaissent des chambres qui marquent la naissance d'une vie privée. Mieux éclairée, la maison est également mieux chauffée grâce à l'apparition des poêles et des cuisinières à feu continu qui allègent un peu les servitudes quotidiennes des femmes.

Cette très relative aisance a pour contrepartie négative l'irréversible érosion des structures de sociabilité traditionnelles. Le fait n'est pas absolument nouveau. Dès la fin du XIXe siècle, les folkloristes dénonçaient déjà avec véhémence les effets pervers (à leurs yeux) d'un désenclavement rural favorisé par les progrès des communications (chemins de fer, routes, postes), l'essor de la presse à bon marché et le nivellement culturel apporté par l'école publique républicaine. La guerre et le brassage des tranchées n'ont pu qu'accélérer la tendance au recul des traditions, des cultures régionales et des structures d'encadrement de la sociabilité paysanne. Si bien que ces manifestations d'une identité vécue à l'échelle du «pays» ou de la région tendent sinon à disparaître complètement, du moins à se réfugier dans des rites de commémoration ou dans des formes codifiées qui relèvent moins de la culture vivante que du goût de la *reconstitution*. On voit naître ainsi dans différentes régions des musées de *folklore* régionaux, témoins d'un intérêt rétrospectif qui triomphe en 1937 avec la création à Paris du musée des Arts et Traditions populaires.

Organisée dans le cadre de la paroisse, la sociabilité rurale traditionnelle était fortement reliée à la vie religieuse communautaire. Or, prolongeant un mouvement qui remonte au début de la révolution industrielle, celle-ci connaît un nouveau recul pendant les années vingt. Les processions se font rares et perdent de leur éclat. Vieillards et enfants forment la majorité des fidèles aux Vêpres, voire à la messe dominicale et nombre de fêtes — Noël, Pâques, fêtes patronales — perdent leur caractère religieux pour devenir des occasions de festivités et de loisirs profanes. Ces derniers sont d'ailleurs eux-mêmes en perte de vitesse, qu'il s'agisse de la veillée, des fêtes villageoises, du carnaval, etc. D'autres distractions collectives tendent à prendre, chez les jeunes notamment, la place des anciennes: c'est le cas des sports d'équipe (l'après-guerre voit se constituer dans nombre de villages des équipes de football et de rugby), des fanfares municipales, des patronages laïques ou confessionnels, mais elles sont moins fortement insérées dans le tissu social des terroirs.

L'antique cellule villageoise entame ainsi un déclin dont les contemporains ont eu conscience et qui traduit la diffusion dans les campagnes des modes de vie et des modèles de consommation citadins. L'essor de la publicité, qui emprunte comme vecteurs la presse à bon marché, les almanachs et les catalogues, puis la TSF, les visites de démarcheurs facilitées par l'essor de l'automobile, la propension plus grande des couples paysans à effectuer des déplacements vers la ville ou le bourg voisins, font que de nouveaux besoins se créent orientant de plus en plus la consommation vers l'achat de produits industriels: bicyclettes, motocyclettes, phonos, postes de radio, meubles, etc. Or la volonté d'assimilation au modèle urbain, qui sous-tend ce consumérisme naissant, s'accommode mal des traditions d'autoconsommation du monde rural, ainsi que de traditions qui veulent qu'en période de revenus élevés on épargne pour acquérir des terres, accroître le patrimoine, ou se prémunir pour les années de vaches maigres. De cette contradiction entre les modèles du passé et les sollicitations du temps présent, beaucoup de jeunes cherchent à sortir en migrant vers la ville, ce qui accentue encore l'érosion de la famille patriarcale et le démantèlement de la communauté villageoise.

Les années fastes de l'exploitation familiale triomphante et de la hausse du revenu paysan (d'ailleurs enrayée dès 1926) sont donc également celles d'un malaise latent provoqué par le sentiment qu'ont les ruraux du délitement de leur environnement social et culturel, non compensé par l'amélioration d'un niveau de vie qui progresse beaucoup moins vite que celui des autres Français. L'écart des revenus se creuse en effet avec le reste de la population, les agriculteurs ne retrouvant le niveau de 1913 qu'à l'extrême fin des années vingt. A cette date, un employé des chemins de fer, qui travaille beaucoup moins longtemps et dispose d'importants avantages sociaux, gagne deux fois et demi le salaire d'un ouvrier agricole. Cela n'est pas sans causer de vives réactions de la part des intéressés. Incontestablement, la mentalité paysanne a changé avec la guerre: «*Le paysan de 1914 est un résigné* — écrit l'économiste Augé-Laribé —, *celui de 1920 un mécontent.*»

Ce malaise du monde rural, qui va prendre un caractère aigu avec la crise et déboucher sur une contestation radicale, se trouve pour l'instant canalisé par les deux grandes organisations du syndicalisme agricole que sont la très conservatrice *Union centrale des syndicats agricoles de France*, (cf. chapitre III), et la *Fédération nationale de la mutualité et de la coopération agricoles*, liée au personnel politique républicain et à la franc-maçonnerie. En Bretagne, une organisation concurrente se développe dans le courant des années vingt sous l'impulsion de l'abbé Mancel et avec le soutien de prêtres républicains comme l'abbé Trochu, fondateur du journal *Ouest-Eclair*. Elle prend le nom de *Fédération des syndicats paysans de l'Ouest* et vise explicitement à soustraire les petits exploitants au patronage des agrariens conservateurs de la rue d'Athènes.

La traduction politique du mécontentement paysan donne lieu à deux types de réactions. Apparemment, les bastions traditionnels de la gauche et de la droite paraissent peu entamés. La première garde intacts ses fiefs du Nord, de l'Est et de l'Ouest intérieur. La seconde reste forte dans la Bretagne péninsulaire, dans le Bassin parisien, dans le centre-Est et le centre-Ouest, ainsi que dans de nombreux départements méridionaux, mais des glissements importants s'opèrent dans le vote de gauche. Les socialistes progressent au dépens des radicaux dans le Centre et le Midi, tandis que se développe dans le Cher, l'Allier, le Lot-et-Garonne, un communisme rural dont le théoricien est René Jean. Radicalisation à gauche donc, mais aussi à droite, avec les premières manifestations d'une contestation ligueuse qui va prendre son essor dans les années trente. En 1927, un ancien enseignant, Gabriel Fleurant, dit Fleurant-Agricola, fonde en Auvergne le Parti agraire et paysan français, qui affiche à la fois des convictions corporatistes et «*apolitiques*» («*le blé, le lait, le vin, le bétail, la charrue n'ont pas d'opinion politique*», peut-on lire dans son organe, *La Voix de la terre*, en 1929), et l'année suivante le journaliste Henri d'Halluin, dit Dorgères, met en place en Bretagne ses premiers Comités de défense paysanne. On les retrouvera quelques années plus tard, organisés en formations paramilitaires (chemises vertes) et propagateurs d'une idéologie empruntant ses thèmes à la chouannerie et au fascisme. Pour l'instant, le malaise est encore diffus et en partie caché par la satisfaction qu'a apportée, à beaucoup, la réalisation de leur rêve d'indépendance. En révélant brutalement l'archaïsme du modèle familial qui a paru triompher au lendemain de la guerre, la dépression des années trente va rendre aiguë la crise du monde paysan.

Mutations du monde ouvrier

La forte industrialisation qui caractérise la France des années vingt a pour corollaire l'augmentation du nombre des ouvriers. Avec leurs familles, ils représentent à la fin de la décennie un bloc de 13 millions de personnes, un peu moins que le monde paysan qu'ils talonnent désormais de près, et le tiers de la population française. Mais s'agit-il véritablement d'un bloc ?

En fait, 30 % des ouvriers occupent un emploi dans les petits ateliers du secteur artisanal et parmi les 70 % restants la moitié environ travaille dans des entreprises de plus de 500 salariés, nombreuses surtout dans les mines, la sidérurgie, les industries chimiques et métallurgiques, l'alimentation et le bâtiment. Avec les mutations technologiques qui sont intervenues dans ce secteur de forte concentration, un nouveau type d'ouvrier est apparu, encore peu répandu avant la guerre et qui occupe désormais une situation intermédiaire entre les ouvriers qualifiés, dotés d'un bagage professionnel acquis au cours d'un long apprentissage, et les manœuvres. Produits de l'acclimatation en France du travail parcellisé mis au point dans les entreprises d'outre-Atlantique, ces «*ouvriers spécialisés*» (OS) ne sont nombreux que dans les branches les plus modernes de l'industrie: celles qui, comme l'automobile, ont adopté les pratiques du taylorisme et ont transformé de manière radicale la nature du travail industriel. C'est le cas, par exemple, chez Renault où les méthodes de l'ingénieur américain Taylor ont été introduites dès 1913, à la suite d'un séjour aux Etats-Unis du fondateur de la firme.

Qu'ils viennent des campagnes ou de l'étranger, ou qu'il s'agisse de professionnels qualifiés réduits au statut de robots par l'obsolescence de leur activité, les OS sont astreints à effectuer un «*travail en miettes*» (selon l'expression du sociologue marxiste Georges Friedmann) dont la signification leur échappe. Ils sont seuls devant leur machine. Ils n'accomplissent qu'un minimum de gestes auxquels ils ont été formés en quelques jours. Ils sont soumis à des cadences très rapides, mises au point dans les «*bureaux des méthodes*» et contrôlées par les «*chronométreurs*». A la différence de leurs prédécesseurs, ils ne fabriquent pas eux-mêmes leurs outils mais reçoivent un outillage standard et ne réparent pas la machine dont ils ont la charge. Certes, les ouvriers qualifiés n'ont pas disparu de l'usine taylorisée. Ils y occupent au contraire une place de choix, dans les travaux d'ajustage, d'outillage, de réglage et de mise au point qui ne relèvent pas de l'automatisme de la chaîne et qui font de ces praticiens une sorte d'aristocratie ouvrière, mais ils ne représentent précisément qu'une fraction très minoritaire du personnel employé dans la grande industrie.

Il résulte de cette transformation une forte démoralisation de l'ouvrier d'usine. Confiné dans une tâche répétitive, épuisante et totalement déshumanisée, celui-ci évolue d'autre part dans un milieu où se sont aggravées les procédures de surveillance et de répression tandis que se généralisait la pratique du salaire au rendement. L'usine de l'entre-deux-guerres est ainsi fréquemment vécue comme un «*bagne*» et le travail à la chaîne comme une forme moderne de l'esclavage, une violence faite à l'esprit créateur et à la compétence à laquelle on ne pourra échapper que par la révolte et le bouleversement des structures qui ont rendu possible cette exploitation du monde ouvrier. C'est parmi les OS de l'industrie «*rationalisée*» que le jeune Parti communiste va recruter ses troupes les plus nombreuses et les plus combatives durant la phase de contestation violente qui caractérise ses dix premières années d'existence.

Plus globalement, la condition matérielle des ouvriers ne bénéficie que très partiellement des effets de la prospérité et des forts gains de productivité qui accompagnent l'introduction en France des méthodes américaines. Le chômage certes tend à disparaître et les heures supplémentaires permettent aux travailleurs de l'industrie d'arrondir leur salaire et d'améliorer d'autant leur niveau de vie. L'alimentation se diversifie et occupe une part moindre dans le budget des familles ouvrières (62 % en 1906, 52 % une trentaine d'années plus tard selon les travaux de Maurice Halbwachs), de même que le logement (15,7 % — 6,6 %), tandis que croît le pourcentage des dépenses consacrées aux vêtements (7,7 % — 10 %), aux dépenses de santé et aux loisirs (voir le tableau, p. 419).

Les ouvriers peuvent également acquérir quelques uns des premiers produits de la consommation industrielle de

Le régime alimentaire annuel
des familles ouvrières parisiennes

	1906	*1936-1937*
pain	900	600
viande	128	262
charcuterie	12,4	49,5
poisson	8,5	40
beurre	52,8	23,5
œufs (unités)	440	629
sucre	75	59,5
épicerie	—	90,5
riz	8	5,7
pâtes	4	36,6
fromage	20	43,6
lait (litres)	280	490
pommes de terre	190	297
haricots secs	30	25,2
fruits	—	211
café	9,3	14,6
chocolat	4,75	12,9
vin (litres)	910	730

Source: M. Halbwachs, *Revue d'économie politique*, 1939, pp. 438-455. Cité par A. Dewerpe, *Le Monde du travail en France, 1800-1950*, Paris, Colin, 1989, p. 152.

masse — bicyclette, tandem, motocyclette de faible cylindrée, poste de radio, etc. —, lire régulièrement un journal et fréquenter une fois par semaine le cinéma de quartier. Mais leur participation à la prospérité générale des années vingt reste toute relative. Au cours de cette période de hausse générale des prix, les salaires suivent d'assez loin. L'appel massif aux OS, puisés dans la noria des migrants et formés sur le tas en quelques jours, ou en quelques semaines, permet au patronat de fortement peser sur les coûts salariaux. Si bien que le revenu ouvrier est loin de suivre l'accroissement de la richesse nationale et la hausse des profits enregistrés par les entreprises. Entre 1913 et 1929, ceux-ci ont augmenté de 50 % alors que le salaire ouvrier a crû seulement de 12 % à Paris et de 21 % en province.

L'habitat ouvrier témoigne, plus que tout autre signe, de la place qui est faite dans la société française des années vingt aux travailleurs de l'industrie. Bien sûr, les situations varient beaucoup, là encore, d'une région à l'autre, d'un secteur à l'autre, selon que l'ouvrier se trouve plongé dans l'univers anarchique des grandes métropoles tentaculaires où intégré dans un système paternaliste qui relie l'usine au logement et aux autres manifestations de la vie sociale (écoles, loisirs): ceci dans un cadre relativement humain, mais au prix d'un alignement inconditionnel sur le modèle «maison» (Michelin à Clermont-Ferrand, Dunlop à Montluçon, Peugeot à Sochaux, etc.). En règle générale cependant, la période de l'après-guerre est marquée par une détérioration sensible de l'habitat ouvrier, rejeté par la croissance urbaine, la hausse des prix des terrains, le tassement du pouvoir d'achat des OS et l'arrivée en masse des travailleurs étrangers à la périphérie des grandes villes. C'est l'époque de la croissance sauvage des banlieues: univers de «*bicoques*» construites à la hâte au milieu des zones industrielles enfumées, sans plans d'urbanisme, sans qu'il ait été prévu de voirie, de moyens de transport reliant le lieu d'habitat au lieu de travail, ou d'écoles. Ces «*villes-dortoirs*» — dont l'archétype est fourni par une agglomération comme Bobigny, étudiée par Annie Fourcaut (*Bobigny, banlieue rouge*, Paris, Editions ouvrières/Presses de la FNSP, 1986) — associent ainsi dans la «ceinture rouge» parisienne et dans les zones limitrophes d'autres grandes villes un habitat précaire et surpeuplé de lotissements pavillonnaires d'où émergent quelques blocs d'Habitations à bon marché (HBM) tristes et vite dégradées, une population de manœuvres et d'OS souvent originaires de la province ou de l'étranger, et une emprise déjà manifeste à la fin de la période d'un Parti communiste qui trouve ici son assise majeure: bases d'une conscience de classe, ou si l'on préfère d'une culture et d'une convivialité ouvrières qui vont se perpétuer au moins jusqu'à la fin des années 1960. Avec, en contrepoint, la renaissance dans les catégories citadines aisées d'une mythologie sécuritaire et de réflexes d'exclusion tournés vers ces nouveaux «barbares» campant aux portes de la cité.

Le modèle d'intégration et de promotion sociales dont se font gloire les élites républicaines reste donc largement théorique. Concentrées dans les ghettos des périphéries urbaines, les masses ouvrières n'ont accès ni à l'enseignement secondaire (il n'y aura en 1936 que 3 % de lycéens d'origine ouvrière) ni à la *Culture*, au sens traditionnel de culture des élites. On assiste bien, dans le courant des années vingt, grâce au développement des bibliothèques municipales et syndicales, à une meilleure diffusion du livre populaire, mais le public concerné demeure minoritaire et, en matière d'écrit, l'essentiel passe encore par la presse à bon marché et par les magazines. En revanche, les loisirs et les manifestations de ce que l'on peut déjà considérer comme une «culture de masse» occupent une place plus importance qu'avant la guerre dans la vie quotidienne des ouvriers. Ceux-ci continuent de fréquenter le «*bistrot*» pour de longues séances de jeux de cartes ou de dés, plus épisodiquement le «*music-hall*» (qui tend de plus en plus à remplacer le café concert) et le «*bal*», lieu de rencontre mais aussi de ségrégation à l'intérieur d'un groupe social très fortement segmentarisé: à Nogent, ce ne sont pas les mêmes immigrés qui fréquentent le *Petit Cavanna* et le *Grand Cavanna*, et le passage du premier au second marque une étape dans le parcours social accompli par les travailleurs italiens.

Mais surtout, on consacre en moyenne une soirée ou une matinée par semaine au cinéma, on écoute la radio et l'on s'intéresse au sport en tant que spectateur ou pratiquant. Les années vingt sont celles de la diffusion, tout juste amorcée, nous l'avons vu, avant la guerre, du football, du rugby (plus limité géographiquement mais tout aussi populaire) et du cyclisme. Ancienne «*petite reine*» réservée à la promenade d'une élite, la bicyclette — le «*vélo*» — est un peu le symbole de cet engouement et de sa démocratisation. Véritable instrument de travail pour l'ouvrier résidant dans de lointaines banlieues, il est aussi la «mécanique» qu'entretient et perfectionne avec amour le professionnel des métaux en même temps qu'un objet d'exploits dont on va applaudir les champions sur le passage du «*Tour*», aux «*six jours*» du «*Vel'd'Hiv*» (le Vélodrome d'Hiver, dans le quartier de Grenelle) ou à la «*Cipale*» (la piste municipale de Vincennes).

Les années 1920 constituent enfin une période de creux en matière de législation sociale. Après l'octroi de la journée de huit heures en avril 1919, puis la reconnaissance du principe des conventions collectives, il faut attendre 1928 pour que les choses bougent un peu avec le vote des assurances sociales et l'adoption de la loi Loucheur, qui prévoit la construction sur cinq ans de 200 000 HBM et d'une soixantaine de milliers d'habitations à loyer moyen. Cette quasi-absence de politique sociale (compensée parfois il est vrai par certaines initiatives municipales ou départementales, comme celle qui aboutira à la construction à Châtenay-Malabry du premier grand ensemble évolutif, la «*Butte Rouge*», édifié par l'office HBM de la Seine, présidé par Henri Sellier), s'explique à la fois par la crainte qu'ont les milieux politiques dirigeants de ruiner les petites entreprises en accroissant leurs coûts salariaux, et par les divisions d'un mouvement ouvrier en perte de vitesse depuis l'échec de la grande offensive de 1920.

Division tout d'abord entre «*révolutionnaires*» et «*réformistes*», en écho au Congrès de Tours qui a vu se scinder le socialisme français. En 1921, communistes et syndicalistes révolutionnaires rompent avec la CGT pour constituer leur propre centrale, la *Confédération générale du travail unitaire* (CGTU) qui adhérera deux ans plus tard à l'Internationale syndicale rouge, dominée par les communistes. Or, très vite, de vives oppositions se manifestent au sein de cette nouvelle organisation entre ceux qui, membres du Parti communiste ou proches de celui-ci, entendent établir une liaison étroite entre le syndicalisme et le «*parti de la classe ouvrière*», et ceux qui, se réclamant des principes énoncés dans la charte d'Amiens, refusent de jouer le rôle de simple courroie de transmission de l'organisation communiste. Ne pouvant faire entendre leurs voix, ces derniers ne tardent pas à quitter les rangs de la CGTU, soit pour rejoindre la CGT, comme Pierre Monatte et le groupe *Révolution prolétarienne*, soit pour explorer une troisième voie comme le font Pierre Besnard et les militants qui se rassemblent à partir de 1926 autour de lui et de sa *Confédération générale du travail syndicaliste révolutionnaire*, surtout représentée dans le secteur du Bâtiment, à Paris et à Lyon.

Le clivage entre l'ancienne CGT et la centrale issue de la scission de 1921 n'est pas seulement d'ordre idéologique. La CGTU recrute surtout en effet parmi les ouvriers spécialisés de la sidérurgie, du textile, de la métallurgie différenciée ou chez les manœuvres des industries chimiques, du verre, de l'alimentation (huileries, sucreries), de la céramique, etc., autrement dit dans des secteurs où dominent les éléments récemment venus de la campagne ou de l'étranger. Vivant dans des conditions extrêmement difficiles et peu formés politiquement, ceux-ci sont, plus que les autres travailleurs, réceptifs aux mots d'ordre sommaires du syndicalisme communiste. En revanche l'audience de ce dernier est relativement faible chez les ouvriers qualifiés du livre, du bâtiment ou de l'habillement, généralement hostiles à tout ce qui marque une inféodation des organisations syndicales aux partis politiques.

Etroitement liée au Parti communiste, la CGTU répudie toute réforme ponctuelle et poursuit essentiellement des objectifs révolutionnaires. Dans cette perspective, les revendications immédiates des travailleurs, débouchant sur des grèves dures, ont surtout pour elle un intérêt stratégique en ce sens qu'elles élèvent la combativité des masses, l'échec des mouvements sociaux ne pouvant qu'incliner celles-ci à comprendre qu'elles n'avaient rien à attendre du capitalisme. Position maximaliste, conforme aux thèses que Lénine avait formulées une vingtaine d'années plus tôt dans *Que faire ?*, mais qui appliquée à la France et à l'entre-deux-guerres, n'a de chance de mordre que sur la fraction la plus démunie du prolétariat ouvrier. Ceci explique le rapide dégonflement des effectifs de la CGTU, tombés de 500 000 en 1922 à 200 000 au début des années trente: pour la plupart adhérents de fraîche date et militants éphémères d'une centrale qui ne retient pas ses troupes et qui use rapidement ses dirigeants. Gaston Monmousseau, Pierre Sémard, Julien Racamond, puis Benoît Frachon se succèdent ainsi en quelques années au secrétariat général de la confédération.

Les difficultés du syndicalisme communiste contrastent avec le succès que connaît au même moment son homologue réformiste. Plus représentative des classes moyennes que du mouvement ouvrier, la CGT recrute près de la moitié de ses effectifs — 370 000 en 1922, 524 000 en 1926, 740 000 en 1930 — dans les rangs des fonctionnaires (postiers, enseignants, agents des administrations centrales, etc.), et a répudié toute perspective révolutionnaire. Se réclamant de l'esprit solidariste et pacifiste qui règne à Genève — Léon Jouhaux siège sans discontinuer comme délégué de la France au Bureau international du Travail —, elle accepte, quelle que soit leur couleur politique, de dialoguer avec les gouvernements en place et développe un programme visant à la fois à transformer les rapports entre le capital et le travail (nationalisation des grandes entreprises industrielles, conventions collectives par branches, contrôle ouvrier sur l'embauche, le salaire et la discipline, mais sans gestion ouvrière de l'entreprise) et à intégrer le monde du travail par un système d'assurances sociales (rejeté par la CGTU) et par la mise en place d'un Conseil national économique auquel participerait le mouvement syndical. Ces deux dernières revendications seront satisfaites entre 1925 et 1928.

Effectifs des principales fédérations de la CGT au début des années trente

Fédérations	*Effectifs*	*Fédérations*	*Effectifs*
Fonctionnaires	106 000	Transports	33 000
Enseignement	91 000	Eclairage	30 000
Cheminots	89 000	Bâtiment	21 000
Mineurs	82 000	Employés	20 000
PTT	58 000	Livre	18 000
Serv. publics	52 000	Cuirs et peaux	16 000
Métaux	42 000	Habillement	11 000
Textile	39 000	Serv. de santé	10 000

A cette division entre les deux familles séparées issues de l'ancienne Confédération générale du Travail, s'ajoute celle qui oppose le syndicalisme non confessionnel et le syndicalisme chrétien. A la veille de la guerre, celui-ci ne rassemblait encore qu'une quinzaine d'organisations, constituées en Fédération en 1912, et dont la plus importante était le Syndicat des employés de l'industrie et du commerce (SEIC), fort d'environ 7 000 adhérents. Réunis au Havre en juin 1918, les dirigeants des syndicats chrétiens français et ceux des organisations belges réfugiés en France, jettent les bases de ce qui deviendra l'année suivante la *Confédération internationale des travailleurs chrétiens* et la *Confédération française des travailleurs chrétiens* (CFTC) dont le président et le secrétaire général sont respectivement Jules Zirnheld et Gaston Tessier.

Fondant son idéologie et son action sur la doctrine sociale de l'Eglise, telle qu'elle ressort de l'Encyclique *Rerum Novarum* (1891), le syndicalisme chrétien rejette la lutte des classes, répudie toute forme de violence et prône la collaboration entre ouvriers et patrons «*réunis dans des groupes distincts reliés par des organismes mixtes, où l'indépendance et les droits de chacun d'eux seront respectés*», autrement dit au sein d'un système dont l'idéal est celui de la corporation. Il se prononce également pour l'association capital-travail — le syndicat devenant actionnaire de l'entreprise —, l'intéressement des salariés aux bénéfices et la création de commissions mixtes discutant des conditions relatives au travail, autant de propositions que le patronat repousse comme suspectes à ses yeux de vouloir introduire de manière indirecte le contrôle ouvrier et les conventions collectives.

Quant à la grève, la CFTC considère que si elle constitue incontestablement une violence et un «*acte de guerre*», elle ne peut être indéfiniment repoussée. «*Les ouvriers, même chrétiens*, note Jules Zirnheld, *sont des gens qui ne s'accommodent pas facilement de la diplomatie.*» Il y a des grèves *légitimes*, comme il y a des guerres légitimes: ce sont celles qui sont engagées pour «*une raison grave et juste*», après que les moyens pacifiques de conciliation ont échoué et lorsque la grève a des chances d'aboutir: ce qui revient à dire, écrit E. Delaye, «*que les revendications doivent être telles qu'on puisse raisonnablement les satisfaire dans l'état présent de l'industrie*» (*Eléments de morale sociale. Les manuels syndicaux*, Paris, 1939, pp. 139-140). Et ce qui exclut les grèves politiques et la grève générale.

L' idéal de collaboration des classes qui guide l'action des dirigeants de la CFTC et les liens étroits entretenus par la confédération avec la hiérarchie catholique font que le syndicalisme chrétien a encore souvent mauvaise presse auprès des ouvriers. Certes, il a gagné du terrain depuis le début du siècle et l'on évalue à plus de 150 000 ses effectifs au lendemain de la création de la CFTC, mais sur ce total il n'y a sans doute pas plus de 65 000 cotisants réguliers, parmi lesquels les ouvriers sont minoritaires, comme le montre le tableau suivant.

Effectifs des syndicats et fédérations reliés à la CFTC en 1920

	Effectifs
Employés	43 000
Cheminots *	36 000
Ouvriers du textile	14 800
Mineurs	10 100
Métallurgistes	8 000
Ouvriers du bâtiment	7 000
Fonctionnaires	7 000
Enseignement	4 200

* Principalement en Alsace-Lorraine.

Quoique fortement minoritaire et représentée essentiellement dans les zones de forte pratique religieuse (Nord, Alsace), la CFTC commence à jouer dans le courant des années vingt un rôle suffisant pour que certains dirigeants du patronat s'inquiètent des progrès enregistrés par la confédération et de la combativité de ses troupes, lors de grèves menées avec les autres centrales dans la région parisienne et dans le Nord.

C'est ainsi qu'en janvier 1924, le président du Consortium textile de Roubaix-Tourcoing, Eugène Mathon, lui-même grand patron et catholique fervent, se rend en voyage à Rome en compagnie de militants de l'Action française, pour y rencontrer successivement Mussolini et le pape Pie XI, auprès duquel il dépose une plainte contre les syndicats chrétiens de Roubaix-Tourcoing, plainte qui sera élargie quelques mois plus tard à l'ensemble de la CFTC. Eugène Mathon accuse la confédération chrétienne — auquel il dénie au passage le droit d'exister — d'avoir réclamé l'institution des allocations familiales et d'avoir conclu des alliances avec les syndicats «*révolutionnaires*». Pie XI ne se presse pas de répondre, ou plutôt il se contente tout d'abord d'indiquer discrètement qu'il approuve l'action du syndicalisme chrétien, par exemple, en adressant en 1926 à la CFTC ses félicitations et sa bénédiction. Finalement, le 5 juin 1929, la Sacrée Congrégation rend son verdict, rejetant les accusations du président du Consortium et déclarant qu'elle «*voit avec faveur se constituer de ces syndicats ouvriers vraiment catholiques d'esprit et d'action*», et qu'elle «*fait des vœux pour qu'ils croissent en nombre et en qualité*». Quant à l'unité d'action dans la grève avec les syndicats non chrétiens, le Vatican admet qu'elle peut être «*licite*», pour peu que «*la cause qu'on veut défendre soit juste, qu'il s'agisse d'accord temporaire et que l'on prenne toutes les précautions pour éviter les périls qui peuvent provenir d'un tel rapprochement*».

Bourgeoisie et classes moyennes

Face à une paysannerie majoritairement tournée vers le passé et à un monde ouvrier dont une large fraction se trouve tenue en marge des processus d'intégration et d'ascension sociales, les diverses strates de la bourgeoisie constituent, au cours de la décennie qui suit la guerre, l'élément le plus dynamique de la société française.

Peu de changements quantitatifs au sommet de la pyramide, dans une haute bourgeoisie qui comprend toujours, et en nombre à peu près égal à celui de l'avant-guerre, des banquiers, de gros industriels et hommes d'affaires, de grands propriétaires fonciers, à qui s'ajoutent quelques centaines de représentants des professions libérales ayant acquis un certain renom dans leur spécialité — avocats, médecins, chirurgiens, hommes de lettres, artistes, comédiens, directeurs de journaux —, et un petit nombre de hauts fonctionnaires.

La plupart des fortunes sont anciennes ou datent de la seconde révolution industrielle, mais l'on dénombre également des réussites récentes, généralement effectuées pendant la guerre et qui forment le groupe universellement décrié des «*nouveaux riches*». On peut difficilement évaluer l'ampleur des bénéfices de guerre. On sait seulement que le montant des déclarations des assujettis à la «*contribution extraordinaire sur les bénéfices supplémentaires*» réalisés du 1er août 1914 au 30 juin 1919 s'est élevé à 17,5 milliards de francs, mais les fraudes et la dissimulation fiscale ont sans doute été considérables. D'autre part, tous les bénéficiaires ne sont pas connus du public et ce sont souvent les plus discrets — intermédiaires plutôt que producteurs — qui ont accumulé les plus gros profits. Ceux dont on parle se rangent plutôt du côté des industriels auxquels les commandes massives de fournitures de guerre ont permis de passer du statut de petit ou de moyen patron à celui de capitaine d'industrie: un André Citroën, dont l'usine édifiée en six semaines au quai de Javel a produit, à partir de 1915, 55 000 obus par jour, un Marcel Boussac, organisateur de l'industrie textile vosgienne pendant la guerre et inventeur de la «*toile d'avion*», un Louis Loucheur, fabricant de gaz de combat, un Berliet qui a créé à Vénissieux, près de Lyon, en employant les méthodes les plus modernes, un empire de constructions de poids lourds, etc.

Au-dessous de ces grands brasseurs d'affaires, souvent novateurs et férus de libéralisme, la masse du patronat industriel demeure attachée à un style de direction autoritaire et paternaliste, conforme aux modèles du XIXe siècle. Depuis 1919, elle est groupée dans un organisme de coordination agissant comme «*groupe de pression*» auprès des pouvoirs publics en matière de législation fiscale, de politique douanière et monétaire: c'est la *Confédération générale de la Production française*, dont les 21 fédérations nationales rassemblent les syndicats patronaux d'une même branche. Bien que son rôle soit considérable, la CGPF n'a pas rendu caduque l'action des grands groupements patronaux de l'avant-guerre, celle en particulier du *Comité des Forges*, défenseur des intérêts de la sidérurgie, et de l'*Union des intérêts économiques*, dont l'intervention dans le champ politique est loin d'être négligeable (par exemple lors de la préparation des élections de 1919).

A un niveau moindre de fortune et de prestige social, petite et moyenne bourgeoisie forment toujours un monde intermédiaire entre la classe dirigeante et les couches populaires. L'hétérogénéité en est extrême et les frontières avec les catégories sociales voisines aussi difficilement perceptibles vers le haut que vers le bas de la pyramide. Il règne en effet dans ce groupe émergent de la société française, qui comprend une douzaine de millions de personnes et forme, à bien des égards, le soubassement de la domination bourgeoise, une très forte mobilité. Au-delà des différences de fortune, qui peuvent être considérables, et des différences de statuts (indépendants, salariés, agents de l'Etat), ce qui fait d'une certaine manière l'unité de cette catégorie, c'est son aspiration à s'élever dans l'échelle sociale et à conformer son existence, ses valeurs et ses pratiques socio-culturelles aux modèles fournis par la grande bourgeoisie.

Cette mobilité interne s'est-elle accompagnée d'une «prolétarisation» partielle de certaines couches bourgeoises? Globalement, la mémoire collective a retenu l'image du «nouveau pauvre», le petit rentier ruiné par l'inflation du temps de guerre et par le naufrage des emprunts russes, image inversée du «*nouveau riche*» ayant bâti sa fortune sur les profits de guerre et la spéculation. Or, s'il est clair que l'érosion monétaire a entamé les patrimoines et fait baisser les revenus traditionnels — obligations, emprunts publics français ou étrangers, loyers —, réduisant le pouvoir d'achat de certaines catégories et s'accompagnant parfois d'un véritable déclassement social, la ruine pure et simple et la réduction à la misère de familles autrefois cossues, si elles nourrissent toute une thématique romanesque et théâtrale et trouvent un écho dans la presse et jusque dans les débats parlementaires, ne paraissent pas avoir été la règle. Il reste que nombre de fortunes ont ainsi été érodées, modifiant de manière sensible les niveaux de vie et les habitudes de consommation (le nombre des domestiques tombé de 930 000 en 1911 à 780 000 quinze ans plus tard en est un signe) et ceci d'autant plus que les détenteurs de revenus fixes n'ont pas été les seuls à être touchés. Il faut en effet tenir compte également de la pression fiscale accrue sur les professions libérales et de la baisse du pouvoir d'achat des hauts fonctionnaires (plus de 25 % entre 1911 et 1930).

Appauvris ou non, nombreux sont les membres de la bourgeoisie qui joignent leurs voix à celles des catégories modestes pour dénoncer les «*profiteurs*» et les «*nouveaux riches*», détenteurs, à leurs yeux, de fortunes «*immorales*» dès lors qu'elles n'ont pas été acquises par le travail, l'épargne et l'effort continu de plusieurs générations. Le phénomène n'est pas nouveau, mais les fortes variations à la hausse et à la baisse enregistrées par les patrimoines à la faveur du conflit accentuent les réactions provoquées par la remise en cause de l'éthique bourgeoise traditionnelle et nourrissent des attitudes mentales qui vont incliner certains représentants des diverses strates de la bourgeoisie et des classes moyennes vers l'extrémisme de droite et l'antisémitisme.

Les spéculateurs ne représentent pourtant qu'une infime partie des «*nouveaux riches*», ou du moins de ceux qui ont bénéficié, d'une façon ou d'une autre, de la prospérité économique et des augmentations de pouvoir d'achat. Outre les industriels associés à l'effort de guerre, dont il a déjà été question, et qui ont investi une partie de leurs bénéfices dans la modernisation de leurs entreprises, tirent également profit de la conjoncture favorable les cadres du secteur privé et les petits fonctionnaires dont les effectifs augmentent (on en dénombre 500 000 en 1914, 675 000 en 1932) et dont la situation s'améliore.

La mobilité sociale a donc joué dans les deux sens à l'intérieur du monde hétérogène que constituent la bourgeoisie proprement dite et les classes moyennes. Peut-on pour autant parler d'un brassage complet qui aurait favorisé l'homogénéisation de cette nébuleuse, voire celle du corps social dans son ensemble ? L'enrichissement des uns et l'appauvrissement des autres, autant que les contacts qui se sont opérés entre les représentants de catégories sociales jusqu'alors séparées par des clivages stricts inclineraient à le penser si l'on s'en tenait à des impressions ponctuelles, souvent inspirées par des événements singuliers. Il est vrai que le brassage qui s'est effectué dans les tranchées et dans les camps de prisonniers a mis en présence des gens qui auraient eu peu d'occasions de se côtoyer et de comparer leurs valeurs en d'autres lieux et en d'autres temps. De jeunes bourgeois devenus officiers de réserve ont touché de près pendant quatre ans la condition du monde ouvrier et paysan. Des prolétaires et de petits bourgeois sortis du rang ont établi des liens d'amitié ou, simplement, ont appris à connaître des individus issus de la classe dirigeante. Le phénomène n'est pas négligeable et il a sans aucun doute pesé sur le développement après la guerre de puissants courants égalitaires. Il ne doit pas non plus être exagéré. On s'est rencontré. On s'est senti solidaire de gens que l'on avait jusqu'alors ignorés ou combattus. On n'a pas pour autant changé de statut ou de système de valeurs, ni renoncé à tous ses préjugés sociaux. Dans *La Grande Illusion* de Jean Renoir, sorti sur les écrans en 1937, l'aristocrate Boieldieu peut nourrir de l'estime et de la sympathie pour le contremaître Maréchal: l'homme dont il se sent socialement et culturellement le plus proche est son geôlier, l'Allemand von Rauffenstein, et lorsque Maréchal s'évade en compagnie du banquier juif Rosenthal, l'ancien «métallo» ne peut s'empêcher d'exhaler de fugitifs relents d'antisémitisme.

Que le brassage ait été profond ou superficiel, il semble bien qu'il ait surtout eu pour effet d'ériger en modèle le style de vie de la bourgeoisie. Là encore, il faut se garder de croire que les genres de vie se sont uniformisés. Les différences de revenus sont trop fortes, les clivages culturels trop importants, pour que la formule employée par Barrès — «*Il n'y a plus de classes*» — soit prise pour autre chose qu'une boutade ou un raccourci symbolique. Il est clair néanmoins que la moyenne bourgeoisie et les classes moyennes ont de plus en plus tendance à imiter les façons de vivre, de se vêtir, de se loger, de concevoir l'éducation des enfants qui sont l'apanage des milieux les plus aisés, et que d'autre part, reproduit avec les aménagements nécessaires par ces catégories sociales, le modèle ainsi constitué élargit de proche en proche son pouvoir d'attraction sur les couches émergentes du monde ouvrier et paysan.

Le label bourgeois s'applique en premier lieu au cadre de vie et sur ce point les différences avec l'avant-guerre sont peu sensibles, sinon que le nombre des privilégiés habitant un château ou un hôtel particulier en ville tend déjà à se réduire. Le logement bourgeois n'a pas pour seule fonction d'abriter la famille. Il doit aussi lui assurer un minimum de confort (salle de bain, téléphone) et témoigner de sa respectabilité. Il sera donc situé dans un quartier résidentiel, comportera plusieurs chambres, une salle à manger et un salon. Lieu privilégié du paraître et symbole de la réussite familiale, cet espace voué à une certaine forme d'existence publique sera meublé de fauteuils, orné de tableaux et de bibelots. On y installera le piano sur lequel la maîtresse ou les demoiselles de la maison joueront pour les invités.

Selon le niveau de la fortune, on utilisera les services de «*gens de maison*» en nombre plus ou moins important. Nous avons vu que globalement l'effectif du personnel de service avait sensiblement diminué depuis l'immédiat avant-guerre. Mais le recul touche surtout les familles bourgeoises les moins fortunées. Là où l'on employait avant la guerre une bonne, une femme de ménage et une cuisinière, on se contente le plus souvent d'une unique personne de service (la «*bonne à tout faire*») logée dans l'appartement ou dans une chambre sous les combles. Dans la haute bourgeoisie en revanche, on garde une maisonnée nombreuse (plusieurs bonnes, une cuisinière, un chauffeur, un jardinier, une gouvernante pour les enfants) et chez les «*nouveaux riches*», la tendance est plutôt à la multiplication ostentatoire de ces auxiliaires au demeurant mal payés.

La «*distinction*» bourgeoise s'exprime également dans le vêtement. Non seulement on «*s'habille*» afin de marquer son appartenance sociale, mais l'on suit désormais un «*mode*» qui, de plus en plus, est faite pour cette catégorie sociale et qui doit s'adapter aux nécessités de l'époque. La bourgeoise des années vingt sort davantage que dans le passé. Elle circule en voiture ou en taxi. Elle prend parfois l'autobus ou le métro. Elle troque donc volontiers les lourdes robes drapées de l'avant-guerre, les jupes longues, les bustiers et corsets sophistiqués contre des vêtements légers et pratiques, permettant des gestes plus aisés et dégageant des parties du corps jusqu'alors cachées.

Question de commodité certes, mais aussi de transformation des mœurs et d'influences étrangères. Il s'agit à la fois, en effet, d'afficher une liberté conquise ou revendiquée et de se conformer aux modèles véhiculés par la cinématographie nord-américaine: celle de la «*flapper*» *made in USA*, celle de la «*bathing girl*» mise en scène par Mack Sennet. La silhouette de la femme joue sur la minceur, l'étroitesse des hanches (une façon d'affirmer que l'on n'est pas nécessairement vouée à la maternité), les cheveux courts et plaqués coiffés d'un chapeau cloche. Bientôt imités par les confectionneurs et par les couturières à domicile, les nouveaux ténors de la «*haute couture*» parisienne soulignent ces traits. Coco Chanel avec ses robes sport en dentelle de laine, ses confortables manteaux de voyage, ses petits ensembles en jersey, Lanvin avec ses «*robes à danser*» décolletées et fendues, en crêpe georgette ou en satin brillant, Elsa Schiaparelli avec ses *sweaters* et ses *sportwears* taillés dans de la toile à sac. La fantaisie est fournie par les accessoires: sacs pailletés, poudriers incrustés de coquilles d'œufs, éventails en plumes d'autruche, longs fume-cigarettes.

Les anciens «*empereurs*» de la mode, comme Poiret, Doucet ou Drecoll, ne suivent pas et disparaissent les uns après les autres, non sans avoir brandi l'anathème contre leurs épigones en particulier contre Chanel, accusée d'avoir créé des vêtements pour les femmes qui travaillent, ou mieux «*d'avoir introduit des apaches au Ritz*»! Ce ne sont pas, d'ailleurs, les seuls reproches adressés à la mode des années vingt. Toutes les autorités religieuses dénoncent son caractère scandaleux, sans aller aussi loin toutefois que l'archevêque de Naples qui voyait dans le tremblement de terre d'Amalfi le châtiment voulu par Dieu pour punir l'indécence de la mode féminine, ou que les autorités judiciaires de l'Utah qui prévoyaient d'envoyer en prison les femmes portant des robes plus courtes que trois pouces au-dessus de la cheville!

Si la nouvelle silhouette de la femme s'impose, par mimétisme, à l'ensemble de la société urbaine, traduisant un changement de mentalité relié au temps de guerre, la «libéralisation» qu'affiche le vêtement reste souvent plus apparente qu'effective et ne marque pas, comme l'affirment maints censeurs de l'époque, le naufrage des valeurs incarnées par la famille bourgeoise. Celle-ci demeure au contraire un modèle pour une large fraction du corps social qui en accepte les principes et règle sur eux son comportement. Or, la clé du comportement familial de la bourgeoisie réside dans la possession d'un patrimoine que toute déviance risque de mettre en péril. De là découlent l'autorité, toujours très forte, du chef de famille, qui en est le dépositaire et le gestionnaire, et la permanence de stratégies matrimoniales visant à sa conservation et si possible à son accroissement.

Dans cette configuration, la femme reste la plupart du temps cantonnée dans ses fonctions traditionnelles de génitrice et de maîtresse de maison. La notion de «*bonne bourgeoisie*» n'a pas disparu avec la guerre et elle s'accommode mal du travail de l'épouse. Aussi, celle-ci vit-elle généralement dans une semi-oisiveté, partageant son temps entre la surveillance des domestiques, l'éducation des enfants, les vacances en leur compagnie dans la maison de campagne ou au bord de la mer, les visites d'amies, la lecture, le piano et quelques «*travaux de dames*» (couture ou broderie). Tout ceci n'est évidemment pas sans accrocs et la prégnance du thème de l'adultère dans la littérature romanesque et dans le théâtre de boulevard des années vingt témoigne des tensions et des conflits que recouvrent fréquemment la façade lisse d'une vie familiale conforme au modèle traditionnel. Il est vrai que si la morale religieuse s'en émeut, l'éthique sociale s'en accommode fort bien, dès lors que les écarts conjugaux restent secrets et ne risquent pas de déboucher sur un scandale qui compromettrait l'honneur du nom, ou sur un divorce qui ébranlerait la solidité du patrimoine.

On comprend, dans ces conditions, le scandale qui secoue l'opinion bien-pensante lorsque paraît, en 1922, *La Garçonne* de Victor Margueritte: histoire d'une jeune bourgeoise déçue par les hommes et qui décide de vivre sa vie en toute liberté, prenant des amants, faisant usage de stupéfiants, cherchant à avoir un enfant hors-mariage pour l'élever dans la haine du sexe fort, jusqu'au moment où elle trouve l'amour avec un homme qui admet l'égalité des sexes. L'accueil du roman témoigne en ce domaine d'une France urbaine coupée en deux. D'un côté les attaques de la presse de droite, les protestations des autorités religieuses et des académiciens, la radiation de l'auteur de l'ordre de la Légion d'Honneur, de l'autre l'immense succès du livre, qui pulvérise les records éditoriaux, est adapté au théâtre et au cinéma et donne le nom de son héroïne à la mode féminine des années vingt.

Est-ce à dire que toutes les lectrices bourgeoises du roman de Victor Margueritte et que toutes les femmes qui ont coupé leurs cheveux «*à la garçonne*» et remonté l'ourlet de leur jupe par sympathie avec Monique Lerbier, l'héroïne du livre, sont prêtes à suivre son exemple dissident et à remettre en cause dans leur propre vie les convenances de la société bourgeoise? Sans doute l'émancipation de la femme est-elle dans l'air du temps. Au milieu des années vingt, la France ne compte pas moins de 160 000 adhérentes aux associations féministes, mais les dirigeantes de ces organisations, Madame Jules Siegfried, épouse du grand patron cotonnier et député-maire du Havre, ou Madame Schreiber-Crémieux, proche des milieux radicaux, sont elles-mêmes les représentantes d'un milieu qui ne songe pas à remettre en cause ses propres normes. Plus qu'une vague de fond contestataire, le féminisme demeure encore, à cette date, un loisir de femmes du monde émancipées, ce qui n'ôte rien à sa vertu pionnière. La famille bourgeoise reste une valeur établie dont le modèle s'impose à la majorité des Français.

L'éducation des enfants constitue un autre môle de résistance de la bourgeoisie française. Si l'apprentissage des codes sociaux qui servent de critère d'appartenance à cette catégorie sociale reste l'apanage du milieu familial, il faut bien que les représentants de la future classe dirigeante trouvent, en dehors de celui-ci, les filières qui leur permettront d'accéder en fin de parcours aux plus brillantes carrières du secteur privé ou de la fonction publique, le chemin passant en général par de «*grandes écoles*» dont les plus prestigieuses sont l'Ecole polytechnique et l'Ecole libre des Sciences politiques.

Parce qu'elle prépare à ce véritable brevet d'appartenance sociale que constitue encore le baccalauréat, la filière des lycées reste monopolisée par une élite. Certes, le nombre des boursiers a augmenté depuis l'avant-guerre: on en compte désormais de 12 à 13 %, ce qui est loin d'être négligeable. Mais l'effectif des élèves ne s'est accru que très faiblement. Au milieu des années vingt, on en dénombre 55 000 dans les classes élémentaires des lycées, 120 000 dans les classes secondaires, 30 000 dans l'enseignement féminin du second degré, à quoi il faut ajouter 110 000 garçons et filles dans les établissements privés.

Outre que l'envoi d'un enfant au lycée coûte cher et que les bourses sont accordées de manière hautement sélective, l'instrument du malthusianisme bourgeois en matière d'accès à l'enseignement secondaire est la barrière que les humanités classiques opposent à l'entrée dans le système des enfants du peuple, orientés vers la filière «*primaire supérieure*» aux objectifs plus modestes et qui peuvent rarement permettre d'accéder à l'élite. C'est pourquoi la lutte de la gauche pour la démocratisation de l'enseignement passe par l'institution de l'«*école unique*» et la suppression de la barrière des humanités gréco-latines, qu'illustre par exemple l'opposition des formations cartellistes au décret Bérard de mai 1923 qui renforçait ces dernières. Les quelques progrès enregistrés dans cette voie au cours de la décennie qui suit la guerre n'ébranleront pas la solidité du système. L'accès à la culture — au sens de culture des élites —, qui sera examiné dans le chapitre suivant, se trouve directement relié à cette situation de quasi-monopole.

que très lentement. Au milieu des années vingt, on en dénombre 15 000 dans les classes élémentaires des lycées, 120 000 dans les classes secondaires et 40 000 dans l'enseignement féminin du second degré, à quoi il faut ajouter 110 000 garçons et filles dans les établissements privés. Outre que l'accès d'un enfant au lycée coûte cher et que les bourses sont accordées de manière hautement sélective, l'instrument du malthusianisme bourgeois en matière d'accès à l'enseignement secondaire est la barrière que les humanités classiques opposent à l'entrée dans le système des enfants du peuple, orientés vers la filière «primaire supérieure» aux débouchés plus modestes et qui peuvent rarement prétendre à accéder à l'élite. C'est pourquoi la lutte de la gauche pour la démocratisation de l'enseignement passe par l'instauration de l'école unique et la suppression de la barrière des humanités gréco-latines, qu'illustre par exemple l'opposition des formations cartellistes au décret Bérard de mai 1923 qui rendait ces dernières obligatoires. Les quelques progrès enregistrés dans cette voie au cours de la décennie qui suit la guerre n'ébranleront pas la solidité du système. L'accès à la culture — au sens de culture des élites —, que l'on va examiner dans le chapitre suivant, se trouve directement relié à cette situation de quasi-monopole.

IX

Les «années folles»: culture et pratiques sociales des années vingt

Aussi minoritaires et peu représentatifs de la «France profonde» que soient les comportements des «avant-gardes», qu'il s'agisse des petits groupes d'écrivains et d'artistes qui balancent entre révolution politique et révolution culturelle, ou simplement de ceux qui inscrivent leur propre expérience dans le bouleversement des idées et des mœurs consécutif à la guerre, les changements qui affectent au lendemain du conflit les pratiques sociales et la culture du monde citadin ont, dans le climat de relative détente qui caractérise le retour à la paix et à la prospérité, un pouvoir de contagion qui donne aux années vingt leur tonalité optimiste et débridée. Entre les terribles épreuves qui ont pris fin en novembre 1918 et les années sombres de la crise et de la montée des périls, les années vingt, si elles n'ont été que pour un petit nombre de privilégiés des «années folles» font, par comparaison et pour le plus grand nombre, figure d'embellie.

Mutations citadines et air du temps

Le dépérissement des cultures populaires rurales, auxquelles les changements intervenus depuis le début du siècle et accentués par la guerre ont porté un coup fatal, fait que la ville est désormais de manière à peu près exclusive le lieu de la *culture*, y compris dans l'acception anthropologique du terme, englobant les pratiques sociales dominantes.

Le monde urbain est lui-même en pleine expansion. De 1921 à 1931 en effet, plus de deux millions de personnes sont venues s'installer dans les villes, cette croissance rapide s'opérant essentiellement au profit des agglomérations de plus de 100 000 habitants et en premier lieu de la périphérie parisienne (2 043 000 habitants en Seine-banlieue en 1931 contre 1 505 000 en 1921, soit une augmentation de 35 %). Or, cette nouvelle poussée d'urbanisation s'est effectuée dans une complète anarchie, sans la moindre perspective d'ensemble et avec le seul souci — de la part des «lotisseurs» — de la rentabilité immédiate. Il en est résulté une dégradation rapide des espaces péri-urbains, transformés en zones pavillonnaires hétéroclites et sans équipement, mal reliées au lieu de travail de leurs habitants et où dominent, hors des quelques banlieues résidentielles de l'ouest et du sud de la région parisienne, les édifices disgrâcieux et sans confort, parfois bâtis avec des matériaux de fortune et que séparent des jardinets qui permettent aux nouveaux habitants de ces banlieues-dortoirs de ne pas se sentir complètement coupés de leurs racines rurales.

Si l'habitat pavillonnaire est de loin le plus répandu dans les banlieues tentaculaires qui prolongent la périphérie immédiate des grandes villes, et notamment celle de la capitale (sur un total de 1 100 000 nouveaux habitants représentant la croissance de la région parisienne dans l'entre-deux-guerres, 700 000 sont logés en pavillon, 250 000 dans les HBM et 150 000 seulement dans les collectifs privés), et si la tendance dans les années vingt est à la dégradation du parc immobilier et au manque de constructions nouvelles — ce sont les conséquences du blocage des loyers —, quelques efforts sont faits par les pouvoirs publics et les collectivités locales pour enrayer la prolifération désordonnée des habitations individuelles et lui substituer des réalisations à vocation collective dotées d'un relatif confort. C'est ainsi qu'à Paris, l'administration municipale construit 40 000 logements HBM sur l'emplacement des anciennes fortifications, déclassées en avril 1919. Dans le Nord, les initiatives qui sont prises pour édifier des cités-jardins aboutissent généralement à des échecs. Ne font exception que les quelques ensembles réalisés à l'instigation du directeur du Chemin de fer du Nord, Raoul Dautry.

Pourtant la réflexion urbanistique n'est pas absente des grands débats du moment. Peut-être même n'a-t-elle jamais été aussi intense qu'en ces années de croissance urbaine sauvage et de stagnation des grandes commandes. A l'heure où s'affirme en Allemagne l'esthétique dépouillée du *Bauhaus*, la France s'engage elle aussi sur la voie du fonctionnalisme, déjà largement explorée avant la guerre par divers architectes dont Auguste Perret. Le réalisateur (avec ses frères, Gustave et Claude) du casino de Saint-Malo (1899), du garage de la rue de Ponthieu (1905) et du théâtre des Champs-Elysées (1911-1913) n'a pas attendu la vogue fonctionnaliste des années vingt pour proclamer la nécessité d'adapter les structures et les formes à la finalité de l'édifice. «*C'est par la splendeur du vrai* — écrivait-il — *que l'édifice atteint à sa beauté... Celui qui dissimule une partie quelconque de la charpente se prive du seul légitime et du plus bel ornement de l'architecture.*»

Après la guerre, cette «esthétique du vrai» gagne du

terrain sans toutefois devenir hégémonique. S'agissant des édifices publics, civils ou religieux, la tendance dominante est en effet à la reproduction — rarement heureuse — des styles du passé. A côté de Notre-Dame du Raincy, édifiée par Perret en 1922, et de l'église Saint-Jean-Bosco, de Rotter, l'une et l'autre conçues avec le souci de valoriser le matériau brut et de bannir les ornements inutiles, combien de pastiches romans (l'agrandissement de Saint-Pierre de Chaillot par Bois), gothiques, byzantins (Eglise du Saint-Esprit, par Tournon, avenue Daumesnil) ou mauresques (la mosquée de Paris)!

Fonctionnalisme et modernité s'expriment surtout avec éclat dans les écrits théoriques et les œuvres du Suisse Charles-Edouard Jeanneret, dit Le Corbusier, véritable pionnier d'une architecture révolutionnaire qui triomphera après le second conflit mondial, en particulier dans des pays neufs où d'immenses moyens seront mis à sa disposition. Peintre, ingénieur, théoricien de l'architecture (*Vers une architecture*, 1923; *Urbanisme*, 1925) autant que concepteur d'édifices de toutes dimensions et de vastes ensembles urbains, Le Corbusier, qui a subi dans leurs ateliers l'influence d'Auguste Perret et de P. Behrens, n'entend pas seulement mettre en valeur lui aussi la fonction de l'espace construit et l'esthétique qui découle de l'emploi sans enjolivures des matériaux nouveaux (principalement le béton). Il est à la recherche d'une rénovation profonde de l'art d'habiter et s'applique dans ses projets à réorganiser la ville afin de l'adapter aux exigences du monde moderne.

Celles-ci impliquent que l'on édifie en hauteur des bâtiments habités collectivement plutôt que des maisons individuelles dévoreuses d'espace. A la condition toutefois — c'est ce qu'il explique dans *La Ville contemporaine de trois millions d'habitants* (1922) et plus tard dans *La Ville radieuse* (1935) — que ce choix n'altère pas les quatre fonctions essentielles du milieu urbain: habiter, travailler, circuler, se recréer le corps et l'esprit, et que soit respecté le droit de chacun au soleil, à l'espace et à la verdure. A cet urbanisme rationnel et humaniste dans ses intentions, correspond chez Le Corbusier une technique et une esthétique architecturales privilégiant les matériaux modernes (béton, verre), les formes dépouillées (façade libre, toit terrasse), l'emploi des pilotis qui permettent de se libérer du sol et de faciliter la circulation des piétons, les fenêtres en bandeau qui rendent possible un ensoleillement total des pièces, etc. Toutefois les conceptions de ce visionnaire de l'architecture auront peu d'occasions de passer dans les faits dans la France des années vingt, à la fois parce que le public et les commanditaires sont encore peu enclins à partager ses vues révolutionnaires et parce que les moyens manquent pour réaliser les grandioses projets de l'architecte suisse. A l'exception de la cité-jardin de Pessac, édifiée en 1925, et en attendant le pavillon suisse de la Cité universitaire et la cité-refuge de l'Armée du Salut à Paris, en 1933, ce dernier doit se contenter jusqu'à la guerre de commandes de particuliers, au demeurant somptueuses, et de réalisations hors de l'hexagone. Il faut attendre les années 50 pour que ses principes urbanistiques et architecturaux y prennent forme avec l'*Unité d'habitation de grandeur conforme* à Marseille (1946-1952) et avec la cité de Nantes-Rezé (1952-1953).

Autant l'architecture moderne se veut classique dans sa forme et fonctionnelle dans sa destination, autant elle privilégie le matériau brut et la rigueur des volumes, autant le goût du public incline les décorateurs à compenser cette austérité par des aménagements intérieurs valorisant au contraire la fantaisie, l'imagination, le foisonnement des couleurs vives, des bois et des étoffes rares, des meubles et des objets insolites. Encore que le style qui triomphe sur les quais de la Seine, où se tient en 1925 l'exposition des Arts décoratifs marque, par comparaison avec le style *«nouille»* le retour à une relative sobriété. Le succès de cette manifestation qui accueille plus de 16 millions de visiteurs venus de toutes les parties du monde indique non seulement que Paris est redevenue, après la tourmente de la guerre, la capitale du «goût» et de la mode, mais aussi que le décor du quotidien fait désormais partie des préoccupations d'une fraction du corps social qui ne se réduit pas à l'élite fortunée. A côté des pavillons somptueusement ornés, des péniches-restaurants décorées par le couturier Poiret et le peintre Dufy, de la Villa du collectionneur, meublée par Ruhlmann, les grands magasins parisiens offrent en effet à la foule des visiteurs des formes vulgarisées de mobiliers, de luminaires, de revêtements de murs et d'ustensiles en tout genre d'inspiration «art déco». De même que la *mode*, cette *«culture des apparences»* qui mieux que toute autre forme d'expression spontanée traduit les aspirations et les fantasmes d'une époque, la luxuriance provocatrice du style *«art déco»*, fortement tempérée dans ses meilleures productions par l'usage néo-classique qu'il fait de la géométrie, exprime l'amour de la vie d'une génération qui a vécu pendant plus de quatre ans dans les faubourgs de l'enfer.

La mode et le style *«art déco»* symbolisent ainsi une époque dont la mémoire collective a surtout retenu le caractère festif et le goût de liberté qui était dans l'air du temps. Certes, pas plus que la «Belle Epoque» les «années folles» n'ont été vécues comme telles par la majorité des Français. La guerre, nous l'avons vu, a plutôt eu tendance à renforcer les déséquilibres sociaux et à aggraver les problèmes qui se posaient au plus grand nombre à la veille du conflit. La plupart des ruraux voient leur univers familier se défaire sans que le triomphe de la civilisation urbaine change grand-chose à leurs conditions d'existence. Toute une fraction du monde ouvrier partage son temps entre les contraintes dégradantes du travail à la chaîne et la désespérance des banlieues-dortoirs. La bourgeoisie de province et la majorité des représentants des classes moyennes sont trop attachées à leurs idéaux d'austérité et de patiente ascension sociale pour considérer la fête citadine autrement que comme un spectacle vis-à-vis duquel on conserve en général quelque distance. Le Paris de 1925 n'en incarne pas moins la fureur de vivre d'une société qui, au sortir du cauchemar, manifeste son soulagement et son rejet des contraintes.

Paris est en effet, avec Berlin et déjà, quoique dans une moindre mesure avec New York, le lieu où le mythe des «années folles» prend une certaine consistance. On y vient du monde entier pour y goûter une douceur de vivre qui n'a pas encore élu domicile sur les rives du Tibre. Le phénomène n'est pas nouveau, on l'a vu, mais il prend dans les années vingt une ampleur sans précédent. Dancings, cabarets, «boîtes de nuit», music-halls, théâtres du boulevard, accueillent une population bigarrée venue pour s'étourdir et goûter des plaisirs qui lui sont ailleurs refusés. On danse le «lascif» tango, récemment importé d'Argentine, au son des bandonéons du Coliséum et de L'Oasis. On s'agite, au rythme effréné du *charleston* et du *shimmy*, qui ont débarqué avec les noirs américains en 1917 et 1918. On se passionne pour la musique de jazz, importée elle aussi par les soldats de l'armée Pershing et qui triomphe en 1925 sur les Champs-Elysées, avec *La Revue nègre* qu'animent successivement Flossie Mills et Joséphine Baker. De tous les cabarets à la mode, le plus célèbre, celui où se côtoient tout ce que la «ville lumière» compte d'intellectuels et d'artistes d'avant-garde, d'écrivains et de journalistes en renom, de vedettes du monde politique et économique, d'altesses et de jolies femmes, est *Le Bœuf sur le toit*, ainsi baptisé par référence au titre d'un ouvrage de Cocteau qui fait un peu figure d'animateur des lieux. Tout ce monde «parisien» ne constitue qu'une infime partie de la France, mais il donne le ton, fait la mode, crée l'événement et encore une fois fait surgir des pulsions sociales longtemps contenues.

Classicismes et avant-gardes

La «culture des élites», qu'il est convenu à cette date et pour longtemps encore de considérer comme la forme exclusive de *la* culture, reflète également les contradictions d'une société qui reste majoritairement fidèle à ses valeurs, à ses modes traditionnels d'expression, à ses «caciques», tout en s'imprégnant à petites doses et souvent de manière inconsciente des hardiesses novatrices de l'avant-garde.

La guerre s'est accompagnée d'une relève assez forte parmi les hommes de verbe et de plume. Il y a d'abord ceux qu'elle a emportés: Péguy, tué en septembre 1914 à Villeroy, à l'âge de 41 ans, Alain-Fournier, l'auteur du *Grand Meaulnes*, tombé quelques semaines plus tard aux Eparges, Ernest Psichari, lui aussi disparu dès la première année de la guerre sur un champ de bataille de Belgique, Guillaume Apollinaire, gravement blessé en 1916 et mort deux ans plus tard pendant l'épidémie de grippe espagnole. Les années qui suivent le conflit voient s'éteindre quelques unes des gloires littéraires de l'avant-guerre, à un moment où la plupart d'entre elles ont déjà perdu l'essentiel de leur influence. Pierre Loti meurt en 1923, à peu près oublié. La même année disparaît Maurice Barrès, salué par la droite politique mais déjà dépassé par la génération nationaliste dont il avait été le principal inspirateur avec Maurras. En 1924, Anatole France s'éteint à son tour à l'âge de 80 ans, trois ans après avoir été couronné par le jury du Nobel. La guerre et l'âge avaient à peine ralenti la fécondité littéraire de cet auteur (il publie envore *Le Petit Pierre* en 1918 et *La Vie en fleur* en 1922), quasiment panthéonisé de son vivant comme l'avait été Hugo quarante ans plus tôt, mais au concert des louanges officielles se mêlent bien des voix discordantes venant des milieux catholiques, de ceux qui, à l'extrême gauche, font grief à l'auteur de *L'Ile des pingouins* de son opportunisme et des surréalistes qui concentrent sur lui leur agressivité corrosive. Quant à Paul Bourget, dernier des grands survivants, s'il continue jusqu'à sa mort en 1935 de faire figure de chantre de l'ordre social traditionnel, il ne trouve plus guère de lecteurs qu'en province.

Les nouveaux grands noms de la littérature française ne sont pas, à de rares exceptions près, ceux d'écrivains inconnus avant la guerre, mais au contraire d'hommes qui ont déjà une œuvre derrière eux et qui atteignent leur maturité à un moment où leurs écrits rejoignent les besoins et la sensibilité de leurs contemporains. Tel est notamment le cas d'André Gide, dont l'influence domine à la NRF et qui devient dans les années vingt le chef de file de la nouvelle école romanesque, publiant au cours des années qui suivent la guerre plusieurs de ses œuvres les plus marquantes — *La Symphonie pastorale* (1919), *Si le grain ne meurt* (1924), *Les Faux-monnayeurs* (1925) — et trouvant enfin un public pour des ouvrages publiés un quart de siècle plus tôt. Entre 1897, date de leur parution, et la guerre, *Les Nourritures terrestres* avaient été vendues à quelques centaines d'exemplaires alors qu'elles connaissent au lendemain du conflit un succès considérable, les effusions hédonistes du futur prix Nobel de littérature répondant aux aspirations d'une jeunesse pour laquelle la grande tuerie de 1914-1918 rend rétrospectivement dérisoire et grotesque l'éthique pharisienne de leurs pères.

Dans la même veine introspective, nourrie d'influences bergsoniennes, s'achève l'œuvre inclassable de Marcel

Proust, commencée entre 1905 et 1910, connue depuis la publication en 1913 de *Du côté de chez Swann*, couronnée en 1919 par l'attribution d'un Prix Goncourt qui vaut à l'auteur d'*A l'ombre des jeunes filles en fleurs* d'être mondialement honoré et finalement close par la parution posthume en 1927, cinq ans après la mort de l'écrivain, du *Temps retrouvé.*

L'œuvre poétique de Paul Valéry (*La Jeune Parque*, 1917, le *Cimetière marin*, 1920, *Charmes*, 1922) et son œuvre critique (le premier des cinq volumes de *Variété* paraît en 1924) relèvent d'un tout autre registre. Ici, le regard sur soi n'est que le point de départ d'une entreprise qui allie les préoccupations métaphysiques et une immense exigence formelle. Celle-ci incline le poète à mépriser l'inspiration et le hasard et à sacrifier l'intelligibilité immédiate de ses écrits au plaisir esthétique produit par le jeu des images et des rythmes, dans le droit fil de la poétique mallarméenne.

Le goût de l'introspection qui caractérise à bien des égards le climat intellectuel de l'époque n'empêche pas les grands noms de la littérature de s'intéresser à leur temps et de participer au débat, sinon au combat politiques. Il en est ainsi de Gide dont l'individualisme désinvolte peut temporairement s'effacer devant l'adhésion — au demeurant toute sentimentale — à des causes qui relèvent de la solidarité entre les hommes: l'anti-colonialisme, qui imprègne son *Voyage au Congo*, publié en 1927 à la suite d'un séjour dans cette possession française, puis le communisme, vite abandonné il est vrai après que l'auteur de *Retour d'URSS* (1936) eut constaté sur le terrain l'écart qui séparait la réalité stalinienne des espérances suscitées par «*l'immense lueur*» surgie à l'Est. Il en est ainsi également de Romain Rolland, encore que cet anticonformiste n'ait pas attendu les années vingt pour faire entendre ses plaidoieries vibrantes en faveur de la paix, de la justice et de la fraternité humaine (la publication en 1915 d'*Au-dessus de la mêlée* avait soulevé en France une immense vague de protestations nationalistes). L'auteur de *Jean-Christophe* n'en salue pas moins avec enthousiasme les premières heures de la Révolution russe, puis, lorsque celle-ci s'engage dans la voie sanglante de la glaciation bureaucratique, la sagesse de Gandhi. Que sa recherche d'une synthèse entre le père de la révolution bolchevique et l'apôtre de la non-violence l'ait personnellement conduit à une impasse n'ôte rien au caractère emblématique de la quête qu'il a entreprise et qui coïncide avec les aspirations pacifistes et égalitaires de nombreux hommes de sa génération.

S'agissant des thématiques développées par les écrivains de l'après-guerre, elles s'organisent en gros autour de quatre tendances dominantes. La première a pour théâtre ou pour objet de réflexion le conflit qui vient de s'achever et qui continue d'obséder les acteurs et les témoins du drame de 1914-1918. L'héroïsme au quotidien, la camaraderie fraternelle, le mépris des *«embusqués»*, le colère suscitée par l'indifférence de l'*«arrière»*, tout ce qui va nourrir pendant une génération l'esprit ancien combattant et parfois dériver vers des formes diverses de remise en cause du régime politique, est présent dans ces récits du temps de guerre. Mais surtout, de tous les sentiments exprimés par cette littérature où s'illustrent entre autres Henri Barbusse (*Le Feu*, 1916), Georges Duhamel, (*La Vie des martyrs*, 1916; *Civilisation*, 1918), Maurice Genevoix (*Les Eparges*, 1923), Roland Dorgelès (*Les Croix de bois*, 1919), Claude Farrère (*La Maison des hommes vivants*, 1919), Henri Bordeaux (*La Chanson de Vaux-Douaumont*, 1917), etc., celui qui domine est le sentiment de l'horreur. Rares sont toutefois les auteurs qui, dépassant le simple constat de l'inhumain ou la mise en cause des dynasties bourgeoises qui sont censées être responsables de l'hécatombe, s'en prennent aux racines même de l'Union sacrée. En attendant le

Céline du *Voyage au bout de la nuit* (1932), seul le jeune Radiguet ose s'aventurer dans cette voie en publiant en 1923 un roman qui fait scandale, son *Diable au corps* relatant la passion amoureuse d'un adolescent et d'une jeune femme dont le mari est au front.

La seconde tendance est celle de la littérature d'évasion. Celle-ci peut prendre des visages aussi divers que le récit de voyage, sous la plume par exemple des frères Tharaud (*Marrakech ou les seigneurs de l'Atlas*, 1920), l'exploration régressive dans le temps (*L'Atlantide* de Pierre Benoît), le retour aux sources de la nature et du monde paysan (*La Brière* d'Alphonse de Chateaubriant, *Raboliot* de Genevoix, *Gaspard des montagnes* d'Henri Pourrat), l'évocation du fantastique (Cocteau) ou de la marginalité poétique (le Pierre Mac Orlan de *Quai des brumes*), ou encore la fuite dans un exotisme de la contemporanéité, tel qu'il s'exprime dans l'œuvre de Paul Morand, diplomate, grand voyageur et peintre d'une haute société itinérante et moribonde qui hante les palaces des stations à la mode, les paquebots de luxe et les grands express internationaux.

Une troisième tendance regroupe les écrivains qui se réclament des fidélités humanistes et d'une meilleure compréhension de l'homme. Les uns, tournés vers ce qu'il y a de singulier dans l'être humain, mettent l'accent sur la psychologie de l'individu et sur le milieu qui l'a façonné, prenant leurs leçons comme le font André Maurois ou Jacques Chardonne chez Bergson et chez Proust. Les autres placent leurs héros en situation, dans la société et dans l'histoire, à la manière du Jules Romains des *Hommes de bonne volonté* et du Roger Martin du Gard des *Thibault*, l'un et l'autre peintres des états d'âme collectifs et artisans d'une véritable somme des problèmes sociaux, intellectuels et moraux de leur temps.

Le dernier courant se rattache au réveil religieux qui a pris naissance avec le siècle et auquel la guerre a donné un nouvel élan. Il traduit la volonté d'approfondissement de la conscience chrétienne qui habite un certain nombre d'écrivains catholiques et trouve ses principales illustrations dans les œuvres de Paul Claudel, notamment dans *Le Soulier de satin* (1929) où ce dernier exalte dans une langue flamboyante la catholicité triomphante du Siècle d'or espagnol et le renoncement des amants à vivre leur passion interdite, de François Mauriac (*Le Baiser au lépreux*, 1922; *Thérèse Desqueyroux*, 1927) et de Georges Bernanos (*Sous le soleil de Satan*, 1926; *L'Imposture*, 1927), l'un et l'autre témoins angoissés de destinées humaines aux prises avec le péché et le pharisaïsme d'une bourgeoisie de province aussi féroce que formellement dévote.

Rien de véritablement révolutionnaire donc dans ce foisonnement littéraire qui emprunte, pour les approfondir, les sillons tracés par les écrivains de l'immédiat avant-guerre. Il en est de même de la musique, dominée par le «groupe des six» (Georges Auric, Darius Milhaud, Francis Poulenc, Arthur Honegger, Louis Durey, Germaine Tailleferre) et qui, s'éloignant de l'héritage wagnérien et de la sensibilité postromantique, poursuit dans le sillage de Stravinsky et sous l'influence de Schönberg ses expériences expressionnistes et polytonales (*Pacific 231* d'Honegger, 1923). Chez Maurice Ravel (*Boléro*, ballet, 1928), Albert Roussel et Florent Schmitt, l'inspiration et la forme restent beaucoup plus classiques.

Pas de bouleversement non plus dans la sculpture, qui demeure elle aussi classique, voire académique avec Landowski, ou qui exploite les formules expérimentées bien avant la guerre par Bourdelle (mort en 1928) et Maillol, de même que chez la plupart des peintres, la grande rupture se situant ici, nous l'avons vu, dans les toutes premières années du siècle. L'impressionnisme et ses dérivés se prolongent avec Suzanne Valadon et son fils Maurice Utrillo, Marie Laurencin et Pierre Bonnard. Braque, Léger et Picasso — qui n'a fait qu'un court séjour chez les surréalistes — font prospérer l'héritage cubiste et se tiennent éloignés des recherches abstraites. Raoul Dufy garde de son passage par l'impressionnisme et le fauvisme une passion de la couleur qui corrige l'extrême dépouillement de son graphisme. Matisse poursuit lui aussi une œuvre qui doit beaucoup à sa période «fauve» mais qui ne cesse d'évoluer vers un art sobre et dépouillé, dans lequel tout est subordonné à l'harmonie des formes et des couleurs (jeunes femmes, étoffes, fruits et fleurs). Après les fiévreuses recherches intellectuelles de l'avant-guerre, la tendance est incontestablement à l'apaisement et à la réhabilitation du figuratif.

Plus que les autres formes d'expression esthétique relevant de la culture des «élites», le théâtre s'inscrit à la fois dans le cadre des pratiques sociales de son temps et témoigne de la sensibilité et des aspirations de la société. Il est en effet, pour ceux qui le fréquentent, un lieu de sociabilité et de représentation où l'on se donne en spectacle autant que l'on assiste au spectacle présenté par les professionnels de la scène. Or, le théâtre français des années vingt connaît à la fois un très vif succès d'audience et un incontestable renouveau. Ce dernier affecte en premier lieu l'esprit de la représentation scénique. Autour du petit groupe des metteurs en scène qui forment en 1927 le «Cartel» — Charles Dullin, Sacha Pitoëff, Gaston Baty, Louis Jouvet —, se développe un effort de création et de recherche visant à libérer et à traduire dans les mises en scène les aspirations et les inquiétudes de l'époque. Gaston Baty n'affirmait-il pas que la même pièce de Molière pouvait être jouée comme une comédie classique, comme une farce ou comme un drame?

Le renouvellement se manifeste d'autre part dans le choix des thèmes traités et dans l'atmosphère qui se dégage des œuvres présentées. Le «boulevard», dans les formes diverses qu'il a prises depuis le début du siècle (vaudeville, théâtre «psychologique», etc.) continue d'attirer des assistances nombreuses venues applaudir les pièces d'un Sacha Guitry ou d'un Henry Bernstein. Mais de plus en plus, le public cultivé se sent attiré par des auteurs et des œuvres qui combinent le classicisme de la forme et un climat théâtral où coexistent la réalité et le rêve. Le théâtre de Cocteau, les toutes premières pièces de Giraudoux (*Siegfried*, 1928), les œuvres de l'Italien Pirandello, prix Nobel de littérature et gloire vivante (quoique très distanciée) de la «culture fasciste» *(A chacun sa vérité, Six personnages en quête d'auteur)*, relèvent de cette catégorie et connaissent un très vif succès.

Tout cela demeure néanmoins classique dans les modes d'expression choisis et conforme au goût dominant des couches sociales consommatrices de «culture», au sens étroit du terme. Au contraire, le grand bouleversement esthétique qui affecte la littérature et les arts plastiques au début des années vingt est le fait d'une «avant-garde» qui, bien que directement reliée aux groupes novateurs de l'immédiat avant-guerre, fait figure d'école révolutionnaire, en rupture apparente avec la sensibilité dominante même si elle traduit en fait les angoisses et les espérances de son temps.

Le surréalisme, qui constitue le grand mouvement de rénovation culturelle de l'après-guerre, relève d'une double filiation. D'une part, il prolonge les recherches effectuées avant la guerre par les écrivains et les artistes qui ont cherché à donner une réponse esthétique aux grandes interrogations posées à l'homme européen par le grippage des certitudes scientistes et déterministes. L'évolution des sciences exactes et de la physique a confirmé que l'univers «réel» avait plus de chance de ressembler au monde perçu par Max Planck, par Louis de Broglie (prix

Nobel de physique en 1925) ou par Einstein — un monde dans lequel règne la discontinuité et la relativité — qu'à la belle horlogerie harmonieuse et sécurisante décrite par Newton. Celle des sciences de l'homme, et en particulier l'approche psychanalytique de la connaissance des individus, a mis l'accent sur les ressorts cachés des comportements humains. Il en est résulté une remise en question par les avant-gardes artistiques des modes traditionnels de représentation du «réel», qui a donné naissance au cubisme et que Guillaume Apollinaire a été le premier à vouloir appliquer à la poésie. La révolution surréaliste s'inscrit dans ce grand chambardement formel.

Mais elle est également le produit de la guerre et du rejet brutal de la société et de la culture «bourgeoises» qui sont censées être les principales responsables de la grande tuerie. Sont ainsi désignées comme ennemies de l'homme, non seulement les idéologies qui ont poussé les sociétés européennes à s'entre-déchirer — le nationalisme, l'impérialisme, etc. —, mais encore celles qui ont pendant deux siècles servi de soubassement à la «civilisation» occidentale: libéralisme, démocratie, humanisme, etc., et dont le caractère atroce de la guerre a montré à quel point elles relevaient du pharisaïsme et de l'absurde.

De ce rejet est né en pleine guerre (1916), à Zurich, autour de Tristan Tzara, le mouvement de révolte qui a pris le nom de *dada* par référence aux balbutiements de l'enfance: l'idée étant que l'art et la littérature devaient aider l'homme à retrouver sa spontanéité primitive, écrasée ou pervertie par la civilisation industrielle. Pour cela, il lui faut d'abord rompre radicalement avec la culture bourgeoise. Mieux, la tuer par la dérision et par des provocations de toutes natures visant à en faire éclater à la fois la forme et le contenu. Au lendemain immédiat de la guerre, Tzara quitte la Suisse pour s'installer à Paris, nouvelle capitale du «dadaïsme» et lieu de rencontre d'artistes et d'écrivains qui ont eux-mêmes subi dans leur esprit et dans leur chair le traumatisme de la guerre et qui partagent la fureur nihiliste du fondateur de «dada». En mars 1919, autour d'André Breton, de Louis Aragon et de Philippe Soupault, se crée la revue *Littérature*, dont l'objectif explicite est de détruire les «fausses idoles».

Très vite cependant, l'équipe de *Littérature* prend ses distances à l'égard de Tzara, de ses chahuts provocateurs et de l'action exclusivement destructrice du dadaïsme. En 1922, Breton, Aragon, Robert Desnos et Paul Eluard rompent avec celui-ci pour lancer la *«révolution surréaliste»*. Certes, il s'agit toujours d'afficher un non-conformisme de choc et les surréalistes ne répugnent pas à la provocation et au scandale. Mais à cette volonté de démolition des valeurs morales et esthétiques de la bourgeoisie s'ajoute chez eux le souci de reconstruire une culture, fondée non plus sur l'humanisme traditionnel mais sur la sincérité qui habite chaque être humain. De là, l'idée de créer de nouvelles formes d'art et de poésie, en explorant l'inconscient, en libérant l'univers onirique dont chacun est dépositaire, en pratiquant l'écriture automatique *«en l'absence de tout contrôle exercé par la raison, en dehors de toute préoccupation esthétique et morale»*.

L'avant-garde surréaliste occupe pendant les années vingt le devant de la scène culturelle, apportant des matériaux et des formes d'expression neufs à la poésie (Breton, Aragon, Eluard, Desnos), à la peinture (Max Ernst, Joan Miró, Salvador Dali, Picabia), à la sculpture (Hanz Arp, Germaine Richier), voire à la cinématographie avec Luis Buñuel *(Le Chien andalou)*, René Clair et Cocteau. Tournée vers l'individu, dont l'imagination et le rêve fondent une «réalité» qui n'existe que dans la vision de l'artiste et du spectateur, elle conserve de ses racines «dada» trop de propension à la révolte pour ne pas se sentir concernée par le grand souffle rénovateur qui paraît s'être levé à l'Est avec la victoire des Bolcheviks en Russie. Aussi, dans un premier temps, nombre de surréalistes vont-ils adhérer au Parti communiste dont ils partagent la volonté de rupture avec la société bourgeoise. Toutefois, leur souci d'indépendance aura tôt fait de se heurter aux tendances centralisatrices et bientôt totalitaires d'une organisation qui subit à la fin de la décennie 1920 les premiers effets de la glaciation stalinienne. De là découlent des voies divergentes qui pousseront beaucoup de surréalistes à renouer — comme André Breton — avec les tendances anarchisantes de la révolte dada, tandis que d'autres s'engageront totalement aux côtés du PC, sans rompre toutefois toutes leurs attaches — c'est le cas notamment de Paul Eluard — avec une esthétique surréaliste qui a profondément marqué son époque.

Comme les avant-gardes qui l'ont précédé, le surréalisme est à la fois un mouvement intellectuel et artistique transnational, ayant des ramifications dans plusieurs pays européens et extra-européens, et un petit séisme culturel dont l'épicentre se trouve à Paris, sur cette «Rive gauche» qui reste au milieu des années vingt le pôle principal des arts et des lettres. En témoigne la formidable concentration de créateurs qui ont élu domicile dans la capitale française et qui hantent ces hauts-lieux du cosmopolitisme culturel que sont alors le cabaret du Bœuf sur le toit ou les grandes brasseries de Montparnasse: La Coupole, Le Dôme ou La Rotonde. Les écrivains américains de la «*génération perdue*», comme Scott Fitzgerald, Henry Miller et Ernest Hemingway, y côtoient les exilés qui ont fui la répression des dictatures méditerranéennes et balkaniques (en attendant la diaspora antinazie des années trente) et les peintres étrangers qui forment ce que l'on appellera l'«Ecole de Paris» et où figurent entre autres Soutine, Modigliani et Chagall.

Pratiques culturelles et loisirs de masse

Trois faits majeurs caractérisent l'évolution de la culture populaire dans le courant des années vingt: la prégnance du modèle urbain et le recul accéléré des traditions rurales, l'aspiration générale au mieux-être et au loisir qui fait suite à l'épreuve de la guerre, l'émergence enfin et la diffusion de techniques nouvelles qui bouleversent radicalement les moyens de la communication.

La presse en est encore à cette date la principale bénéficiaire. L'évolution amorcée dans les premières années du siècle s'accélère en effet pour donner naissance à une véritable presse populaire à grand tirage, surtout représentée à Paris et que dominent les «cinq grands»: *Le Petit Parisien, Le Journal, Le Petit Journal, Le Matin* et *L'Echo de Paris*. Soutenus par des capitaux considérables et diffusant une information présentée sans réel souci d'innovation, ces grands quotidiens parisiens voient leur quasi-monopole contesté à la fin des années vingt par les entreprises de presse du parfumeur milliardaire François Coty, dont les ambitions mégalomanes et les options idéologiques fascisantes s'expriment d'abord dans *Le Figaro* (qu'il contrôle pendant quelques années et auquel il donne une tonalité populiste qui a tôt fait de heurter son public habituel), puis dans *L'Ami du Peuple*. Ce quotidien démagogique est vendu à un prix très bas — deux sous alors que tous les autres journaux valent cinq sous —, et distribué «à la criée» par des vendeurs échappant au monopole des messageries Hachette, ce qui lui permet d'atteindre des tirages-records de 700 000 exemplaires et plus. Il en résulte une véritable guerre entre Coty et les cinq Grands, gagnée par ces derniers et qui contribuera fortement, quelques années plus tard, à la ruine de l'apprenti dictateur («*l'odeur qui n'a plus d'argent*» dira *Le Canard enchaîné*).

Peu de quotidiens de province peuvent rivaliser avec ces géants parisiens. Ceux qui ont la plus forte audience sont *Ouest-Eclair*, de tendance démocrate-chrétienne, et *La Dépêche de Toulouse* qui, sous la direction de Maurice Sarraut, entretient dans les départements du Sud-Ouest une sensibilité radicale encore peu entamée par la montée du socialisme et du communisme. Dans tous ces journaux, et dans la multitude de petites feuilles à diffusion nationale ou régionale qui continuent de paraître, parfois avec des tirages quasi-confidentiels, ou encore dans les hebdomadaires qui commencent à prendre avec un certain succès le relais des quotidiens, les nouvelles et les commentaires politiques occupent une place variable et tendent à reculer quantitativement au profit des «faits divers» (l'affaire Landru — cet ingénieur discret et distingué qui brûlait dans sa cuisinière les cadavres des femmes qu'il avait assassinées après les avoir séduites et dépouillées de leur argent — fait la «une» des quotidiens pendant des mois), des grandes enquêtes (celle par exemple d'Albert Londres sur le bagne de Cayenne) et des récits d'exploits ou d'aventures exceptionnelles qui font sortir l'individu moyen de sa quotidienneté morose. La conquête des airs, dans laquelle s'illustrent des pilotes d'élite comme Védrines, Coste et Bellonte, Guillaumet et Mermoz, celle des derniers espaces maritimes et terrestres encore non explorés par l'homme, suscitent l'intérêt passionné des lecteurs du journal.

Le sport relève du même engouement pour le beau geste, en même temps qu'il entretient dans le public des pulsions moins nobles: un chauvinisme qui trouve ici des satisfactions compensatrices au relatif déclin du rôle international de la France, un transfert sur des individus emblématiques de la volonté de puissance de chacun, une violence codifiée et mise en scène, etc. Or, si la fréquentation des lieux de représentation du spectacle sportif augmente sensiblement au cours des années qui suivent la guerre, la presse donne à celui-ci une audience et une pesanteur dans le façonnement des opinions qui affectent toutes les parties du corps social. C'est elle qui — à travers les pages «sportives» des quotidiens et par le truchement du journal *L'Auto* —, fait du Tour de France une épopée annuelle, en tissant une véritable légende autour de ces *«géants de la route»* que sont Antonin Magne et plus tard René Vietto. C'est elle qui familiarise le public avec les grands noms du football et du rugby, dont la pratique, limitée avant la guerre aux milieux aisés, s'étend désormais aux couches populaires. Elle encore qui assure le succès des Jeux Olympiques de Paris, en 1924, auxquels participent 3 092 concurrents représentant 44 pays et qui attirent 625 000 spectateurs. Les Français n'y obtiennent que trois médailles de bronze en athlétisme (déjà dominé par les Américains), mais réussissent à glaner quelques titres en water-polo, en lutte (Henry Deglane), en haltérophilie (Charles Rigoulot), en cyclisme (Michard, Blanchonnet) et en escrime (Roger Ducret).

Dès cette période, certains événements sportifs constituent déjà, à l'échelle nationale et internationale, des moments médiatiques qui polarisent l'attention du public au point de marginaliser des épisodes importants de la vie politique. Ainsi en est-il du *«match du siècle»*, opposant pour le titre mondial de boxe toutes catégories le Français Georges Carpentier et l'Américain Jack Dempsey, le 2 juillet 1921. Les grands quotidiens d'information ont rivalisé d'ingéniosité et de moyens pour être les premiers à annoncer au public qui se presse devant leurs vitrines le résultat du combat, mais ce sont les ondes radiophoniques qui créent l'événement en donnant à leurs auditeurs la primeur de la nouvelle (Dempsey vainqueur au 4e round). A cette date, il n'y a encore en France que quelques milliers de récepteurs, à l'écoute de Radio Tour-

Eiffel, premier émetteur d'Etat. Il y en aura plus de 300 000 en 1927 lorsque la radio fera connaître au public français la victoire à Philadelphie, en finale de la coupe Davis, des *«quatre mousquetaires du tennis»*: Cochet, Brugnon, Lacoste et Borotra.

Sur le modèle de la presse écrite, dont elle copie les formules en introduisant dans ses émissions «journaux parlés», commentaires politiques et «feuilletons», la radio tend ainsi à devenir, dans le courant de la décennie 1920, le vecteur privilégié de la nouvelle culture de masse. La musique légère, l'opérette et surtout la chanson, qui avait fait avant la guerre la fortune du café concert et du «beuglant», trouvent ici un moyen d'étendre leur audience à toutes les parties de l'hexagone. Certes, dans la France urbaine du début du siècle, chanteurs des rues et musiciens ambulants avaient déjà pour fonction de familiariser le chaland avec les airs à la mode, mais la radio en décuple la vitesse de propagation et surtout, relayée par le disque, elle transforme les vedettes du cabaret et du music-hall — Mistinguett, «La Miss», dont toute la France fredonne au début des années vingt le dernier succès, *Moi j'en ai marre*, ou Maurice Chevalier qui triomphe au même moment dans *Dédé* aux Bouffes-Parisiens — en idoles nationales et internationales, emblématiques de la «vie parisienne» en ces «années folles» qui vont prendre fin avec la crise.

L'autre grand medium culturel de masse est le cinéma. Avant la guerre, la cinématographie française avait occupé une place dominante sur le marché mondial. Or, dès 1915, elle doit faire face à la concurrence vite triomphante des produits *made in USA*. Au milieu d'une production à vocation récréative, dans laquelle dominent les films d'action ou d'aventure, les films comiques et les mélos larmoyants (au moins une centaine par an pour l'ensemble de ces trois catégories), émergent quelques œuvres de qualité. La France est peu touchée par la vague expressionniste qui donne alors ses chefs-d'œuvre au cinéma allemand, et les tentatives qui sont faites pour traduire en langage cinématographique l'esthétique surréaliste (*Entr'acte* de Picabia, *Ballet mécanique* de Fernand Léger) sont en général des échecs. C'est en portant à l'écran des œuvres littéraires consacrées (*Le Père Goriot* et *Pêcheur d'Islande* de J. de Baroncelli, *Thérèse Raquin* de Jacques Feyder) ou de vastes fresques historiques (*Le Miracle des loups* de Raymond Bernard, *Napoléon* d'Abel Gance), que la cinématographie française a donné le meilleur d'elle-même, en attendant la diffusion du «parlant», introduit en 1927 et que les cinéastes de l'hexagone commenceront par bouder.

Le moment est proche à la fin des années vingt où s'opérera avec les Renoir, Poirier, Lherbier, Carné et autres Jean Vigo la réconciliation, par le biais de cet instrument de prédilection de la culture de masse que constitue le cinéma, de la culture des élites et de la culture populaire, prélude à l'uniformisation progressive du goût et des sensibilités qui caractérise à bien des égards le second vingtième siècle.

Peut-être faut-il voir dans ce creuset culturel et dans les produits qu'il a fait naître la manifestation la plus tangible de cette recherche du consensus qui fait suite à la guerre et qui prolonge dans les années vingt l'esprit de l'Union sacrée. Le «Second Ralliement» des catholiques à la République, le relatif apaisement des tensions xénophobes, le recul temporaire de l'antisémitisme (Cf. sur ce point la thèse inédite de Richard Millman, *Les ligues catholiques et patriotiques face à la question juive en France de 1924 à 1939*, IEP Paris, 1990), en attendant le retour en force des idéologies et des pratiques d'exclusion dans les années trente, tout ceci témoigne de la volonté de pacification intérieure d'une société qui veut jouir du bonheur de la paix retrouvée, découvre les joies inédites de la consommation et s'efforce, avant que la crise n'aiguise à nouveau les luttes civiles, de prolonger l'unanimisme du temps de guerre.

X

Les incertitudes politiques de la France des années vingt (1919-1932)

Le poids de la guerre

La guerre terminée, deux sentiments puissants et contradictoires dominent l'opinion publique. En premier lieu, une profonde aspiration à oublier les misères du conflit pour retrouver l'âge d'or de la «Belle Epoque», magnifié par le souvenir et le contraste avec la période sombre de la guerre: c'est l'ardente volonté de joie de vivre qui va donner naissance au mythe des «années folles», mais qui, dans la plupart des cas, s'exprime par la tentative, souvent déçue par les difficultés du réel, d'en revenir aux paisibles joies d'une vie quotidienne normale. Mais, d'autre part, et en contradiction avec ce courant, l'opinion entend bien que l'expérience de la guerre n'ait pas été inutile et que la paix n'efface pas les sacrifices consentis. D'ailleurs, le voudrait-on que la chose apparaîtrait impossible.

Comment oublier la guerre alors que l'environnement quotidien de toute une partie du pays (dans le Nord et l'Est) offre le spectacle d'apocalypse de maisons détruites, de ponts effondrés, de bâtiments calcinés, de monuments en ruines ou de champs truffés d'obus et de mines, devenus de vastes cimetières où les cadavres se mélangent à la boue? A mesure que s'éloigne dans le temps le conflit, la reconstruction efface sans doute les plaies béantes ouvertes entre 1914 et 1918, mais l'érection dans toutes les communes de France de monuments aux morts où viennent se recueillir les veuves et les orphelins perpétue le souvenir du gigantesque sacrifice consenti au pays.

Comment oublier la guerre lorsque chacun peut voir, jour après jour, les mutilés qui portent dans leur chair les traces du conflit, les veuves dans leur voile de deuil, le sort difficile des orphelins et presque chaque famille pleurer l'un des siens? Au demeurant, une nouvelle catégorie apparaît dans la société française des années vingt, celle des «Anciens combattants et victimes de guerre», groupe organisé en associations dont la raison d'être est l'expérience vécue, directement ou indirectement, par ce qu'on appelle bientôt la *«génération du feu»*. Selon Antoine Prost qui a consacré de remarquables travaux à les étudier *(Les Anciens combattants et la société française,* Presses de la Fondation nationale des Sciences politiques, 1977), ils seraient en 1920 6 441 000 survivants, entre 20 et 50 ans, soit 60 % de la population masculine adulte, mais 90 % de la génération concernée. La moitié d'entre eux ont été blessés durant le conflit et plus de 1 100 000 perçoivent des pensions d'invalidité. A ces combattants, il faudrait ajouter 800 000 vieillards, laissés sans ressources par la disparition de leurs fils, 700 000 veuves de guerre non remariées, 760 000 orphelins qui perçoivent une pension jusqu'à 18 ans. Au total, la guerre a très directement touché 9 millions de Français.

On conçoit que l'expérience de la guerre pèse lourd dans l'opinion publique et que, jusqu'en 1939 elle imprègne les mentalités et infléchisse la vie politique. D'autant qu'une multitude d'associations sont nées pour défendre les intérêts et les revendications des Anciens combattants et victimes de guerre. Associations spécialisées comme l'*Union nationale des mutilés et réformés* ou la *Fédération nationale des trépanés et blessés de la face*. Associations séparées par leur idéologie politique à l'instar de l'*Union nationale des combattants* (UNC), de sensibilité de droite, à l'opposé de l'*Union fédérale* (UF) marquée par une idéologie de centre-gauche ou l'*Association républicaine des Anciens combattants* (ARAC) fondée par les communistes. Quelles que soient leur sensibilité politique, les associations d'Anciens combattants ne vont pas limiter leur action à la défense des intérêts de leurs membres. Elles vont considérer que leur rôle est aussi de maintenir dans l'opinion et le gouvernement de l'Etat les idéaux au nom desquels les combattants ont accepté de sacrifier leur vie, c'est-à-dire le culte de la patrie et la pratique de l'Union sacrée. Ce qui, sous le nom *«d'action civique»* revient à exercer une pression permanente, soit morale, soit sous forme d'intervention directe sur la vie politique. Et les associations d'Anciens combattants, entendant incarner l'unanimité nationale qui s'est manifestée dans les tranchées, témoignent d'une grande méfiance et d'une sourde hostilité envers les partis politiques, qui, par définition, divisent l'opinion, et envers le Parlement où s'exerce prioritairement leur action. Aussi doit-on prendre en compte cette importante dimension qui conduit les groupes antiparlementaires à trouver dans le milieu Ancien combattant un vivier qui, à l'occasion, peut leur permettre de remplir les cadres de leurs mouvements.

D'autant que l'une des fonctions des mouvements combattants des années de l'entre-deux-guerres est d'entretenir le culte du souvenir, renouvelant ainsi à chaque cérémonie leur propre légitimité et leur droit de parler aux politiques au nom des sacrifices consentis. Antoine

Prost a montré comment les associations d'Anciens combattants étaient les acteurs d'un culte civique, voué à la religion de la patrie. Présentes à chaque cérémonie officielle, elles font figure de véritable collège de prêtres dont le rôle est particulièrement mis en relief par les cérémonies, du 11 novembre ou le défilé quotidien des associations à l'Arc de triomphe où elles raniment la flamme qui, depuis 1921, brûle sur la tombe du soldat inconnu.

Si les associations d'Anciens combattants perpétuent ainsi la mémoire du grand massacre de la guerre, elles sont loin d'être le seul agent du souvenir. L'art, la littérature, le cinéma portent directement ou indirectement la trace de la terrible expérience que vient de vivre la société française et qui, pour toute la génération de l'entre-deux-guerres, demeure un fait présent et concret (chapitre IX).

Or si le traumatisme de la guerre pèse sur la vie du pays, de manière profonde et en imprégnant l'ensemble de la vie nationale, il porte avec lui une conséquence fondamentale qui, jusqu'en 1939 domine de manière écrasante les comportements et les décisions, celle de ne jamais revoir un conflit aussi éprouvant que celui que la nation vient de vivre. La volonté de paix est fille du choc de la guerre vécue comme un cauchemar.

De la gauche à la droite, la France de l'après-guerre veut la paix à tout prix. Ce qui n'abolit pas, tant s'en faut, les clivages politiques. A droite, la paix résultera de la force dont dispose la France victorieuse et dont elle doit user pour intimider une Allemagne agressive par nature. A gauche, on attend d'une collaboration des peuples, dans le cadre de la Société des Nations, une ère nouvelle qui permettra d'écarter la menace d'un conflit futur. Mais quelles que soient les modalités de son obtention, la paix est l'objectif premier de la quasi-totalité des Français et le demeurera jusqu'en 1939. Antoine Prost a montré que le pacifisme était bien le sentiment dominant dans les associations d'Anciens combattants dont l'un des vœux était qu'un véritable programme d'éducation pacifiste soit élaboré pour les jeunes générations. Et dans son étude sur la génération de khâgneux et de normaliens de l'après-Première Guerre mondiale, Jean-François Sirinelli met en relief le caractère prégnant d'une aspiration profonde à la paix qui se colore d'ailleurs d'antimilitarisme (J.F. Sirinelli, *Génération intellectuelle,* Paris, Fayard, 1988).

Dans ces conditions, la France de l'après-guerre au moment où elle va rentrer dans la normalité se trouve face au problème-clé de la formule politique qui permettra tout à la fois de retrouver l'âge d'or et d'intégrer les leçons du temps de guerre de manière à assurer au pays un avenir de paix et de bonheur paisible. Et cette quadrature du cercle est d'autant plus urgente à réaliser que les lendemains de l'armistice sont loin d'être cette période radieuse qu'espéraient les Français.

Le gouvernement Clemenceau et l'agitation sociale de l'après-guerre

Au moment de l'armistice, la France est gouvernée par le ministère Clemenceau, arrivé au pouvoir un an plus tôt. Auréolé de la gloire immense d'avoir été l'artisan de la victoire, le *Tigre* est devenu pour les Français le *Père la Victoire.* Attelé à la tâche difficile de *«gagner la paix»* en s'efforçant d'obtenir d'Alliés réticents la satisfaction des revendications françaises (chapitre VI), le président du Conseil affirme un autoritarisme qui ne le cède en rien à celui dont il a usé durant le conflit, supportant d'autant plus mal les critiques de la Chambre qu'il considère celle-ci comme dépourvue de toute autorité réelle. Elue au printemps 1914, ses pouvoirs sont arrivés à expiration au printemps 1918 et ont été prorogés uniquement parce que l'urgence des problèmes posés par la fin de la guerre, puis par les négociations de paix rendait inopportune une campagne électorale. De surcroît, l'âge aidant, son caractère naturellement tranchant, la conscience aiguë qu'il a de sa supériorité sur le personnel parlementaire et sa propension à la polémique et à la causticité n'ont fait que s'accroître, si bien que l'Etat repose tout entier sur lui et qu'il refuse d'associer la Chambre aux décisions qu'il prend, considérant que le rôle de celle-ci se borne à juger après coup, tout en imposant silence au chef de l'Etat qui tente de faire valoir son point de vue. Pour dompter les parlementaires, il les met au défi de le renverser comme ils en ont constitutionnellement la possibilité; pour intimider le Président de la République, il agite la menace de sa démission.

Or, tandis qu'il négocie les traités de paix, ce qu'il considère comme sa tâche fondamentale, il doit faire face à une vigoureuse agitation sociale.

Celle-ci trouve son origine dans la vague de hausse des prix que connaît la France au lendemain de l'armistice. La pénurie de produits industriels et de denrées agricoles, jointe à l'accroissement de la circulation monétaire (chapitre VII) a eu pour effet de provoquer une véritable flambée des prix de détail qui se poursuit jusqu'en 1920. A cette date, les prix des denrées de première nécessité ont triplé par rapport à 1920.

Cette hausse des prix entraîne tout naturellement un flot de revendications sociales. Les ouvriers réclament augmentations de salaires, indemnités de vie chère, amélioration des retraites. Ces revendications sont d'ailleurs stimulées par la politique suivie durant la guerre dans les arsenaux et les usines travaillant pour la défense nationale, dans lesquelles Albert Thomas s'est efforcé d'obtenir une croissance des salaires afin d'éviter grèves et mouvements sociaux qui auraient pu gêner l'effort de guerre du pays. Et cette vague d'agitation met tout naturellement au premier rang des acteurs du conflit social qui se jouc, la puissante centrale syndicale qu'est la CGT.

Au cours du conflit mondial, celle-ci a tenu un rôle essentiel en acceptant de collaborer avec le gouvernement pour conduire l'effort de guerre, ce qui l'éloigne fort des idées du syndicalisme révolutionnaire qui constituent toujours la base idéologique dont elle se réclame. L'efficacité de son action pendant la guerre tant en ce qui concerne le rôle qu'elle a joué dans la désignation des affectés spéciaux que les résultats qu'elle a pu obtenir au plan des salaires ou des conditions de travail lui ont valu un flot d'adhésions et elle revendique en 1919 2 400 000 adhérents.

Placée ainsi en position de force, la CGT est cependant profondément divisée sur la tactique à suivre et sur l'usage du mouvement revendicatif qu'elle a pour devoir de gérer. Pour la direction de la CGT et son secrétaire général Léon Jouhaux, convaincus par leur expérience de guerre des avantages d'un dialogue avec le patronat et le pouvoir, il faut se servir des grèves comme d'un moyen de pression pour obtenir des avantages immédiats pour les ouvriers sous forme de primes ou d'augmentations de salaires, voire pour négocier avec le pouvoir des modifications dans les structures de la propriété (une nationalisation des chemins de fer ou l'introduction de certaines formes de contrôle ouvrier dans l'entreprise). Mais ce réformisme est mal admis par une aile révolutionnaire puissante au sein de la Confédération, formée d'une part des syndicalistes révolutionnaires d'avant-guerre qui n'ont pas admis l'évolution du syndicat, et de l'autre des admirateurs de la révolution bolchevique d'octobre 1917. En effet, si situer l'origine des grèves dans le phénomène de la vie chère n'est pas contestable, leur ampleur et leur prolongation est largement due à l'exemple de la révolution d'Octobre. Chez nombre de militants et de responsables ouvriers, celle-ci est saluée comme l'aube d'une ère nouvelle, celle où le prolétariat, maître du pouvoir, balaiera le capitalisme, fera régner la justifice sociale en donnant à chacun à suffisance et établira dans le monde une ère de paix définitive, puisque (beaucoup en sont convaincus) c'est le capitalisme qui est responsable de la guerre. Pour les tenants de cette analyse, il n'est pas acceptable de se contenter de négociations sur la condition ouvrière, comme le souhaite la direction de la CGT, mais il faut se servir des mouvements revendicatifs pour instaurer en France un climat révolutionnaire qui balaiera la société bourgeoise et permettra d'établir une République soviétique. En ce début de 1919, l'Allemagne n'est-elle pas en pleine révolution ? Et bientôt, en Hongrie, le communiste Bela Kun ne crée-t-il pas une République des Conseils sur le modèle de celle de Lénine ?

Conscient des risques que comporte la situation, Clemenceau tente de la désamorcer. A la veille de la célébration du 1er mai 1919, redoutant en cette date traditionnelle de la mobilisation ouvrière des manifestations violentes, il décide d'accorder aux salariés une de leurs plus vieilles revendications, la loi de huit heures. Celle-ci est votée le 23 avril 1919.

En d'autres temps cette importante conquête sociale aurait été saluée comme une victoire. Mais en 1919 elle ne résoud nullement le malaise dû à la vie chère et, de surcroît, elle ne pourrait satisfaire les révolutionnaires. Elle n'empêchera pas des heurts violents lors de la manifestation du 1er mai.

Au lendemain de celle-ci, l'agitation contre l'intervention française en Russie soviétique prend le relais des grèves sectorielles qui se multiplient. Depuis fin 1918, la flotte française mouille en mer Noire et un corps expéditionnaire, commandé par Franchet d'Esperey occupe la région d'Odessa et une partie de la Crimée (alors que d'autres troupes étrangères sont présentes dans diverses régions de Russie). Sans intervenir directement contre les bolcheviks, ces troupes accordent une aidc aux armées blanches qui combattent le pouvoir communiste. Cette intervention française suscite un malaise dans l'ensemble du mouvement ouvrier (même parmi ceux qui se montrent réservés envers l'expérience de Lénine) et la franche hostilité des admirateurs de la révolution d'Octobre qui tentent d'entraîner le monde ouvrier dans des mouvements de protestation. S'ils n'y parviennent guère en raison des réticences d'un certain nombre de dirigeants socialistes (comme Albert Thomas) et des responsables de la CGT, il est clair que l'intervention en Russie aggrave l'agitation sociale qui préoccupe fort Clemenceau. Aussi saisira-t-il l'occasion de la mutinerie d'une partie de la flotte française de la mer Noire, à l'instigation de l'ingénieur mécanicien André Marty pour décider le rapatriement du corps expéditionnaire français.

La France de 1919 vit donc dans la crainte que l'étincelle révolutionnaire allumée en Russie en 1917 et qui a embrasé l'Europe centrale ne l'atteigne à son tour. Cette situation pèsera d'un poids non négligeable sur la reprise de la vie politique en France.

Le Bloc national

C'est l'ensemble de ces conditions qui explique la formation pour les élections de 1919 de la coalition politique connue sous le nom de *Bloc national.* A cette date en effet, l'Union sacrée inaugurée en 1914 est toujours la formule politique qui prévaut dans le pays. Tous les partis politiques y sont engagés, à la seule exception du Parti socialiste qui l'a quittée en 1917 (chapitre V).

Mais, précisément ce parti est soumis aux pressions d'une minorité de révolutionnaires qui rêvent d'imiter la révolution communiste, ce qui le fait considérer par toutes les autres formations comme un danger potentiel pour la société.

C'est en fonction de cette situation et de l'expérience de la guerre que l'idée s'impose dès le début de 1919 de ne pas reconduire, en vue des futures élections, les luttes de partis de l'avant-guerre, mais de proposer aux Français une formule d'Union sacrée en temps de paix qui rassemblerait tous les partis qui l'ont acceptée durant le conflit, et rejetterait dans l'isolement les socialistes travaillés par la propagande bolchevique Pour ce faire, la Chambre examine à partir de mars 1919 un nouveau système de scrutin qui sera adopté définitivement en juillet. Ce système électoral serait fondé sur la représentation proportionnelle que la droite et les modérés avaient déjà tenté d'introduire en France à la veille de la guerre (chapitre I) et qui présente à leurs yeux le très gros avantage de rompre la «discipline républicaine» unissant pour le second tour, dans le scrutin uninominal majoritaire à deux tours en vigueur depuis 1889, radicaux et socialistes. Les radicaux se trouveraient ainsi libérés de leurs alliances traditionnelles. Mais ce système est assorti d'une prime à la majorité qui prévoit que, dans toute circonscription, une liste qui dépasserait la majorité absolue des voix (plus de 50 %) recevrait la totalité des sièges à pourvoir. Disposition qui vise à éliminer les socialistes qui se sont exclus eux-mêmes de l'Union sacrée et à permettre une répartition des sièges entre toutes les autres formations.

Le Parti socialiste SFIO accepte d'ailleurs volontairement de s'inscrire dans la logique de ce raisonnement. Convaincu qu'étant le seul parti à avoir clairement choisi la voie du pacifisme — il remportera les suffrages d'une large majorité de l'opinion publique qui ne veut à aucun prix revoir la guerre —, il s'attend à un spectaculaire succès électoral. Par ailleurs, profondément divisé entre une aile ardemment révolutionnaire qui a le vent en poupe et l'ancienne majorité de défense nationale du temps de guerre, conduite par Pierre Renaudel, qui a choisi la voie du réformisme, il considère que le seul moyen de préserver son unité est de ne conclure aucune alliance électorale qui pourrait provoquer une scission. Aussi, lors de son congrès d'avril 1919 adopte-t-il la «motion Bracke» qui répudie toute alliance avec les partis bourgeois (c'est-à-dire les radicaux). Malgré une loi électorale qui favorise les larges rassemblements, la SFIO se présentera seule aux élections.

Ainsi isolé sur la gauche, le Parti radical va pourtant officiellement refuser de succomber aux sirènes de l'union nationale. En dépit de pourparlers avec les formations de droite, engagés par les dirigeants radicaux, le nouveau président du Parti, Edouard Herriot refuse une alliance électorale qui s'étendrait aux catholiques de l'*Action libérale* ou aux hommes de droite qu'il tient pour réactionnaires de la *Fédération républicaine* et, bien entendu, *a fortiori,* aux nationalistes. Il accepte tout au plus un «Cartel républicain» avec des socialistes-indépendants ou avec les modérés de l'*Alliance démocratique.*

C'est donc sur la droite du Parti radical, avec des formations de droite et du centre-droit que va se réaliser le projet d'Union sacrée en temps de paix baptisé *Bloc national républicain.* L'initiative de sa constitution vient d'Alexandre Millerand, commissaire du gouvernement en Alsace-Lorraine depuis mars 1919, et reçoit le parrainage de Georges Clemenceau. Il rassemble sur des listes uniques les hommes de l'*Alliance démocratique,* de la *Fédération républicaine,* de l'*Action libérale,* des nationalistes barrésiens (car l'*Action Française* se tient à l'écart) et des radicaux qui passent outre aux décisions de leur parti (mais celui-ci est si désorganisé qu'il est incapable d'imposer la moindre discipline, laquelle d'ailleurs ne fait pas partie de ses traditions).

En fait, le Bloc national au sens strict du terme n'est formé que dans le département de la Seine, en Alsace et dans quelques autres départements (comme le Var). Ailleurs, il existe des combinaisons de type varié, alliances entre radicaux et modérés de l'Alliance démocratique sur des listes de concentration, entre radicaux et socialistes-indépendants sur des listes de centre-gauche, listes radicales homogènes et, bien entendu, listes socialistes isolées.

Entre le «Cartel républicain» qui publie son manifeste la veille de celui du Bloc national et ce dernier, il existe de nombreux points communs. La différence tient à la tonalité centriste, laïque et sociale du premier qui rejette réaction et révolution, défend la laïcité de l'Etat et de l'école, demande le respect et l'extension des lois sociales et syndicales tandis que le second met l'accent sur l'anti-communisme, assimilant le bolchevisme au péril allemand et considère que la laïcité de l'Etat doit «*se concilier avec les droits et les libertés des citoyens, à quelque croyance qu'ils appartiennent*», ce qui témoigne d'une volonté d'aménagement des lois laïques.

Mais surtout, au cours de la campagne électorale, le Bloc national va utiliser sur une large échelle la crainte sociale née de l'agitation ouvrière constatée depuis le printemps 1919. Assimilant celle-ci à une volonté de rééditer la révolution bolchevique en France, ce qui n'est vrai que pour une minorité de militants et de dirigeants ouvriers, il amalgame comme bolcheviques ou fourriers du bolchevisme tous ceux qui soutiennent ou comprennent les grèves, syndicalistes de la CGT, membres de la SFIO, voire certains radicaux à sensibilité sociale. Thématique développée par Clemenceau lui-même dans un discours prononcé à Strasbourg, illustrée par la célèbre affiche de *«l'homme au couteau entre les dents»* éditée par l'*Union des intérêts économiques,* organisation patronale qui soutient la campagne électorale des candidats favorables au libéralisme économique, et répétée à satiété par d'innombrables brochures qui ramènent l'enjeu électoral à la question: *«Pour ou contre le bolchevisme».*

Les élections de novembre 1919 et la Chambre « bleu horizon »

Les élections de 1919 aboutissent à la désignation de la Chambre la plus à droite depuis l'Assemblée nationale élue en février 1871. Ce résultat s'explique par la relative efficacité de la campagne du Bloc national axée sur la peur sociale, par la discipline de la droite qui, le plus souvent, présente une liste unique (de composition d'ailleurs variable) alors que le centre et le centre-gauche se dispersent et, bien entendu, par la loi électorale. C'est ainsi que le Parti socialiste SFIO a rassemblé plus de suffrages qu'en 1914 (1 700 000 contre 1 380 000) mais perd près de la moitié de ses députés (68 contre 102) en raison du mode de scrutin. De surcroît, le renouvellement des hommes est considérable. Les électeurs s'étant massivement prononcés pour les Anciens combattants alors que les anciens élus étaient, dans nombre de cas, trop âgés pour faire la guerre, on assiste à une hécatombe de sortants. C'est en raison de cette présence massive d'Anciens combattants que l'on donnera à la nouvelle Chambre le nom de «Chambre bleu-horizon», couleur de l'uniforme des poilus en 1918.

Politiquement, le Bloc national remporte un véritable triomphe, conquérant à lui seul la majorité absolue avec 319 sièges sur 620.

Composition de la Chambre élue en novembre 1919

Entente républicaine démocratique		183 députés
Indépendants	Bloc	29 députés
Action républicaine et sociale	national	46 députés
Républicains de gauche		61 députés
Gauche républicaine démocratique		96 députés
Parti radical et radical-socialiste		86 députés
Parti républicain-socialiste		26 députés
Parti socialiste SFIO		68 députés
Non-inscrits		21 députés

Encore que la composition des groupes parlementaires de droite et du centre ne recoupe pas les frontières des partis nationaux, *l'Entente républicaine démocratique* qui rassemble pêle-mêle des élus de la *Fédération républicaine,* de l'*Action libérale,* des nationalistes (mais pas tous les élus de cette formation) apparaît à la fois comme le plus marqué à droite des groupes parlementaires et comme le centre de gravité du Bloc national.

Mais cette poussée à droite du suffrage universel ne se reproduit ni au niveau des élections municipales et cantonales de novembre et décembre 1919 qui voient une large reconduction des sortants ou de leurs héritiers désignés, ni aux élections sénatoriales de janvier 1920 qui maintiennent à la Haute-Assemblée la forte majorité de concentration (radicaux et modérés) qui existait auparavant, ce que confirme l'élection à la présidence du radical Léon Bourgeois.

Le triomphe de la droite en 1919 doit donc être nuancé. Dans la foulée de l'Union sacrée du temps de guerre, le Bloc national a remporté une large victoire. Mais le pays dans ses profondeurs demeure centriste et radicalisant. Comme tout gouvernement doit compter avec le Sénat qui a les mêmes prérogatives que la Chambre en matière de lois et de budget, la majorité du Bloc national à la

Chambre n'est majorité que sur le papier. D'autant que, des républicains-socialistes aux républicains de gauche, en attirant quelques députés de l'*Action républicaine et sociale,* voire quelques membres modérés de l'*Entente républicaine démocratique,* il est possible de trouver une majorité alternative, plus orientée au centre et davantage conforme aux aspirations du Sénat. Or c'est précisément ce que tenteront de faire les présidents du Conseil successifs.

Mais la reprise de la vie politique débute par une surprise de taille. Dans le climat d'Union sacrée et d'antibolchevisme qui a présidé aux élections, chacun s'attend à voir entrer à l'Elysée à la place de Raymond Poincaré qui a achevé son mandat et a décidé de ne pas se représenter, son heureux rival Georges Clemenceau. Le *«Père la Victoire»,* inspirateur du Bloc national, laisse ses amis poser sa candidature. Or un faisceau d'oppositions va se dresser contre lui. Celle de la gauche qui lui reproche sa volonté de guerre à outrance, peu soucieuse des souffrances des Français. Celle des radicaux qui lui imputent l'arrestation de Malvy et Caillaux et le discrédit qu'il a tenté à cette occasion de jeter sur le Parti radical. Opposition non moins marquée des catholiques qui savent le président du Conseil hostile au rétablissement de l'ambassade au Vatican. Hostilité irréconciliable de ceux qu'il a mortellement blessés pour le plaisir de faire un trait d'esprit, ou de ceux dont il proclame qu'il brisera les ambitions. C'est le cas de Briand dont il a fait savoir qu'il refuserait de l'appeler à la présidence du Conseil et qui se répand dans les couloirs du congrès réuni à Versailles pour aviver les réticences des catholiques en évoquant la perspective d'un enterrement civil au cas où Clemenceau élu président mourrait en fonction. Enfin, dans les divers groupes de la Chambre comme du Sénat, le *Tigre* doit affronter la rancune des parlementaires qu'il a réduits à un rôle de figurants depuis novembre 1917. Si bien que dès la réunion préparatoire des groupes «républicains» de la Chambre et du Sénat, Clemenceau est devancé par le président de la Chambre, Paul Deschanel, qui n'a contre lui aucun des obstacles qui se dressent devant Clemenceau, ayant orienté toute sa carrière sur l'Elysée et pris grand soin de ne se faire aucun ennemi. Clemenceau ayant retiré sa candidature, Deschanel est élu président de la République le 17 janvier.

Ulcéré, Clemenceau démissionne aussitôt de la présidence du Conseil, avant même d'attendre l'entrée en fonctions du nouveau chef de l'Etat, et Poincaré lui donne pour successeur Alexandre Millerand, le créateur du Bloc national. Or Millerand, en constituant son gouvernement s'efforce de ne pas apparaître comme l'otage de la majorité de droite issue des élections. Il ne confie en effet que quelques rares portefeuilles aux hommes de l'*Entente* ou de l'*Action républicaine et sociale* et il assoit son gouvernement sur une ossature de centre-gauche (républicains de gauche, radicaux, socialistes-indépendants). Cette politique qui s'efforce de marginaliser la droite sera suivie par les successeurs de Millerand, Georges Leygues qui devient président du Conseil en septembre 1920 lorsque Millerand est élu président de la République en remplacement de Deschanel que des troubles mentaux contraignent à la démission, Aristide Briand qui gouverne de janvier 1921 à janvier 1922, puis Raymond Poincaré qui accède à cette date à la tête du gouvernement.

La volonté de gouverner au centre est donc attestée de 1919 à 1924. Si la majorité du Bloc national est incontestablement fortement orientée à droite avec le noyau dur de l'*Entente républicaine démocratique*, les gouvernements du Bloc national sont en fait des gouvernements centristes. Et cependant les historiens, suivant en cela les vues exprimées par les contemporains après 1924, ont considéré que la politique conduite par ces gouvernements était une politique de droite. Peut-on ratifier ce jugement ?

La politique du Bloc national : politique d'Union sacrée ou politique de droite ?

Jusqu'en 1923, la politique suivie par les gouvernements successifs est aux yeux des Français une politique qui poursuit celle d'Union sacrée de la période de guerre. La chose est peu douteuse en matière de politique extérieure (chapitre VI). La double volonté de faire rendre gorge à l'Allemagne en exigeant d'elle le paiement des Réparations et d'assurer la sécurité du pays en maintenant l'Allemagne désarmée et en conduisant une politique rhénane qui permettrait de détacher du Reich la rive gauche du Rhin en lui donnant un statut d'autonomie, prélude à une association avec la France, est très généralement approuvée par l'opinion publique et par le monde politique (à l'exception de l'opposition socialiste). Elle est dans le droit fil de la volonté de vaincre l'ennemi héréditaire, de lui faire payer son agression et de le mettre hors d'état de nuire. Il est vrai que, dans cette politique d'unanimité issue de l'Union sacrée, Briand introduit une nuance en janvier 1922 en envisageant à la Conférence de Cannes d'assurer la sécurité et les réparations en acceptant de transiger sur le montant de celles-ci pour reconstituer l'alliance étroite avec l'Angleterre. Mais jusqu'en janvier 1923 et à l'occupation de la Ruhr, un très large consensus s'opère sur la politique étrangère qui, sauf aux yeux de l'extrême gauche, fait figure de politique d'unanimité nationale et non de politique de droite.

Il en va de même de la politique financière conduite par le Bloc national. Il n'est guère de voix pour critiquer la décision de Klotz de créer un double budget, ni celle d'imputer les dépenses extraordinaires aux futurs paiements allemands dont la nécessité n'est mise en cause par personne (chapitre VII). De même, la politique poursuivie à partir de 1920, et à beaucoup d'égards peu réaliste, qui consiste à envisager une revalorisation du franc par restitution des avances de la Banque de France est très généralement approuvée comme honnête et patriotique. Et cette approbation s'étend aux socialistes eux-mêmes qui, pour aboutir au même résultat, proposent de faire payer les riches en imposant le capital pour éponger les dettes de l'Etat et de résorber la dette flottante par une consolidation. Jusqu'en 1924, la critique de la gauche porte sur les médiocres résultats de la politique de rétablissement des grands équilibres par la déflation, non sur la nécessité de poursuivre cette politique (d'ailleurs le Cartel au pouvoir n'en aura pas d'autre).

Même consensus très large en ce qui concerne la politique intérieure poursuivie de Millerand à Poincaré. Lorsqu'en février 1920 s'ouvre devant le Sénat transformé en Haute-Cour le procès de Joseph Caillaux, incarcéré depuis deux ans, l'opinion n'y voit rien d'autre que la poursuite de lutte contre le défaitisme pratiquée sans indulgence depuis 1917. Et la condamnation de Caillaux, reconnu coupable *«avec circonstances atténuantes»* et condamné à trois ans de prison, cinq ans d'interdiction de séjour et dix ans de privation de ses droits civiques à l'issue d'un procès politique qui a surtout démontré le vide du dossier, apparaît si bien conforme à l'idéologie de l'Union sacrée que le Parti radical refuse d'entamer une campagne pour la réhabilitation de son ancien président, de crainte d'apparaître comme ayant partie liée avec un «défaitiste», autrement dit presque un traître!

Mais rien n'apparaît probablement plus caractéristique de l'Union sacrée que la politique religieuse du Bloc national, dans la mesure où celle-ci a signifié la réintégration des catholiques dans la cité. Le gouvernement laisse se réinstaller en France, malgré la législation du temps du combisme, les congrégations religieuses expulsées au début du siècle. En dépit des récriminations des radicaux alsaciens, il décide de conserver à l'Alsace-Lorraine son statut religieux, celui du Concordat de 1801, les trois départements n'étant pas français au moment de l'instauration de la séparation de l'Eglise et de l'Etat. Les ministres des divers cultes demeurent donc salariés en vertu du Concordat. De même l'école reste-t-elle confessionnelle dans les trois départements recouvrés, sans que les lois laïques des débuts de la Troisième République s'y appliquent. Enfin, les gouvernements du Bloc national décident, en dépit des réticences des radicaux de rétablir l'ambassade de France auprès du Vatican, supprimée en 1904. De fait, passant outre aux manœuvres de retardement du Sénat où la majorité laïque reste forte, Briand nomme Charles Jonnart ambassadeur auprès du Saint-Siège en mai 1921 et accueille à Paris le nonce Ceretti sans attendre la confirmation sénatoriale qui ne viendra qu'en décembre 1921. Cette fois les radicaux ont murmuré et même fait connaître leur opposition, mais ils n'ont nullement réussi à mobiliser l'opinion. Le «second ralliement» des catholiques pendant la guerre a convaincu celle-ci que le temps des luttes anticléricales était bien terminé. Là aussi, l'Union sacrée a fait son effet.

Il n'est pas jusqu'à la politique sociale de répression de l'agitation qui n'apparaisse dans le droit fil de l'Union sacrée.

De fait, aux yeux d'une large partie de l'opinion publique, les grèves qui se poursuivent durant l'année 1919 et le début de l'année 1920 apparaissent comme le développement d'une tactique révolutionnaire dont l'origine se trouve dans la Russie des Soviets, le bolchevisme n'étant qu'un des avatars de l'impérialisme allemand, le germe mortel déposé par celui-ci avant sa défaite pour miner la situation de ses vainqueurs (voir J.-J. Becker et S. Berstein, *Histoire de l'anticommunisme en France,* tome I, 1917-1939, Paris, Olivier Orban, 1987). Dans cette optique, la répression des grèves révolutionnaires est une œuvre patriotique qui poursuit l'effort de guerre contre l'Allemagne. Or si l'assimilation du bolchevisme à l'Allemagne ne repose sur aucun argument solide, il n'en va pas de même de l'accusation selon laquelle les grèves auraient un objet révolutionnaire. De fait, si leur origine est incontestablement liée à la vie chère, leur développement est largement le fait de la minorité de la CGT favorable aux bolcheviks, rassemblée dans les *Comités syndicalistes révolutionnaires* (CSR). C'est elle qui, à l'initiative d'un de ses animateurs Gaston Monmousseau lance en février 1920 une grève générale dans les chemins de fer. C'est le signal d'une vague de débrayages qui touchent différents secteurs économiques et sont destinés à tester la résistance du patronat et du gouvernement. A l'occasion du 1er mai 1920, les CSR déclenchent une grève par «paliers» qui débute dans les chemins de fer et doit successivement gagner les ports, le bâtiment, les mines. La réaction du pouvoir est d'une extrême violence. Outre une brutale répression policière des manifestations du 1er mai 1920, la réquisition des chemins de fer est décrétée, des volontaires (ouvriers non grévistes, élèves des grandes écoles, ingénieurs) sont invités à remplacer les grévistes sur les locomotives. Les compagnies révoquent 15 000 cheminots, Gaston Monmousseau est arrêté et des poursuites judiciaires sont engagées contre la CGT, aboutissant à sa dissolution par le tribunal correctionnel de la Seine en janvier 1921 (mais le jugement ne sera pas exécuté, la Confédération ayant fait appel, et le gouvernement préférant laisser la menace suspendue plutôt que de se lancer dans une entreprise hasardeuse contre l'organisation ouvrière). Si les grèves révolutionnaires font contre elles l'unanimité dans les rangs des formations politiques, socialistes exceptés, la gauche radicalisante émet des réserves sur la rigueur de la répression et sur la dissolution de la CGT.

Ainsi la marge est-elle difficile à discerner entre une politique poursuivant l'Union sacrée et une politique marquée à droite.

Il est vrai que, dès 1915, l'Union sacrée avait pris une coloration politique conservatrice voire nationaliste qui accroît encore la confusion et souligne les continuités entre la politique des gouvernements de guerre et celle du Bloc national. Aux yeux de la plus grande partie de l'opinion, il n'y a entre elles aucune rupture. En fait, c'est un double phénomène qui va contribuer à faire apparaître aux yeux de l'histoire la politique d'Union nationale comme une politique de droite: l'éclatement du mouvement ouvrier socialiste et syndicaliste qui fait renaître une gauche ouvrière clairement distincte du communisme d'une part, et d'autre part la reconquête par le radicalisme de son identité perdue.

L'éclatement du mouvement ouvrier français et la naissance d'un courant communiste individualisé

Au lendemain du conflit, le mouvement ouvrier est en plein désarroi. Les grands principes qui constituaient son identité avant la guerre ont volé en éclats. Que reste-t-il du syndicalisme révolutionnaire d'antan au sein de la CGT, dès lors que ses dirigeants ont pratiqué la collaboration de classe à la satisfaction d'une grande partie de leurs adhérents et que les responsables du mouvement, cessant de se vouloir les représentants exclusifs et révolutionnaires de la classe ouvrière cherchent des formules pour améliorer par la réforme le sort de celle-ci, tout en acceptant de prendre en compte les intérêts de la nation tout entière? Vouloir nationaliser les mines ou les chemins de fer, n'est-ce pas répudier le vieux mot d'ordre du syndicalisme révolutionnaire *«la mine aux mineurs»?* Demander le *«contrôle ouvrier»*, n'est-ce pas admettre tacitement que la propriété capitaliste doit subsister au prix d'une collaboration avec les salariés? Et accepter le dialogue permanent avec les autorités, c'est clairement jeter aux orties la logique de la charte d'Amiens qui voulait que le syndicat soit, par le biais de la grève générale révolutionnaire, l'instrument du *«grand soir»* qui renverserait la société capitaliste. On conçoit l'amertume des dirigeants syndicalistes restés fidèles à la vision de l'avant-guerre et qui considèrent comme une trahison la politique conduite par Jouhaux et son équipe. Non moins critiques sont les militants séduits par la révolution bolchevique, à l'image d'un Monmousseau, qui acceptent la conception léniniste (nouvelle mouture d'un guesdisme rejeté en 1906) selon laquelle le syndicat a pour tâche d'amener les masses ouvrières au parti révolutionnaire et de déclencher les mouvements sociaux qui aboutiront à la prise du pouvoir par celui-ci. Ce sont ces groupes d'opposants au réformisme de la CGT qui déclenchent les grèves de 1919 et de 1920 à travers les Comités syndicalistes révolutionnaires, contraignant la direction de la Confédération à les suivre, mais ouvrant avec elle, par leur activisme, un conflit qui va s'aigrissant. L'échec du mouvement social exaspère la tension entre les deux tendances qui, dès le printemps 1920, se trouvent en état de scission larvée, les CSR s'efforçant de noyauter la CGT et la direction de celle-ci luttant pour conserver une suprématie érodée par l'activisme des révolutionnaires.

La situation n'est pas plus favorable au sein du Parti socialiste. On a vu comment en 1918 (chapitre V), la tendance favorable à une paix blanche, conduite par Jean Longuet, l'a emporté sur les champions de la défense nationale dirigés par Pierre Renaudel, la puissance des premiers ne cessant de se renforcer par l'adhésion de nombreux démobilisés, venus au socialisme par volonté pacifiste et irréductiblement hostiles à l'ancienne majorité. Beaucoup de ces nouveaux venus, dépourvus de culture ouvrière, s'enthousiasment pour la révolution d'Octobre qui leur apparaît comme le début d'une ère nouvelle et ne comprennent guère les réticences des dirigeants de la SFIO (ancienne et nouvelle majorité confondues) pour le système bolchevique. C'est cette situation qui explique que, jusqu'à la fin de 1919, le Parti socialiste, tout en répudiant la Deuxième Internationale qui a fait faillite en 1914 puisque les deux principaux partis qui la composaient (SPD d'Allemagne et SFIO) se sont ralliés à la guerre, n'accepte pas de rejoindre la Troisième Internationale créée par Lénine à Moscou en janvier 1919 et se prononce pour une «*Internationale deux et demi*» épurée des éléments qui ont accepté la guerre, et redevenue révolutionnaire. Aussi bien, c'est la ligne qui devrait, estime-t-il, lui permettre de remporter les élections de 1919. Or celles-ci, on l'a vu, sont pour lui un cuisant échec. Il reste l'espoir d'une révolution sociale, mise en œuvre par les révolutionnaires de la CGT, mais cet espoir sombre à son tour en mai 1920.

Privé de perspectives, enfermé dans une impasse, le Parti socialiste se tourne alors vers les bolcheviks russes, vers les seuls révolutionnaires européens qui peuvent se targuer d'un réel succès. Durant l'été 1920, deux des dirigeants de la SFIO, son secrétaire général Frossard et le directeur de *L'Humanité*, Marcel Cachin se rendent à Moscou au second congrès de l'Internationale communiste pour examiner les conditions d'une adhésion éventuelle de la SFIO. Lénine leur répond en imposant 9, puis 21 conditions qui sont autant de défis aux traditions démocratiques du socialisme français: obéissance absolue aux ordres du Komintern, organisation du parti sur la base du *«centralisme démocratique»* qui doit en faire une organisation soumise à une rigoureuse discipline quasi-militaire, création d'une organisation clandestine, contrôle absolu sur la presse, noyautage des syndicats, soutien des mouvements nationalistes dans les colonies et, pour faire bonne mesure, exclusion des réformistes (dont certains, comme Longuet, sont nommément désignés). C'est sur ces bases qu'au congrès de Tours de décembre 1920, le Parti socialiste décide de se transformer en *Section française de l'Internationale communiste.* Décision acquise dans l'enthousiasme par les trois quarts des mandats, représentant à la fois les jeunes adhérents à la recherche d'une cité idéale de paix et de justice sociale et les militants révolutionnaires séduits par l'attrait d'une révolution victorieuse. Mais décision également ambiguë; Frossard, qui reste secrétaire général du nouveau parti, n'a-t-il pas affirmé qu'il jugeait les 21 Conditions totalement inapplicables au parti français et qu'il n'entendait pour sa part ni exclure les réformistes, ni subordonner les syndicats au parti, ni agir dans l'illégalité... En dépit de ces concessions que l'histoire révélera sans effet, une minorité de membres du Parti socialiste, mêlant les partisans de la défense nationale (Blum, Renaudel, Guesde, Albert Thomas) et une partie des pacifistes qui n'acceptent pas les 21 Conditions (comme Longuet ou Paul Faure) refuse de suivre la décision de Tours et décide de maintenir le Parti socialiste SFIO, de *«garder la vieille maison»*.

Cette scission du Parti socialiste en deux formations, un Parti communiste et une SFIO amoindrie, trouve sa réplique quelques mois plus tard dans la scission qui sert d'épilogue au conflit qui couve au sein de la CGT. Mais en fait, dans ce cas, c'est la direction réformiste de la centrale qui prend l'initiative pour éviter de connaître le sort réservé aux minoritaires de la SFIO. En septembre 1921, pour enrayer son affaiblissement permanent, attesté par les résultats des élections au congrès, le Comité confédéral national de la CGT décide l'interdiction des comités syndicalistes révolutionnaires et l'exclusion des syndicats qui refusent de s'incliner. En décembre 1921, un congrès extraordinaire qui leur aurait peut-être permis de s'emparer de la majorité leur ayant été refusé, les révolutionnaires décident de quitter la CGT et de constituer une nouvelle confédération qu'ils dénomment *Confédération générale du travail unitaire* (CGTU).

Les échecs de l'après-guerre et la force d'attraction du bolchevisme russe ont conduit à l'éclatement du mouvement ouvrier.

Une secte de révolutionnaires intransigeants: les communistes

Désormais l'histoire de la gauche française est dominée par l'existence de deux partis qui se veulent les représentants authentiques du prolétariat, mais dont les tactiques, les pratiques, l'organisation font en fait deux formations de plus en plus étrangères l'une à l'autre et de nature radicalement différente par rapport à la vie politique française.

En apparence, dans la scission de Tours, le Parti communiste se taille la part du lion puisque 120 000 militants de l'ancien Parti socialiste le rejoignent, qu'il détient le quotidien *L'Humanité* et qu'il bénéficie du dynamisme procuré par son appartenance au Komintern et ses liens avec la jeune République des Soviets. Dans les faits, le tableau est moins riant: les cadres et les élus sont restés dans leur très grande majorité à la SFIO comme la plupart des quotidiens et hebdomadaires du Parti, à commencer par *Le Populaire* qui fait désormais figure d'organe central de la SFIO. Le nouveau parti est en outre une mosaïque de tendances hétérogènes. On y trouve pêle-mêle de vieux militants socialistes, des hommes venus du syndicalisme révolutionnaire, des anciens combattants mus par le pacifisme et la haine du monde capitaliste jugé responsable de la guerre, des intellectuels qui considèrent la nouvelle doctrine comme l'apogée de l'humanisme et des idées de progrès, l'accomplissement des promesses de la révolution... Entre ces divers groupes l'amalgame paraît impossible tant leurs origines et leurs aspirations sont différentes. Or ces divergences, confinant parfois à la haine, sont encore accrues par les dissentiments qui ne tardent pas à opposer l'Internationale au parti français et qui compliquent encore la lutte des diverses tendances de la SFIC, faisant de son histoire une longue suite de scissions et d'exclusions, un déchirement permanent.

En décidant d'accepter les 21 Conditions au Congrès de Tours, les dirigeants du nouveau Parti communiste n'y ont vu qu'une allégeance formelle. Or pour les responsables de l'Internationale, il s'agit au contraire de faire des partis nationaux un instrument efficace et obéissant de la stratégie révolutionnaire mondiale. Celle-ci se décide à Moscou et pour des raisons qui tiennent autant aux rivalités qui opposent les clans dirigeants de la Russie nouvelle qu'à la situation européenne ou mondiale. Un premier conflit surgit en 1921 lorsque le Komintern exige que les communistes s'unissent aux socialistes dans un «*front unique prolétarien*». Le refus du parti français ouvre un long conflit avec le Komintern, qui exacerbe les luttes de tendances internes de la nouvelle formation (où Boris Souvarine soutient, contre Frossard, les vues du

Komintern). L'épilogue de cette première crise se situe au début de 1923 lorsque Frossard est contraint de quitter le secrétariat général de la SFIC, puis le parti lui-même, suivi par toute une série de journalistes, d'élus locaux et d'intellectuels. Loin de mettre fin à l'histoire chaotique des débuts du communisme français, cette première purge n'en est que le signe annonciateur. La démission de Frossard laisse en effet la maîtrise du Parti communiste à Albert Treint, un instituteur à l'esprit étroit, dépourvu de tout sens politique et qui tente de conduire sa formation comme une classe d'élèves chahuteurs auxquels, en maître compétent, il entend imposer sa férule. Si bien que dès août 1924, il faut le remplacer par le cheminot Pierre Sémard. Mais, dès ce moment, ce parti qui n'arrive pas à se trouver un chef subit le contre-coup des luttes pour le pouvoir qui se déroulent en URSS. La mise à l'écart de Trotsky par la «*troïka*» a son répondant en France avec l'exclusion en série de 1924 à 1926 des «*trotskystes*» ou baptisés tels. Boris Souvarine, les syndicalistes Monatte et Rosmer, les révolutionnaires intransigeants que sont Loriot et Dunois sont ainsi tour à tour rejetés. Mais cette purge à peine effectuée s'en annonce une nouvelle. Zinoviev ayant été à son tour mis à l'index par Staline et Boukharine, toute une partie de ceux qui s'étaient appuyés sur l'Internationale pour écarter leurs adversaires subissent à leur tour les foudres de Moscou: Albert Treint, Suzanne Girault et leurs amis sont, dès 1926, écartés des organes dirigeants avant de connaître l'exclusion en 1928. Toutefois, le Parti communiste n'est nullement au bout des épreuves que lui impose l'Internationale. Au vrai, celle-ci cherche, parmi les jeunes adhérents du parti, venus au socialisme après la guerre et dépourvus de la culture et des traditions ouvrières des vieux militants, des hommes capables d'appliquer sans sourciller ses directives et, de préférence, formés à Moscou à l'Ecole léniniste internationale. C'est ainsi que, dès 1926, commence la carrière de Maurice Thorez, nommé secrétaire à l'organisation. En 1929, une vaste épuration du Comité central élimine une grande partie des dirigeants traditionnels (plus de 60 élus) et fait entrer en force au Bureau politique les jeunes responsables des Jeunesses communistes, dévoués corps et âme à l'Internationale. Sémard est éliminé du secrétariat général et le parti pris en mains par un secrétariat politique qui comprend derrière son chef de file Henri Barbé, Maurice Thorez chargé de la propagande et de l'organisation, Pierre Célor, responsable de l'appareil, et Benoît Frachon, chargé des syndicats. Mais cette nouvelle solution n'a guère plus d'avenir que les précédentes. S'appuyant sur les échecs politiques répétés du Parti communiste, l'Internationale décide en juillet 1931 l'élimination de la direction. Accusé d'activités «fractionnelles», le «groupe Barbé-Célor», doit accepter de se livrer à une autocritique, puis de se rendre à Moscou pour y être sévèrement admonesté et privé de tout pouvoir. De cette longue suite de convulsions émerge la personnalité de Maurice Thorez, secrétaire du Bureau politique depuis 1930, qui, sous la surveillance directe d'une équipe de l'Internationale dont le Tchèque Eugen Fried est le personnage principal, devient en fait le chef du Parti communiste. En même temps qu'elle en change à tout propos les chefs, l'Internationale impose au parti français une série de virages tactiques qui traduisent les hésitations de Moscou sur l'attitude à adopter face à l'Europe. En 1921, on a vu que la tactique du «Front unique prolétarien» avait été à l'origine de la première crise du Parti communiste, les dirigeants français jugeant que leur demander de s'allier aux socialistes un an après la scission de Tours revenait à leur faire perdre la face. Aussi la préoccupation des dirigeants du Komintern est-elle d'obtenir une modification profonde des structures des Partis communistes européens de manière à les aligner sur la réalité du bolchevisme russe. Tel est l'objet du mot d'ordre de «bolchevisation» lancé en 1924 et qui revêt trois aspects; le remplacement des sections organisées autour de ressorts géographiques par des cellules d'usines afin de renforcer la base ouvrière du parti; l'unité idéologique du mouvement communiste, c'est-à-dire, en bref, l'alignement automatique sur les mots d'ordre de l'Internationale, l'élimination des opposants qui résistent à ces mots d'ordre. De ce parti, ainsi aligné sur le modèle russe, le Komintern va faire un instrument de sa politique, le lançant dans une série de prises de position et d'actions violentes qui vont le situer en marge de la nation. D'abord par sa doctrine. Le Parti communiste se veut un contre-modèle de la société capitaliste et libérale établie dans la France des années vingt et, pour mettre en relief son opposition radicale au vieux monde qu'il entend détruire, il prend violemment et ostensiblement le contrepied des idées admises comme consensuelles par la société du temps. La Révolution française lui apparaît par ses origines comme par son issue une révolution strictement bourgeoise qui a écrasé les velléités démocratique de 1792-1794. Il montre le plus grand mépris pour les libertés conquises au cours du XIXe siècle, qualifiées de *«formelles»,* et subordonnées à la conquête de l'égalité économique. De la même manière, le suffrage universel, sacré pour la société française, ne suscite chez lui que sarcasmes, puisque son objectif n'est pas de s'incliner devant la souveraineté de la nation, mais d'établir la dictature du seul prolétariat. Quant au patriotisme, outre qu'il est aux antipodes de l'internationalisme qu'il professe, comment pourrait-il y voir autre chose, compte tenu des raisons de l'adhésion de la plupart de ses membres, que le piège grâce auquel on a conduit au grand massacre de la guerre des générations entières. Les idées du Parti communiste suffisent à en faire un élément perturbateur et largement étranger aux valeurs de la société française de l'époque. Mais ses actes y contribuent sans doute plus encore.

Ils se marquent en effet par une volonté de faire passer ses idées en pratique, non dénuée d'une teinte de provocation délibérée. Opposé à l'occupation de la Ruhr par les armées françaises, il n'hésite pas à envoyer nombre de ses dirigeants, en particulier ceux des Jeunesses communistes, faire sur place de la propagande pour inviter les soldats français à fraterniser avec le prolétariat allemand. Consacrant une grande partie de son activité, comme le demandent les 21 Conditions à soutenir la lutte pour l'indépendance des peuples colonisés, il prend vigoureusement le parti d'Abd el Krim soulevé contre la colonisation française et espagnole au Maroc, envoie un message de soutien au chef rebelle en lutte contre les armées française et espagnole, et désigne, pour aller le lui porter en mains propres, une délégation conduite par Jacques Doriot (qui n'atteindra d'ailleurs pas son but). Pour faire bonne mesure, le Parti communiste demande également que le droit de choisir un destin indépendant soit laissé aux populations d'Alsace-Lorraine. Enfin, organisant en octobre 1925 une grève générale contre la guerre du Maroc, il n'hésite pas à affronter violemment la police à Saint-Denis ou à Paris. Cette tactique lui permet de donner de lui-même une image nettement révolutionnaire, mais contribue à son isolement. Plusieurs centaines de ses militants sont emprisonnés, nombre de ses dirigeants ou de ses élus sont l'objet de poursuites pénales, et une grande partie de la population, effrayée de ses outrances, voit en lui une formation diabolique prête à jeter le pays dans la destruction et les massacres. Il ne fait d'ailleurs rien pour sortir de cet isolement et de l'atmosphère d'apocalypse qui baigne autour de lui. Fin 1927, appliquant les instructions de l'Internationale, il décrète la «tactique classe contre classe». Dans la perspective d'un affrontement, jugé inévitable et prochain par le Komintern, entre le capitalisme évoluant vers le fascisme et le communisme, les partis de la Troisième Internationale doivent mener une lutte sans merci contre la bourgeoisie et sa complice la social-démocratie, qualifiée de «*social-fascisme*». Les socialistes deviennent donc des cibles privilégiées de la propagande communiste. Dans le cadre de cette tactique, les communistes doivent, sur le plan électoral, refuser de pratiquer la «*discipline républicaine*» et se maintenir au second tour contre les candidats socialistes ou radicaux, au risque de faire élire un homme de droite (mais tous les partis sont jugés «*fascistes*» ou «*en marche vers le fascisme*»).

Cette attitude sectaire fait ainsi du Parti communiste un groupuscule isolé dans la société politique française. Son attitude radicale lui vaut le soutien des groupes les plus prolétarisés de la société française. Socialement, il recrute avant tout chez les OS de la nouvelle industrie mécanisée. Géographiquement, ses bastions se situent dans les banlieues ouvrières des grandes villes industrielles où s'entassent les ouvriers les moins qualifiés, ruraux récemment urbanisés, immigrés de la première génération, en particulier Italiens. Il faudrait y ajouter l'appui d'intellectuels attirés au communisme pour des raisons diverses: son pacifisme (qui explique la fidélité d'un Henri Barbusse, porte-parole de la «*génération du feu*»), son antifascisme radical (malgré ses doutes et sa connaissance de la réalité soviétique, Romain Rolland se range parmi les «*compagnons de route*» pour cette raison), son anticolonialisme (qui lui vaut l'appui et l'intérêt d'André Gide), son rôle révolutionnaire (qui fera du Malraux de l'entre-deux-guerres un fidèle). Plus spectaculaire encore est l'adhésion massive en 1927 des surréalistes qui voient dans le communisme un rejet radical du vieux monde, en tous points semblable dans l'ordre politique à leur propre attitude dans le domaine littéraire. Illusion de courte durée, car, dès 1933, refusant de subordonner leurs conceptions artistiques aux impératifs politiques, la plupart des surréalistes (sauf Aragon qui choisit la priorité politique) seront exclus du Parti. Mais les raisons mêmes qui attirent au communisme nombre de fidèles, constituant un noyau dur imperméable à tout doute, en écartent les grandes masses que le communisme souhaite précisément attirer. Les effectifs du Parti s'effondrent. Les 120 000 militants de 1920 ne sont plus que 60 000 en 1925, 39 000 en 1930, 29 000 en 1933. Il ne réussit pas davantage à draîner vers lui les électeurs. Aux élections de 1924 où il présente pour la première fois des candidats, il recueille 885 000 voix et fait élire 25 députés. S'il progresse quelque peu en 1928, après l'échec de la gauche, parvenant à dépasser légèrement un million de voix (9,2 % des inscrits), ses élus tombent à 14 en raison d'un changement de mode de scrutin. Mais les élections de 1932 le voient retomber à 6,7 % des inscrits et 9 élus. A ce moment, pour une grande partie de la société française, le cri de guerre du ministre de l'Intérieur Albert Sarraut lancé en avril 1927 lors d'un voyage à Constantine: *«Le communisme, voilà l'ennemi!»* est une réalité.

Le Parti socialiste SFIO entre réforme et révolution

Si la scission de Tours s'est opérée au détriment de ceux qui entendent maintenir le Parti socialiste, les atouts dont ils disposent sont loin d'être négligeables. Si la SFIO ne conserve que 30 à 35 000 militants, il s'agit d'adhérents convaincus possédant une réelle culture politique et fidèles aux traditions du mouvement ouvrier français. De plus, la plupart des élus nationaux, départementaux ou locaux, la plus grande partie de la presse sont demeurés aux mains du Parti socialiste, de même que la très grande majorité des secrétaires de fédérations a choisi de rester à la SFIO. En dépit des rancunes tenaces entre les anciens partisans de la défense nationale (les Renaudel, Paul-Boncour, Albert Thomas, Alexandre Varenne) qui constituent la droite du parti et les pacifistes *«reconstructeurs»* (Jean Longuet ou Paul Faure, devenu secrétaire général du parti), la fusion se fait sans grandes difficultés autour du refus du communisme.

Au demeurant, les fédérations se reconstituent et nombre de communistes déçus par les pratiques de la SFIC rejoignent les rangs de la SFIO. Dès 1924, le Parti compte 60 000 adhérents et il atteindra les 137 000 vers 1932. Et surtout son audience électorale est spectaculaire. Uni aux radicaux en 1924, il fait élire 103 députés. En 1928, le rétablissement du scrutin d'arrondissement permet d'évaluer ses forces: il rassemble 18 % des suffrages, devançant en voix le Parti radical et devenant ainsi la première force de gauche (mais il ne fait élire que 100 députés en raison du système électoral et du refus de désistement communiste). Enfin en 1932, la SFIO remporte une réelle victoire avec 20,5 % des suffrages et 131 élus.

Mais ce parti puissant est aussi un parti malheureux qui, dans ces années d'après-guerre, est à la recherche de son identité. Face aux frères ennemis du Parti communiste, les dirigeants de la SFIO s'efforcent sans cesse de se définir. Comme eux ils se veulent un parti prolétarien, attaché à la vision marxiste de la société et de l'histoire et leur objectif est commun: établir une société sans classe où la propriété des moyens de production sera collective et où chacun recevra selon ses besoins. Mais si le but est commun, les méthodes se veulent radicalement différentes et les dirigeants socialistes reprochent aux communistes de confondre révolution et prise du pouvoir, victoire du socialisme et dictature du Parti communiste. Répudiant les méthodes léninistes, mal adaptées aux démocraties d'Occident, ils préconisent une prise de pouvoir par la voie légale de l'élection et la transformation de la société par la loi qui modifierait les structures de la propriété et de la répartition, accomplissant ainsi la véritable révolution. Soumis à la surenchère et à la concurrence communiste, la SFIO se veut donc un parti révolutionnaire, même si son acception du terme révolution est différente de celle des communistes.

Le problème est que cette option marxiste et révolutionnaire, affirmée de congrès en congrès, et qui donne au Parti socialiste une teinte ouvriériste, est fort mal adaptée à la composition sociologique de la SFIO. En fait celle-ci est de moins en moins un parti ouvrier, mais bien davantage un parti populaire où les classes moyennes occupent une place essentielle: agriculteurs, employés, instituteurs, professeurs, fonctionnaires, commerçants, industriels y tiennent une place fondamentale et la préoccupation de ces groupes sociaux (comme d'ailleurs des cheminots ou des ouvriers du Livre qui constituent sa composante ouvrière) est beaucoup moins de bouleverser la société pour y faire triompher les vues collectivistes du marxisme que de s'y tailler une place dans des structures inchangées. Aussi toute une partie de la base de la SFIO incline-t-elle vers un réformisme que dément la culture politique qui triomphe dans les congrès. Cette dichotomie explique les tensions qui affectent la SFIO. Toute une aile gauche fidèle aux conceptions formulées par Guesde au début du siècle entend demeurer fidèle à une stricte orthodoxie marxiste et préserver la pureté doctrinale du Parti de toute compromission au pouvoir. Cette thèse est défendue par les dirigeants du Parti, Paul Faure, Lebas, Séverac, Bracke, Pressemane. Elle est renforcée et même accrue par une aile d'extrême gauche conduite par Jean Zyromski qui va prendre en 1927 la tête de la tendance de la *Bataille socialiste* et qui entend battre les communistes sur le terrain du dynamisme révolutionnaire. Pour cette gauche socialiste, toute alliance avec les radicaux apparaît comme nocive et comme remettant en cause l'identité socialiste, au point que la plupart préféreraient la scission à la collaboration de classe et à la participation gouvernementale aux côtés des radicaux. A l'opposé, il existe une aile droite qui, constatant que le départ des communistes a libéré le socialisme de la pression des partisans de la révolution violente, juge qu'entre la volonté de transformation des structures par la loi préconisée par les socialistes et le réformisme affiché des radicaux, il n'y a pas d'antagonisme. Et par conséquent avec Paul-Boncour, Renaudel ou Alexandre Varenne, ils proposent une alliance avec les radicaux et une participation gouvernementale qui permettrait de conduire à de larges réformes améliorant le sort de la classe ouvrière. Entre ces deux tendances, un centre dont Léon Blum est le chef de file, a pour préoccupation principale de préserver l'unité du parti et, pour ce faire, de répudier toute participation gouvernementale qui comporterait des risques mortels d'éclatement pour la SFIO. Mais, du même coup, cette volonté de pureté doctrinale ne risque-t-elle pas de conduire à une paralysie au plan de l'action ?

Tant que les radicaux demeurent inclus dans la majorité gouvernementale, le problème d'une alliance avec eux ne se pose pas. Mais après la scission de Tours et la reconquête de sa liberté par le Parti radical, la question agite fort un Parti socialiste qui ne parvient pas à choisir entre réforme et révolution.

La reconquête de l'identité radicale et la formation du Cartel des gauches

Si la paralysie du Parti socialiste SFIO est liée à la nature même de ce parti, l'atonie du Parti radical est un effet de la conjoncture. Engagé dans l'Union sacrée en 1914 (chapitre V), y demeurant jusqu'en 1918, il refuse toutefois d'entrer dans le Bloc national (bien que certains de ses parlementaires le fassent individuellement). En revanche, il accepte de faire partie des majorités gouvernementales successives qui pratiquent une politique qu'elles-mêmes considèrent comme la poursuite de l'Union sacrée, mais que la gauche (socialiste ou radicale) voit comme une politique de droite. Tant que le Parti radical n'a d'autre réalité que celle de ses parlementaires, cette attitude quelque peu ambiguë n'est pas remise en cause, bien que le nouveau président, Edouard Herriot, élu en 1919, ait clairement déclaré se ranger à gauche. Mais, dépourvu de réelle autorité, il ne peut songer à entrer en conflit avec une partie des députés. Toutefois, à mesure que la législature progresse, le malaise des radicaux vis-à-vis de la politique suivie s'accroît, et la référence à l'Union sacrée devient insuffisante pour leur faire accepter des mesures qui leur apparaissent comme réactionnaires. C'est ainsi que la dissolution de la CGT entraîne de vives protestations chez une partie des élus, que le rétablissement de l'ambassade au Vatican est tenu pour une entorse au contrat tacite de laïcité qui justifie la présence des radicaux au gouvernement, que l'occupation de la Ruhr donne lieu à un désaveu de la politique de force suivie en matière internationale. Toutefois, outre le poids des parlementaires fidèles à l'union nationale, deux obstacles interdisent aux radicaux de rompre avec la majorité, l'absence du contrepoids représenté par les militants dans les comités et le refus des éventuels partenaires socialistes de ternir leur image révolutionnaire en s'alliant à des partis bourgeois.

Le premier obstacle disparaît à partir de 1922. Autour d'Herriot, le nouvel état-major radical reconstitue le parti, les militants retrouvent le chemin des comités et commencent à faire entendre leur voix dans les congrès. Or cette voix se prononce pour la traditionnelle union des gauches et déplore que les radicaux se confondent avec la majorité de droite issue du Bloc national. Vers 1923-1924, environ 500 comités réunissant 70 000 adhérents constituent un réel contrepoids aux volontés des parlementaires. Pour remplacer les socialistes, les radicaux tentent en 1921 de conclure un accord avec les républicains-socialistes, des syndicalistes modérés, diverses personnalités intellectuelles en constituant avec eux la *Ligue de la République*. L'espoir ouvertement formulé par cette coalition est d'attirer l'aile modérée de la SFIO conduite par Paul-Boncour et Renaudel. Mais l'activité de la *Ligue de la République* se réduit aux réunions organisées autour de ses deux co-présidents Paul Painlevé et Edouard Herriot. De surcroît, en dehors du Parti radical, les autres groupes se réduisent à quelques notables si bien que les radicaux ont le sentiment d'être les dupes d'un marché qui ne profite qu'à Painlevé et aux républicains-socialistes. Dès 1922, la *Ligue de la République,* sans disparaître totalement, entre en sommeil. La leçon de l'expérience est claire. La loi électorale utilisée en 1919 et qui favorise les vastes rassemblements demeurant en vigueur pour 1924, il n'est d'autre solution pour éviter une nouvelle défaite électorale du Parti radical que de conclure une alliance avec la SFIO. Mais cette alliance n'est possible qu'au prix d'une franche rupture avec la majorité parlementaire.

C'est à quoi se décide Herriot en juin 1923, un an avant les élections. Pour la première fois, le Parti radical dépose un ordre du jour hostile au gouvernement Poincaré et

Herriot prononce un discours qui est une nette prise de distance avec la majorité gouvernementale. A partir de là, les radicaux conduisent une opposition sans concession au ministère Poincaré, rejetant tous les aspects de la politique gouvernementale et faisant du refus des décrets-lois demandés en mars par le président du Conseil pour mettre en œuvre sa politique financière (chapitre VII) un critère de républicanisme. Opposition qui va jusqu'à l'exclusion de plusieurs ministres (dont Albert Sarraut) et de parlementaires qui ont accepté de voter les décrets-lois.

Ce Parti radical revenu à gauche propose en février 1924 aux socialistes la constitution d'un Cartel électoral autour d'une plate-forme en cinq points: respect des lois sociales, application stricte de l'impôt sur le revenu, appui à la Société des Nations, retour à la laïcité de l'Etat et de l'école, refus des décrets-lois. Proposition que le Parti socialiste SFIO se résout à accepter à contre-cœur, pour éviter une nouvelle déroute électorale: «*La pilule est amère,* commente Léon Blum, *ce n'est que par devoir que nous l'avalerons*». Mais ce cartel, précisent les socialistes, n'est qu'un simple accord électoral, un «*Cartel d'une minute*», réduit au temps nécessaire pour glisser un bulletin dans l'urne. Il ne saurait être question de programme de gouvernement, encore moins de cette participation au pouvoir qui est pour les socialistes le cauchemar à éviter.

La gauche se prépare donc à remporter les élections, mais non à gouverner la France avec un programme cohérent.

L'étrange victoire du Cartel des gauches

Etranges élections que celles de 1924! En apparence le renversement est complet. La droite est divisée, le centre-droit avec Poincaré, parlementaire et laïque, entendant se distinguer de la droite dure de l'*Entente républicaine démocratique* et de son aile catholique, l'*Action républicaine et sociale,* laquelle se reconnaît davantage dans le président de la République, Alexandre Millerand qui, dans son discours d'Evreux d'octobre 1923, s'est présenté en leader du Bloc national. La gauche est unie sur les listes de Cartel, mais en l'absence de programme commun, les professions de foi juxtaposent les programmes des divers partis, se contentent de phrases creuses ou dissimulent leur absence de perspectives en attaquant violemment la majorité sortante.

Etranges résultats que ceux du scrutin de 1924! En voix, la droite l'emporte nettement sur la gauche dans le pays, même si, aux voix du Cartel ou des socialistes non-cartellistes, on ajoute celles des communistes qui dénoncent violemment le Cartel.

Résultats en voix des élections de 1924

Conservateurs et Action Française	328 003
Union républicaine et Concorde nationale	3 190 831
Républicains de gauche et radicaux nationaux	1 029 229
Total Droite	4 539 063
Cartel des gauches	2 644 769
Socialistes SFIO (hors Cartel)	749 647
Total Gauche cartelliste	3 394 416
Communistes	875 812
Divers	89 325

Il est vrai qu'en sièges, en raison du système électoral, la gauche apparaît majoritaire.

Résultats en sièges des élections de 1924

Parti communiste		26
Socialistes SFIO	Cartel	104
Républicains-socialistes	Cartel	44
Radicaux-socialistes	Cartel	139
Gauche radicale	Cartel	40
Démocrates de gauche		14
Gauche républicaine démocratique		43
Républicains de gauche		38
Union républicaine démocratique (ex-Entente)		104
Non-inscrits		29

Il faut toutefois remarquer que la majorité de Cartel n'existe que grâce à l'adjonction des membres de la gauche radicale, groupe centriste modéré, à peu près opposé sur tous les points aux vues de la SFIO, autre membre du Cartel.

Etrange victoire enfin que celle du Cartel ! Sous la pression de la presse «républicaine» qui a soutenu les listes de gauche — en particulier *Le Quotidien* —, la nouvelle majorité exige la démission d'Alexandre Millerand qui est sorti de son rôle d'arbitre pour s'affirmer comme le chef du Bloc national. Après avoir en vain tenté de résister, au prix de multiples manœuvres, puis confié la direction du gouvernement à son ami François-Marsal afin de trouver à la Chambre une tribune pour plaider sa cause (mais le ministère est renversé dès sa présentation sans pouvoir s'expliquer), le chef de l'Etat s'incline le 11 juin 1924. Or, contre toute attente, ce n'est pas Paul Painlevé, désigné par le Cartel que le Congrès réuni à Versailles lui donne pour successeur, mais le président du Sénat, Gaston Doumergue, un radical très modéré.

Cette issue, acquise à une écrasante majorité (Doumergue est élu au premier tour par 505 voix contre 309 à Painlevé), montre que, non seulement la droite vaincue aux élections législatives, mais une partie de la majorité à la Chambre et plus encore au Sénat n'entend nullement avaliser une pratique partisane du pouvoir. Doumergue élu le 13 juin 1924 chef de l'Etat, désigne alors Edouard Herriot comme président du Conseil. Celui-ci tente un ultime effort pour obtenir la participation socialiste en dépit des décisions prises par le congrès de la SFIO. Pour ce faire, il propose un programme de gouvernement fondé sur des mesures prenant le contrepied de la politique de rigueur du Bloc national, le rétablissement de la laïcité, le retour à l'équilibre budgétaire, le respect des lois sociales et, en matière de politique étrangère, la fidélité à l'esprit de la SDN, le rétablissement de bonnes relations avec les Alliés et la reconnaissance de l'Union soviétique. Bien que l'ensemble constitue une plate-forme réformiste acceptable pour l'opinion de gauche, les socialistes opposent à cette offre de participation la fin de non-recevoir attendue. Dès lors c'est un gouvernement de radicaux, complété par des républicains-socialistes et des membres de la gauche radicale que forme Edouard Herriot.

Et, sur bien des points, la politique suivie par le Cartel durant les quelques mois de son existence prend effectivement le contrepied de celle du Bloc national et apparaît comme une tentative de solution de gauche aux problèmes posés à la France de 1924-1926.

La politique du Cartel des gauches

Dès lors que la rupture des radicaux avec la majorité de Poincaré et les affrontements de la campagne électorale ont donné, de la politique suivie depuis 1919, une image de politique réactionnaire, la gauche victorieuse était tenue de proposer une ligne fondamentalement différente. Or si la novation est nette en matière de politique étrangère et intérieure, elle est beaucoup moins sensible dans le domaine financier qui va constituer le défaut de la cuirasse du Cartel.

Décidé à proposer en politique étrangère une politique qui mettra fin à l'isolement de la France et utilisera d'autres moyens que la force militaire employée lors de l'affaire de la Ruhr, Herriot, reprenant les conceptions esquissées par Briand en 1921-1922, tente de substituer aux pratiques qui ont échoué en 1923-1924 une nouvelle voie en politique étrangère (chapitre VI). Celle-ci largement approuvée par les socialistes, prendra les trois aspects évoqués au chapitre VI: l'acceptation, en ce qui concerne le règlement des Réparations, du plan Dawes qui permet de rétablir des relations plus confiantes avec les Britanniques et les Américains et assure à la France des paiements provisoires en attendant un réexamen d'ensemble de la question; la reconnaissance *de jure* du gouvernement soviétique en octobre 1924; enfin le «Protocole»: arbitrage, sécurité, désarmement, proposé à Genève en septembre 1924 et qui échouera devant les réticences des Britanniques à accepter un système qui les engage automatiquement. Cette nouvelle voie politique deviendra d'ailleurs, à quelques nuances près dans les modalités, la politique étrangère officielle de la France pour les dix années qui suivent et Briand attachera son nom à sa mise en œuvre jusqu'au début des années trente dans des gouvernements conduits successivement par la gauche et par la droite. Revenu au pouvoir, Poincaré se gardera bien de la remettre en cause. Désormais le règlement négocié des Réparations, le rapprochement avec les Alliés, l'appui sur la sécurité collective sont les lignes de force de la politique internationale de la France. Briand y ajoutera le rapprochement franco-allemand et le dialogue avec Stresemann, conduisant à la signature du traité de Locarno (octobre 1925), à l'entrée de l'Allemagne à la SDN en 1926, à l'entrevue de Thoiry, puis au pacte Briand-Kellog de 1928 (chapitre VI). Si la gauche innove en matière de politique étrangère, elle se contente d'une attitude strictement traditionaliste en ce qui concerne la politique coloniale. Sur le bien-fondé de la colonisation le gouvernement du Cartel n'éprouve pas le moindre doute. Il entend maintenir dans son intégrité le domaine colonial français de 1914 auquel s'est ajoutée après la guerre la part qui est revenue à la France — sous forme de mandats de la Société des Nations — des colonies allemandes ou turques: le Cameroun et le Togo pour les premières, la Syrie et le Liban pour les secondes. Aussi réprime-t-il avec rigueur les soulèvements qui s'esquissent dans l'Empire, au Maroc et au Levant. Au Maroc, c'est en 1924, au moment où le Cartel parvient au pouvoir, que la zone française est atteinte par la révolte d'Abd-el Krim née en 1921 dans la zone espagnole. Désavouant le maréchal Lyautey qui n'a pu venir à bout du soulèvement — et qu'il tient pour un officier monarchiste —, le président du Conseil de 1925, Painlevé, confie au maréchal Pétain la direction des opérations militaires. Ce n'est qu'en 1926 que Pétain, à la tête de plus de 100 000 hommes, vient à bout du soulèvement. Au Levant, ce sont les maladresses du général Sarrail, Haut-Commissaire dont la laïcité agressive heurte les convictions religieuses des musulmans de Syrie qui provoquent une révolte entre 1923 et 1925. Une vigoureuse répression militaire (Damas est bombardée en 1925) dompte la révolte, mais le nationalisme reste vif dans les mandats du Levant.

Si elle n'entend pas que soit portée atteinte à la souveraineté française, la gauche cartelliste admet cependant la nécessité de réformes et le montrera en envoyant outre-mer quelques gouverneurs généraux réformateurs, comme Maurice Viollette nommé en 1925 Gouverneur général de l'Algérie ou Alexandre Varenne envoyé la même année en Indochine. En fait, pris entre la résistance des colons européens qui redoutent toute mesure qui aboutirait à remettre en cause leur suprématie et des mouvements nationalistes naissants qu'encourage en métropole même le Parti communiste, ils sont impuissants à faire triompher la voie moyenne et modérée qu'ils tentent de proposer. Après l'échec du Cartel, les colons obtiendront le rappel des gouverneurs généraux réformateurs, Violette en 1927, Varenne en 1928.

Pionnière en matière de politique étrangère, timorée et prudente dans le domaine colonial, la gauche cartelliste a surtout voulu faire régner un esprit nouveau, tranchant avec les pratiques du Bloc national, en politique intérieure. Il s'agit à ses yeux de revenir à la politique «républicaine» du début du siècle. Or, dans ce domaine, essentiel à ses yeux car il est celui des grands symboles significatifs, elle va se heurter à de très vives oppositions qui la laissent déconcertée et vont contribuer à user son pouvoir. C'est le cas par exemple du projet de loi d'amnistie, acte réparateur par excellence, envisagé comme le correctif des mesures antirépublicaines prises par le Bloc national (la révocation des cheminots), voire par les gouvernements de guerre et surtout par le gouvernement Clemenceau contre les partisans de la paix. Or le projet déposé en juin 1924 se heurte à l'opposition d'une partie des députés qui n'entend nullement que l'amnistie aboutisse à la réintégration des cheminots révolutionnaires licenciés en 1920. Plus encore, le Sénat résiste à un texte qui pourrait apparaître comme un désaveu de la condamnation en Haute-Cour de Malvy et Caillaux. L'amnistie n'est difficilement votée qu'en janvier 1925, au terme d'une épuisante guérilla parlementaire.

Pour cimenter une majorité dont on a vu le caractère peu cohérent, Herriot propose un autre geste symbolique, le transfert au Panthéon des cendres de Jaurès. La cérémonie du 23 novembre 1924 s'accomplit dans l'unité et aux acclamations d'une foule fervente. Mais l'événement suscite les réserves de la droite qui y voit une forme de désaveu de l'Union sacrée du temps de guerre et une insulte au sacrifice des combattants puisqu'on célèbre l'homme qui, jusqu'au bout, a tenté d'éviter la guerre. Cette hostilité de la droite nationaliste est en outre alimentée par l'agitation provoquée à cette occasion par le Parti communiste. Ecarté de la cérémonie officielle, il décide une manifestation parallèle. Après avoir écouté Marcel Cachin, 50 000 militants défilent dans Paris au chant de *L'Internationale,* se heurtant violemment à la police.

Dans le domaine social, le Cartel, tournant le dos à la politique de répression du Bloc national, s'efforce de mettre en pratique une politique de solidarité et de dialogue entre patrons et syndicats sous l'arbitrage de l'Etat. Institution-clé de ce dialogue, le Conseil national économique, réclamé par la CGT depuis 1919, est créé en janvier 1925. Les fonctionnaires reçoivent l'autorisation de se syndiquer. Et le gouvernement intervient en arbitre dans certains mouvements de grève pour tenter de dégager une solution acceptable pour tous, à la grande colère du patronat, la Confédération générale de la production française ne dissimulant pas sa nostalgie de la répression, avec l'aide du gouvernement, des grèves de 1919 et de 1920, qui avaient permis de briser le mouvement ouvrier.

Mais c'est probablement dans le domaine du *«retour à la politique laïque»* que la pratique du Cartel suscite les oppositions les plus vives. Radicaux et socialistes sont en effet d'accord pour revenir sur les entorses à la tradition républicaine opérées par le Bloc national dans ce domaine et, dans sa déclaration ministérielle, Herriot trace l'esquisse de ce retour aux sources de la laïcité militante: extension à l'Alsace-Lorraine des «lois républicaines», c'est-à-dire suppression du Concordat et des écoles confessionnelles, suppression de l'ambassade de France au Vatican rétablie en 1921, expulsion des congrégations non autorisées réinstallées en France depuis la guerre. De fait, dès la fin de 1924 le gouvernement commence à appliquer la politique annoncée en prononçant la dissolution d'une Congrégation (celle des Clarisses d'Alençon) et en supprimant dans le projet budgétaire de 1924 les crédits destinés à l'ambassade de France au Vatican. Ces velléités de retour à l'anticléricalisme provoquent une intense mobilisation des catholiques, orchestrée par l'épiscopat et qui, partie de l'Est (l'Alsace et la Moselle sont directement concernées), gagne tout le pays. Pour résister à ce néo-combisme l'*Association catholique de la jeunesse française* organise une série de grandes manifestations, relayée en février 1925 par la *Fédération nationale catholique,* fondée par le général de Castelnau comme une organisation de résistance de l'Eglise à la persécution qui la vise. De vastes rassemblements populaires organisés par la FNC, une véritable déclaration de guerre à l'Etat laïque des cardinaux et archevêques de France dans un message solennel de mars 1925, une campagne de certains journaux catholiques contre le renouvellement des bons de la Défense nationale ou la souscription aux emprunts, obligent le gouvernement à reculer. En janvier 1925, il annonce que le Concordat continuera à s'appliquer à l'Alsace-Lorraine et ne montre aucun empressement à faire confirmer par le Sénat la suppression des crédits de l'ambassade de France au Vatican. Après la chute d'Herriot, ses successeurs renonceront à cette politique anticléricale qu'ils n'ont pas l'autorité nécessaire pour conduire face à la résistance des catholiques.

Au total, si la politique extérieure du Cartel est généralement acceptée par l'opinion et s'avérera correspondre à la situation internationale de la France et aux moyens dont elle dispose, les actes symboliques d'une politique de gauche, voulus par Herriot, se retournent contre lui en suscitant dans le pays une vigoureuse opposition, justement parce qu'ils sont symboliques. C'est cependant des difficultés financières que viendra l'échec du Cartel.

L'échec du Cartel

On a vu au chapitre VII à quel point la très grave crise des finances publiques fait peser une menace sur tous les gouvernements qui se succèdent en France depuis la fin de la guerre. Avec l'arrivée au pouvoir du Cartel des gauches, l'acuité du problème est encore accentuée par les divergences qui opposent les deux principaux partis de la majorité sur le plan des questions économiques et financières. Dans ce domaine en effet, les radicaux se réclament des grands principes du libéralisme, propriété privée et initiative individuelle, même si, défenseurs des «petits», ils considèrent qu'on ne saurait laisser totalement jouer les lois du marché et qu'il est indispensable que l'Etat intervienne pour corriger les effets du libre jeu des forces économiques. Il n'en reste pas moins qu'en matière financière, leur politique est fondée sur la confiance des porteurs de capitaux, c'est-à-dire, en dernière analyse, des milieux bancaires qui orientent ou conseillent les placements.

Or, précisément cette confiance qui pourrait, à la rigueur, aller à une partie des radicaux ne saurait s'adresser au Cartel dans la mesure où les socialistes sont partie intégrante de la majorité parlementaire. Or, bien qu'ils ne siègent pas au gouvernement, ils disposent sur celui-ci d'une influence considérable. La Commission des Finances a en effet porté à sa présidence le socialiste Vincent Auriol et celui-ci tente d'imposer au ministre des Finances Clémentel, par Commission interposée, les vues socialistes en matière de politique financière. C'est ainsi qu'est publié un Inventaire de la situation financière à l'arrivée au pouvoir de la gauche, destiné dans l'esprit de celle-ci à fixer les responsabilités, mais qui a pour résultat d'inquiéter les capitaux en révélant la fragilité de la situation financière. S'il cède sur ce point, le gouvernement n'entend cependant nullement suivre les socialistes sur le terrain des solutions qu'ils proposent pour résoudre la crise financière: supprimer la dette flottante par une consolidation forcée des bons de la Défense nationale et éponger le coût financier de la guerre par l'imposition du capital.

Toutefois, le simple fait de l'existence de ces propositions de la part d'un parti membre de la majorité et l'hostilité suscitée par la politique intérieure du Cartel entraînent une vague de méfiance qui fait échouer les tentatives d'emprunt. Le gouvernement est donc contraint, comme ses prédécesseurs, de recourir à la pratique des avances de la Banque de France, avec les risques que comporte cette recette puisque le dépassement du plafond des avances apparaît comme une sorte d'escroquerie dont se rend coupable le pouvoir. On sait que, par ce biais, Herriot place le gouvernement de la gauche sous la coupe des Régents de la Banque de France, passe la tête dans le lacet qui servira à l'étrangler, selon l'expression de Jean-Noël Jeanneney (*Leçon d'histoire pour une gauche au pouvoir, La faillite du Cartel 1924-1926,* Paris, Seuil, 1977). Après avoir pris patience quelques mois durant, les Régents jugent en avril 1925 que les choses ont assez duré et serrent le lacet. Ils donnent le choix au président du Conseil, soit de rembourser les avances, ce qu'il ne peut faire sauf à mettre la Trésorerie de l'Etat en cessation de paiement, soit de faire voter par le Parlement une nouvelle loi augmentant le plafond des avances, ce qui le contraindrait à révéler que le précédent plafond a été crevé et provoquerait son renversement immédiat. Ainsi pris au piège, Herriot choisit la fuite en avant, afin de tomber à gauche, préservant ainsi son avenir politique: il décide d'adopter les mesures qu'une lettre de Léon Blum vient de lui suggérer, la consolidation forcée de la dette flottante et l'impôt sur le capital, ce qui provoque aussitôt la démission de Clémentel (2 avril 1925). Le nouveau ministre des Finances, Anatole de Monzie n'a guère le temps de préparer un projet de budget: le 10 avril 1925, après que la Banque de France ait publié un bilan révélant l'importance des dépassements du plafond des avances, le Sénat renverse le gouvernement Herriot.

Ainsi se trouve mis en place le mécanisme qui va permettre aux milieux financiers, crise financière aidant, de mettre en échec la majorité de gauche élue par le suffrage universel. Pris entre la volonté politique de la majorité cartelliste et les pressions financières des milieux d'affaires agissant par l'intermédiaire de la Banque de France, les gouvernements du Cartel vont s'user les uns après les autres, jusqu'à l'effondrement final qui se produit en juillet 1926.

Successeur d'Herriot, Paul Painlevé, tire les leçons de son échec en adoptant une attitude moins militante, qu'il s'agisse de la laïcité, domaine dans lequel il abandonne les projets d'Edouard Herriot ou de la politique financière à la tête de laquelle il place Joseph Caillaux, champion de l'orthodoxie et qui se pose au sein du Parti radical en rival d'Herriot. De fait, le gouvernement réussit en juillet 1925 à faire voter la loi de finances par une majorité de rechange où la droite remplace les socialistes. Mais, du même coup, le ministère Painlevé-Caillaux suscite l'hostilité du Cartel et, satisfaisant les milieux d'affaires, est menacé de perdre sa majorité parlementaire. Perspective qui se dessine clairement au congrès radical de Nice d'octobre 1925 où les militants désavouent Caillaux et rejettent la politique gouvernementale. Pour éviter une chute certaine, Painlevé n'a d'autre solution que de remanier son gouvernement fin octobre en éliminant Caillaux et en faisant entrer dans son équipe des radicaux cartellistes fidèles d'Herriot. Dans le même esprit, il prépare des projets financiers en partie inspirés des vues socialistes, ce qui lui vaut d'être renversé par la défection de la Gauche radicale qui se joint à la droite pour rejeter une politique inacceptable à ses yeux (22 novembre 1925).

Successeur de Painlevé, Briand va connaître les mêmes difficultés. Il tente de constituer un gouvernement associant des hommes du Cartel à des centristes jusqu'alors classés dans l'opposition et s'efforce de pratiquer une politique financière rassurant les milieux d'affaires. Contre Briand, le Cartel mène une incessante guérilla, conduite par Herriot. Le ministre des Finances Louis Loucheur est contraint à la démission en décembre 1925. Le gouvernement est renversé une première fois en mars 1926, puis, après que Briand l'ait reconstitué, une seconde fois en juin 1926, le Cartel rejetant les projets financiers du ministre Raoul Péret. Briand forme alors son dixième ministère qui prend désormais une teinte clairement anticartelliste avec la présence au ministère des Finances de Joseph Caillaux. Celui-ci qui entend appliquer un plan de redressement financier proposé par des experts et qui souhaite de surcroît une ratification des accords avec les Etats-Unis sur les dettes de guerre, demande au Parlement une délégation de pouvoirs le 17 juillet 1926. Devant l'opportunité que lui offre cette proposition qu'il considère comme un véritable attentat contre la représentation nationale, Herriot décide de porter l'estocade. Abandonnant son fauteuil de président de la Chambre, il gagne son banc de député pour combattre la demande de Caillaux. A l'issue de la séance, le gouvernement Briand-Caillaux est renversé.

Décidé à se débarrasser de l'hypothèque que le Cartel fait peser sur la vie politique française, le président Doumergue entend administrer la preuve que l'alliance de gauche est incapable de gouverner. Il contraint Herriot à accepter la direction du gouvernement. Mais à peine le gouvernement est-il constitué que la crise financière se déchaîne, la troisième crise des changes (chapitre VII) atteignant alors des sommets. Le coup de grâce est donné par le gouverneur de la Banque de France, Moreau, récemment nommé par Caillaux. Menaçant de cesser les paiements sur tout le territoire, il exige du président du Conseil qu'il révèle au Parlement l'état catastrophique des finances publiques et fasse voter une loi relevant le plafond des avances. Dans une atmosphère de panique financière où les demandes de remboursement de bons à court terme se multiplient (c'est le *«plébiscite des porteurs de bons»*), où le franc s'effondre sur la cote des changes, Herriot se présente devant la Chambre le 21 juillet 1926. Il est aussitôt renversé par 290 voix contre 237. Le soir même, le Président de la République fait appel à Poincaré, le vaincu du scrutin du 11 mai 1924. Le «Mur d'argent», selon l'expression de Herriot, l'a emporté sur le suffrage universel. La droite revient au pouvoir.

L'échec du Cartel des gauches appelle un double commentaire. En premier lieu, il a incontestablement montré le poids des milieux d'affaires, capables en se servant de l'arme financière de mettre en échec un gouvernement issu d'une majorité élue au suffrage universel. Même si les erreurs politiques ou les incertitudes des vues financières de la gauche ont été réelles, si les craintes des porteurs de capitaux ne sont pas dénuées de fondement, il est peu douteux qu'il y a eu utilisation politique de l'arme financière afin de se débarrasser de la majorité de gauche. Mais en second lieu, et ce fait n'a pas peu contribué à l'échec, le Cartel apparaît comme une formule largement dépourvue de consistance. Quel point commun y a-t-il, en dehors de références historiques communes, entre un Parti radical réformiste, attaché à la gestion de la République, partisan des principes libéraux et un Parti socialiste qui se veut un parti révolutionnaire, refuse de participer au pouvoir et propose une pratique autoritaire en matière économique et financière ? De ce point de vue, l'union de la gauche des années vingt apparaît comme largement artificielle.

L'échec de l'expérience du Cartel, réédition du Bloc des gauches du début du siècle, venant après la faillite du Bloc national, conçu comme une poursuite de l'Union sacrée, laisse entier le problème de la formule politique adaptée à la France de l'après-guerre. C'est à Raymond Poincaré qu'il appartient, entre 1926 et 1929, de mettre en place une tentative consensuelle avec le gouvernement d'Union nationale qu'il dirige jusqu'à sa démission.

Poincaré et l'Union nationale

Revenu au pouvoir avec la crise financière qui voit l'effondrement de la gauche cartelliste, Poincaré n'entend nullement se poser en chef de file de la droite, situation qu'il avait déjà refusé d'assumer en 1924. C'est au contraire en artisan de la politique d'Union sacrée prônée par lui en 1914, qu'il a tenté de rééditer en 1922-24 à l'époque du Bloc national, qu'il se présente en 1926. Et, cette fois, Poincaré réussit sa tentative en proposant une politique largement approuvée par l'opinion à l'exception de l'extrême gauche socialiste et, bien entendu, des communistes.

Consensuel, son gouvernement l'est d'abord par sa composition. Si le socialiste Paul-Boncour se récuse devant l'opposition de la SFIO à toute participation, toutes les autres formations politiques, des radicaux à la droite, acceptent d'entrer dans un gouvernement dont l'objet est d'éviter la faillite financière du pays et l'effondrement de la monnaie nationale. Six anciens présidents du Conseil siègent dans le ministère d'Union nationale, du radical Herriot (Instruction Publique) à Louis Barthou (Justice) en passant par le modéré Georges Leygues (Marine), le républicain-socialiste Painlevé (Guerre) et l'inclassable Briand aux Affaires étrangères. La droite conservatrice est présente en la personne de Louis Marin, président de la *Fédération républicaine* et du groupe de l'*Union républicaine démocratique* (Pensions). Consensuel, le gouvernement l'est ensuite par la politique menée. Compte tenu de la crise qui l'a conduit au pouvoir, celle-ci est d'abord financière. Avec l'accord de l'opinion et du monde politique, Poincaré va procéder à la stabilisation des finances (chapitre VII): retour à l'équilibre budgétaire par une rigoureuse politique d'économies et un accroissement des impôts directs et indirects, solution du problème de la dette par la création de la Caisse autonome d'amortissement, puis par la consolidation de la dette flottante, enfin redressement du franc aboutissant à la stabilisation de fait fin 1926, puis à la dévaluation de juin 1928.

Mettant fin à une crise qui n'a cessé de peser sur la vie politique française depuis 1919, Poincaré assainit donc la situation financière, tirant un trait final sur les perturbations engendrées par la guerre dans le domaine des finances publiques. Action qui, venant après le «*Verdun financier*» de 1924, vaut au président du Conseil une immense popularité dans l'opinion publique.

Si Poincaré réussit à opérer un redressement financier approuvé par la plus grande partie des Français, il va, pour l'essentiel, accepter de reprendre à son compte la politique extérieure inaugurée par Herriot en 1924-1925 et illustrée par Briand, ministre des Affaires étrangères depuis lors. Si la révision est déchirante par rapport à la ligne qui avait abouti à l'occupation de la Ruhr, cette politique est cependant dans le droit fil de l'acceptation par le président du Conseil du plan des experts de 1924 (chapitre VI). Si bien qu'on ne constate, sur le plan de la politique étrangère, aucune solution de continuité entre le Cartel et l'Union nationale: c'est sous cette dernière que Briand, poursuivant la politique inaugurée à Locarno, accueille l'Allemagne à la SDN le 4 septembre 1926, rencontre Stresemann à Thoiry quelques jours plus tard et signe en février 1928 son pacte avec le secrétaire d'Etat américain Kellogg mettant la guerre hors-la-loi (chapitre VI). C'est sous l'Union nationale que, dans le droit fil de l'esprit du plan Dawes, le plan Young propose une réduction d'ensemble des Réparations et un échelonnement de leur paiement jusqu'en 1988 (août 1929). Enfin, c'est après la démission de Poincaré, mais alors que la formule politique mise en place en 1926 continue à dominer la vie politique française que Briand élargit la politique de détente en proposant le 5 septembre 1929 son projet de Fédération européenne (chapitre VI).

Le consensus de la majorité d'Union nationale se retrouve encore pour lutter contre ceux qui, étrangers aux principes sur lequel il est fondé, en menacent la cohésion. C'est le cas des communistes poursuivis sans indulgence pour leurs actions de déstabilisation nationale (noyautage de l'armée, présomption d'espionnage pour le compte de l'URSS, action de soutien aux nationalismes indigènes dans les colonies ou création des «Centuries prolétariennes» avec des effectifs d'immigrés dans la banlieue rouge). C'est le ministre radical Albert Sarraut qui, nous l'avons vu, exprime le consensus anticommuniste en lançant dans son discours de Constantine: *«Le communisme voilà l'ennemi!»* et les députés communistes sont poursuivis et incarcérés pour activités anti-françaises ou incitation de militaires à la désobéissance. De la même manière, les rigueurs de la loi s'abattent sur les autonomistes alsaciens considérés comme des agents de l'Allemagne, sans qu'une grande différence soit faite entre ceux qui œuvrent effectivement en faveur de celle-ci et ceux qui entendent simplement trouver une solution aux difficultés de tous ordres nées de l'intégration à la République des départements recouvrés. En avril 1928 commence à Colmar le procès des autonomistes, condamnés à des peines légères, condamnation qui sera d'ailleurs cassée en 1929.

Enfin un très large accord se manifeste pour approuver l'ensemble des réformes que le gouvernement d'Union nationale entreprend pour tenter cette adaptation de la France au monde nouveau né dans l'après-guerre: réforme du service militaire ramené à un an par une loi de 1928; ensemble de mesures destinées à préparer l'instauration de l'école unique rassemblant la filière primaire destinée au peuple et la filière secondaire réservée à l'élite, prises par Edouard Herriot (unification du corps enseignant, harmonisation des programmes, gratuité de l'enseignement secondaire public etc.); vote en avril 1928 de la première grande loi française sur les assurances sociales couvrant, pour les salariés dont le salaire est inférieur à un seuil donné, les risques de maladie, maternité, invalidité, vieillesse et décès, loi qui sera modifiée en 1930 pour tenir compte des protestations des médecins et des milieux agricoles; adoption en juin 1928 de la loi Loucheur qui prévoit un large programme de logements sociaux financé par des avances ou des subventions de l'Etat, de manière à mettre fin à la très grave crise du logement que connaît la France depuis le conflit mondial.

Au total, l'œuvre est considérable. Elle installe véritablement la France, prospérité économique aidant, dans le contexte de l'après-guerre en liquidant les séquelles matérielles, financières ou diplomatiques de la guerre. Elle a pu se réaliser par la création d'un véritable consensus autour de l'Union nationale, mais celui-ci est construit sur l'éclatement de l'union des gauches, vaincue par le Mur d'argent en 1926. Or, à mesure que se rapproche l'échéance électorale de 1928, cette trêve du combat politique pose un réel problème à l'aile gauche de la majorité d'Union nationale, radicaux et socialistes-indépendants, qui redoutent de cautionner la droite, grande bénéficiaire de l'échec du Cartel et de l'expérience d'Union nationale qui apparaît comme sa revanche.

La reprise des luttes politiques et la succession de Poincaré

Le changement du climat est perceptible dès le printemps 1927. Ministre de l'Intérieur du gouvernement d'Union nationale, le radical Albert Sarraut, assuré de trouver sur ce point une majorité à la Chambre, propose le retour au scrutin d'arrondissement. Les socialistes qui y étaient jusqu'alors opposés préfèrent s'y rallier plutôt que de conserver le mode de scrutin utilisé en 1919 et 1924 qui les a contraints aux accords de Cartel. Bien qu'opposé au retour au scrutin d'arrondissement, Poincaré, pour conserver les radicaux dans sa majorité, décide de laisser faire. Le retour au scrutin d'arrondissement est voté en juillet 1927, en l'absence du président du Conseil, et par une majorité de Cartel. Dès lors, l'essentiel de l'activité politique est tourné vers la préparation des élections de 1928. La droite, s'identifiant à Poincaré, défend le bilan de l'Union nationale espérant bien tirer avantage en termes électoraux de sa popularité dans l'opinion. Les socialistes, qui figurent dans l'opposition depuis 1926, prennent clairement parti contre le gouvernement d'Union nationale et son bilan et, comme toujours, ils préservent leur unité en acceptant la discipline républicaine avec les radicaux pour les futures élections, mais en répudiant en cas de victoire toute coalition gouvernementale avec eux.

C'est au Parti radical que la situation est la plus difficile. L'échec du Cartel et l'entrée d'Herriot dans un gouvernement d'Union nationale aux côtés des dirigeants de la droite y a provoqué une crise profonde. A l'automne 1926, le congrès radical de Bordeaux enregistre le départ d'Herriot de la présidence du parti, en raison de l'opposition à son maintien de la majorité des militants qui se sentent toujours de gauche. Il est provisoirement remplacé par Maurice Sarraut, directeur du grand journal radical du sud-ouest, *La Dépêche,* puis, en 1927, c'est Edouard Daladier, ancien disciple d'Herriot, demeuré fidèle à l'union avec les socialistes, qui accède à la présidence, poussé par Caillaux et le groupe composite des *Jeunes radicaux.*

En fait trois thèses antagonistes se heurtent désormais au sein du Parti radical, thèses qui sont soumises au congrès pré-électoral de 1927. La première, défendue par Franklin-Bouillon et la droite du parti, propose de rendre permanente l'alliance avec le centre-droit poincariste qui a donné de si bons résultats. A l'opposé, Daladier est le chef de file d'une aile gauche cartelliste qui préconise en 1928 la discipline républicaine avec les socialistes. Mais la thèse majeure, défendue par les principaux leaders, Herriot ou Maurice Sarraut, voit dans le Parti radical une force centriste dont la vocation est de réaliser dans l'ordre les grandes réformes souhaitées par les Français avec l'appui de tous les hommes de bonne volonté, à quelque parti qu'ils appartiennent.

Face à ces trois thèses, le congrès de Paris ne tranche que partiellement. Au nom de la tradition de gauche du parti, il rejette la proposition de Franklin-Bouillon, provoquant la scission des «unionistes» (partisans de l'Union nationale). En revanche, il accepte tout à la fois la perspective cartelliste (en vue des élections de 1928) tout en approuvant au nom du centrisme de gouvernement la participation de ses membres au gouvernement Poincaré dont il appuie l'action. Et Poincaré lui-même ne rejette pas cette attitude, faisant savoir à la veille des élections son souhait de gouverner avec les radicaux.

Les élections de 1928 au cours desquelles tous les partis politiques (sauf les socialistes et les communistes) se veulent poincaristes sont avant tout un plébiscite en faveur du président du Conseil. Au premier tour, on note par rapport à 1924 une légère poussée à gauche puisqu'en ajoutant les communistes aux autres forces politiques de ce camp, la gauche l'emporte sur la droite de quelque 300 000 voix. Au sein de cette gauche, et pour la première fois dans l'histoire, les suffrages socialistes l'emportent (de peu, il est vrai) sur les suffrages radicaux. On peut toutefois s'interroger sur l'opportunité de compter à gauche les suffrages communistes alors que le PC pratique la «*tactique classe contre classe*». A droite, par rapport à 1924, il faut noter le rééquilibrage réalisé au profit des modérés et des hommes du centre-droit et aux dépens de la droite conservatrice. Poincaristes, les élections de 1928 sont aussi des élections centristes en termes de suffrages.

Résultats en voix des élections de 1928 (Ier tour)

Droite (URD, Démocrates-populaires, Conservateurs)	2 379 000
Modérés (Républicains de gauche, Radicaux indépendants)	2 145 000
Radicaux-socialistes	1 655 427
Républicains-socialistes	410 000
Socialistes SFIO	1 698 000
Communistes	1 064 000

Au second tour, la tactique communiste fait perdre à la gauche suffisamment de voix pour que, du scrutin, surgisse une majorité de droite (325 députés sur 610).

Résultats en sièges des élections de 1928

Communistes	12
Socialistes-communistes	2
Socialistes SFIO	100
Républicains-socialistes	46
Radicaux-socialistes	125
Gauche radicale	53
Républicains de gauche	84
Démocrates-populaires	19
Union républicaine démocratique	131
Non-Inscrits	38

Bien qu'il puisse se passer des radicaux pour constituer une majorité, Poincaré, désireux de poursuivre l'Union nationale, ne le souhaite pas et, estimant que 460 des 610 élus se sont réclamés de son expérience gouvernementale, il reconstitue, à quelques nuances près, le gouvernement de 1926, avec la même composition politique.

En fait, c'est des radicaux que vient la rupture de

l'Union nationale. Daladier, président du parti, soutenu par Caillaux et ses amis, souhaite mettre fin à l'expérience pour en revenir à l'union des gauches. Il saisit l'occasion d'une séance de nuit du congrès radical d'Angers en novembre 1928, séance qui intervenant à la fin du congrès aurait dû être de pure forme, pour faire voter par surprise un texte condamnant la politique du gouvernement, et, de ce fait, faisant une obligation morale aux ministres radicaux de démissionner. Le «coup d'Angers» vivement critiqué dans le pays puisqu'un congrès politique sans mandat national vient de disposer du sort du gouvernement ne conduit pas Poincaré à s'appuyer pour autant sur une majorité de droite. Comme en 1924, il remplace les ministres radicaux par des hommes du centre-gauche et s'efforce de maintenir le cap politique consensuel établi en 1926. Avec des difficultés de plus en plus grandes cependant, le Parti radical, désormais passé à l'opposition, ne cessant de le harceler sur tous les aspects de sa politique, avec d'autant plus de facilité que ses membres ne siègent plus au Conseil des ministres.

Au demeurant, l'ère Poincaré s'achève en 1929. Fatigué de la vie politique, malade, ayant dû, durant l'été 1929, mener un combat épuisant à la Chambre pour obtenir de celle-ci la ratification de l'accord conclu sur les dettes de guerre avec les Etats-Unis et le Royaume-Uni, le président du Conseil démissionne le 27 juillet 1929. Après un intermède de trois mois durant lequel Aristide Briand tente, avec la même équipe ministérielle, de poursuivre la même politique, une ère nouvelle s'ouvre avec les nouveaux leaders de la droite qui se succèdent au pouvoir et tentent d'assumer la succession de Poincaré, André Tardieu et Pierre Laval.

Remarquablement brillant, André Tardieu, président du Conseil à trois reprises de 1929 à 1932 (novembre

1929-février 1930; mars-décembre 1930; février-juin 1932) et présent dans presque tous les autres ministères de la législature, comme ministre de l'Agriculture ou de la Guerre se veut un homme d'idées neuves, proposant aux Français un néo-libéralisme ou un conservatisme ouvert. Economiquement, il admire la prospérité américaine et entend se servir des excédents budgétaires pour mener une large politique d'équipement national tout en mettant en œuvre avec quelques aménagements la loi sur les assurances sociales votée au temps de Poincaré. Sur le plan institutionnel, il rêve d'un renforcement de l'Exécutif et entend réduire strictement le rôle du Parlement, dont il déteste les combinaisons, au vote des lois et du budget. Il se montre donc intéressé par la propagande des ligues d'extrême droite qui se développent en ce début des années trente et, ministre de l'Intérieur dans son cabinet de mars-décembre 1930, leur accorde des subventions à l'aide des fonds secrets.

Enfin, politiquement, il juge que le véritable clivage politique n'est plus entre la droite et la gauche traditionnelles, mais entre les marxistes et les autres et, contre les deux partis d'extrême gauche, il rêve d'un grand parti conservateur à l'anglaise qui inclurait les radicaux. Aussi consacre-t-il tous ses efforts à tenter d'attirer ceux-ci dans le camp des modérés reprenant à son compte les principales rubriques de leur programme (*«Ne tirez pas sur moi,* déclare-t-il dans une phrase célèbre, *je tiens vos enfants dans mes bras»*) et leur offrant une participation gouvernementale. En vain. Pour les radicaux, Tardieu n'est pas un *«républicain»* et quel que soit leur désir de revenir au pouvoir, ils jugeront ses offres inacceptables.

Bien différent est l'autre candidat à la succession de Poincaré, Pierre Laval. Venu du socialisme, il s'en est éloigné à mesure que s'accroissait une fortune réalisée en partie dans les affaires de presse. Se présentant comme l'héritier de Briand dont il imite jusqu'à la mise négligée, l'allure voûtée, la désinvolture apparente, il se veut un pragmatique refusant de se déterminer sur des convictions idéologiques et ayant toujours en réserve un compromis possible. Président du Conseil à trois reprises de janvier 1931 à février 1932, il fait cependant figure de personnage de moindre envergure que Tardieu et est méprisé par une partie du monde politique qui le tient pour un «parvenu».

Au demeurant, avec Tardieu et Laval, c'est une nouvelle génération d'hommes politiques qui parvient au pouvoir, pour qui les vieilles notions nées au temps de l'affaire Dreyfus apparaissent désormais obsolètes et balayées par les réalités nouvelles issues de la guerre. En fait, derrière la façade de la stabilisation consensuelle voulue par Poincaré, derrière l'apparent retour à l'ordre de la «Belle Epoque», c'est un profond renouvellement des idées, né de la prise en compte des effets de la guerre qui est à l'œuvre.

La fermentation intellectuelle des années vingt: vers de nouvelles idées?

Vers 1925-1926 débute une véritable révolution dans les idées politiques comme dans les conceptions économiques et sociales. C'est le moment où, après avoir si longtemps aspiré à un retour à l'âge d'or de la «Belle Epoque», la société française prend soudain conscience que ce retour est impossible. La France qui a dû accepter une négociation avec l'Allemagne après la Ruhr, dont la natalité décline, n'est plus cette puissance capable de dicter sa loi à l'Europe. L'amputation du franc en 1926-

1928 fait disparaître les illusions sur le retour à la richesse d'avant la guerre. Le mauvais fonctionnement du système parlementaire avec l'utilisation précoce de la procédure des décrets-lois jette un doute sur la validité du «*modèle républicain*». Enfin le double échec du Bloc national et du Cartel des gauches montre l'inadéquation des vieilles formules politiques héritées du XIXe siècle à résoudre les problèmes nouveaux posés au monde d'après-guerre.

Face à ce constat de carence, la jeunesse a soif d'idées neuves. La jeunesse, car cette aspiration au renouveau des idées est avant tout le fait de la génération arrivée à l'âge d'homme après la Première Guerre mondiale, généralement trop jeune pour avoir combattu, mais assez âgée pour avoir pris conscience de ce que la guerre représentait de souffrances de tous ordres, et qui juge que ce sont les idéologies dépassées du XIXe siècle qui sont responsables du grand massacre. Aussi, répudiant les idéologies vieillies, rejette-t-elle les traditions politiques forgées à la fin du XIXe siècle ou au tournant du XXe siècle pour ne plus accepter de considérer que la réalité et les solutions qui permettent de l'appréhender. Le «réalisme» devient son maître mot et, en dépit de leur âge, les hommes politiques qui partagent ces analyses représentent bien une nouvelle génération. A cet égard un Tardieu ou un Laval pour qui la laïcité ou le primat du Parlement sont de vieilles lunes démodées appartiennent bien à ce monde nouveau. Or, celui-ci travaille en profondeur l'ensemble de la société politique française, encore encadrée par ses structures traditionnelles.

En fait, le vaste mouvement de remise en cause qui s'opère ainsi à la fin des années vingt n'épargne ni la forme du régime, ni les forces politiques, ni même les conceptions économiques ou internationales.

Dans le domaine institutionnel, il prend la forme du mouvement pour la réforme de l'Etat. Le mauvais fonctionnement du régime parlementaire apparaît d'autant plus évident après la guerre que les formes autoritaires du gouvernement de guerre ont mis en relief, par contraste, la supériorité d'un système de gouvernement efficace, libéré de la paralysie d'un contrôle parlementaire permanent. Toutefois une réforme de l'Etat qui irait en ce sens se heurterait à la tradition républicaine pour laquelle il n'est rien qui puisse s'imposer face à la volonté des représentants, élus au suffrage universel, du peuple souverain. Aussi dans le camp des républicains de tradition, les seules solutions qui sont proposées sont-elles limitées à une réorganisation des méthodes de travail des pouvoirs publics, sans changement dans l'équilibre des pouvoirs. C'est par exemple l'argumentation des *Lettres sur la réforme gouvernementale* publiées par Léon Blum en 1918. En revanche un très large courant révisionniste propose d'aller beaucoup plus loin en cantonnant le Parlement dans ses fonctions budgétaires ou législatives et en redonnant une réelle autonomie et des moyens d'action au pouvoir exécutif. Avec des nuances diverses, cette approche est celle d'un Tardieu, des Anciens combattants, en particulier ceux de l'UNC qui défendent cette idée dès 1928 en la baptisant *«Action civique»,* des technocrates du *Redressement français,* créé en 1925 par l'industriel Ernest Mercier (groupe qui propose de confier le pouvoir à des techniciens totalement indépendants du monde politique) voire des Jeunes-Turcs du parti radical ou des socialistes qui suivent Marcel Déat.

Si les structures de l'Etat sont mises en question par ce courant, il n'est guère d'idéologie politique qui, après 1925-26, n'ait également ses rénovateurs, tant est fort le sentiment de l'inadéquation des forces politiques aux nouveaux problèmes posés au pays. C'est ainsi que l'échec des forces traditionnelles de droite dans l'expérience du Bloc national, puis l'arrivée au pouvoir de la gauche cartelliste font naître ou renaître des ligues qui entendent imposer dans la rue la défense de leurs intérêts ou une modification des politiques suivies, puisque les partis traditionnels s'avèrent impuissants à le faire. Si la vieille *Ligue des Patriotes* qui porte à sa présidence le général de Castelnau en 1923 poursuit une existence un peu somnolente, si on ne peut guère considérer que comme des curiosités *La Légion,* ligue anticommuniste créée en 1924, ou la *Ligue nationale républicaine* fondée par Millerand après son départ de l'Elysée, enfin si la *Fédération nationale catholique* a un objet limité à la défense des intérêts religieux, la période est riche en activité pour trois ligues particulièrement importantes. D'une part pour l'*Action française* qui atteint probablement en 1924 le sommet de son influence intellectuelle et qui, au-delà même de son objectif, renverser la République, inspire une large partie de la jeunesse de droite, rebutée par la reprise après la guerre d'une vie politique traditionnelle. Et d'autre part, surtout pour deux ligues nouvelles qui s'inspirent du recrutement de masse, de l'idéologie nationaliste et de l'organisation paramilitaire du fascisme italien, arrivé au pouvoir en 1922, les *Jeunesses patriotes* et *Le Faisceau.* Fondées en 1924 par Pierre Taittinger, les *Jeunesses patriotes,* d'abord organisation de jeunesse de la *Ligue des Patriotes* est la représentante d'un nationalisme plébiscitaire revivifié par la guerre (elle ne veut dans ses organes directeurs que des Anciens combattants) et qui, au niveau de l'organisation imite le fascisme italien (uniforme, culte du chef, vastes rassemblements...). La ligue entend lutter contre le communisme et pour les valeurs défendues par l'Union sacrée en souhaitant un Exécutif fort. Très différent, *Le Faisceau* créé en 1925 par Georges Valois, transfuge de l'*Action*

Française, se veut un fascisme français social, populaire et anticapitaliste, ce qui le conduira à un rapide déclin, ses bailleurs de fonds n'entendant pas soutenir un mouvement qui conteste le capitalisme. *Le Faisceau* disparaît vers 1928, Valois se consacrant alors à son métier d'éditeur en favorisant la diffusion des idées nouvelles émises par la nouvelle génération. Au-delà de l'histoire anecdotique des *Jeunesses patriotes* et du *Faisceau,* c'est l'aspiration à de nouvelles idées politiques à droite qui est ainsi manifestée.

Autre courant politique qui subit les effets de la fermentation intellectuelle de l'époque, le catholicisme. Traditionnellement, celui-ci est lié à la droite conservatrice et une organisation comme la *Fédération nationale catholique* confirme cette appartenance.

Mais en 1926 se produit un événement capital, la condamnation par le Saint-Siège des idées de l'*Action française.* En brisant le lien puissant établi jusqu'alors entre la droite et l'Eglise, la condamnation des idées de Maurras va libérer les catholiques d'une véritable sujétion à l'égard des thèses contre-révolutionnaires. Dès lors commence un effort de réflexion des intellectuels catholiques (dont beaucoup sont des anciens de l'AF) sur la situation des croyants vis-à-vis du monde politique. Une vaste remise en cause culturelle des idées reçues débute alors dans le monde catholique dont témoigne la parution de revues comme *La Vie catholique,* fondée par Francique Gay, *Politique* (1924), *La Vie intellectuelle* créée par les Dominicains en 1928... Le levain de la remise en cause des idéologies reçues n'épargne pas les partis de gauche. Au sein du Parti radical naît vers 1926 le courant *Jeune Turc* rassemblant autour de journaux comme l'hebdomadaire *Notre Temps,* né en 1927, ou *La Voix,* créée en 1928, de jeunes républicains, membres du Parti radical ou proches de celui-ci. Leur objectif est de repenser le radicalisme à la lumière des nouvelles situations héritées de la guerre et ils lui proposent un programme de maintien de la paix grâce à une fédération européenne, une économie dirigée sous le contrôle de l'Etat, un Exécutif renforcé, à la grande épouvante des radicaux traditionnels. Groupe composite de jeunes intellectuels, le mouvement Jeune-Turc rassemble des partisans de l'union des gauches (comme le journaliste Jacques Kayser), des partisans de la concentration comme Emile Roche, principal animateur, ou des esprits non-conformistes comme Bertrand de Jouvenel.

Ce courant a son équivalent au sein du Parti socialiste avec l'effort doctrinal destiné à réactualiser le marxisme qui s'opère autour de l'étoile montante du parti, Marcel Déat. En 1930, celui-ci publie le résultat de ses réflexions dans un ouvrage *Perspectives socialistes* dans lequel il préconise un vaste rassemblement anticapitaliste réunissant la classe ouvrière et les classes moyennes pour la réalisation du socialisme par étapes. Pour y parvenir, rompant avec l'idée marxiste selon laquelle l'Etat est l'expression des intérêts de la classe dominante, il affirme que l'Etat est situé au-dessus des classes sociales et peut servir d'instrument de transformation de la société, à condition qu'il soit séparé du capitalisme grâce à une prise en main par les socialistes des leviers de commande. Dès lors, l'Etat pourrait exercer une pression sur les banques et les sociétés, pénétrer les conseils d'administration, préparant la socialisation du profit, prélude d'une future socialisation de la propriété. Idées qui vont soulever le très vif intérêt des jeunes intellectuels des nouvelles générations, mais vont faire l'objet au sein du Parti socialiste d'une condamnation sans appel de l'aile gauche guesdiste ou zyromskiste et du silence dédaigneux et désapprobateur de Léon Blum, qui se veut alors le défenseut intransigeant du marxisme.

Si les idées politiques et institutionnelles se taillent la part du lion dans ces réflexions nouvelles des années vingt, la pensée économique n'en est nullement absente. En 1928, la Librairie Valois publie le livre de Bertrand de Jouvenel, *L'Economie dirigée* qui préconise une intervention plus ou moins poussée de l'Etat dans la vie économique. L'Etat ferait un inventaire des ressources, favoriserait le développement des entreprises les plus rentables, pousserait à la constitution de cartels de vente qu'il contrôlerait, dirigerait le système de crédit. Cet Etat chef d'orchestre créerait ainsi les conditions les plus favorables au développement économique au bénéfice de la collectivité, sans toutefois gêner l'initiative privée qui demeurerait prépondérante.

Ce n'est pas sur l'Etat, mais sur les techniciens eux-mêmes que compte le *Redressement français,* déjà évoqué. Il entend les convertir aux méthodes américaines de salaires élevés favorisant une consommation de masse, à l'idée de parier sur des marchés en constante expansion pour y déverser une production toujours plus abondante et à moindre coût grâce aux méthodes de rationalisation à l'américaine. Champion de la concentration des entreprises, de la participation des experts au pouvoir politique et administratif, il est le porte-parole d'un saint-simonisme moderne, l'ancêtre de la technocratie.

Il faudrait enfin, pour être complet, noter la place que tient, dans ce bouillonnement intellectuel des années vingt, l'idée européenne. De la volonté de ne plus jamais revoir une guerre civile européenne aussi meurtrière que celle de 1914-1918 naît le souhait de construire une Europe confédérée, fondée sur le rapprochement franco-allemand et où pourrait, sur la confiance et l'amitié retrouvées, s'établir le désarmement, garantie d'une paix perpétuelle entre peuples rapprochés. Idées qui sont défendues par les publications des jeunes générations comme *Notre Temps, La Voix* ou l'hebdomadaire dirigé par Louise Weiss et où s'expriment les hommes du centre-gauche, champions de l'esprit de Genève, *L'Europe nouvelle.*

Au début des années trente, l'idéal européen va subir le choc du retour en force du nationalisme allemand. Une grande partie des idées neuves exprimées en cette fin des années vingt alors que la prospérité règne en Europe deviennent avec la crise dépassées ou obsolètes. Mais d'autres prennent, du fait même de la crise économique, une actualité renforcée. En fait, dans la fermentation intellectuelle qui naît après 1926, effet différé de la prise de conscience des mutations dues à la guerre, c'est un monde nouveau qui est en gestation et qui cherche à s'exprimer en formules neuves, encore mal cernées et mal articulées, traduisant une recherche tâtonnante et maladroite pour appréhender la France née de la guerre, bien différente de celle de cette «Belle Epoque» dont la nostalgie traverse la période et dont on conçoit alors seulement qu'elle ne reviendra jamais plus.

Les présidents de la République (1918-1932)

Raymond Poincaré	janvier 1913 - janvier 1920
Paul Deschanel	février - septembre 1920
Alexandre Millerand	septembre 1920 - juin 1924
Gaston Doumergue	juin 1924 - juin 1931
Paul Doumer	juin 1931 - mai 1932 (assassiné)
Albert Lebrun	(mai 1932 - juillet 1940)

Les présidents du Conseil (1918-1932)

Georges Clemenceau	novembre 1917 - janvier 1920
Alexandre Millerand	janvier - septembre 1920
Georges Leygues	septembre 1920 - janvier 1921
Aristide Briand (7e cabinet)	janvier 1921 - janvier 1922
Raymond Poincaré (2e et 3e cabinets)	janvier 1922 - juin 1924
François-Marsal	9-13 juin 1924
Edouard Herriot (1er cabinet)	juin 1924 - avril 1925
Paul Painlevé (2e et 3e cabinets)	avril - novembre 1925
Aristide Briand (8e, 9e, 10e cabinets)	novembre 1925 - juillet 1926
Edouard Herriot (2e cabinet)	19-22 juillet 1926
Raymond Poincaré (4e et 5e cabinets)	juillet 1926 - juillet 1929
Aristide Briand (11e cabinet)	juillet - novembre 1929
André Tardieu (1er cabinet)	novembre 1929 - février 1930
Camille Chautemps (1er cabinet)	21 février - 1er mars 1930
André Tardieu (2e cabinet)	mars - décembre 1930
Théodore Steeg	décembre 1930 - janvier 1931
Pierre Laval (1er, 2e et 3e cabinets)	janvier 1931 - février 1932
André Tardieu (3e cabinet)	février - juin 1932

Conclusion

En cette France de la fin des années vingt que nous venons de décrire coexistent et se chevauchent deux grandes tendances antagonistes.

D'une part, l'esprit public et les mentalités collectives se satisfont des apparences de la stabilité retrouvée. Le consensus politique de la «Belle Epoque» rétabli par Poincaré et que ses successeurs tentent de maintenir, le rétablissement du franc depuis 1926, la prospérité économique due à la croissance des secteurs moteurs de l'économie, l'aisance qui se répand dans une société où commencent à se faire sentir les effets de la modernisation, l'équilibre atteint dans les relations internationales grâce à la politique de conciliation et de rapprochement franco-allemand de Briand paraissent autant de preuves qu'après les souffrances de la guerre, la France est en train de connaître une nouvelle «Belle Epoque». Sans doute celle-ci n'efface-t-elle pas toutes les séquelles du traumatisme de la guerre, mais, même à un niveau moindre, esquisse le nouvel âge d'or auquel l'opinion aspirait si fort.

Par ailleurs, les années vingt sont aussi le moment où l'opinion commence à prendre conscience que les traces du conflit ne sauraient être cette ride légère sur un océan inchangé qui retrouverait après l'orage sa physionomie d'antan. Dans tous les domaines, la guerre a laissé ses marques. Non seulement dans la démographie où elle est la plus visible, mais aussi dans les mentalités et la culture où l'horreur du grand massacre signifie volonté ardente de paix et fuite hors d'un réel décevant pour chercher dans un ailleurs incertain le lieu d'une solution à la crise des valeurs humanistes. Mutation également des structures économiques que le gigantesque effort de production consenti pour la victoire a désormais équipées pour une production de masse à l'américaine, bouleversant le modèle de la petite entreprise si fortement ancré dans les habitudes nationales.

Et la société elle-même voit ses fondements ébranlés par la fin de la stabilité monétaire, la naissance des «nouveaux riches» ou la percée des nouveaux comportements de consommation de masse qui secouent des mentalités modelées depuis des siècles par la crainte de la pénurie. Il n'est pas jusqu'au système politique lui-même qui ne soit entraîné dans cette mutation profonde de structures. Remise en cause par l'autoritarisme des gouvernements de guerre, la démocratie libérale est, en outre, violemment contestée par les modèles rivaux du communisme ou du fascisme qui suscitent en France des imitateurs ou des disciples.

Mais l'effervescence qui, après 1926, accompagne tout à la fois la nouvelle stabilité en voie de consolidation et la transformation des structures, change de nature au début des années trente. Joyeuse et constructive à la fin des années vingt, elle se teinte de pessimisme au tournant de la décennie. C'est que le contexte économique et l'environnement international dans lesquels elles se développaient est en train de se modifier. Depuis la fin des années vingt, l'économie donne des signes d'essoufflement annonciateurs de la crise économique, qui fait clairement sentir ses effets dès 1930. La poussée en Allemagne du nationalisme, puis du national-socialisme rend caducs les projets de construction européenne élaborés autour de Briand. La remise en question des idées politiques bouleverse les valeurs sur lesquelles était fondé le régime républicain ... Sur une France en voie de modernisation s'amoncellent les nuages annonciateurs de la tempête qui va se lever et qui, deux décennies durant, jette le pays dans le temps des troubles.

Bibliographie sommaire

Ouvrages généraux

C. Ambrosi et A. Ambrosi, *La France, 1870-1981*, Paris, Masson, 1981.

J.-J. Becker et S. Berstein, *Victoire et frustrations (1914-1929)*, Paris, Seuil, 1990, tome 12 de la *Nouvelle Histoire de France contemporaine*.

F. Bédarida, J.-M. Mayeur, J.-L. Monneron, A. Prost, *Cent ans d'esprit républicain*, Tome V de l'*Histoire du peuple français*, Nouvelle Librairie de France, 1965.

G. et S. Berstein, *La Troisième République, les noms, les thèmes, les lieux*, Paris, M.A., 1987.

D. Borne et H. Dubief, *La crise des années trente (1929-1938)*, tome 13 de la *Nouvelle Histoire de la France contemporaine*, Paris, Seuil, 1989.

F. Caron, *La France des patriotes, 1851-1918*, Paris, Fayard, 1985.

J.-B. DUROSELLE, *La France et les Français, 1900-1914*, Paris, Ed. Richelieu, 1972.

J.-B. DUROSELLE, *La France et les Français, 1914-1920*, Paris, Ed. Richelieu, 1972.

Y. LEQUIN (sous la direction de), *Histoire des Français, XIXe-XXe siècle*, Paris, A. Colin, 3 vol., 1983-1984.

M. REBERIOUX, *La République radicale? (1898-1914)*, Paris, Seuil, 1975, tome 11 de la *Nouvelle Histoire de la France contemporaine*.

R. RÉMOND (avec la collaboration de J.-F. SIRINELLI), *Notre Siècle, 1918-1988*, Paris, Fayard, 1988.

Aspects économiques

J.-Ch. ASSELAIN, *Histoire économique de la France*, Paris, Seuil, 2 vol., 1984.

H. BONIN, *Histoire économique de la France depuis 1880*, Paris, Masson, 1988.

H. BONIN, *L'argent en France depuis 1880, banquiers, financiers, épargnants*, Paris, Masson, 1989.

F. BRAUDEL, E. LABROUSSE (sous la direction de), *Histoire économique et sociale de la France*, tome 4, 2 vol., Paris, PUF, 1980.

F. CARON, *Historique économique de la France (XIXe-XXe siècles)*, Paris, A. Colin, 1981.

J. NÉRÉ, *Les crises économiques du XIXe siècle*, Paris, A. Colin, 1989.

A. SAUVY, *Histoire économique de la France entre les deux guerres*, Paris, Fayard, 1965-1972, tomes 1 et 3.

Aspects sociaux

M. AGULHON (sous la direction de), *La ville de l'âge industriel. Le cycle haussmannien (1840-1940)*, Paris, Seuil, 1984.

Ph. ARIÈS, *Histoire des populations françaises*, Paris, Seuil, 1971.

P. BARRAL, *Les agrariens français de Méline à Pisani*, Paris, Colin, 1968.

M. BOUVIER-AJAM, *Histoire du travail en France depuis la Révolution*, Paris, Librairie générale de Droit et de Jurisprudence, 1969.

J. BRON, *Histoire du mouvement ouvrier français*, Paris, Les Editions ouvrières, 1968.

A. DEWERPE, *Le monde du travail en France, 1800-1950*, Paris, Colin, 1989.

E. DOLLEANS, *Histoire du mouvement ouvrier*, Paris, Colin, 1936-1953.

J. DUPÂQUIER (sous la direction de), *Histoire de la population française*, Paris, PUF, 1988, Tome 3, *De 1789 à 1914*, Tome 4, *De 1914 à nos jours*.

G. DUPEUX, *La société française, 1789-1970*, Paris, Colin, 1973.

A. FOURCAUT, *Bobigny, banlieue rouge*, Paris, Editions ouvrières - Presses de la FNSP, 1986.

N. GREEN, *Les travailleurs immigrés juifs à la Belle Epoque*, Paris, Fayard, 1985.

G. LEFRANC, *Histoire du mouvement ouvrier en France des origines à nos jours*, Paris, Montaigne, 1946.

G. LE MOIGNE, *L'immigration en France*, PUF («Que sais-je?»), 1986.

Y. LEQUIN (sous la direction de), *La mosaïque France. Histoire *des étrangers et de l'immigration en France*, Paris, Larousse, 1988.

P. MILZA et M. AMAR, *L'immigration en France de A à Z*, Paris, A. Colin, 1990.

A. MOULIN, *Les paysans dans la société française. De la Révolution à nos jours*, Paris, Seuil, 1988.

G. NOIRIEL, *Les ouvriers dans la société française, XIXe-XXe siècles*, Paris, Seuil, 1986.

G. NOIRIEL, *Le creuset français. Histoire de l'immigration, XIXe-XXe siècles*, Paris, Seuil, 1988.

M. PERROT, *Le mode de vie des familles bourgeoises*, Paris, 1961.

P. PIERRARD, *L'Eglise et les ouvriers en France*, Paris, Hachette, 1984.

P. SORLIN, *La Société française*, T. 1, *1840-1914*; T. 2, 1914-1968, Paris, Arthaud, 1969-1971.

E. WEBER, *La fin des terroirs. La modernisation de la France rurale*, Paris, Fayard, 1983.

Vie politique et forces politiques

J.-J. BECKER et S. BERSTEIN, *Histoire de l'anticommunisme en France*, T. 1, *1917-1940*, Paris, Olivier Orban, 1987.

J.-J. BECKER, *La France en guerre*, Bruxelles, Complexe, 1988.

S. BERSTEIN, *Histoire du parti radical*, Paris, Presses de la FNSP, 2 vol., 1980-1982.

G. et E. BONNEFOUS, *Histoire politique de la Troisième République*, Paris, PUF, 1960-1967, tomes 2, 3, 4, 5.

J.-P. BRUNET, *Histoire du PCF*, PUF («Que sais-je?»), 1982.

J.-P. BRUNET, *Histoire du socialisme en France (de 1871 à nos jours)*, Paris, PUF («Que sais-je?»), 1989.

J.-N. JEANNENEY, *Leçon d'histoire pour une gauche au pouvoir. La faillite du Cartel (1924-1926)*, Paris, Seuil, 1977.

J.-M. MAYEUR, *Des partis catholiques à la démocratie chrétienne (XIXe-XXe siècles)*, Paris, Colin, 1980.

J.-M. MAYEUR, *La vie politique sous la Troisième République (1870-1940)*, Paris, Seuil, 1984.

P. MILZA, *Fascisme français. Passé et présent*, Paris, Flammarion, 1987.

R. RÉMOND, *Les droites en France*, Paris, Aubier, 1982.

R. SOUCY, *Le fascisme français, 1924-1933*, Paris, PUF, 1989.

Z. STERNHELL, *Ni droite ni gauche. L'idéologie fasciste en France*, Paris, Seuil, 1983.

E. WEBER, *L'Action française*, Paris, Stock, 1964.

M. WINOCK, *La fièvre hexagonale. Les grandes crises politiques, 1871-1968*, Paris, Calmann-Lévy, 1986.

Aspects culturels

J. CHARPENTREAU et F. VERNILLAT, *La chanson française*, Paris, 1971.

A. COMPAGNON, *La Troisième République des Lettres, de Flaubert à Proust*, Paris, 1983.

J.-P. CRESPELLE, *Les maîtres de la Belle Epoque*, Paris, 1966.

M. CRUBELLIER, *Histoire culturelle de la France, XIXe-XXe siècles*, Paris, 1974.

G. DUBY et R. MANDROU, *Histoire de la civilisation française*, T. 2, *XVIIe-XXe siècle*, Paris, Colin, 1958.

G. DUMUR (sous la direction de), *Histoire des spectacles*, Paris, 1965.

R. DUVAL, *Histoire de la radio en France*, Paris, 1980.

R. GIRARDET, *Le nationalisme français, 1871-1914*, réédition Paris, Seuil, 1983.

J.-M. MAYEUR (sous la direction de), *L'Histoire religieuse de la France. Problèmes et méthodes*, Paris, 1975.

M. NADEAU, *Histoire du surréalisme*, Paris, rééd. 1970.

P. ORY, *Les expositions universelles de Paris*, Paris, 1982.

P. ORY, Chapitre 4 et 5 de l'*Histoire des Français, XIXe-XXe siècles*, sous la direction de Y. LEQUIN, Tome III, *Les citoyens et la démocratie*, Paris, Colin, 1984.

P. ORY et J.-F. SIRINELLI, *Les intellectuels en France, de l'Affaire Dreyfus à nos jours*, Paris, Colin, 1986.

J. OZOUF, *Nous les maîtres d'école. Autobiographies d'instituteurs de la Belle Epoque*, Paris, 1967.

M. RHEIMS, *La sculpture au XIXe siècle*, Paris, 1972.

G. SADOUL, *Le cinéma français*, Paris, 1962.

Aspects internationaux

J.-C. ALLAIN, *Agadir, 1911*, Paris, Publications de la Sorbonne, 1976.

D. ARTAUD, *La question des dettes interalliées et la reconstruction de l'Europe (1917-1929)*, Thèse multigraphiée, Université de Lille III, 1976.

J. BARIETY, *Les relations franco-allemandes après la première guerre mondiale, 1918-1924*, Paris, Pedone, 1977.

J.-J. BECKER, *1914, Comment les Français sont entrés dans la guerre*, Paris, Presses de la FNSP, 1977.

J. Bouvier, R. Girault & J. Thobie, *L'impérialisme à la française, 1914-1960*, Paris, La Découverte, 1986.

J.B. Duroselle, *Histoire diplomatique de 1919 à nos jours*, Paris, Dalloz, 10e édition, 1990.

J. Ganiage, *L'expansion coloniale de la France sous la IIIe République, 1871-1914*, Paris, 1968.

R. Girault, *Emprunts russes et investissements français en Russie, 1887-1914*, Paris, Colin, 1973.

R. Girault, *Diplomatie européenne et impérialismes, 1871-1914*, Paris, Masson, 1979.

R. Girault et R. Frank, *Turbulente Europe et nouveaux mondes, 1914-1941*, Paris, Masson, 1988.

J.-N. Jeanneney, *François de Wendel en République*, Paris, Seuil, 1976.

A. Kaspi, *Le temps des Américains, 1917-1919*, Paris, Publications de la Sorbonne, 1976.

P. Milza, *Les relations internationales de 1871 à 1914*, Paris, Colin, 1968.

P. Milza, *Français et Italiens à la fin du XIXe siècle*, Rome, Ecole française de Rome, 2 vol., 1981.

Y.-H. Nouailhat, *France et Etats-Unis, août 1914 - avril 1917*, Paris, Publications de la Sorbonne, 1979.

R. Poidevin, *Les relations économiques et financières entre la France et l'Allemagne de 1898 à 1914*, Paris, Pedone, 1969.

R. Poidevin et J. Bariety, *Les relations franco-allemandes, 1815-1975*, Paris, Colin, 1977.

G.-H. Soutou, *L'or et le sang. Les buts de guerre économiques de la Première Guerre mondiale*, Paris, Fayard, 1989.

M. Tacel, *La France dans le monde du XXe siècle*, Paris, Masson, 1989.

J. Thobie, *Intérêts et impérialisme français dans l'Empire ottoman (1895-1914)*, Paris, 1977.

Index

TABLE

collection tempus
Perrin

DÉJÀ PARU

1. *Histoire des femmes en Occident* (dir. Michelle Perrot, Georges Duby), *L'Antiquité* (dir. Pauline Schmitt Pantel).
2. *Histoire des femmes en Occident* (dir. Michelle Perrot, Georges Duby), *Le Moyen Âge* (dir. Christiane Klapisch-Zuber).
3. *Histoire des femmes en Occident* (dir. Michelle Perrot, Georges Duby), *XVIe-XVIIIe siècle* (dir. Natalie Zemon Davis, Arlette Farge).
4. *Histoire des femmes en Occident* (dir. Michelle Perrot, Georges Duby), *Le XIXe siècle* (dir. Michelle Perrot, Geneviève Fraisse).
5. *Histoire des femmes en Occident* (dir. Michelle Perrot, Georges Duby), *Le XXe siècle* (dir. Françoise Thébaud).
6. *L'épopée des croisades* – René Grousset.
7. *La bataille d'Alger* – Pierre Pellissier.
8. *Louis XIV* – Jean-Christian Petitfils.
9. *Les soldats de la Grande Armée* – Jean-Claude Damamme.
10. *Histoire de la Milice* – Pierre Giolitto.
11. *La régression démocratique* – Alain-Gérard Slama.
12. *La première croisade* – Jacques Heers.
13. *Histoire de l'armée française* – Philippe Masson.
14. *Histoire de Byzance* – John Julius Norwich.
15. *Les Chevaliers teutoniques* – Henry Bogdan.
16. *Mémoires, Les champs de braises* – Hélie de Saint Marc.
17. *Histoire des cathares* – Michel Roquebert.
18. *Franco* – Bartolomé Bennassar.
19. *Trois tentations dans l'Église* – Alain Besançon.
20. *Le monde d'Homère* – Pierre Vidal-Naquet.
21. *La guerre à l'Est* – August von Kageneck.
22. *Histoire du gaullisme* – Serge Berstein.
23. *Les Cent-Jours* – Dominique de Villepin.
24. *Nouvelle histoire de la France*, tome I – Jacques Marseille.
25. *Nouvelle histoire de la France*, tome II – Jacques Marseille.
26. *Histoire de la Restauration* – Emmanuel de Waresquiel et Benoît Yvert.
27. *La Grande Guerre des Français* – Jean-Baptiste Duroselle.
28. *Histoire de l'Italie* – Catherine Brice.
29. *La civilisation de l'Europe à la Renaissance* – John Hale.
30. *Histoire du Consulat et de l'Empire* – Jacques-Olivier Boudon.
31. *Les Templiers* – Laurent Daillez.
32. *Madame de Pompadour* – Évelyne Lever.

33. *La guerre en Indochine* – Georges Fleury.
34. *De Gaulle et Churchill* – François Kersaudy.
35. *Le passé d'une discorde* – Michel Abitbol.
36. *Louis XV* – François Bluche.
37. *Histoire de Vichy* – Jean-Paul Cointet.
38. *La bataille de Waterloo* – Jean-Claude Damamme.
39. *Pour comprendre la guerre d'Algérie* – Jacques Duquesne.
40. *Louis XI* – Jacques Heers.
41. *La bête du Gévaudan* – Michel Louis.
42. *Histoire de Versailles* – Jean-François Solnon.
43. *Voyager au Moyen Âge* – Jean Verdon.
44. *La Belle Époque* – Michel Winock.
45. *Les manuscrits de la mer Morte* – Michael Wise, Martin Abegg Jr. & Edward Cook.
46. *Histoire de l'éducation,* tome I – Michel Rouche.
47. *Histoire de l'éducation,* tome II – François Lebrun, Marc Venard, Jean Quéniart.
48. *Les derniers jours de Hitler* – Joachim Fest.
49. *Zita impératrice courage* – Jean Sévillia.
50. *Histoire de l'Allemagne* – Henry Bogdan.
51. *Lieutenant de panzers* – August von Kageneck.
52. *Les hommes de Dien Bien Phu* – Roger Bruge.
53. *Histoire des Français venus d'ailleurs* – Vincent Viet.
54. *La France qui tombe* – Nicolas Baverez.
55. *Histoire du climat* – Pascal Acot.
56. *Charles Quint* – Philippe Erlanger.
57. *Le terrorisme intellectuel* – Jean Sévillia.
58. *La place des bonnes* – Anne Martin-Fugier.
59. *Les grands jours de l'Europe* – Jean-Michel Gaillard.
60. *Georges Pompidou* – Éric Roussel.
61. *Les États-Unis d'aujourd'hui* – André Kaspi.
62. *Le masque de fer* – Jean-Christian Petitfils.
63. *Le voyage d'Italie* – Dominique Fernandez.
64. *1789, l'année sans pareille* – Michel Winock.
65. *Les Français du Jour J* – Georges Fleury.
66. *Padre Pio* – Yves Chiron.
67. *Naissance et mort des Empires.*
68. *Vichy 1940-1944* – Jean-Pierre Azéma, Olivier Wieviorka.
69. *L'Arabie Saoudite en guerre* – Antoine Basbous.
70. *Histoire de l'éducation,* tome III – Françoise Mayeur.
71. *Histoire de l'éducation,* tome IV – Antoine Prost.
72. *La bataille de la Marne* – Pierre Miquel.
73. *Les intellectuels en France* – Pascal Ory, Jean-François Sirinelli.
74. *Dictionnaire des pharaons* – Pascal Vernus, Jean Yoyotte.

75. *La Révolution américaine* – Bernard Cottret.
76. *Voyage dans l'Égypte des Pharaons* – Christian Jacq.
77. *Histoire de la Grande-Bretagne* – Roland Marx, Philippe Chassaigne.
78. *Histoire de la Hongrie* – Miklós Molnar.
79. *Chateaubriand* – Ghislain de Diesbach.
80. *La Libération de la France* – André Kaspi.
81. *L'empire des Plantagenêt* – Martin Aurell.
82. *La Révolution française* – Jean-Paul Bertaud.
83. *Les Vikings* – Régis Boyer.
84. *Examen de conscience* – August von Kageneck.
85. *1905, la séparation des Églises et de l'État.*
86. *Les femmes cathares* – Anne Brenon.
87. *L'Espagne musulmane* – André Clot.
88. *Verdi et son temps* – Pierre Milza.
89. *Sartre* – Denis Bertholet.
90. *L'avorton de Dieu* – Alain Decaux.
91. *La guerre des deux France* – Jacques Marseille.
92. *Honoré d'Estienne d'Orves* – Étienne de Montety.
93. *Gilles de Rais* – Jacques Heers.
94. *Laurent le Magnifique* – Jack Lang.
95. *Histoire de Venise* – Alvise Zorzi.
96. *Le malheur du siècle* – Alain Besançon.
97. *Fouquet* – Jean-Christian Petitfils.
98. *Sissi, impératrice d'Autriche* – Jean des Cars.
99. *Histoire des Tchèques et des Slovaques* – Antoine Marès.
100. *Marie Curie* – Laurent Lemire.
101. *Histoire des Espagnols,* tome I – Bartolomé Bennassar.
102. *Pie XII et la Seconde Guerre mondiale* – Pierre Blet.
103. *Histoire de Rome,* tome I – Marcel Le Glay.
104. *Histoire de Rome,* tome II – Marcel Le Glay.
105. *L'État bourguignon 1363-1477* – Bertrand Schnerb.
106. *L'Impératrice Joséphine* – Françoise Wagener.
107. *Histoire des Habsbourg* – Henry Bogdan.
108. *La Première Guerre mondiale* – John Keegan.
109. *Marguerite de Valois* – Éliane Viennot.
110. *La Bible arrachée aux sables* – Werner Keller.
111. *Le grand gaspillage* – Jacques Marseille.
112. *« Si je reviens comme je l'espère »: lettres du front et de l'Arrière, 1914-1918* – Marthe, Joseph, Lucien et Marcel Papillon.
113. *Le communisme* – Marc Lazar.
114. *La guerre et le vin* – Donald et Petie Kladstrup.
115. *Les chrétiens d'Allah* – Lucile et Bartolomé Bennassar.
116. *L'Égypte de Bonaparte* – Jean-Joël Brégeon.
117. *Les empires nomades* – Gérard Chaliand.

118. *La guerre de Trente Ans* – Henry Bogdan.
119. *La bataille de la Somme* – Alain Denizot.
120. *L'Église des premiers siècles* – Maurice Vallery-Radot.
121. *L'épopée cathare,* tome I, *L'invasion* – Michel Roquebert.
122. *L'homme européen* – Jorge Semprún, Dominique de Villepin.
123. *Mozart* – Pierre-Petit.
124. *La guerre de Crimée* – Alain Gouttman.
125. *Jésus et Marie-Madeleine* – Roland Hureaux.
126. *L'épopée cathare,* tome II, *Muret ou la dépossession* – Michel Roquebert.
127. *De la guerre* – Carl von Clausewitz.
128. *La fabrique d'une nation* – Claude Nicolet.
129. *Quand les catholiques étaient hors la loi* – Jean Sévillia.
130. *Dans le bunker de Hitler* – Bernd Freytag von Loringhoven et François d'Alançon.
131. *Marthe Robin* – Jean-Jacques Antier.
132. *Les empires normands d'Orient* – Pierre Aubé.
133. *La guerre d'Espagne* – Bartolomé Bennassar.
134. *Richelieu* – Philippe Erlanger.
135. *Les Mérovingiennes* – Roger-Xavier Lantéri.
136. *De Gaulle et Roosevelt* – François Kersaudy.
137. *Historiquement correct* – Jean Sévillia.
138. *L'actualité expliquée par l'Histoire.*
139. *Tuez-les tous! La guerre de religion à travers l'histoire* – Élie Barnavi, Anthony Rowley.
140. *Jean Moulin* – Jean-Pierre Azéma.
141. *Nouveau monde, vieille France* – Nicolas Baverez.
142. *L'Islam et la Raison* – Malek Chebel.
143. *La gauche en France* – Michel Winock.
144. *Malraux* – Curtis Cate.
145. *Une vie pour les autres. L'aventure du père Ceyrac* – Jérôme Cordelier.
146. *Albert Speer* – Joachim Fest.
147. *Du bon usage de la guerre civile en France* – Jacques Marseille.
148. *Raymond Aron* – Nicolas Baverez.
149. *Joyeux Noël* – Christian Carion.
150. *Frères de tranchées* – Marc Ferro.
151. *Histoire des croisades et du royaume franc de Jérusalem*, tome I, *1095-1130, L'anarchie musulmane* – René Grousset.
152. *Histoire des croisades et du royaume franc de Jérusalem*, tome II, *1131-1187, L'équilibre* – René Grousset.
153. *Histoire des croisades et du royaume franc de Jérusalem*, tome III, *1188-1291, L'anarchie franque* – René Grousset.
154. *Napoléon* – Luigi Mascilli Migliorini.
155. *Versailles, le chantier de Louis XIV* – Frédéric Tiberghien.

156. *Le siècle de saint Bernard et Abélard* – Jacques Verger, Jean Jolivet.
157. *Juifs et Arabes au XXe siècle* – Michel Abitbol.
158. *Par le sang versé. La Légion étrangère en Indochine* – Paul Bonnecarrère.
159. *Napoléon III* – Pierre Milza.
160. *Staline et son système* – Nicolas Werth.
161. *Que faire?* – Nicolas Baverez.
162. *Stratégie* – B. H. Liddell Hart.
163. *Les populismes* (dir. Jean-Pierre Rioux).
164. *De Gaulle, 1890-1945,* tome I – Éric Roussel.
165. *De Gaulle, 1946-1970,* tome II – Éric Roussel.
166. *La Vendée et la Révolution* – Jean-Clément Martin.
167. *Aristocrates et grands bourgeois* – Éric Mension-Rigau.
168. *La campagne d'Italie* – Jean-Christophe Notin.
169. *Lawrence d'Arabie* – Jacques Benoist-Méchin.
170. *Les douze Césars* – Régis F. Martin.
171. *L'épopée cathare,* tome III, *Le lys et la croix* – Michel Roquebert.
172. *L'épopée cathare,* tome IV, *Mourir à Montségur* – Michel Roquebert.
173. *Henri III* – Jean-François Solnon.
174. *Histoires des Antilles françaises* – Paul Butel.
175. *Rodolphe et les secrets de Mayerling* – Jean des Cars.
176. *Oradour, 10 juin 1944* – Sarah Farmer.
177. *Volontaires français sous l'uniforme allemand* – Pierre Giolitto.
178. *Chute et mort de Constantinople* – Jacques Heers.
179. *Nouvelle histoire de l'Homme* – Pascal Picq.
180. *L'écriture. Des hiéroglyphes au numérique.*
181. *C'était Versailles* – Alain Decaux.
182. *De Raspoutine à Poutine* – Vladimir Fedorovski.
183. *Histoire de l'esclavage aux États-Unis* – Claude Fohlen.
184. *Ces papes qui ont fait l'histoire* – Henri Tincq.
185. *Classes laborieuses et classes dangereuses* – Louis Chevalier.
186. *Les enfants soldats* – Alain Louyot.
187. *Premiers ministres et présidents du Conseil* – Benoît Yvert.
188. *Le massacre de Katyn* – Victor Zaslavsky.
189. *Enquête sur les apparitions de la Vierge* – Yves Chiron.
190. *L'épopée cathare,* tome V, *La fin des Amis de Dieu* – Michel Roquebert.
191. *Histoire de la diplomatie française,* tome I.
192. *Histoire de la diplomatie française,* tome II.
193. *Histoire de l'émigration* – Ghislain de Diesbach.
194. *Le monde des Ramsès* – Claire Lalouette.
195. *Bernadette Soubirous* – Anne Bernet.
196. *Cosa Nostra. La mafia sicilienne de 1860 à nos jours* – John Dickie.

197. *Les mensonges de l'Histoire* – Pierre Miquel.
198. *Les négriers en terres d'islam* – Jacques Heers.
199. *Nelson Mandela* – Jack Lang.
200. *Un monde de ressources rares* – Le Cercle des économistes et Érik Orsenna.
201. *L'histoire de l'univers et le sens de la création* – Claude Tresmontant.
202. *Ils étaient sept hommes en guerre* – Marc Ferro.
203. *Précis de l'art de la guerre* – Antoine-Henri Jomini.
204. *Comprendre les États-unis d'aujourd'hui* – André Kaspi.
205. *Tsahal* – Pierre Razoux.
206. *Pop philosophie* – Mehdi Belahj Kacem, Philippe Nassif.
207. *Le roman de Vienne* – Jean des Cars.
208. *Hélie de Saint Marc* – Laurent Beccaria.
209. *La dénazification* (dir. Marie-Bénédicte Vincent).
210. *La vie mondaine sous le nazisme* – Fabrice d'Almeida.
211. *Comment naissent les révolutions.*
212. *Comprendre la Chine d'aujourd'hui* – Jean-Luc Domenach.
213. *Le second Empire* – Pierre Miquel.
214. *Les papes en Avignon* – Dominique Paladilhe.
215. *Jean Jaurès* – Jean-Pierre Rioux.
216. *La Rome des Flaviens* – Catherine Salles.
217. *6 juin 44* – Jean-Pierre Azéma, Philippe Burrin, Robert O. Paxton.
218. *Eugénie, la dernière impératrice* – Jean des Cars.
219. *L'homme Robespierre* – Max Gallo.
220. *Les Barbaresques* – Jacques Heers.
221. *L'élection présidentielle en France, 1958-2007* – Michel Winock.
222. *Histoire de la Légion étrangère* – Georges Blond.
223. *1 000 ans de jeux Olympiques* – Moses I. Finley, H. W. Pleket.
224. *Quand les Alliés bombardaient la France* – Eddy Florentin.
225. *La crise des années 30 est devant nous* – François Lenglet.
226. *Le royaume wisigoth d'Occitanie* – Joël Schmidt.
227. *L'épuration sauvage* – Philippe Bourdrel.
228. *La révolution de la Croix* – Alain Decaux.
229. *Frédéric de Hohenstaufen* – Jacques Benoist-Méchin.
230. *Savants sous l'Occupation* – Nicolas Chevassus-au-Louis.
231. *Moralement correct* – Jean Sévillia.
232. *Claude Lévi-Strauss, le passeur de sens* – Marcel Hénaff.
233. *Le voyage d'automne* – François Dufay.
234. *Erbo, pilote de chasse* – August von Kageneck.
235. *L'éducation des filles en France au XIXe siècle* – Françoise Mayeur.
236. *Histoire des pays de l'Est* – Henry Bogdan.
237. *Les Capétiens* – François Menant, Hervé Martin, Bernard Merdrignac, Monique Chauvin.

238. *Le roi, l'empereur et le tsar* – Catrine Clay.
239. *Neanderthal* – Marylène Patou-Mathis.
240. *Judas, de l'Évangile à l'Holocauste* – Pierre-Emmanuel Dauzat.
241. *Le roman vrai de la crise financière* – Olivier Pastré, Jean-Marc Sylvestre.
242. *Comment l'Algérie devint française* – Georges Fleury.
243. *Le Moyen Âge, une imposture* – Jacques Heers.
244. *L'île aux cannibales* – Nicolas Werth.
245. *Policiers français sous l'Occupation* – Jean-Marc Berlière.
246. *Histoire secrète de l'Inquisition* – Peter Godman.
247. *La guerre des capitalismes aura lieu* – Le Cercle des économistes (dir. Jean-Hervé Lorenzi).
248. *Les guerres bâtardes* – Arnaud de La Grange, Jean-Marc Balencie.
249. *De la croix de fer à la potence* – August von Kageneck.
250. *Nous voulions tuer Hitler* – Philipp Freiherr von Boeselager.
251. *Le soleil noir de la puissance, 1796-1807* – Dominique de Villepin.
252. *L'aventure des Normands, VIIIe- XIIIe siècle* – François Neveux.
253. *La spectaculaire histoire des rois des Belges* – Patrick Roegiers.
254. *L'islam expliqué par* – Malek Chebel.
255. *Pour en finir avec Dieu* – Richard Dawkins.
256. *La troisième révolution américaine* – Jacques Mistral.
257. *Les dernières heures du libéralisme* – Christian Chavagneux.
258. *La Chine m'inquiète* – Jean-Luc Domenach.
259. *La religion cathare* – Michel Roquebert.
260. *Histoire de la France,* tome I, *1900-1930* – Serge Berstein, Pierre Milza.

À PARAÎTRE

Histoire de la France, tome II, *1930-1958* – Serge Berstein, Pierre Milza.
Histoire de la France, tome III, *1958 à nos jours* – Serge Berstein, Pierre Milza.
Les Grecs et nous – Marcel Detienne.
Deleuze – Alberto Gualandi.
Le réenchantement du monde – Michel Maffesoli.
Spinoza – André Scala.
Les Français au quotidien, 1939-1949 – Éric Alary, Bénédicte Vergez-Chaignon, Gilles Gauvin.
Teilhard de Chardin – Jacques Arnould.
Jeanne d'Arc – Colette Beaune.

Cet ouvrage a été imprimé en France par

à Saint-Amand-Montrond (Cher)
en janvier 2013
pour le compte des Editions Perrin
76, rue Bonaparte 75006 Paris

N° d'édition : 2473 – N° d'impression : 124689
Dépôt légal : février 2009
Suite du premier tirage : janvier 2013
K02935/05

1912 Pr

Poincaré

1913 - 1920 President

~~1920~~ 1922 - 1924 Prime Minist

1926 - 1929 Prime Minis

1924 - 1931 Gaston Doumergue

1924 - 1926 - Herriot Prime-Minister